médiascopie du vocabulaire anglais

Universités

Florent GUSDORF
Agrégé de l'Université

Du même auteur, chez le même éditeur

dans la série ***WORDS***

- ***WORDS médiascopie du vocabulaire anglais*** — 704 pages.
- ***WORDS Classes Préparatoires-H.E.C.*** — 416 pages.
- ***WORDS Terminales / Classes Préparatoires Scientifiques et Commerciales*** — 256 pages.
- ***WORDS Business*** — 304 pages.
- ***WORDS Communications*** — 240 pages.
- ***WORDS Techniques*** — 384 pages.
- ***WORDS Politics*** — 272 pages.
- ***WORDS Lycée*** — 216 pages.

EDITION MARKETING
EDITEUR DES PREPARATIONS
GRANDES ECOLES MEDECINE
32, rue Bargue 75015 PARIS

ISBN 2-7298-9388-1

AVERTISSEMENT

Words Universités est destiné aux étudiants du premier cycle de l'enseignement supérieur, qu'ils soient spécialistes ou non spécialistes de la langue anglaise. Il est conçu comme un outil de travail permettant une révision rapide et une mise à niveau pour tous ceux qui souhaitent rafraîchir ou enrichir leur vocabulaire. ***Words Universités*** permet également un apprentissage méthodique et systématique du vocabulaire anglais-français.

Fondé sur la lecture de la presse, ***Words Universités*** aborde les grands sujets de l'actualité, tels qu'ils sont traités dans les médias. En même temps, les mots les plus courants sont rappelés au fil des chapitres. La richesse et la modernité des thèmes (Société, Politique, Économie, Environnement) en font un outil vivant pour la compréhension et la maîtrise du vocabulaire de l'actualité. Une cinquième partie est consacrée à l'expression écrite et orale ainsi qu'au commentaire de texte. Des expressions utiles au commentaire de document (écrit, sonore, iconographique), des éléments de syntaxe portant sur la construction des verbes et des adjectifs ainsi que la liste des verbes irréguliers et celle des faux amis courants permettent d'assurer une plus grande maîtrise de la rédaction ou de la discussion, tout en renforcant les acquis lexicaux et culturels.

Words Universités permet à l'étudiant de développer de façon autonome n'importe quel sujet de société à l'écrit, tout comme il permet l'enrichissement du dialogue autour de documents sonores ou iconographiques. Chaque chapitre est conçu comme un tout ; chaque centre d'intérêt est organisé systématiquement : le mot est présenté dans le cadre d'une structure et d'un contexte précis afin de montrer les formes et les limites de son emploi. Un lexique anglais-français à la fin de l'ouvrage permet un repérage facile des thèmes-clés et facilite le développement aussi complet que possible de l'information, en fonction des besoins du lecteur francophone ou anglophone.

L'auteur a choisi dans le fonds lexical contemporain ce qui, à ses yeux, paraissait digne d'intérêt. L'ouvrage ne saurait donc être exhaustif, mais il offre néanmoins un large champ d'investigation de ce qui nourrit les colonnes de l'actualité. Cependant, les étudiants spécialistes soucieux d'élargir leurs connaissances, pourront se référer aux ouvrages parus chez le même éditeur et dans la même collection.

SOMMAIRE

TABLE DES MATIÈRES

I	SOCIETY	de 17 à 133

IV THE ENVIRONMENT de 203 à 220

V WRITTEN AND ORAL EXPRESSION de 221 à 252

I SOCIETY de 17 à 133

I

1 FAMILY — *LA FAMILLE*

I THE FAMILY CELL — *LA CELLULE FAMILIALE*

1 THE FAMILY — *LA FAMILLE*

a household	*un foyer*
dependants	*charges de famille*
the head of the family	*le chef de famille*
the father / the mother	*le père / la mère*
parental duties	*obligations parentales*
a husband	*un époux*
a wife	*une épouse*
a brother / a sister	*un frère / une sœur*
a relative	*un parent*
a cousin	*un cousin / une cousine*
a first cousin	*un cousin germain*
a niece / a nephew	*une nièce / un neveu*
an aunt / an uncle	*une tante / un oncle*
a grandmother	*une grand-mère*
a grandfather	*un grand-père*
the grandparents	*les grands-parents*
a son	*un fils*
a daughter	*une fille*
twins	*les jumeaux*
the in-laws	*la belle-famille*

2 MARRIAGE — *LE MARIAGE*

to cohabit	*cohabiter, vivre en concubinage*
a common-law marriage	*une union hors mariage, entre concubins*
a common-law wife	*une concubine*
to propose to sb	*demander en mariage*
engagement	*fiançailles*
to be engaged (to)	*être fiancé (à)*
to marry sb	*épouser qn.*
to get married with	*se marier avec*
a marriage agency	*une agence matrimoniale*
a dowry	*une dot*
a church wedding	*un mariage religieux*
the bride	*la mariée*
the bridegroom	*le marié*
the best man	*le garçon d'honneur*
a bridesmaid	*une demoiselle d'honneur*
the newly-weds	*les nouveaux mariés*
the married couple	*les époux*
a wedding	*les noces, la célébration d'un mariage*
a wedding ring	*une alliance*
a honeymoon	*une lune de miel*
an orphan	*un / une orphelin(e)*
to be orphaned	*devenir orphelin*
an orphanage	*un orphelinat*
a guardian	*un tuteur*
a widow	*une veuve*
a widower	*un veuf*
of protestant stock	*de souche protestante*
ancestry	*l'ascendance, les aïeux*
descent	*ascendance*
lineage	*la lignée*

3 DIVORCE — *LE DIVORCE*

to break up	*se briser*
a marriage breakdown	*une dissolution de mariage*
a broken marriage	*un mariage brisé*
a break-up	*une rupture*
to separate	*se séparer*
a trial separation	*une séparation à l'essai*
an amicable separation	*une séparation à l'amiable*
to walk out of	*quitter*
to get a divorce (from)	*divorcer (de)*
to get divorced	*divorcer*
to be divorced from	*être divorcé de*
a divorcee	*un / une divorcé(e)*
to sue for divorce	*entamer une procédure de divorce*
to lay down grounds for divorce	*établir des causes de divorce*
mental cruelty	*la cruauté mentale*
divorce for fault	*un divorce aux torts exclusifs*
a no-fault divorce	*un divorce aux torts partagés*
divorce by mutual agreement	*un divorce par consentement mutuel*
to deceive	*tromper*
to cheat on one's husband / wife	*tromper son mari / sa femme*
to commit adultery	*commettre l'adultère*
to desert	*abandonner*
desertion	*abandon*
to be estranged from one's wife	*se brouiller avec sa femme, être séparé de sa femme*
estrangement	*la désunion, la séparation*
to support a family / to provide for one's family	*subvenir aux besoins de sa famille*
to provide maintenance / to pay alimony	*verser une pension alimentaire*
to be entitled to	*avoir droit à*
to be well provided for	*être à l'abri du besoin*
to reach a settlement	*parvenir à un accord*
efforts at conciliations	*tentatives de conciliation*
to enforce payment	*obliger à payer*
to have a custody fight	*se disputer la garde*
custodianship	*le droit de garde des enfants*
guardianship	*la tutelle*
a guardian	*un tuteur*
to grant legal custody	*accorder la garde légale*
to be given custody	*se voir confier la garde*
to award custody	*attribuer la garde*

to be denied custody	*se voir refuser la garde*
to pay child support	*verser une pension pour les enfants*
a child abduction	*un enlèvement d'enfant*
a legal visit	*une visite légale*
to remarry	*se remarier*

4 THE SEXUAL REVOLUTION — *LA RÉVOLUTION SEXUELLE*

sexual revolt	*la révolte sexuelle*
a shift in attitudes	*un changement d'attitudes*
to have an affair	*avoir une liaison*
free love	*l'union libre*
trivialisation of sex	*la banalisation du sexe*
a one-night stand	*une connaissance d'un soir*
to live in sin	*vivre dans le péché*
to shack up with sb	*vivre à la colle avec qn.*
a romance	*une idylle*
to court / to woo	*courtiser*
a commitment	*un engagement*
faithful	*fidèle*

II THE GENERATION GAP — *LE CONFLIT DES GÉNÉRATIONS*

1 THE YOUNGER GENERATION — *LA JEUNE GÉNÉRATION*

the young	*les jeunes*
a youngster	*un jeune*
young / youthful	*jeune*
the youth	*la jeunesse*
a youth	*les jeunes*
to be in	*être à la mode*
to be in tune with one's times	*être branché*
non-conformist	*non conformiste*
carefree	*indifférent*
to be independent-minded	*avoir un esprit d'indépendance*
to have a mind of one's own / to be outspoken	*avoir son franc-parler*
spirited	*fougueux*
boisterous	*turbulent*
demure	*réservé*
naughty / mean	*méchant*
vicious	*pervers*
to share values with	*partager des valeurs avec*

2 TEENAGE — *L'ADOLESCENCE*

a teenager	*un adolescent*
teenage	*adolescent*
to be in one's teens	*être adolescent*
a baby boomer	*qui est né après la Seconde Guerre mondiale (génération 1946-1964)*
mature	*mûr*
to be immature	*manquer de maturité*
manhood	*l'âge d'homme*
a volatile stage	*une période difficile*
to come of age	*devenir majeur*
a minor	*un mineur*
to be under age	*être mineur*
to grow up	*grandir*
the grown ups	*les adultes*
a mood	*une humeur*
moody	*lunatique*
fickle	*inconstant*
a problem child	*un caractériel*
to withdraw into oneself	*se renfermer*
to withdraw into one's shell	*se refermer dans sa coquille*
uncommunicative	*qui ne se livre pas*
to be left to one's own devices	*être livré à soi-même*
to confide in	*se confier à*
to trust	*faire confiance à*
trustful	*confiant*
distrustful	*méfiant*
psychological disturbances	*troubles psychologiques*
to be emotional	*être émotif*
devious	*pervers*
cynical	*cynique*
irksome	*irritable*
touchy	*susceptible*
idle / idleness	*oisif / oisiveté*
apathetic	*apathique*
boredom	*ennui*
to get bored	*s'ennuyer*
to feel lonely	*se sentir seul*
to feel miserable	*avoir des idées noires*
to cut a sorry figure	*faire triste figure*
to be a good mixer	*être sociable*
to sulk	*bouder*
sulky / sulkiness	*maussade / la bouderie*
sullen / sullenness	*morose / la morosité*
forlorn	*maussade*
to have the blues	*avoir le cafard*
to feel blue	*broyer du noir*
ill-tempered	*de mauvaise humeur*
an outburst of temper	*un mouvement d'humeur*
a fit of temper	*un accès de colère*
to be temperamental	*être d'humeur instable*
to have a quick temper	*être soupe au lait*
grumpy	*grognon*
materialistic	*matérialiste*
impractical	*qui manque de réalisme*
to seek an escape from	*chercher à échapper à*
a role model	*un modèle de personnalité*
the awkward age	*l'âge ingrat*
awkward	*gauche*
self-consciousness	*embarras*
gawky	*godiche*
graceless	*sans grâce*
puberty	*la puberté*
a growth spurt	*une crise de croissance*
pimples	*boutons*
a skin condition	*un problème de peau*
to be obsessed with one's self	*être obsédé par son moi*

self assurance	*la confiance en soi*
self assured	*sûr de soi*
cool	*flegmatique*
to brag about / to boast of	*se vanter de*
a braggart	*un hâbleur*
to show off	*s'afficher*
to swagger	*crâner*
self-centered	*égocentrique*
narcissistic	*narcissique*
a fad (for)	*un engouement (pour)*
a chum / a buddy	*un copain / un pote*
to hang around	*traînasser*
to consort with	*fréquenter*
friendship	*l'amitié*
to make friends with	*se lier d'amitié avec*
to get along with	*s'entendre avec*
a close friend / a bosom friend	*un(e) ami(e) intime*
to party	*sortir*
to give a party	*donner une soirée*
to have fun	*s'amuser*
to have a good time	*bien s'amuser*
to laze about	*paresser*
to loaf about	*traîner*
to drop out of school	*abandonner ses études*
to underachieve	*ne pas donner toute sa mesure*
the onset of sexual maturation	*l'approche de la maturité sexuelle*
sexual drive	*pulsions sexuelles*
to feel attracted to	*être séduit par*
to become infatuated with	*s'enticher de*
to be in love with	*être amoureux de*
to be mad about	*être fou de*
to be smitten with	*être fou amoureux de*
to have a crush on	*en pincer pour (fam.)*
emotional turmoil	*émoi passionnel*
to experience sex	*faire ses premières expériences sexuelles*
to have a date with	*avoir un rendez-vous / sortir avec*
to date	*fréquenter*
to go steady with sb	*sortir avec qn.*
to have intercourse	*avoir des rapports sexuels*
to yield to	*céder à*
to be immune to	*être à l'abri de*
alcohol	*l'alcool*
booze	*la boisson*
drugs	*la drogue*
an addiction to	*une dépendance pour*
to take drugs	*se droguer*
delinquency	*la délinquance*
a delinquent	*un délinquant*
to vent one's frustrations	*laisser libre cours à ses frustrations*
youth culture	*la culture des jeunes*

3 THE OLDER GENERATION — *LES AÎNÉS*

the older generation	*la génération précédente*
the elders	*les aînés*
the square generation	*les "ringards"*
narrow-minded	*étroit d'esprit*
broad-minded	*large d'esprit*
old-fashioned	*vieux jeu*
an old fogey	*un vieux ringard*
strict	*sévère*
harsh on	*dur envers*
strait-laced	*collet monté*
to find fault with	*trouver à redire*
tiresome	*fatiguant*
stuffy	*coincé*

4 PARENT-CHILDREN RELATIONSHIPS — *LES RELATIONS PARENTS-ENFANTS*

the generation gap	*le fossé des générations*
to bridge a gap	*combler un fossé*
to widen a gap	*élargir un fossé*
to be on good terms with	*être en bons termes avec*
to get on well with	*s'entendre bien avec*
to see eye to eye with	*voir les choses du même œil*
to have opposite viewpoints	*avoir des points de vue divergents*
to have an argument with	*se disputer avec*
to be at loggerheads with / to be at odds with	*être en désaccord avec*
a squabble	*une prise de bec*
to squabble	*se chamailler*
to quarrel / a quarrel	*se quereller / une querelle*
a row	*une dispute*
to clash with	*se heurter à*
to rebel against	*se rebeller contre*
a rebel / rebellious	*un rebelle / rebelle*
to reject values	*rejeter les valeurs*
to stand up to	*résister à, tenir tête à*
to answer back	*être impertinent*
to disobey	*désobéir à*
disobedient	*désobéissant*
unruly	*indiscipliné*
to be wild	*faire les 400 coups*
ill-bred / ill-mannered	*mal élevé*
cheeky	*insolent*
rude	*grossier*
to annoy	*énerver*
to run away from home	*fuguer*
a runaway	*un fugueur*
to be under the thumb of	*être sous la coupe de*
to be under the sway of	*être sous la domination de*
to lecture	*sermonner*
to boss about	*mener au doigt et à la baguette*
respectful	*respectueux*
disrespectful	*irrespectueux*
to obey / obedient	*obéir à / obéissant*
to comply with	*se plier à*
compliant	*souple*
authoritarian	*autoritaire*
to bow to authority	*plier devant l'autorité*
bothersome	*ennuyeux*
interfering	*importun*
to pamper	*choyer*
to dote on	*raffoler de*
to spoil	*gâter*
rotten	*pourri*
to mother	*materner*
to coddle	*câliner*
affectionate	*affectueux*
caring	*plein d'attention*
lenient / leniency	*indulgent / l'indulgence*
tolerant	*tolérant*
easygoing	*accommodant*
permissive	*laxiste*
permissiveness	*le laxisme*

III DOMESTIC VIOLENCE *LA VIOLENCE DOMESTIQUE*

to punish sb for	*punir qn. pour*
punishment	*une punition*
to spank	*fesser*
a spanking	*une fessée*
to discipline	*discipliner*
to rule with an iron hand	*diriger d'une main de fer*
to cane	*punir à coups de canne*
to belt	*frapper à coups de ceinture*
to keep in line	*faire marcher à la baguette*
to scold / to tell off / to upbraid	*gronder*
child abuse / battering	*mauvais traitements à enfant*
to bully	*brutaliser*
to ill-treat	*maltraiter*
to beat	*battre*
to hit	*frapper*
to neglect	*négliger*
to abandon	*abandonner*
to corrupt	*corrompre*
to abuse a child	*maltraiter un enfant*
to molest	*se livrer à des voies de fait*
child molestation	*brutalités à enfants, attentats à la pudeur*
to assault	*exercer des violences*
carnal knowledge (of)	*rapports charnels (avec)*
a taboo act	*un acte tabou*
incest	*l'inceste*
to traumatise	*traumatiser*
to be put into care	*faire l'objet d'une décision de placement*
a child-protection agency	*un service de protection de l'enfance*
a battered child	*un enfant martyr*
a battered wife	*une femme battue*
a wife batterer	*un mari violent*
to rape / a rape	*violer / un viol*
a rapist	*un violeur*

2 WOMAN *LA FEMME*

I A WOMAN'S BURDEN *LE FARDEAU DE LA FEMME*

1 CHILDREN *LES ENFANTS*

motherhood	*la maternité*
fatherhood	*la paternité*
a diaper	*une couche-culotte*
nappies	*couches*
a baby carriage	*une poussette*
to dedicate oneself to	*se consacrer à*
to devote oneself to	*se dévouer pour / à*
to bring up / to rear / to raise a child	*élever un enfant*
to educate	*éduquer*
child-rearing	*l'éducation des enfants*
upbringing	*l'éducation*
childless	*sans enfant*
barren	*stérile*
to be single	*être célibataire*
unmarried	*célibataire*
an unwed mother	*une mère célibataire*
a bachelor	*un célibataire*

2 HOMEMAKER *LA FÉE DU LOGIS*

home life	*la vie de famille*
a household	*un foyer*
a housewife	*une femme d'intérieur, une ménagère*
a home executive	*une maîtresse de maison*
to set down domestic rules	*établir les règles domestiques*
to make a home	*avoir un foyer*
to run a home	*gérer un foyer*
to control the purse strings	*tenir les cordons de la bourse*
to keep house	*tenir la maison*
to keep the home spick and span	*tenir une maison impeccable*
to keep one's husband happy	*rendre son mari heureux*
a household chore	*une corvée domestique*
dull / monotonous	*monotone*
repetitive	*répétitif*
thankless / unrewarding	*ingrat*
meaningless	*dénué de signification*
a household task	*une tâche ménagère*
drudgery	*le travail ingrat*
to prepare the meals	*préparer les repas*
to cook	*faire la cuisine*
cooking	*la cuisine*
a good cook	*un cordon bleu*
to boil	*faire bouillir, bouillir*
to grill	*faire griller*
to bake	*faire cuire au four*
to roast	*rôtir*
to fry	*(faire) frire*
to do the house	*faire le ménage*
to tidy	*ranger*
tidy	*en ordre*
to make one's bed	*faire son lit*
to sweep	*balayer*
to polish	*cirer, lustrer*
to go shopping / to run errands	*faire les courses*
a home appliance	*un appareil ménager*
a kitchen aid	*un robot ménager*
a utensil	*un ustensile*
an electric cooker	*une cuisinière électrique*
a gas oven	*une cuisinière à gaz*
a burner	*un feu, un brûleur*
a ring	*une plaque électrique*
a hot plate	*une plaque de cuisson*

a saucepan	*une casserole*
a frying pan	*une poêle*
a pressure cooker	*une cocotte-minute, un autocuiseur*
a kettle	*une bouilloire*
a toaster	*un grille-pain*
a can opener	*un ouvre-boîte*
a sink	*un évier*
a tap	*un robinet*
a washing machine	*un lave-linge*
a dishwasher	*un lave-vaisselle*
a dryer	*un sèche-linge*
to do the washing	*faire la lessive*
a wash	*une lessive*
to do the dishes / to wash up	*faire la vaisselle*
a vacuum cleaner	*un aspirateur*
to vacuum	*aspirer*
a polisher	*une cireuse*
a refrigerator	*un réfrigérateur*
a freezer	*un congélateur*
a microwave oven	*un four à micro-ondes*
an iron	*un fer à repasser*
rubbish / garbage	*ordures*
a dustbin / a garbage can	*une poubelle*

II WOMAN'S LIBERATION — *LA LIBÉRATION DE LA FEMME*

to reject a stereotype	*rejeter un stéréotype*
frail	*frêle*
sweet	*douce*
irresponsible	*irresponsable*
dependent on	*aux crochets de*
to depend on	*dépendre de*
an inborn difference	*une différence innée*
unfit for	*inapte à*
inexperienced	*inexpérimenté*
home-bound	*casanier*
to darn	*repriser*
to sew	*coudre*
to knit	*tricoter*
to lack authority	*manquer d'autorité*
demeaning work	*le travail avilissant*
degrading	*dégradant*
to be confined to	*être réduit à*
to be tied to the sink	*être coincé à la maison*
to be tied by the children	*être pris par les enfants*
to be trapped at home	*être prisonnier de sa maison*
a reproductive role	*un rôle reproducteur*
to be kept by	*être entretenu par*
a low status job	*un emploi sans prestige*
depreciated	*dévalorisé*
dissatisfaction	*insatisfaction*
to be dissatisfied with	*être insatisfait de*
frustrated	*frustré*
bitter	*amer*
a feminist	*une féministe*
female activism	*le féminisme*
the women's liberation movement	*le mouvement de libération de la femme*
women's lib	*le M.L.F.*
a women's liberationist / a libber	*une militante féministe*
male chauvinism	*le sexisme, la phallocratie*
a male chauvinist	*un phallocrate*
a chauvinist pig	*un sale phallocrate (fam.)*
a patriarchal society	*une société patriarcale*
emancipation	*émancipation*
to emancipate	*émanciper*
to ask for equal treatment	*demander à être traité de la même façon*
to free women from	*libérer les femmes de*

III WOMAN AT WORK — *LA FEMME AU TRAVAIL*

1 DISCRIMINATION — *LA DISCRIMINATION*

sex discrimination	*la discrimination sexuelle*
sex-based attitudes	*attitudes sexistes*
the Equal Pay Act	*la loi sur l'égalité des salaires*
to secure justice for	*assurer les droits de*
to get equal pay	*obtenir un salaire égal*
a salary gap	*un écart de salaires*
to close a gap / to fill a gap	*combler un écart*
salary disparities	*inégalités de salaires*
a male preserve	*une chasse gardée des hommes*
to harass	*harceler*
harassment	*le harcèlement*
a job-market	*un marché de l'emploi*
to be judged unfit for	*être considéré comme inapte à*
a career goal	*un objectif de carrière*
to set different standards	*instituer des critères différents*
to remove barriers	*supprimer les barrières*

2 HIRING WOMEN — *L'EMBAUCHE DES FEMMES*

to hire	*embaucher*
to recruit	*recruter*
to tap	*exploiter, utiliser*
a pool of skills	*une réserve de talent*
to promote	*promouvoir*
to further goals	*encourager les objectifs*
to fill jobs (with)	*pourvoir des postes (à l'aide de)*
to clear a hurdle	*franchir un obstacle*
to prove eligible for	*se montrer capable de*
to overcome objections	*surmonter les objections*
to take over jobs	*prendre la relève*
to penetrate a job market	*pénétrer un marché de l'emploi*
to battle bias	*lutter contre les préjugés*
to come to terms with	*finir par accepter*
to overturn a belief	*faire mentir une idée*
to compete with men (for)	*rivaliser avec les hommes*
to earn the respect of	*gagner le respect de*

3 A WOMAN'S CAREER — *LA CARRIÈRE D'UNE FEMME*

female employment	*l'emploi féminin*
a career woman	*une femme qui fait carrière*
careerist	*carriériste*
to aspire to a career	*aspirer à un métier*
to take up a career	*embrasser une carrière*
to pursue a career	*poursuivre une carrière*
to put one's career first	*donner la priorité à sa carrière*
a career path / a career track	*une voie professionnelle*
to advance through the ranks	*être promu*
the lower ranks	*le bas de l'échelle*
the middle ranks	*les échelons intermédiaires*
to rise from the bottom of the economic scale	*partir du bas de l'échelle économique*
to make a move / to change jobs	*changer d'emploi*
to strike out on one's own	*se lancer seul*
self-fulfillment / the unfolding of the self	*l'épanouissement*
to increase one's disposable income	*augmenter le revenu disponible*
to achieve financial independence	*réaliser l'indépendance financière*
a working mother	*une mère qui travaille*
to work two jobs	*avoir un double métier*
to fit babies around employment	*travailler tout en ayant des enfants*
a dual career couple / a dual income couple	*un couple où les deux travaillent*
to work separate shifts	*travailler à des postes / horaires différents*
a work schedule	*un horaire de travail*
a flexible schedule	*un horaire flexible*
flextime	*l'horaire à la carte*
a work-at-home program	*un système de travail à domicile*
an expendable career	*un emploi superflu*
a rewarding career	*un métier gratifiant*
to fulfil a family obligation	*remplir une obligation familiale*
parental leave	*le congé parental*
to take time off after the birth	*prendre un congé post-natal*
to guarantee reinstatement	*garantir la réintégration*
to be torn between	*être partagé entre*
to resume work / to get out into the workplace	*se remettre à travailler*
a nanny	*une nourrice*
a nursery	*une pouponnière, une crèche*
a workplace nursery / on-site care	*une crèche sur le lieu de travail*
a day-care center	*une garderie*
to hold top jobs	*occuper de hauts postes*
to achieve top jobs	*parvenir à de hautes responsabilités*
to move into a position of authority / to be in a decision-making position	*occuper un poste à responsabilité*
to climb the corporate ladder	*gravir les échelons dans l'entreprise*
to fight one's way to the top / to struggle to the top	*se battre pour arriver au sommet*
to join top management	*rejoindre l'équipe dirigeante*
to call the shots	*prendre les décisions*
the pinnacle	*le faîte*
high-ranking	*haut placé*
to head	*être à la tête de*
to be equal to the job	*être à la hauteur de la tâche*

IV WOMAN AND POLITICS — *LA FEMME EN POLITIQUE*

a woman candidate	*une femme candidat*
political power	*le pouvoir politique*
political life	*la vie politique*
to take part in	*participer à*
political appointment	*la désignation à un poste politique*
a Cabinet appointment	*une nomination ministérielle*
a petticoat government	*un gouvernement en jupons*
public office	*fonctions électives*
to run for public office	*être candidat à un poste électif*
a woman / female office holder	*une titulaire d'un poste*
to balance a ticket	*équilibrer une liste électorale*
to put a woman on a ticket	*désigner une femme sur une liste*
to be electable	*être éligible*
sensitive on issues	*sensible aux problèmes*
a steadying influence on	*une influence apaisante sur*
well qualified	*tout à fait qualifié*
seasoned	*expérimenté*
to stand to gain by	*avoir tout à gagner en / à*
to enhance the chances	*accroître les chances*
the balance of power	*l'équilibre des pouvoirs*
tokenism	*un geste politique symbolique*
a perfunctory role	*un rôle de pure forme*
gender balance	*l'équilibre entre les sexes*
to outshine	*être plus brillant que*
to outsmart	*être plus intelligent que*
a political gimmick	*un artifice politique*

3 BIRTH — *LA NAISSANCE*

1 GENERAL BACKGROUND — *GÉNÉRALITÉS*

pregnancy / childbearing / confinement	*la grossesse*
a pregnancy test	*un test de grossesse*
to be pregnant	*être enceinte*
to become pregnant	*tomber enceinte*
to be four months pregnant	*être enceinte de quatre mois*
an unwanted pregnancy	*une grossesse non désirée*
to abort a pregnancy	*avorter*
to expect a child	*attendre un enfant*
expectant	*enceinte*
to bear a child	*porter un enfant*
to postpone childbearing	*différer une grossesse*
child tax allowances	*allocations familiales*
a birth	*une naissance*
to give birth to	*donner naissance à*
a childbirth	*un accouchement*
a birth certificate	*un extrait de naissance*
a birthplace	*un lieu de naissance*
a birthdate	*une date de naissance*
a birthday	*un anniversaire*
the birthrate	*le taux de natalité*
a delivery	*un accouchement*
a miscarriage	*une fausse couche*
to miscarry	*faire une fausse couche*
to deliver a baby	*accoucher*
to be delivered of a daughter	*accoucher d'une fille*
a Caesarian section	*une césarienne*
at term	*à terme*
premature	*prématuré*
a maternity ward	*une maternité*
labour pains	*douleurs de l'accouchement*
travail	*l'enfantement*
a midwife	*une sage-femme*
an obstetrician	*un médecin-accoucheur*
the umbilical cord	*le cordon ombilical*
a newborn	*un nouveau-né*
an infant / a nursling	*un nourrisson*
prenatal care	*soins prénatals*
to breastfeed	*allaiter*
breast milk	*le lait maternel*
a baby bottle	*un biberon*
baby formula	*le lait maternisé*
legitimate / illegitimate	*légitime / naturel*
to be born out of wedlock	*être un enfant naturel*
an out-of-wedlock child	*un enfant illégitime*
paternity	*la paternité*
to father a child	*être le père d'un enfant*
a baby batterer	*un bourreau d'enfants*
to adopt	*adopter*
to give up a child for adoption	*confier un enfant pour l'adoption*
an adoption agency	*une agence d'adoption*
an adoption order	*un jugement d'adoption*
fostering	*le placement dans un foyer nourricier*
fosterage	*adoption*
a foster home / a foster family	*un foyer nourricier*
to be in care	*être placé*
a social worker	*une assistante sociale*
to take away	*ôter*
to take back	*reprendre*
a step parent	*un père / une mère par alliance*

2 SEXUAL EDUCATION — *L'ÉDUCATION SEXUELLE*

a sexually transmissible disease (STD)	*une maladie sexuellement transmissible (MST)*
a venereal disease (VD)	*une maladie vénérienne*
to lose one's virginity	*perdre sa virginité*
to be a virgin	*être vierge*
to have sexual intercourse	*avoir des rapports sexuels*
to seek contraception	*chercher un moyen de contraception*
to get sb on birth control	*prescrire la pilule à qn.*
a sex education curriculum	*un cours d'éducation sexuelle*
family planning services	*les services de planisme familial*
planned parenthood	*la régulation des naissances*
to demystify	*démystifier*
to fall prey to unwanted pregnancies	*être victime de grossesses non désirées*
to abstain from / to refrain from	*s'abstenir de*
to encourage chastity	*encourager la chasteté*

3 TEENAGE PREGNANCY — *LA GROSSESSE DES ADOLESCENTES*

a teen mother	*une mère adolescente*
to hide one's pregnancy from	*cacher sa grossesse à*
to be born to a single mother	*être né de mère célibataire*
a fatherless home	*un foyer sans père*
to experience emotional problems	*rencontrer des problèmes affectifs*
to fill a void in life	*combler un vide existentiel*
a poverty-related problem	*un problème lié à la pauvreté*
a drop out	*qui abandonne ses études*

to drop out of school	*abandonner ses études*
to struggle to raise	*élever difficilement*
to be on welfare	*être assisté*
to receive public assistance	*recevoir l'aide publique*
to feel locked into one's station in life	*être bloqué pour le reste de sa vie*
to resign oneself to	*se résigner à*
to be resentful of an unborn child	*en vouloir à son enfant qui va naître*
to impose lasting hardships	*imposer des privations durables*
to be born premature	*naître avant terme*
a low-weight baby	*un bébé de petit poids*
undersized	*trop petit*
ailing	*de santé fragile*
handicapped	*handicapé*
mental problems	*troubles psychiatriques*
developmental problems	*troubles du développement*
to be emotionally disturbed	*souffrir de troubles affectifs*

4 BIRTH CONTROL — *LA LIMITATION DES NAISSANCES*

conception	*la conception*
to conceive a child	*concevoir un enfant*
the inception of pregnancy	*le début de la grossesse*
fertilization	*la fertilisation*
ovulation	*ovulation*
semen	*le sperme*
the menstrual cycle	*le cycle menstruel*
to menstruate / to have one's period	*avoir ses règles*
to miss one's period	*ne pas avoir ses règles*
the uterus / the womb	*l'utérus*
an ovary	*un ovaire*
a contraceptive device	*un moyen de contraception*
safe sex	*relations sexuelles sans danger*
a condom	*un préservatif*
to go unprotected	*être sans protection*
a birth control pill	*une pilule contraceptive*
to be on the pill	*prendre la pilule*
an oral contraceptive	*un contraceptif oral*
a morning after pill	*une pilule du lendemain*
the abortion pill	*la pilule abortive*
a cervical cap / a diaphragm	*un diaphragme*
a spermicide	*un spermicide*
an intrauterine device (IUD) / a coil / a loop	*un stérilet*
tubal sterilization	*la ligature des trompes*
to sterilize	*stériliser*
to have one's tubes tied	*se faire ligaturer les trompes*
a hysterectomy	*une hystérectomie*
an ovariectomy	*une ovariectomie*
a vasectomy	*une vasectomie*

5 FECUNDATION — *LA FÉCONDATION*

to fertilize	*fertiliser*
to stimulate fertility	*stimuler la fertilité*
to take fertility drugs	*traiter la stérilité*
barren / barrenness	*stérile / la stérilité*
a hormone stimulant	*un stimulant hormonal*
an abnormality	*une malformation*
an ovum / ova	*un ovule / ovules*
a spermatozoon / spermatozoa	*un spermatozoïde / spermatozoïdes*
a reproductive technique	*une technique de reproduction*
to inseminate	*inséminer*
artificial insemination (AI)	*insémination artificielle (IA)*
in vitro fertilization (IVF)	*la fécondation in vitro (FIV)*
egg / sperm donation	*le don d'œufs / de sperme*
to donate	*faire don de*
a donor	*un donateur*
artificial insemination by donor (AID)	*insémination artificielle par donneur (IAD)*
a sperm bank	*une banque du sperme*
an embryo	*un embryon*
an embryo transfer (ET)	*un transfert d'embryon (TE)*
an embryo experiment	*une expérience d'embryon*
to split an embryo	*diviser un embryon*
to freeze an embryo	*geler un embryon*
to implant an embryo in a womb	*implanter un embryon dans un utérus*
a test tube baby	*un bébé éprouvette*
cloning	*le clonage*
a clone / to clone	*un clone / cloner*
eugenics	*l'eugénisme*
genetics	*la génétique*

6 SURROGATE MOTHERHOOD — *LA MATERNITÉ DE SUBSTITUTION*

a surrogate mother	*une mère porteuse*
to hire a mother	*louer les services d'une mère*
to rent a uterus	*louer un utérus*
a surrogacy battle	*un conflit juridique (portant sur les droits de procréation)*
to conceive by artificial insemination	*concevoir par insémination artificielle*
to bear a child on behalf of	*porter un enfant pour le compte de*
to bear a child for payment	*porter un enfant moyennant finances*
to commission a baby	*commander un bébé*

to pay a fee	*payer les frais*
to raise legal issues	*soulever des problèmes juridiques*
an ethical problem	*un problème moral*
to interfere with nature	*aller à l'encontre de la nature*
to bypass the normal act	*éviter l'acte naturel*
to be born in a natural family	*naître dans une famille naturelle*
a biological father / mother	*un père / une mère biologique*

4 OLD AGE — *LA VIEILLESSE*

I AGEING — *VIEILLIR*

1 THE OLD PEOPLE — *LES PERSONNES ÂGÉES*

the aged citizens	*les personnes âgées*
the senior citizens / the third age	*le troisième âge*
the elderly	*les personnes d'un certain âge*
elderly	*d'un certain âge*
the 60-year-olds	*les sexagénaires*
the silver generation	*la génération vermeille*
middle age	*l'âge mûr*
middle-aged	*d'âge mûr*
to get old / to grow old / to age	*vieillir*
to get on in years	*prendre de l'âge*
well on in years	*d'un âge avancé*
advanced in years	*âgé*
to grow younger	*rajeunir*
to be past one's prime	*ne plus être de la première jeunesse*
to have one foot in the grave	*avoir un pied dans la tombe*
life expectancy	*l'espérance de vie*
the life span	*la durée de la vie*

2 THE WEAR AND TEAR OF AGE — *L'USURE DE L'ÂGE*

the scourge of old age	*le fléau de la vieillesse*
a wrinkle / wrinkled	*une ride / ridé*
to go grey	*grisonner*
to turn white	*blanchir*
hoary	*blanchi*
to dye	*teindre*
frail	*frêle*
declining	*sur le déclin*
to wither	*se faner*
to shrivel	*se ratatiner*
to wane	*décroître*
to fade	*péricliter*
to fail / to flag / to weaken	*s'affaiblir*
to lose one's strength	*perdre ses forces*
to lose one's faculties	*perdre ses facultés*
senile	*sénile*
disability	*invalidité*
to be disabled	*être invalide / impotent*
the disabilities of old age	*les infirmités de la vieillesse*
a disability pension	*une pension d'invalidité*
to go gaga	*devenir sénile*
to dote	*être gâteux*
to be in one's second childhood	*retomber en enfance*
to suffer mental impairment	*souffrir de troubles mentaux*
cranky	*grincheux, revêche, acariâtre*
crankiness	*le caractère revêche*
nursing care	*soins aux vieillards*
to be bed-ridden	*être grabataire*
to be housebound	*être confiné chez soi*
geriatrics	*la gériatrie*
a geriatric clinic	*une clinique gériatrique*
a gerontologist	*un gérontologue*
a nursing home	*une maison de retraite*
a home for the aged	*une maison du troisième âge*
to be in the care of	*être soigné par*
to require special care	*exiger des soins particuliers*
to need 24-hour nursing	*nécessiter des soins permanents*
outside care	*soins à l'extérieur*

II RETIREMENT — *LA RETRAITE*

to retire	*prendre sa retraite*
to retire sb	*mettre qn. à la retraite*
a retiree	*un(e) retraité(e)*
the pension eligibility age	*l'âge de la retraite*
to be of pensionable age	*avoir l'âge de la retraite*
mandatory retirement age	*l'âge obligatoire de la retraite*
to move the retirement age from . . . to . . .	*ramener l'âge de la retraite de... à...*
to postpone retirement	*retarder le moment de la retraite*
voluntary retirement	*une retraite volontaire*
to take early retirement	*prendre une retraite anticipée*
involuntary retirement	*une retraite forcée*
a pension	*une retraite*
to collect a pension / to draw a pension	*toucher une pension*
an old-age pension	*une pension de vieillesse*
a retirement pension	*une pension civile*
a pensioner	*un(e) retraité(e)*
to sweeten a pension with	*rendre une retraite plus attrayante par*

Social Security (USA)	*la pension de retraite*
to go on Social Security	*prendre sa retraite*
to draw benefits	*toucher une allocation*
a recipient	*un bénéficiaire*
to be eligible for a pension	*avoir droit à la retraite*
semi-retirement	*une semi-retraite*
an incentive to	*une incitation à*
to make room for	*laisser la place à*
to ease into retirement	*pousser progressivement à la retraite*
to leave the workforce / to cease employment	*cesser son activité*
to stay on at work	*poursuivre son activité*
to get rid of one's older workers	*se débarrasser de ses employés âgés*
to shake one's older workers out	*se défaire de ses employés âgés*
to be a burden to	*être un fardeau pour*
to care for an ailing parent	*prendre soin d'un parent malade*
to support	*supporter le coût*
a dependent parent	*un parent à sa charge*
to have a few savings tucked away	*avoir quelques économies de côté*
to gobble up one's savings	*engloutir ses économies*
to draw out one's savings	*vider son compte d'épargne*
to eke out one's pension (by)	*suppléer à sa retraite (en)*
to supplement one's income	*arrondir ses revenus*
to live frugally	*vivre de peu*
to hire back	*réembaucher*
to provide temporary staff	*fournir une main d'œuvre temporaire*
to cushion the drop in one's income	*amortir la chute de ses revenus*

III OLD AGE AND LEISURE *VIEILLESSE ET LOISIR*

idle / idleness	*oisif / oisiveté*
spare time / free time	*le temps libre*
to fill one's spare time	*occuper son temps libre*
leisure time	*le loisir*
leisure occupations	*loisirs, distractions*
to have time on one's hands	*avoir du temps devant soi*
a sunbelt	*les États méridionaux, le sud*
to plan for old age	*préparer sa retraite*
to take to travelling	*se mettre à voyager*
to be busy in charitable work	*s'occuper d'œuvres charitables*
a university for the third age	*une université du troisième âge*
to be full of go	*être plein d'énergie*
free of health problems	*sans souci de santé*
to engage in some form of exercise	*faire de l'exercice*
to stay mentally engaged	*rester actif intellectuellement*
to have a positive outlook on life	*voir le bon côté de l'existence*
to cultivate new interests	*poursuivre de nouveaux intérêts*
the silver industry	*l'industrie du troisième âge*
a growing market	*un marché en expansion*
to cater to	*pourvoir aux besoins de*
to tap a market	*exploiter un marché*
silver leisure services	*loisirs pour le troisième âge*
dietetic services	*services de diététique*
home service delivery	*livraisons à domicile*
"wellness" products	*produits de bien-être*
anti-aging creams	*crèmes de jouvence*
political clout	*la force politique*
to court the grey vote	*courtiser le vote des personnes âgées*
a grey lobby	*un lobby du troisième âge*

IV DEATH *LA MORT*

to die (of) / to pass away / to die of	*mourir (de)*
to be dead	*être mort*
the dead	*les morts*
to die from	*mourir des suites de*
the demise of	*la mort de*
the death rate	*le taux de mortalité*
a death certificate	*un certificat de décès*
late	*feu, défunt*
a morgue	*une morgue, un institut médico-légal*
a mortuary	*un dépôt mortuaire*
a mortician (USA) / an undertaker (UK)	*un entrepreneur de pompes funèbres*
a funeral home	*une entreprise de pompes funèbres*
to be cremated	*être incinéré*
a funeral urn	*une urne funéraire / cinéraire*
ashes	*cendres*
a wake	*une veillée funèbre*
a body	*un corps*
a corpse	*un cadavre*
a shroud	*un linceul*
a coffin / a casket	*un cercueil*
to bury	*enterrer*
a burial	*un enterrement*
a funeral	*les funérailles, un enterrement*
a hearse	*un fourgon funéraire*
a wreath	*une couronne mortuaire*
a grave	*une tombe*
a tombstone / a gravestone	*une pierre tombale*
a churchyard / a cemetery	*un cimetière*
mourning	*le deuil*
to go into mourning	*prendre le deuil*
to attend a funeral	*assister aux funérailles*
a funeral procession	*un convoi funéraire*
a book of condolences	*un registre des condoléances*
to deliver a eulogy	*faire le panégyrique*
to lie in state	*être exposé solennellement*
to stand in a moment of a silent tribute	*respecter une minute de silence*
a solicitor	*un notaire*

a will	*un testament*
to make a will	*exprimer sa volonté par testament*
to draw up a will	*rédiger un testament*
void	*nul*
an estate	*une masse successorale*
to leave a large estate	*laisser un gros héritage*
to die intestate	*mourir sans laisser de testament*
to inherit sth from sb	*hériter (de) qch. de qn.*
a legacy	*un legs, un héritage*
to bequeath	*léguer (des biens immobiliers)*
inheritance	*succession, héritage*
to come into an inheritance	*faire un héritage*
an heir (to)	*un héritier (de)*
an heiress	*une héritière*
an heirloom	*un héritage*
to fall heir to	*hériter de*
to have a claim (to)	*avoir droit (à)*
death duties / death taxes (USA)	*droits de succession*

5 DAILY LIFE — *LA VIE QUOTIDIENNE*

I WEAR — *L'HABILLEMENT*

1 FASHION — *LA MODE*

fashionable / in	*à la mode*
trendy	*(du) dernier cri*
old-fashioned	*démodé*
to come back into fashion	*revenir à la mode*
a trend	*une tendance, une mode*
a craze (for)	*un engouement (pour)*
a fashion house	*une maison de couture*
fashion design	*la haute couture*
a fashion designer	*un (grand) couturier*
a dress designer	*un(e) dessinateur / -trice de mode*
dress-making	*la couture*
a tailor	*un tailleur*
a milliner	*une modiste*
a fashion show	*un défilé de mode*
a model	*un mannequin*
to model clothes	*présenter des modèles de collection*
an accessory	*un accessoire*

2 FABRICS — *LES TISSUS*

material	*le tissu, l'étoffe*
cloth	*étoffe*
cotton	*le coton*
hemp	*le chanvre*
jute	*le jute*
linen	*le lin (toile)*
nylon	*le nylon*
silk	*la soie*
synthetic fibres	*textiles synthétiques*
velvet	*le velours*
wool	*la laine*
woollens	*lainages*
a pattern	*un motif*
fine / coarse	*fin / grossier*
strong	*résistant*
fast color	*grand teint*
printed	*imprimé*
to dye	*teindre*
to adorn	*orner*
lace	*la dentelle*
embroidery	*la broderie*
a ribbon	*un ruban*
a frill	*un volant*

3 GETTING DRESSED — *S'HABILLER*

to put on one's clothes / to dress	*s'habiller*
to take off one's clothes / to undress	*se déshabiller*
to be dressed for	*être en tenue de*
to dress up	*se mettre en grande tenue, se déguiser*
to dress casually	*s'habiller normalement*
to dress well	*s'habiller avec goût*
to dress for dinner	*se mettre en tenue de soirée, se mettre en smoking*
to be dressed up to the nines / to be decked in one's Sunday best	*être sur son trente et un*
to be dressed fit to kill	*être sapé à mort (fam.)*
to have taste	*avoir du goût*
to lack taste	*manquer de goût*
tasteful	*de bon goût*
to wear	*porter*
to try on	*essayer*
to slip on	*enfiler*
to fit	*être à la taille, aller*
to match	*assortir*
a size	*une taille*
loose / tight	*lâche / serré*
smart / dressy / stylish / posh	*élégant, chic*
untidy / slovenly-looking	*débraillé*
to shrink	*rétrécir*
to crumple / to crease	*(se) froisser*
to brush	*brosser*
to fold	*plier*
to hang	*suspendre*
neatly	*avec soin*
a coat-hanger	*un cintre*
a spot / a stain	*une tache*
soiled	*taché*
wear and tear	*usure*
worn out	*usé*
threadbare	*élimé*
shabby	*miteux*
rags / tatters	*loques, haillons*
ragged / tattered	*en haillons*

4 CLOTHES — *LES HABITS*

4.1 GENERAL BACKGROUND — *GÉNÉRALITÉS*

clothes	*vêtements*
apparel (USA)	*habillement*
a garment	*un vêtement*
ready-made / ready to wear clothes	*le prêt-à-porter*
underclothes / underwear (USA)	*sous-vêtements*
a coat	*un manteau*
a furrier	*un fourreur*
fur	*la fourrure*
mink	*le vison*
a raincoat / a mackintosh / a mac	*un imperméable*
an overcoat	*un pardessus*
a cloak	*une cape*
a dressing gown	*une robe de chambre*
an overall	*une blouse de travail*
an apron	*un tablier*
a sweater / a jumper	*un pullover*
a turtleneck pull over	*un pull à col roulé*
a polo-necked jersey	*un polo*
a cap	*une casquette*
a hat	*un chapeau*
a bowler's hat	*un chapeau melon*
a felt hat	*un feutre*
a top hat	*un chapeau haut-de-forme*
a straw hat	*un chapeau de paille*
a muffler	*un cache-nez*
a scarf / scarves	*une écharpe / écharpes*
a shawl	*un châle*
a shirt	*une chemise*
a dress shirt	*une chemise de soirée*
a sleeve	*une manche*
a collar	*un col*
a T-shirt	*un T-shirt*
pajamas / pyjamas	*un pyjama*
a bathing suit / a swim suit	*un maillot de bain*
a topless swimsuit	*un maillot seins nus*
a handkerchief	*un mouchoir*
a glove	*un gant*
mittens	*moufles*
a hood	*une cagoule*
a balaclava	*un passe-montagne*
a sock	*une chaussette*

4.2 WOMEN'S WEAR — *LE RAYON DAMES*

a dress	*une robe*
an evening dress / an evening gown	*une robe du soir*
a wedding dress	*une robe de mariée*
low-necked	*décolleté*
a skirt	*une jupe*
a divided skirt / culotte(s)	*une jupe-culotte*
a pencil / straight skirt	*une jupe étroite*
a pleated skirt	*une jupe plissée*
a full skirt	*une jupe ample*
a suit	*un tailleur*
a blouse	*un chemisier*
a slip	*une combinaison*
a pettycoat	*un jupon*
tights	*collants*
stockings	*bas*
pants / panties	*un slip*
a bra / a brassiere	*un soutien-gorge*
a nightdress	*une chemise de nuit*

4.3 MEN'S WEAR — *LE RAYON HOMMES*

a suit	*un complet*
a dress suit	*une tenue de soirée*
a dinner jacket / a tuxedo	*un smoking*
a formal dress	*un habit de soirée*
a track suit	*un survêtement*
a (pair) of trousers	*un pantalon*
a fly	*une braguette*
a jacket	*une veste*
single / double-breasted	*droit / croisé*
a lapel	*un revers*
a waistcoat / a vest (USA)	*un gilet*
a tie / a necktie	*une cravate*
to tie	*nouer*
a bow tie	*un nœud papillon*
an undershirt	*un gilet de corps*
briefs / jockey shorts	*un slip, un caleçon*

5 ACCESSORIES — *LES ACCESSOIRES*

braces / suspenders	*bretelles*
a cuff	*une manchette*
cuff-links	*boutons de manchette*
a purse	*un porte-monnaie, un sac à main (USA)*
a handbag	*un sac à main*
a wallet / a billfold	*un portefeuille*
a card-holder	*un porte-cartes*
a belt	*une ceinture*
a walking stick	*une canne*
an umbrella	*un parapluie*
an attaché-case	*un porte-documents*
a briefcase	*une serviette*
slippers	*pantoufles, chaussons*

6 AT THE DRESSMAKER'S — *CHEZ LA COUTURIÈRE*

a dressmaker / a seamstress	*une couturière*
dressmaking / sewing / needlework	*la couture*
a haberdasher	*une mercière*
a paper pattern	*un patron*
to sew	*coudre*
a sewing machine	*une machine à coudre*
a needle	*une aiguille*
to knit	*tricoter*
a thimble	*un dé à coudre*
a thread	*un fil*
a stitch	*un point*
a pair of scissors	*une paire de ciseaux*
a pin	*une épingle*
a press-stud	*un bouton pression*
a button	*un bouton*
to button up	*boutonner*
to hook up	*agrafer*
a buttonhole	*une boutonnière*
a zipper	*une fermeture éclair*
to zip up	*remonter la fermeture éclair*
a seam	*une couture*
lining	*la doublure*
to tear	*déchirer*

to tear a hole in	*faire un accroc à*
to tear to shreds	*mettre en lambeaux*
to mend	*raccommoder*
to darn	*repriser*
a leather patch	*une pièce en cuir*
patched	*rapiécé*
to shorten / to lengthen	*raccourcir / rallonger*
a mothball	*une boule de naphtaline*

7 DOING ONE'S LAUNDRY — *LA LESSIVE*

a laundromat	*une laverie automatique*
a utility room / a laundry-room	*une buanderie*
a laundry chute	*un vide-linge*
a washing machine	*un lave-linge*
a clothes dryer	*un sèche-linge*
to wash one's clothes	*faire sa lessive*
a wash	*une machine (linge)*
it will / won't wash	*lavable / non lavable*
detergent	*la lessive*
washing powder	*la poudre à laver*
a water softener	*un adoucissant*
a clothesline	*une corde à linge*
a clothespin	*une pince à linge*
the (French) cleaner	*le teinturier*
to take to the cleaner's	*donner au teinturier*
to press / to iron	*repasser*
an iron	*un fer à repasser*
an ironing board	*une table à repasser*

II SERVICES AND SHOPS — *SERVICES ET COMMERÇANTS*

1 AT THE GROCER'S — *CHEZ L'ÉPICIER*

a grocery store	*une épicerie*
a delicatessen / a deli	*une épicerie fine, une charcuterie*
a caterer	*un traiteur*
foodstuffs	*denrées alimentaires*
preserves	*conserves*
canned food	*boîtes de conserve*
to can	*mettre en conserve*
pasta	*pâtes*
noodles	*nouilles*
spaghetti	*spaghetti*
rice	*le riz*
frozen food	*aliments surgelés*
cocoa	*le cacao*
vegetable oil	*huile végétale*
vinegar	*le vinaigre*
salad dressing	*la vinaigrette*
garlic	*ail*
mustard	*la moutarde*
a lump of sugar	*un morceau de sucre*
brown sugar	*le sucre de canne*
caster sugar	*le sucre semoule*
lump sugar	*le sucre en morceaux*
maple syrup	*le sirop d'érable*
a sweetener	*une sucrette*
honey	*le miel*
seasoning	*assaisonnement, condiments*
spices	*épices*
salt / pepper	*le sel / le poivre*
cinammon	*la cannelle*
dairy products	*produits laitiers*
butter	*le beurre*
margarine	*la margarine*
cheese	*le fromage*
a cheesecake	*un flan*
whole milk	*le lait entier*
cranberry sauce	*la sauce aux airelles*
steak sauce / BBQ sauce	*la sauce pour viande*
chili	*la sauce épicée*

2 AT THE BAKER'S — *CHEZ LE BOULANGER*

a bakery	*une boulangerie*
a confectioner / a pastrycook	*un pâtissier*
a confectioner / a candy store (USA)	*un confiseur*
an ice-cream maker	*un glacier*
brown bread	*le pain bis*
farmhouse bread	*le pain de campagne*
gingerbread	*le pain d'épices*
rye bread	*le pain de seigle*
unleavened bread	*le pain azyme*
French bread	*le pain perdu*
English loaf	*le pain de mie*
fresh / stale bread	*le pain frais / rassis*
a slice of bread	*une tranche de pain*
a loaf	*une miche*
a cottage loaf	*une brioche*
a baguette	*une baguette*
flour	*la farine*
leaven	*le levain*
dough / pastry	*la pâte*
crust	*la croûte*
a crumb	*une miette*
a pie / a flan	*une tarte*
a custard tart	*un flan*
a tart	*une tourte*
a puff	*un chou*
a pancake	*une crêpe*
ice-cream	*la glace*
sherbet / sorbet	*le sorbet*
a cone	*un cornet*
a flavour	*un parfum*
custard	*la crème anglaise*
a sweet / a candy (USA)	*un bonbon*
a lollipop	*une sucette, un sucre d'orge*
fudge / toffee	*le caramel*
a jellybean	*une boule de gomme*

3 AT THE BUTCHER'S — *CHEZ LE BOUCHER*

a pork butcher	*un charcutier*
meat	*la viande*
horsemeat	*le cheval*
beef	*le bœuf*
mutton	*le mouton*
veal	*le veau*
lamb	*l'agneau*
pork	*le porc*
bacon	*le lard*
ham	*le jambon*

sausage	*la saucisse*
black pudding	*le boudin*
tripe	*tripes*
a leg of lamb	*un gigot, un cuisseau, une gîte*
a veal cutlet	*une côtelette de veau*
a mutton chop	*une côtelette de mouton*
a tenderloin	*un filet de bœuf*
prime cuts	*morceaux de choix*
coarse cuts	*bas morceaux*
offal	*abats*
sirloin	*le faux filet, l'aloyau*
a T-bone steak	*un bifteck d'aloyau*
minced steak	*le bifteck haché*
ground beef	*le steak haché*
a roast	*un rôti*
a stew	*un pot-au-feu*
a casserole	*un pot-au-feu, un ragoût*
tender / tough	*tendre / dur*
to carve the meat	*découper la viande*
a carving knife	*un couteau à découper*
poultry	*la volaille*
chicken	*le poulet*
a turkey	*une dinde*
game	*le gibier*

4 AT THE FISHMONGER'S — *CHEZ LE POISSONNIER*

a fish pond	*un vivier*
a fishtank	*un aquarium*
a fish market	*un marché aux poissons*
fish fingers / fish patties / fish squares	*le poisson pané (surgelé)*
bass	*le bar, la perche, le loup*
cod	*le cabillaud*
haddock	*l'églefin*
hake	*le colin*
pike	*le brochet*
sole	*la sole*
salmon	*le saumon*
trout	*la truite*
salting	*la salaison*
smoking	*le fumage*
a fillet	*un filet*
seafood	*fruits de mer*
shellfish	*coquillages*
an oyster	*une huître*
an oyster farm	*une exploitation ostréicole*
a clam	*une praire, une palourde*
squid	*le calamar*
a crab	*un crabe*
a lobster	*un homard*
a prawn / a shrimp	*une crevette rose / grise*
a scallop	*un pétoncle*
a great scallop	*une coquille Saint-Jacques*

5 AT THE COBBLER'S — *CHEZ LE CORDONNIER*

a shoemaker / a shoeshop / a shoe repair's shop	*un cordonnier, un chausseur*
shoe repairs / shoe repairing	*la coordonnerie*
a shoe	*une chaussure, un soulier*
to put on one's shoes	*mettre ses chaussures*
a shoetree	*un embauchoir*
high heels	*chaussures à talon*
sneakers	*chaussures de sport*
a boot	*une botte*
a sandal	*une sandale*
canvas shoes	*espadrilles*
a clog	*un sabot*
the sole	*la semelle*
to resole	*ressemeler*
to polish / to shine	*cirer*
shoe polish	*le cirage*
the heel	*le talon*
shoelaces / shoestring	*lacets de chaussures*
size	*la pointure*

6 AT THE HAIRDRESSER'S — *CHEZ LE COIFFEUR*

hair	*cheveux / chevelure*
hairs	*poils*
a hair stylist	*un coiffeur / une coiffeuse*
hairdressing / hairstyle	*la coiffure*
to do one's hair	*se coiffer*
to have one's hair done	*se faire coiffer*
red / fair / blond	*roux / clair / blond*
chestnut hair	*cheveux châtains*
brown / dark	*brun / foncé*
straight / wavy hair	*cheveux raides / ondulés*
curly hair	*cheveux frisés / bouclés*
an afro	*cheveux crépus*
a hair-do / a hair-set	*une mise en plis*
a haircut	*une coupe de cheveu*
a set	*une mise en plis*
a blow dry	*un brushing*
to blow dry sb's hair	*faire un brushing à qn.*
a perm	*une permanente*
to bleach	*décolorer*
a bang	*une frange*
a ponytail	*une queue de cheval*
the parting	*la raie*
a bun	*un chignon*
a plait	*une natte*
a moustache	*une moustache*
a goatee	*un bouc*
a beard	*une barbe*
to shave	*raser*
to have a trim	*se faire rafraîchir*
a trim	*une coupe d'entretien*
to have one's hair dyed	*se faire teindre les cheveux*
a shampoo	*un shampoing*
a hair dryer	*un sèche-cheveux*
to brush	*(se) brosser*
a hairbrush	*une brosse à cheveu*
to comb	*se peigner*
a comb	*un peigne*
bald / hairless	*chauve*
baldness	*la calvitie*
greying hair	*cheveux grisonnants*
to turn grey	*grisonner*
dandruff	*pellicules*

7 AT THE BEAUTY PARLOUR — *À L'INSTITUT DE BEAUTÉ*

beauty care	*la cosmétologie*
toiletries	*articles de toilette*
cosmetics	*produits de beauté*
to make up	*se maquiller*
lipstick	*le rouge à lèvres*
face powder	*la poudre de riz*

a compact	*un poudrier*
to rouge one's cheeks	*se farder les joues*
a foundation cream	*un fond de teint*
eye shadow	*ombre à paupières*
a nail file	*une lime à ongles*
nail varnish	*le vernis à ongles*
nail varnish remover	*le dissolvant*
cotton swabs	*coton-tiges*
toilet soap	*savon parfumé*
a cleansing cream	*une crème démaquillante*
perfume / scent / perfume spray	*le parfum*
toilet water / cologne	*eau de toilette*
deodorant	*le déodorant*
hair spray	*la laque*
cosmetic surgery	*la chirurgie esthétique*
a facelift	*un lifting*
a wrinkle	*une ride*

8 AT THE JEWELLER'S — *CHEZ LE BIJOUTIER*

jewelry	*bijoux*
to wear jewels	*porter des bijoux*
costume jewelry	*bijoux de fantaisie*
a ring	*une bague*
a wedding ring / band	*une alliance*
a signet ring	*une chevalière*
a necklace	*un collier*
a bracelet	*un bracelet*
an earring	*une boucle d'oreille*
a brooch	*une broche*
a pendant	*un pendentif*
a diamond	*un diamant*
an emerald	*une émeraude*
a ruby	*un rubis*
a sapphire	*un saphir*
to set	*sertir*
a gem	*une pierre précieuse*
a pearl	*une perle*
cultured / natural pearl	*perle de culture / fine*
a string of pearls	*une rangée de perles*
gold plated	*plaqué or*
a wristwatch	*une montre bracelet*

9 MISCELLANEOUS — *DIVERS*

a shop / a store (USA)	*un magasin*
a hardware shop	*une droguerie*
a druggist	*un pharmacien*
a cleansing product	*un produit d'entretien*
a stain remover	*un détachant*
a florist	*un fleuriste*
a tobacconist	*un buraliste*
an ash tray	*un cendrier*
a stationer / a stationary store	*une papeterie*
a bookstore	*une librairie*
a card store	*un magasin de cartes*
a souvenir store	*un magasin de souvenirs*
a toy store	*un magasin de jouets*
a record store	*un disquaire*
a videostore	*un magasin de cassettes vidéo*
a store window	*une vitrine*
to window-shop	*faire du lèche-vitrines*

III THE HOUSE — *LA MAISON*

1 CIVIL ENGINEERING — *LE GÉNIE CIVIL*

to have a house built	*se faire construire une maison*
a property developer	*un promoteur immobilier*
home ownership	*l'accession à la propriété*
a civil engineer	*un ingénieur des travaux publics*
an architect	*un architecte*
architecture	*l'architecture*
a blueprint	*une épure*
design	*la conception*
engineering drawing	*le dessin industriel*
a sketch	*un croquis*
dimensions	*cotes*
a construction drawing	*un plan d'exécution*
to draw a plan	*tracer un plan*
a key plan	*un plan d'ensemble*
a layout plan	*un plan d'implantation*
a square meter	*un mètre carré*
a general contractor	*un entrepreneur de travaux publics*
the prime contractor / an engineer for the works	*le maître d'œuvre*
a contracting firm	*une entreprise de TP*
to cost	*faire un devis*
technical specifications	*le devis*
the work schedule	*le calendrier des travaux*
construction time	*le délai de construction*
completion date	*la date d'achèvement*
to dig the foundations	*creuser les fondations*
to level	*niveler*
level	*le niveau*
amenities	*aménagements*
well appointed	*bien aménagé*
disposition / arrangement	*aménagement intérieur*
roomy	*spacieux*
snug / cosy	*douillet*
inhabited / uninhabited	*habité / inhabité*
luxurious	*luxueux*
running water	*eau courante*
an interior designer	*un décorateur ensemblier*
a partition	*une cloison*
a wing	*une aile*
a swimming pool	*une piscine*
an indoor pool	*une piscine intérieure*
a yard	*une cour*

2 ON THE SITE — *SUR LE CHANTIER*

a site office	*une baraque de chantier*
a boarding	*une palissade*
scaffolding	*échafaudages*
heavy machinery / plant	*gros engins*
a hauler / a dumper truck	*un camion-benne*
a truck mixer	*une bétonnière*
earthmoving plant	*engins de terrassement*
a power shovel	*une pelle mécanique*
a building crane	*une grue de chantier*
plumbing	*la plomberie*

a plumber	*un plombier*
piping / a pipe	*la tuyauterie / un tuyau*
to weld / to solder	*souder*

3 PLANT — *LE MATÉRIEL*

a hammer drill	*un marteau perforateur*
a rock drill	*une perforatrice*
a pneumatic drill	*un marteau piqueur*
a concrete mixer	*une bétonnière*
a wheelbarrow	*une brouette*
a bucket	*un seau*
a plumbline	*un fil à plomb*
a ladder	*une échelle*
a pick	*une pioche*
a shovel	*une pelle*
a trowel	*un truelle*
to raise the roof	*pendre la crémaillère*
a house-warming party	*une pendaison de crémaillère*

4 CONSTRUCTION WORK — *LA CONSTRUCTION*

the shell	*le gros œuvre*
the skeleton	*l'ossature*
a timber frame	*une ossature en bois*
a sheet	*une tôle*
materials	*matériaux*
adobe	*la terre battue*
broad stone / ashlar / freestone	*la pierre de taille*
gravel	*le gravier*
building sand	*le sable de maçonnerie*
concrete	*le béton*
reinforced concrete / ferro concrete	*le béton armé*
cement	*le ciment*
mortar	*le mortier*
lime	*la chaux*
plaster	*le plâtre*
steel	*acier*
wood	*le bois*
wood panelling	*lambris*
stucco	*le stuc*
copper	*le cuivre*
brass	*le laiton*
lead	*le plomb*
zinc	*le zinc*
tin	*étain*
plastics	*matières plastiques*
concreting	*le bétonnage*
a perpend / a perpen (USA)	*un parpaing*
formwork	*le coffrage*
masonry	*la maçonnerie*
a brick	*une brique*
a bricklayer / a mason	*un maçon*
roughcast / roughcoat	*le crépi*
to whitewash	*chauler*
to plaster	*plâtrer*
plasterwork	*le plâtrage*
plasterboard	*le placoplâtre*
a plasterer	*un plâtrier*

5 WOODWORK — *LA MENUISERIE*

a joiner	*un menuisier*
a cabinet maker	*un ébéniste*
plywood	*le contreplaqué*
a hammer	*un marteau*
a nail	*un clou*
to drive a nail	*enfoncer un clou*
pliers / pincers	*pinces*
a screw	*une vis*
a screwdriver	*un tournevis*
to screw	*visser*
a saw	*une scie*
a chain saw	*une scie électrique*
to saw	*scier*
a shaving	*un copeau*
a plank / a board	*une planche*
to file	*limer*
a file	*une lime*

6 THE OUTSIDE — *L'EXTÉRIEUR*

the front	*la façade*
the framework	*la charpente*
roofing	*la toiture*
eaves	*avant-toit*
a roof window / a sky-light	*une lucarne*
an attic window	*un chien assis*
a gutter	*une gouttière*
a drain pipe	*une gouttière (verticale)*
a roof / roofs	*un toit / toits*
a roofer / a tiler / a slater	*un couvreur*
a beam	*une poutre*
a girder	*une poutrelle*
a ceiling	*un plafond*
a tile	*une tuile*
to tile	*couvrir de tuiles*
a slate	*une ardoise*
shingle	*bardeaux*
a chimney	*une cheminée*
a lighting conductor	*un paratonnerre*
an aerial	*une antenne*
a weathercock / a vane	*une girouette*
a wall	*un mur*
the floor	*le plancher*
a tile	*un carreau*
to tile	*carreler*
upstairs	*à l'étage*
downstairs	*au rez-de-chaussée*
a balcony	*un balcon*
a slab	*une dalle*
a window	*une fenêtre*
a window pane	*une vitre, un carreau*
the window frame	*le châssis de la fenêtre*
to look into	*donner sur*
to overlook	*surplomber*
a French window	*une porte-fenêtre*
a bow window	*une fenêtre en saillie*
a sash window	*une fenêtre à guillotine*
a curtain	*un rideau*
a hanging	*une tenture*
glass	*le verre*
a glazier	*un vitrier*
a shutter	*un volet*
blinds	*stores vénitiens*
a shade	*un store*
a screen	*un paravent*
a threshold	*un seuil*
a doorstep	*un pas de porte*
a carriage entrance	*une porte cochère*
a front / entrance door	*une porte d'entrée*
a back / rear door	*une entrée de service*
a door mat	*un paillasson*
the door frame	*le châssis de la porte*

a hinge	*un gond, une paumelle*
the front steps	*le perron*
a key	*une clé*
a bunch of keys	*une trousseau de clés*
to lock / to unlock a door	*fermer / ouvrir une porte*
to bolt the door	*verrouiller la porte*
a lock	*une serrure*
a locksmith	*un serrurier*
a handle / a door knob	*une poignée*
a burglar alarm	*une alarme*
a reinforced door	*une porte blindée*
burglar-proof	*sous alarme*
to ring the bell	*sonner*
stairs / a staircase	*un escalier*
to walk up the stairs	*monter l'escalier*
a step	*une marche*
mind the step!	*attention à la marche !*
the banister	*la rampe*
a lift / an elevator (USA)	*un ascenseur*
a terrace	*une terrasse*
a garage / a carport (USA)	*un garage, un box*
a porch	*un porche*

7 PAINTING — *LA PEINTURE*

to paint	*peindre*
to redecorate	*repeindre, retapisser*
a color range	*un nuancier*
paint	*la peinture*
varnish	*le vernis*
spray painting	*la peinture au pistolet*
roller painting	*la peinture au rouleau*
wet paint!	*peinture fraîche !*
undercoat	*l'apprêt*
to strip	*décaper*
distemper	*la détrempe*
to distemper	*badigeonner*
a house painter	*un peintre en bâtiment*
a paintbrush	*un pinceau*
a drum of paint	*un bidon de peinture*
a paint can	*un pot de peinture*
a spraypaint gun	*un pistolet à peinture*
a paint roller	*un rouleau à peinture*
sandpaper	*le papier de verre*
a tray	*un bac*
paperhanging / wall paper	*le papier peint*
to hang paper	*coller du papier*
to paper a room	*tapisser une pièce*
to strip wall paper	*détapisser*
wall covering	*tentures*

8 THE INSIDE — *L'INTÉRIEUR*

8.1 GENERAL BACKGROUND — *GÉNÉRALITÉS*

a floor / a storey / a story	*un étage*
a two-storied house	*une maison à deux étages*
a room	*une pièce*
an attic	*un grenier, les combles*
an attic room / a garret	*une mansarde*
a basement	*un sous-sol*
a bathroom	*une salle de bain*
a bedroom	*une chambre à coucher*
a (wine) cellar	*un cellier, une cave (à vin)*
a dining room	*une salle à manger*
a drawing room / a lounge / a parlour	*un salon*
a hall	*un vestibule*
a passage / a hallway	*un couloir*
a lavatory / toilet	*un cabinet de toilette, un WC*
a library	*une bibliothèque*
a living room	*une salle de séjour*
a loft	*un grenier*
a playroom	*une salle de jeux*
a spare room	*une chambre d'ami*
a study	*un bureau*

8.2 THE KITCHEN — *LA CUISINE*

an appliance	*un appareil domestique*
a built-in appliance	*un appareil encastré*
a dining-area	*un coin cuisine*
a larder / a pantry	*un office*
a scullery	*une arrière-cuisine*
a fitted kitchen	*une cuisine sur mesures*
a kitchen cabinet	*un placard de cuisine*
a wall cabinet	*un placard mural*
a service hatch / a pass-through (USA)	*un passe-plats*
a refrigerator	*un réfrigérateur*
a kitchen range	*un fourneau de cuisine*
a cooking stove / a cooker	*une cuisinière*
a microwave oven	*un four à micro ondes*
a gas ring	*un réchaud à gaz*
a burner	*un feu, un brûleur*
a hood	*une hotte*
a sink	*un évier*
a tap / a faucet (USA)	*un robinet*
a waste / garbage disposal unit	*un broyeur d'évier*
a sink strainer / a plug	*une bonde*
a plughole	*le trou d'un lavabo*
a trash chute	*un vide-ordures*
a water heater	*un chauffe-eau*
a dishwasher	*un lave-vaisselle*
a washing machine	*un lave-linge*
a dryer	*un sèche-linge*

8.3 THE BATHROOM — *LA SALLE DE BAINS*

a bathtub / a tub / a bath	*une baignoire*
a slipper bath	*une baignoire sabot*
a shower	*une douche*
a shower cubicle	*une cabine de douche*
to have a bath / a shower	*prendre un bain / une douche*
to have a wash	*faire sa toilette*
a washbasin / a sink	*un lavabo*
a towel bar / set	*un porte-serviettes*
a soap dish	*un porte-savon*
a looking glass	*un miroir*
a hot water tank	*un ballon d'eau chaude*
a urinal	*un urinoir*
a flushing cistern	*un réservoir de chasse*
to flush	*tirer la chasse*
a toilet bowl	*une cuvette de WC*
a cover	*un couvercle*
a seat	*une lunette*
toilet paper	*le papier toilette*
a tissue handler	*un porte rouleau*
a dressing case	*une trousse de toilette*
soap	*le savon*
a cake of soap	*un morceau de savon*
a sponge	*une éponge*
a wash glove / a face cloth	*un gant de toilette*
a massage glove	*un gant de crin*

a towel	*une serviette*
to shave	*se raser*
a razor	*un rasoir*
a razor blade	*une lame de rasoir*
shaving foam	*la mousse à raser*
a toothbrush	*une brosse à dents*
toothpaste	*la pâte dentifrice*
to brush one's teeth	*se brosser les dents*

8.4 THE BEDROOM — *LA CHAMBRE À COUCHER*

to go to bed	*aller se coucher*
to lie down	*se coucher*
to have a rest	*se reposer*
to feel sleepy	*avoir sommeil*
to take a nap	*faire une sieste*
to sleep	*dormir*
to be asleep	*être endormi*
to be fast asleep	*dormir profondément*
to yawn	*bailler*
to doze	*somnoler*
to snore	*ronfler*
to dream / to have a dream	*rêver*
sweet dreams!	*faites de beaux rêves !*
an alarm clock	*un réveille-matin*
a nightmare	*un cauchemar*
to wake up	*se réveiller*
to be an early riser	*être matinal*
to stretch oneself	*s'étirer*
to get up	*se lever*
to make one's bed	*faire son lit*
a bedroom suite	*meubles de chambre à coucher*
bunkbeds	*lits superposés*
twin beds	*lits jumeaux*
a canopied fourposter bed	*un lit à baldaquin*
a cot	*un lit d'enfant*
a folding bed	*un lit pliant*
a pullout / stowaway bed	*un lit gigogne*
a cradle	*un berceau*
a spring mattress	*un matelas à ressort*
springs / springing	*le sommier*
a slatted bed base	*un sommier à lattes*
a blanket	*une couverture*
a sheet	*un drap*
a bedspread	*un couvre-lit*
an eiderdown	*un édredon*
a sleeping bag	*un sac de couchage*
down	*le duvet*
a pillow	*un oreiller*
a bolster	*un traversin*
a dressing-table	*une coiffeuse*
a rug	*une descente de lit*

9 FURNITURE — *LE MOBILIER*

an antique	*un meuble ancien*
an antique dealer	*un marchand d'antiquités*
a set of furniture	*un mobilier*
a piece of furniture	*un meuble*
to furnish	*meubler*
a carpet	*un tapis*
wall-to-wall carpeting	*la moquette*
a table	*une table*
a coffee table	*une table basse*
a leaf	*une rallonge*
a serving trolley	*une desserte*
a drawer	*un tiroir*
an armchair	*un fauteuil*
a deckchair	*une chaise longue*
a stool	*un tabouret*
a sofa / a settee	*un canapé*
a couch	*un lit de repos*
a bench	*un banc*
a bookcase	*une bibliothèque*
a bookshelf	*un rayon*
a dresser	*un buffet, un vaisselier*
a sideboard	*un buffet*
a chest of drawers	*une commode*
a medicine chest	*une armoire à pharmacie*
a closet / a cupboard / a wardrobe	*une penderie*
a chest	*un coffre*
a liquor cabinet	*un coffret à liqueurs*
a display cabinet	*une vitrine*
a curio / a knickknack	*un bibelot*

10 ELECTRICITY — *L'ÉLECTRICITÉ*

an electrician	*un électricien*
electrical appliances	*appareils électriques*
to turn on / to switch on	*allumer*
to turn off / to switch off	*éteindre*
to cut off the power	*couper le courant*
a switch	*un interrupteur*
a fuse	*un plomb*
to blow out	*sauter*
a power failure	*une panne d'électricité*
a socket	*une prise de courant (femelle)*
a plug	*une prise de courant (mâle)*
to plug / to unplug	*brancher / débrancher*
a light fixture	*un appareil d'éclairage*
a ceiling fitting light	*un plafonnier*
a filament light	*une lampe à incandescence*
a lustre	*un chandelier*
a wall lamp	*une applique murale*
a floor lamp	*un lampadaire*
a bedside lamp	*une lampe de chevet*
a desk lamp	*une lampe de bureau*
a lamp shade	*un abat jour*
a bulb	*une ampoule*
a candle	*une bougie*
a candlestick	*un bougeoir*

11 INSULATION AND HEATING — *ISOLATION ET CHAUFFAGE*

heat insulation	*isolation thermique*
to insulate (a building)	*isoler (un bâtiment)*
double glazing	*le double vitrage*
glass wool	*la laine de verre*
heat	*la chaleur*
central heating	*le chauffage central*
forced air heating	*le chauffage thermo-pulsé*
oil-fired heating	*le chauffage au mazout*
electric heating	*le chauffage à l'électricité*
solar heat	*la chaleur solaire*
stray heat	*la chaleur perdue*
heat loss	*la déperdition calorifique*
a heater / a radiator	*un radiateur*
a boiler	*une chaudière*
an oil burner	*un brûleur à mazout*
a fireplace / the hearth(side)	*un âtre*
to make / to light a fire	*allumer un feu*

bellows	*soufflets*
a poker	*un tisonnier*
firedogs	*chenets*
a log	*une bûche*
a wood fire	*un feu de bois*
charcoal	*le charbon de bois*
a blazing fire	*un feu d'enfer*
embers	*braises*
ash	*la cendre*
a spark	*une étincelle*
a lighter	*un briquet*
a box of matches	*une boîte d'allumettes*
soot	*la suie*
to sweep	*ramoner*
a chimneysweep	*un ramoneur*
a woodstove	*un poêle à bois*
air conditioning	*la climatisation*
a fan	*un ventilateur*
soundproofing / sound insulation	*isolation phonique*

IV COOKING — *LA CUISINE*

1 GENERAL BACKGROUND — *GÉNÉRALITÉS*

a cook	*un cuisinier*
a good cook	*un cordon bleu*
a chef	*un chef de cuisine*
a cookbook	*un livre de cuisine*
a recipe	*une recette*
dietetics	*la diététique*
to be fat / obese	*être gros / obèse*
overfed / underfed	*suralimenté / sous-alimenté*
to eat	*manger*
to drink	*boire*
to be hungry / thirsty	*avoir faim / soif*
to be starving / parched	*mourir de faim / soif*
to have an appetite	*avoir de l'appétit*
enjoy your meal!	*bon appétit !*
a meal	*un repas*
brunch	*le brunch*
lunch	*le déjeuner*
dinner	*le dîner*
supper	*le souper*
teatime	*l'heure du thé*
a snack	*un coupe faim, un en-cas*
a sandwich	*un sandwich*

2 FOOD PROCESSING — *LA PRÉPARATION DES ALIMENTS*

the art of cooking	*l'art culinaire*
to bake	*cuire au four*
to barbecue / to spit-roast	*cuire à la broche*
to boil	*bouillir, faire bouillir*
to brown in butter	*faire revenir*
to can	*mettre en conserves*
to chill	*réfrigérer*
to defrost	*décongeler*
to de-ice	*dégivrer*
to fry	*faire frire / frire*
to grill	*griller*
to flame	*flamber*
to heat	*chauffer*
to knead	*pétrir*
to mince	*hacher*
to mix	*mélanger*
to peel	*éplucher*
to roast / to broil (USA)	*rôtir*
to sear the meat	*saisir la viande*
to season	*assaisonner*
to shell	*écosser*
to shred	*râper*
to simmer	*mijoter, étuver*
to sprinkle	*saupoudrer*
to stuff	*farcir*
stuffing	*la farce*
to stew	*faire cuire en ragoût*
to whip	*fouetter, battre*
gravy	*le jus (de viande)*

3 KITCHEN UTENSILS — *LES USTENSILES DE CUISINE*

cooking utensils	*les ustensiles de cuisson*
baking utensils	*les ustensiles de pâtisserie*
a food processor	*un robot de cuisine*
a blender / a mixer	*un mixeur, un mélangeur*
a bottle opener	*un décapsuleur*
a can opener / a tin opener	*un ouvre-boîtes*
a dish towel	*un torchon*
an egg timer	*un sablier*
a grater	*une râpe*
a gridiron / a grill rack	*un gril*
a cake pan / tin	*un moule à gâteau*
a coffee mill	*un moulin à café*
a corkscrew	*un tire-bouchon*
a frying pan	*une poêle à frire*
a jar	*un bocal*
kitchen scales	*une balance de cuisine*
a ladle	*une louche*
a lid	*un couvercle*
a mincer	*un hachoir*
a pot	*une marmite*
a pressure cooker	*un autocuiseur*
a rolling pin	*un rouleau à pâtisserie*
a saucepan	*une casserole*
a sieve	*une passoire, un tamis*
a whisk	*un fouet*

4 AT TABLE — *À TABLE*

to sit down to table	*se mettre à table*
to lay / to set the table	*mettre la table*
to clear the table	*débarrasser (la table)*
to wait at table	*servir à table*
to pick at one's food	*avoir un petit appétit*
to whet the appetite	*aiguiser l'appétit*
dinner's ready!	*à table !*
to eat out of a plate	*manger dans une assiette*
to tuck in	*attaquer*
to help oneself to	*se servir de*
a helping	*une portion*
to have a second helping	*se resservir*
a table mat	*un dessous de plat, un napperon*
china	*la / en porcelaine*
crockery	*la faïence*
silverware	*l'argenterie*
cutlery	*couverts*

a cloth	*une nappe*
an oil cloth	*une toile cirée*
a napkin	*une serviette*
a bib	*un bavoir*
the cruet	*l'huilier*
a tray	*un plateau*
a plate	*une assiette*
a bowl	*un bol*
a decanter	*une carafe*
a jug	*un pichet, une cruche*
a soup-tureen	*une soupière*
a sauce-boat	*une saucière*
a glass	*un verre*
to have a drink	*prendre un verre*
to drink out of a glass	*boire dans un verre*
a fork	*une fourchette*
a knife / knives	*un couteau / couteaux*
a spoon	*une cuiller*

5 BREAKFAST — *LE PETIT DÉJEUNER*

to have breakfast	*prendre son petit déjeuner*
a light breakfast	*un petit déjeuner léger*
a hearty breakfast	*un petit déjeuner copieux*
a continental breakfast	*un petit déjeuner à la française*
a cup (of tea / coffee)	*une tasse (de thé / café)*
a tea cosy	*un couvre-théière*
to brew	*infuser*
to drink one's coffee black	*boire son café sans sucre*
chocolate	*le chocolat*
black coffee	*le café noir*
white coffee	*le café au lait*
decafeinated coffee	*le café décaféiné*
milk	*le lait*
cream	*la crème*
a saucer	*une soucoupe*
a teapot	*une théière*
to pour	*verser*
to fill	*remplir*
a sugar basin / bowl	*un sucrier*
a spoonful of sugar	*une cuillerée de sucre*
sugar tongs	*la pince à sucre*
sweet	*sucré, doux*
to sweeten	*sucrer*
bitter	*amer*
to hand around	*faire passer*
butter / to butter	*le beurre / beurrer*
to toast	*faire griller*
a roll / a bun	*un petit pain*
a bagel	*un petit pain rond*
cornflakes	*céréales*
jam / marmalade	*confiture / d'oranges*
eggs and bacon	*œufs au bacon / lard*
scrambled eggs	*œufs brouillés*
soft-boiled eggs	*œufs à la coque*
a hard-boiled egg	*un œuf dur*
fried eggs	*œufs sur le plat*
the white	*le blanc*
yolk	*le jaune*
an omelet / omelette	*une omelette*

6 CITY LIFE — *LA VIE URBAINE*

I THE URBAN ENVIRONMENT — *L'ENVIRONNEMENT URBAIN*

1 URBAN CENTERS — *LES CENTRES URBAINS*

to urbanize	*urbaniser*
urbanization	*l'urbanisation*
urban sprawl	*la péri-urbanisation*
a metropolitan area / a built-up area	*une agglomération*
an urban area / an urb	*une zone urbaine*
a town	*une ville*
a city	*une grande agglomération*
a capital city	*une capitale*
a dormitory town / a bedroom community	*une ville-dortoir*
a new town	*une ville nouvelle*
a shanty town	*un bidonville*
city people / townspeople	*citadins*
a townee	*un citadin*
an inhabitant	*un habitant*
to live in a city	*habiter une ville*
a city dweller	*un habitant d'une grande ville*
a city center / downtown	*le centre-ville*
to go downtown	*aller en ville*
the city limits	*la périphérie*
the outer city	*la banlieue*
the outskirts	*les faubourgs*
a suburb	*un faubourg, une banlieue*
the outer suburbs	*la grande banlieue*
suburban / exurban	*banlieusard*
a suburbanite	*un banlieusard*
to commute	*aller de son domicile à son lieu de travail (et vice versa)*
a commuter	*un banlieusard, un usager des transports en commun*
a neighborhood	*un quartier*
a district / a ward	*un quartier, un arrondissement*
a residential district	*un quartier résidentiel*
a greenbelt	*les espaces verts*
an industrial site / an industrial park (USA) / an industrial estate (UK)	*une zone industrielle*
the inner city	*le ghetto*
a red light district	*un quartier chaud*
a shopping district	*un quartier commerçant*
a financial district / a business district	*un quartier des affaires*
a technopolis	*une technopole*
a technoburb	*un pôle de développement*
a rundown district	*un quartier pauvre*

2 THE PUBLIC TRANSIT SYSTEM — *LES TRANSPORTS EN COMMUN*

a taxi / a cab	*un taxi*
a taxi rank	*une station de taxis*

to call a cab	*appeler un taxi*
to take a cab	*prendre un taxi*
the fare	*la course / le billet*
a token	*un jeton (de métro)*
to tip	*donner un pourboire*
a tip	*un pourboire*
to take sb (to)	*conduire qn. (à, dans, chez ...)*
a bus	*un autobus*
a bus lane	*une voie d'autobus*
a bus stop	*un arrêt d'autobus*
to get on the bus	*prendre le bus*
to get off the bus	*descendre de l'autobus*
a conductor	*un receveur*
a bus driver	*un chauffeur de bus*
a train station	*une gare ferroviaire*
a subway station	*une station de métro*
a subway rider	*un voyageur*
a street car	*un tramway*
the L (the elevated track)	*le métro aérien*
the underground / the tube	*le métro*
the metro	*le métro parisien*
a bus terminal	*une gare routière*

3 LANDMARKS — *LES REPÈRES*

a public building	*un bâtiment public*
a government center	*une cité administrative*
town hall	*la mairie, l'hôtel de ville*
a parking lot	*une aire de stationnement*
a police station / a precinct station	*un commissariat*
a bank	*une banque*
a post-office	*un bureau de poste*
a phone booth / a call box / a pay station (USA)	*une cabine téléphonique*
a skyscraper	*un gratte-ciel*
a tourist office / a tourist bureau	*un syndicat d'initiative*
a university	*une université*
a hospital	*un hôpital*
the stock exchange	*la bourse*
a court of justice / a tribunal	*un tribunal*
a cathedral	*une cathédrale*
a hotel	*un hôtel*
a youth hostel	*une auberge de jeunesse*
an art gallery	*une galerie d'art*
a museum	*un musée*
a fine arts museum	*un musée des beaux-arts*
a science museum	*un musée des sciences*
an aquarium	*un aquarium*
a cinema house / a movie theater	*un cinéma*
a theatre / a playhouse	*un théâtre*
a public library	*une bibliothèque municipale*
a sports arena	*un palais des sports*
a department store	*un grand magasin*
window shopping	*le lèche-vitrines*
to go window shopping	*faire du lèche-vitrines*
a shopping mall / a shopping center	*un centre commercial*
the market square	*la place du marché*
a plaza / a public square	*une place publique*
a commons	*un parc public*
green areas	*espaces verts*
a cemetery	*un cimetière*

4 INNER-CITY — *LE GHETTO*

a blighted area	*un quartier déshérité*
an impoverished neighborhood	*un quartier défavorisé*
a slum area	*un quartier de taudis*
the slums	*la zone*
a hovel / a slum	*un taudis*
a jerry-built house	*une maison en carton-pâte*
a ghetto resident	*un habitant du ghetto*
squalor / dirt / filth	*la saleté*
grime	*la crasse*
grimy / grubby	*crasseux*
squalid	*sordide*
dismal / bleak	*lugubre, sinistre*
to crumble	*tomber en ruines*
a crack	*une fente*
cardboard	*le carton*
corrugated iron	*la tôle ondulée*
dilapidated / ramshackle / run down	*délabré*
seedy	*miteux*
gutted	*vandalisé*
decay	*le délabrement*
to fall into decay	*tomber en ruines, se délabrer*
a pothole	*un nid de poules*
derelict land	*terrains vagues*
a dump	*une décharge*
an asphalt jungle	*une jungle de béton*
a rough neighborhood	*un quartier chaud*
a violence-prone area	*une zone de violence*
to breed despair	*engendrer le désespoir*
to breed violence	*engendrer la violence*
to be stuck / to be trapped in a ghetto	*être prisonnier d'un ghetto*
to be mired	*être enlisé*
a single parent family	*une famille monoparentale*
welfare dependency	*assujettissement à l'aide sociale*
to be left behind	*être laissé pour compte*
segregated housing	*la ségrégation dans le logement*
gentrification	*embourgeoisement*
gentrified	*embourgeoisé*

II MANAGING THE CITY — *LA GESTION MUNICIPALE*

1 URBAN DESIGN — *LA CONCEPTION DE LA VILLE*

a town planner	*un urbaniste*
town planning	*l'urbanisme*
the layout of a city	*le plan d'une ville*
a municipal code	*un code d'urbanisme municipal*
zoning	*le zonage*
to erect / to put up a building	*construire un bâtiment*

to pull down	*démolir*
a construction site	*un chantier de construction*
a vista	*une perspective*
an urban designer	*un architecte de la ville*
the urban landscape	*le paysage urbain*
the skyscape	*le profil des bâtiments*
urban renewal	*la rénovation urbaine*
to be under renovation	*être en cours de rénovation*
to refurbish / to rehabilitate	*rénover*
to upgrade a district	*réhabiliter un quartier*
rehabilitation	*la rénovation*
to rehouse	*reloger*
to enhance	*mettre en valeur*
to spruce up	*embellir*
slum-upgrading	*la réhabilitation des ghettos*
to patch up	*rafistoler*
to give a facelift	*ravaler*

2 URBAN EVILS — *LES MAUX DE LA VILLE*

urban troubles	*difficultés urbaines*
city growth	*la croissance urbaine*
the collapse of urban services	*la dégradation des services municipaux*
to plague a city	*empoisonner une ville*
to grouse	*récriminer*
to bewail one's city's decline	*se lamenter sur le déclin de sa ville*
the decadence of the environment	*la dégradation de l'environnement*
to deteriorate	*se dégrader*
the population density	*la densité urbaine*
recreational activities	*activités de loisir*
the cost of living	*le coût de la vie*
rent controls	*la réglementation des loyers*
substandard housing	*logements insalubres*
sewerage / sewage	*le système d'assainissement des eaux*
decent schools	*écoles correctes*
traffic fatalities	*accidents de la circulation*
air pollution	*la pollution atmosphérique*
polluted	*pollué*
a pollutant	*un polluant*
smog	*le smog*
automobile exhaust	*gaz d'échappement*
a maximum noise level	*un niveau sonore maximum*
noisy	*bruyant*
odorous	*malodorant*
unpleasant	*désagréable*
burglary	*le cambriolage*
a break-in	*un cambriolage*
assault	*les agressions*
a mugging	*une agression*
to barricade oneself at home	*se barricader chez soi*
a neighborhood watch committee	*un comité de surveillance de quartier*
a tenants' patrol	*une patrouille organisée par les locataires*
to patrol the streets	*organiser des patrouilles dans les rues*
a brutal subway system	*un réseau métropolitain dangereux*

3 CITY GOVERNMENT — *LA GESTION MUNICIPALE*

local authorities	*autorités municipales*
a corporation / a municipality	*une municipalité / un conseil municipal*
the city council	*le conseil municipal*
the city budget	*le budget municipal*
a mayor	*un maire*
to preside over the council	*présider le conseil*
to pass an ordinance	*voter un arrêté*
a city's by-law	*un arrêté municipal*
to adopt the budget	*voter le budget*
to decide rates of taxation	*décider des taux d'imposition*
to lay down policies	*arrêter les grandes lignes*
a selectman / an alderman / a councilman	*un conseiller municipal, un édile*
a town marshal	*un shérif*
a tax collector	*un inspecteur des impôts*
a board	*une commission*
a department	*un bureau*
municipal revenues	*recettes municipales*
to levy taxes	*prélever l'impôt*
water supply	*approvisionnement en eau*
urban sanitation	*le système sanitaire urbain*
sewage disposal	*le traitement des eaux usées*
garbage collection	*le ramassage des ordures*
to collect rubbish	*ramasser les ordures*
welfare services	*services sociaux*
public transportation	*transports en commun*
a well-run city	*une ville bien gérée*

III THE HOUSING MARKET — *LE MARCHÉ DE L'IMMOBILIER*

1 HOUSING — *LE LOGEMENT*

housing policy	*la politique du logement*
a housing benefit	*une allocation de logement*
a housing association	*une association de propriétaires*
the housing problem	*le problème du logement*
lodgings	*un logement*
a dwelling	*une habitation*
a development area	*un lotissement*
a trailer park	*un camp de caravaning*
an apartment / a flat	*un appartement*
a block of flats / an apartment building	*un immeuble*
a tower block / a high riser	*une tour d'habitation*
office space	*bureaux*
an office block	*un immeuble de bureaux*
an office tower	*une tour de bureaux*
a rental apartment unit	*un appartement en location*

a studio / a flatlet / an efficiency apartment (USA)	*un studio*
a bed-sitter / a bed-sit (UK)	*un studio, une chambre meublée*
a condominium / a condo	*un appartement dans un immeuble en copropriété*
a semi-detached house	*une maison jumelle / mitoyenne*
a detached house	*un pavillon*
terraced houses	*rangées de maisons de même style*
a row of houses	*une rangée de maisons*
a mobile home	*une grande caravane*
a country home	*une maison de campagne*
a council house	*un logement HLM (pavillon)*
a council flat	*un logement HLM (appartement)*
a project	*un ensemble immobilier, une cité*
a housing project (USA)	*une résidence de HLM*
a housing estate	*un grand ensemble*
a public housing unit	*un HLM*
a public housing project	*une cité HLM*
a floor / a storey (USA)	*un étage*
the first floor	*le rez-de-chaussée (USA), le premier étage (UK)*
the groundfloor	*le rez-de-chaussée*
modern conveniences (mod. con.)	*tout confort*
luxuriously appointed	*luxueusement aménagé*
real estate	*l'immobilier*
a real estate agency	*une agence immobilière*
a real estate agent / a realtor	*un agent immobilier*
a property developer	*un promoteur immobilier*
to develop	*exploiter, mettre en valeur*
the property market	*le marché de l'immobilier*
to afford a house	*s'offrir une maison*
to buy sight unseen	*acheter sur plan*
a homeowner	*un propriétaire*
homeownership	*la propriété*
a home loan	*un prêt immobilier*
a home savings plan	*un plan d'épargne logement (PEL)*
to own a house	*posséder une maison*
property tax	*impôt foncier*
land	*la terre, les terrains*

2 RENTING — *LA LOCATION*

a lease	*un bail*
to lease	*louer à bail*
a leaseholder	*un locataire à bail*
a leasehold flat	*un appartement en location*
to sign a lease	*signer un bail*
a lessee	*un locataire à bail, un preneur à bail*
a deposit	*une caution*
to let	*louer (le propriétaire)*
"To let"	*"À louer"*
to rent	*louer (prendre une location)*
the rent	*le loyer*
rent control	*la réglementation des loyers*
to freeze rents	*bloquer les loyers*
to pay the rent	*payer le loyer*
a rent review	*une révision de loyer*
a rack rent	*un loyer exorbitant*
a rent strike	*une grève des loyers*
a renter / a tenant	*un locataire*
a council tenant	*un locataire dans une HLM*
a landlady / a landlord	*une / un propriétaire*
rental yield	*le revenu locatif*

3 THE REAL ESTATE MARKET — *LE MARCHÉ DE L'IMMOBILIER*

house-building	*le bâtiment*
the building trade	*le secteur du bâtiment*
a builder	*un constructeur*
the housing industry	*l'industrie du bâtiment*
a building contractor	*un entrepreneur en bâtiment*
a construction company	*une entreprise de travaux publics*
a house start	*une mise en chantier*
a home development company	*une société de promotion immobilière*
a housing scheme	*un programme de construction de logements*
a flat market	*un marché terne*
to be in the doldrums	*être dans le marasme*
a real estate depression	*une crise de l'immobilier*
a housing slump	*une crise du logement*
tumbling house prices	*la dégringolade des prix de l'immobilier*
a home value	*une valeur immobilière*
unsold houses	*maisons invendues*
a knock-down price	*un prix réduit*
a cut-price house sale	*une vente au rabais*
a vacancy rate	*un taux d'occupation*
vacant / unlet	*libre, inoccupé*
a glut of office space	*une saturation de locaux professionnels*
a building boom	*un boom de la construction*
a housing shortage	*une pénurie de logements*
to drive prices up	*faire monter les prix*
to gain value	*prendre de la valeur*
to stretch oneself to buy	*se surendetter pour acheter*
to sell like hot cakes	*se vendre comme des petits pains*
to snap up a bargain	*sauter sur une occasion*
to speculate	*spéculer*
a speculator	*un spéculateur*
to go through the roof	*flamber*

4 URBAN MIGRATION — *L'EXODE URBAIN*

cityward migration / rural depopulation	*exode rural*
an influx of newcomers	*un afflux de nouveaux arrivants*
to attract people	*attirer les gens*
to move into / in / to	*déménager (à, en)*
to swell a population	*grossir une population*
to settle (in)	*s'installer (à)*
to depress the value of a home	*faire baisser la valeur d'une maison*

suburbanization / suburban growth	*la péri-urbanisation*
to move out to suburbia	*déménager pour la banlieue*
to push people out to the suburbs	*repousser les gens vers les banlieues*
to leave town	*quitter la ville*
to flee a city	*fuir une ville*
a movement away from a city	*un exode urbain*
to entice people to live away from	*pousser les gens à vivre loin de*
to put up with the travelling	*supporter les allers-retours*
to be town-wearied	*être las de la ville*
affordable housing	*un logement abordable*
low cost renting	*loyers bon marché*

7 EDUCATION — *L'ÉDUCATION*

I THE EDUCATIONAL SYSTEM — *LE SYSTÈME ÉDUCATIF*

1 GENERAL BACKGROUND — *GÉNÉRALITÉS*

the Minister of Education	*le ministre de l'Éducation*
the Ministry of Education / the Department of Education (USA)	*le ministère de l'Éducation*
educational policy	*la politique de l'éducation*
educational reform	*la réforme de l'éducation*
free / free charging	*gratuit*
paying / fee-paying	*payant*
the local management of schools	*la décentralisation*
to set national education goals	*fixer des objectifs pédagogiques nationaux*
an educational law	*une loi sur l'éducation*
compulsory / mandatory schooling	*la scolarité obligatoire*
a school district	*une académie*
a scholarship / a grant	*une bourse*
parent-teacher relationships	*les relations parents-professeurs*
a parent-teacher association (PTA)	*une association de parents d'élèves*

2 SCHOOLS — *LES ÉCOLES*

to go to school	*aller à l'école*
to be in school	*faire des études*
schooling	*les études*
a school year / an academic year	*une année scolaire*
to attend school	*fréquenter l'école*
school attendance	*la scolarisation, la scolarité*
the school leaving age	*l'âge de fin de scolarité*
a school report	*un bulletin scolaire*
to integrate a school	*imposer la déségrégation dans un établissement scolaire*
busing (USA)	*le transport obligatoire des élèves pour motif de déségrégation*
to bus to school	*amener à l'école en bus*
a schoolbus	*un car de ramassage scolaire*
a locker / a pigeon hole	*un casier*
the yearbook	*le livre de la promotion*
a term	*un trimestre*
half-term holidays	*un congé de mi-trimestre*
Summer holidays	*les grandes vacances*
the Easter break	*les vacances de Pâques*

2.1 THE UNITED KINGDOM — *LE ROYAUME-UNI*

a state school	*une école publique*
a preparatory school	*une école primaire privée*
a public school	*un établissement secondaire privé, un grand collège*
a grammar school	*un lycée*
a technical school	*un lycée technique*
a prep school	*une école préparatoire aux écoles secondaires (privée)*
a polytechnic	*un IUT (institut universitaire de technologie)*
an engineer school	*une école d'ingénieurs*
a normal school	*une école normale d'instituteurs*
a boarding school	*un pensionnat, un internat*
a day school	*un externat*
to go to day school	*être externe*
a cramming school / a crammer	*une boîte à bac*

2.2 THE USA — *LES ÉTATS-UNIS*

kindergarten	*le jardin d'enfants*
nursery school	*la maternelle*
a primary school / a grade school / an elementary school / a middle school	*une école primaire*
a secondary school	*un établissement secondaire*
a junior high school	*un collège, un CES*
a high school	*un lycée*
a vocational school	*un lycée professionnel*
a preparatory school	*un lycée privé (qui prépare aux grandes universités)*
a training college	*un institut universitaire de formation des maîtres (IUFM)*

an integrated school	*un établissement scolaire où se pratique la déségrégation*
a co-educational school	*un établissement mixte (filles-garçons)*
a military academy	*une école militaire*

3 SCHOOL PERSONNEL — *LE PERSONNEL ENSEIGNANT*

the teaching profession	*l'enseignement, le professorat, le corps enseignant*
a school board	*un conseil d'établissement*
an inspector general	*un inspecteur général (IG)*
to observe a class	*inspecter une classe*
the teaching staff	*le personnel enseignant*
the staff room / the teachers' room	*la salle des professeurs*
a headmaster	*un directeur*
a principal	*un proviseur*
a vice-principal	*un proviseur-adjoint*
to run a school	*diriger une école*
a bursar	*un intendant*
a librarian	*une / un bibliothécaire / documentaliste*
a media center	*un centre de documentation*
a guidance office	*le bureau du conseiller d'orientation*
a guidance counsellor / a careers officer	*un conseiller / une conseillère d'orientation*
careers guidance	*l'orientation professionnelle*
a nurse	*une infirmière*
a coach	*un entraîneur sportif*
a department head	*un chef de département*
a head teacher	*un professeur principal*
a school teacher	*un professeur de collège*
a highschool teacher	*un professeur de lycée*
a substitute teacher / a "sub"	*un professeur remplaçant*
a schoolmaster	*un instituteur*

4 THE UNIVERSITY — *L'UNIVERSITÉ*

further / higher education	*les études supérieures*
to go to university	*aller à l'université, faire des études supérieures*
to study at university	*faire des études universitaires*
to enrol in a university / to get in a university	*s'inscrire à une faculté*
enrolment	*l'inscription, les effectifs*
an admission policy	*une politique d'accès*
an admission quota	*un numerus clausus*
admission (to)	*l'inscription (dans / à)*
university entrance	*l'entrée à l'université*
tuition fees	*droits d'inscription*
a university campus	*un campus universitaire*
research facilities	*un centre de recherches*
a lecture room / a lecture hall	*un amphithéâtre*
a university library	*une bibliothèque universitaire*
a dining hall	*un réfectoire*
a dining room	*une cantine*
a dormitory	*un dortoir*
a co-ed dormitory	*un dortoir mixte*
the faculty	*le corps enseignant*
an academic	*un universitaire*
a Chancellor	*un recteur (des universités), un chancelier*
a dean	*un doyen*
a department head	*un chef de département*
a faculty advisor	*un professeur responsable*
a professorship	*une chaire*
tenure	*la titularisation*
to have tenure	*être titularisé*
a researcher	*un chercheur*
to do research	*faire de la recherche*
research work	*travaux de recherche*

4.1 THE BRITISH UNIVERSITY — *L'UNIVERSITÉ BRITANNIQUE*

a faculty	*une faculté*
the Faculty of Arts	*la faculté des Lettres*
the head of a college	*le recteur d'un collège*
a fellow / a part-time lecturer	*un chargé de cours*
a tutor	*un directeur d'études*
an assistant lecturer	*un assistant*
a lecturer	*un maître-assistant*
a senior lecturer / a reader	*un maître de conférences*
a readership	*une maîtrise de conférences*
a professor	*un professeur en titre*

4.2 THE AMERICAN UNIVERSITY — *L'UNIVERSITÉ AMÉRICAINE*

a college	*un collège universitaire (trois premières années universitaires), une faculté*
to have a college education	*être diplômé de l'enseignement supérieur*
a state university	*une université d'État*
the Ivy League	*la Ligue du lierre (prestigieuses universités américaines du Nord-Est)*
graduate school	*une université (années post-licence)*
to go to graduate school / to go to college	*faire des études supérieures*
medical school	*la faculté de médecine*
law school	*la faculté de droit*
a business school	*un institut des affaires, une école de commerce, une université de gestion*
the language department	*le département des langues*
summer school	*cours d'été*
an alumnus / alumni	*un ancien élève / anciens élèves*
an instructor	*un chargé de cours*
a tutor	*un assistant*
an assistant-professor	*un maître-assistant*
a teaching assistant	*un assistant-enseignant, un allocataire-moniteur*

a research assistant — *un Attaché temporaire d'Enseignement et de Recherche (ATER)*
an associate professor — *un maître de conférences*
a full professor — *un professeur titulaire*
a visiting professor — *un professeur invité*

5 THE CLASS — *LA CLASSE*

a pupil — *une / un élève*
a daypupil — *un externe*
a boarder — *un interne*
a pre-school child / a pre-schooler — *un élève de maternelle*
a schoolboy / a schoolgirl — *un écolier, une écolière*
a student — *un étudiant*
a medical student — *un étudiant en médecine*
a fresher — *un bizuth*
hazing — *le bizutage*
a form / a grade — *une classe*
the first form (UK) / the sixth grade (USA) — *la 6ème*
the second form — *la 5ème*
the sixth (UK) — *la première*
the upper sixth (UK) — *la terminale*
the 1st grade (USA) — *le cours préparatoire (CP)*
to be a freshman — *être en 3ème*
a freshman — *un élève de 3ème*
a sophomore — *un élève de 2ème*
a junior — *un élève de 1ère*
a senior — *un élève de terminale*
a classroom — *une salle de classe*
to have a class — *avoir cours*
a mandate — *un cours obligatoire*
a stream — *un niveau*
remedial teaching — *cours de rattrapage*
remedial work — *le soutien pédagogique*
a period — *une heure de cours, une période, un module*
a free period — *une heure de permanence*
study hall — *la permanence*
a lunch period — *l'heure du déjeuner*
home room — *l'étude*
a break — *une récréation, une pause*
a special class — *une classe pour handicapés*
a curriculum of general knowledge — *un programme de culture générale*
a syllabus — *un programme*
to be on the syllabus — *être au programme*
a course — *un cours*
to take honours in French — *se spécialiser en français*
a schedule / a timetable — *un emploi du temps*
extracurricular activity — *l'activité extra scolaire*

6 SCHOOL SUBJECTS — *LES MATIÈRES SCOLAIRES*

mathematics / maths — *les maths*
arithmetic — *l'arithmétique*
algebra — *l'algèbre*
to reckon / to count / to compute — *calculer*
calculus — *le calcul*
an operation — *une opération*
to solve a problem — *résoudre un problème*
an assumption — *une hypothèse*
a statement — *un énoncé / un résultat*
a theorem — *un théorème*
a proof — *une preuve*
to add up — *additionner*
to subtract — *soustraire*
subtraction — *la soustraction*
to multiply — *multiplier*
a multiplication — *une multiplication*
to divide — *diviser*
a division — *une division*
a sum — *une somme*
a denominator — *un dénominateur*
a decimal number — *un nombre décimal*
an odd / even number — *un nombre impair / pair*
finite — *fini*
an integer — *un nombre entier*
a figure / a digit — *un chiffre*
a graph — *un graphique*
an axis / axes — *une coordonnée / coordonnées*
a curve — *une courbe*

geometry — *la géométrie*
solid geometry — *la géométrie dans l'espace*
to draw — *dessiner*
a square — *un carré*
a circle — *un cercle*
a cube — *un cube*
a cylinder — *un cylindre*
a sphere — *une sphère*
a side — *un côté*
straight — *droit*
trigonometry — *la trigonométrie*
a sine — *un sinus*
a cosine — *un cosinus*

physics — *la physique*
nuclear physics — *la physique nucléaire*
a physicist — *un physicien*
astronautics — *l'astronautique*
electronics — *l'électronique*
thermodynamics — *la thermodynamique*
biology — *la biologie*
a biologist — *un biologiste*
botany — *la botanique*
a herbarium — *un herbier*
chemistry — *la chimie*
geology — *la géologie*
natural science — *les sciences de la nature*
zoology — *la zoologie*
a laboratory — *un laboratoire*
practical work — *les travaux pratiques (TP)*
a test tube — *une éprouvette*
a precipitate — *un précipité*
to carry out an experiment — *faire une expérience*
conversion — *la transformation*
chemicals — *produits chimiques*
an acid — *un acide*
sulfuric acid — *acide sulfurique*
hydrochloric acid — *acide chlorhydrique*
gaseous — *gazeux*
solid / liquid — *solide / liquide*
colourless — *incolore*
inodorous — *inodore*
tasteless — *insipide*
a dye — *un colorant*
a body — *un corps*
an element — *un corps simple*
a compound — *un corps composé*
to test — *éprouver*

economics	*les sciences économiques*
home economics	*l'économie ménagère*
a percentage	*un pourcentage*
sociology	*la sociologie*
social studies	*les sciences sociales*
history	*l'histoire*
geography	*la géographie*
philosophy	*la philosophie*
psychology	*la psychologie*
religious instruction	*l'enseignement religieux*
classical languages	*langues mortes*
modern languages	*langues vivantes*
foreign languages	*langues étrangères*
a language teacher	*un professeur de langue*
a language lab	*un labo de langues*
literature	*la littérature*
grammar	*la grammaire*
spelling	*l'orthographe*
a dictation	*une dictée*
a paper	*une dissertation*
a workshop	*un atelier*
sheet metal work	*le travail sur métaux*
handicraft	*le travail manuel / la techno*
drawing	*le dessin*
engineering drawing	*le dessin industriel*
music	*la musique*
singing	*le chant*
the high school gym	*le gymnase*
physical education (phys. ed.) / physical training (PT)	*l'éducation physique et sportive (E.P.S.)*
track	*le stade*
track practice	*entraînement au stade*

7 SCHOOL STATIONERY — *LES FOURNITURES SCOLAIRES*

a desk	*un bureau*
a school-bag	*un sac d'école*
tracing-paper	*le papier à décalquer*
cardboard	*le carton*
a teacher's handbook	*le livre du maître*
a textbook	*un manuel*
an exercise book	*un cahier de devoirs*
a copybook	*un cahier*
a notebook / a writing pad	*un bloc-notes, un cahier, un carnet*
a jotter	*un bloc-notes, un cahier de brouillon*
a binder	*un classeur*
a sheet	*une feuille*
a folder	*une chemise*
a pen-case	*une trousse*
a pencil	*un crayon*
a pencil-sharpener	*un taille-crayon*
a fountain pen	*un stylo à encre*
a ballpoint	*un stylo à bille*
crayons	*crayons de couleur*
a box of colors	*une boîte de peinture*
a biro	*un bic*
a felt-tip pen	*un feutre*
an eraser	*un effaceur*
a rubber	*une gomme*
a ruler	*une règle*
compasses / a pair of compasses	*un compas*
a square	*une équerre*
a pocket calculator	*une calculette*
glue / paste	*la colle*
a paperclip	*un trombone*
a label	*une étiquette*
ink	*encre*
a slate	*une ardoise*
to jot down notes	*prendre des notes*
the blackboard	*le tableau*
a paper-board / a flip board	*un tableau à feuilles mobiles*
a map	*une carte*
a sponge	*une éponge*
a piece of chalk	*un morceau de craie*
a duster	*un chiffon*
to erase / to rub out	*effacer*
to wipe	*essuyer*
to wet / to moisten	*mouiller*
teaching-aids	*le matériel pédagogique*
a slide projector	*un projecteur de diapositives*
an overhead projector	*un rétroprojecteur*
a record player	*un électrophone*
a tape recorder	*un magnétophone*
a cassette recorder	*un magnétophone à cassettes*
earphones	*écouteurs*
a videotape recorder	*un magnétoscope*

II THE TEACHER — *L'ENSEIGNANT*

to go into teaching	*entrer dans l'enseignement*
a teaching career	*une carrière d'enseignant*
to recruit a teacher	*recruter un enseignant*
a teaching certificate	*un CAPES (certificat d'aptitude au professorat de l'enseignement secondaire)*
to teach a subject	*enseigner une matière*
teacher training	*la formation pédagogique*
a teacher-training course	*un stage pédagogique*
to train a teacher	*former un enseignant*
practical training	*les stages de formation*
a teaching position	*un poste d'enseignant*
a teachers' union	*un syndicat d'enseignants*
to win tenure of one's position	*être titularisé*
to be let go	*être licencié*
to discharge	*licencier*
to underrate teaching	*dévaloriser l'enseignement*
to upgrade a profession	*revaloriser une profession*
to press for higher salaries	*demander des salaires plus élevés*
an incentive allowance	*une prime d'encouragement*
a pay review	*une révision de salaire*
to moonlight	*avoir un second emploi*
extra hours	*heures supplémentaires*
to work overtime	*faire des heures supplémentaires*
a merit increment	*une augmentation au mérite*

academic rank — *le grade*
administrative chores — *corvées administratives*

teaching duties — *les tâches de l'enseignant*
to teach (sb sth) — *enseigner (qch. à qn.)*
to learn (sth) — *apprendre (qch.)*
to transmit values — *transmettre des valeurs*
to teach the basic skills — *enseigner les matières fondamentales*
to develop intellectual skills — *développer les capacités intellectuelles*
to acquire knowledge — *acquérir des connaissances*
to cover a subject — *couvrir un sujet*
a method of teaching — *une méthode d'enseignement*
to engage the attention (of) — *fixer l'attention (de)*
to engage the interest (of) — *susciter l'intérêt (de)*
an innovative teacher — *un enseignant imaginatif*
to prepare a student for examinations — *préparer un étudiant aux examens*
homework — *les devoirs à la maison*
a class assignment — *une affectation de classe*
to give an assignment — *donner un devoir*
a paper — *un devoir écrit*
to set sb a paper — *donner un devoir à qn.*
a term paper — *une composition trimestrielle*
a quiz / to quiz — *un test / tester*
a drill / to drill — *un exercice d'entraînement / entraîner*
an imposition — *un devoir supplémentaire*
a translation — *une traduction*
to mark papers / to grade papers — *corriger des copies*

a mark / a grade — *une note*
to sit on juries — *être membre de jurys*
to be on jury duty — *être de jury*
to tutor — *faire du soutien*
teaching ability — *la capacité à enseigner*
to vary one's teaching — *varier ses méthodes*
to keep up with one's field — *se tenir au courant de sa matière*
to upgrade one's skills — *améliorer ses méthodes*
to manage a classroom — *tenir une classe*
dedicated — *consciencieux*
scholarly — *instruit*
self-confident — *sûr de soi*
knowledgeable — *au fait de son sujet*
empathy — *le contact*
competence — *la compétence*
sensitivity — *la sensibilité*
able — *capable*
authoritarian — *autoritaire*
lenient — *indulgent*

university work — *le travail universitaire*
a credit — *une unité de valeur*
to register for a course — *s'inscrire à un cours*
to take a course — *suivre un cours*
to major in — *préparer un diplôme de*
an English major — *un étudiant en anglais*
to do research — *faire des recherches*
to publish — *publier*
a scholarly journal — *une revue savante*
to give a paper — *faire une communication*
to give a lecture — *faire une conférence*
to lecture — *faire un cours*
a seminar — *un séminaire, un cours de travaux pratiques*

III ACADEMIC ACHIEVEMENT — *LES PERFORMANCES SCOLAIRES*

1 EXCELLENCE IN EDUCATION — ***LA RÉUSSITE SCOLAIRE***

scholastic achievement — *la réussite scolaire*
academic standards — *le niveau des études*
to do well — *bien réussir*
to work hard — *travailler dur*
to swot for an exam — *potasser un examen*
to get good marks — *obtenir de bonnes notes*
to be good at — *être bon en*
a good all-rounder — *un bon en tout*
to be proficient (in) — *être fort (en)*
to push oneself — *être exigeant avec soi-même*
to excel (in) — *briller (en)*
to strive for excellence — *se battre pour réussir*
to win a scholarship — *obtenir une bourse*
to target the best schools — *viser les meilleures universités*
to be a credit to a school — *faire honneur à une école*
to do one's homework — *faire ses devoirs*
to have a solid grounding (in) — *avoir de solides connaissances (en)*
to shine (in) — *briller (en)*
to keep one's grades up — *se maintenir au niveau*
a thirst for knowledge — *une soif de connaissance*
reasoning skills — *aptitudes au raisonnement*
to go in a subject — *s'intéresser à une matière*

to be familiar with a subject — *posséder son sujet*
to master a subject — *maîtriser un sujet*
to memorize / to learn by heart — *apprendre par cœur*
academic honours — *distinctions académiques*
an academic achiever — *un brillant élève*
a gifted student — *un étudiant doué*
an exceptional child / a whiz kid — *un surdoué*
academically able — *doué sur le plan scolaire*
a bookworm — *un rat de bibliothèque*
an IQ (intellectual quotient) — *un QI (quotient intellectuel)*
a grade grind — *un bûcheur*
a swot — *un bosseur*
hardworking — *travailleur*
consciencious — *consciencieux*
compliant — *docile*
attentive — *attentif*
bland — *doux*
stimulating — *stimulant*
orderly — *ordonné*
to be articulate — *s'exprimer avec aisance*
bright / smart — *intelligent*
talented — *doué*
sharp — *vif*
painstaking — *soigneux, assidu*
to have brains — *être intelligent*

2 THE LOW ACHIEVER — *L'ÉLÈVE MÉDIOCRE*

an average student	*un élève moyen*
to have a low academic performance	*avoir du mal dans ses études*
to fail to attain academic success	*échouer dans ses études*
to repeat a year	*redoubler*
a repeater	*un redoublant*
to keep back	*faire redoubler*
to promote a student (to)	*faire passer (dans)*
to drop a subject	*abandonner une matière*
to shrink from challenge	*baisser les bras devant les difficultés*
to buck the system	*rechigner devant le système*
to bungle one's work	*bâcler son travail*
to slouch	*traîner*
to idle one's time away	*gaspiller son temps*
to laze around	*paresser*
lazy	*paresseux*
slack	*négligent*
absent-minded	*distrait*
untidy	*peu soigneux*
to slacken one's effort	*relâcher son effort*
to be literate	*savoir lire*
to be numerate	*savoir compter*
illiteracy	*l'analphabétisme*
illiterate	*analphabète*
provoking	*agaçant*
passive	*passif*
cheeky	*impudent*
talkative	*bavard*
disruptive	*turbulent*
unruly	*indiscipliné*
dull	*sot*
a dullard	*un sot*
slow witted	*lent d'esprit*
dumb	*stupide*
slow in the uptake	*lent à comprendre*
to skip classes / to cut school	*sécher les cours*
truancy	*l'école buissonnière*
to play truant	*faire l'école buissonnière*
absenteeism	*l'absentéisme*
to quit school / to drop out of school	*abandonner les études*
a dropout	*un élève qui a abandonné les études*

3 SCHOOL DISCIPLINE — *LA DISCIPLINE À L'ÉCOLE*

an attendance list / sheet	*une liste d'appels*
a roll call	*l'appel*
to be late	*être en retard*
tardiness	*le manque de ponctualité*
an absence slip	*un billet d'absence*
the absentee rate	*le taux d'absentéisme*
to rag	*chahuter*
an unruly pupil	*un élève chahuteur*
to use corporal punishment	*administrer des châtiments corporels*
to chew out	*réprimander*
to break the rules	*enfreindre le règlement*
to mete out punishment	*punir*
a detention	*une retenue*
to give 2 hours' detention	*donner 2 heures de colle*
to be kept in detention	*être gardé en retenue*
to suspend	*exclure*
suspension	*exclusion temporaire*
to expel from school	*expulser de l'école*
to remove from school	*retirer de l'école*
to send down	*renvoyer*
to transfer to another school	*inscrire dans une autre école*
a breach of discipline	*un manquement à la discipline*
a disciplinary committee	*un conseil de discipline*
to crib	*pomper (fam.)*
to cheat	*tricher*
a cheater	*un tricheur*

4 EXAMINATIONS — *LES EXAMENS*

a candidate	*un candidat*
a multiple choice test	*un QCM (questionnaire à choix multiples)*
a written test	*un examen écrit*
an oral test	*un oral*
a test score	*le résultat d'un test*
to score on a test	*marquer des points lors d'un test*
to examine	*interroger, examiner*
a competitive examination	*un concours*
a competitive examination for admission	*un concours d'entrée*
to seek entrance	*s'inscrire à un concours*
entrance requirements	*le niveau d'entrée*
to enter higher education	*poursuivre des études universitaires*
to read for a degree	*préparer un diplôme*
to read the bar	*faire des études de droit*
to take an exam / to stand for an exam	*se présenter à un examen*
to sit for an exam	*passer un examen*
an exam paper	*une épreuve écrite*
to pass an exam	*réussir à un examen*
to pass with honours	*passer avec mention*
to fail an exam	*échouer à un examen*
the general certificate of education (GCE) (UK)	*le baccalauréat*
the Certificate of secondary education (CSE) (UK)	*le diplôme de fin d'études secondaires*
O-level (Ordinary level)	*le brevet des collèges*
A-level (Advanced level) (UK)	*le baccalauréat*
a scholastic assessment test (SAT)	*un examen d'entrée à l'université*
a standard	*un niveau*
to lower standards	*abaisser le niveau*
to graduate	*obtenir un diplôme*
to graduate a student	*conférer un diplôme à un étudiant*
to graduate from high school	*être bachelier*
to graduate from Harvard	*être diplômé de Harvard*
a graduate	*un diplômé*
an undergraduate	*un étudiant de licence (ou qui n'a pas obtenu un premier diplôme universitaire)*
a post-graduate student	*un étudiant de 3ème cycle*
graduation	*l'obtention des diplômes*
graduation day	*le jour de remise des diplômes*

a commencement address	*un discours de remise des diplômes*
conferment	*la collation des grades*
a degree	*un diplôme*
an honours degree	*un diplôme obtenu après spécialisation*
a diploma	*un diplôme (certificat)*
to award a diploma	*décerner un diplôme*
a Bachelor's degree (a B.A.)	*un diplôme de licence*
a Master's degree (an M.A.)	*un diplôme de maîtrise*
a doctor of philosophy (a Ph.D)	*une thèse de doctorat, un docteur*

5 TRAINING — *LA FORMATION*

to receive training	*recevoir une formation*
vocational training / employment training (ET) / job training scheme (JTS) (UK)	*la formation professionnelle*
vocational courses / continuing education	*la formation continue*
on-the-job training	*la formation sur le tas*
a training program	*un programme de formation*
a training scheme	*un plan de formation*
a training session	*un stage de formation*
to train (for)	*suivre une formation (pour devenir)*
the Open University	*le Centre national d'enseignement à distance (CNED)*
cooperative education	*enseignement alterné*
a skill	*une qualification*
remedial training	*la formation de réinsertion*
a youth training scheme (YTS)	*la formation des jeunes*
to keep unemployed teenagers off the streets	*occuper les jeunes au chômage*

6 EDUCATIONAL REFORM — *LA RÉFORME DE L'ENSEIGNEMENT*

an Education Act	*une loi de réforme de l'enseignement*
school hours	*rythmes scolaires*
to establish new courses	*créer des enseignements nouveaux*
to build footbridges	*construire des passerelles*
adult literacy	*alphabétisation*
reading standards	*critères de lecture*
to keep schools up to the mark	*maintenir les établissements à la hauteur*
research funding	*le financement de la recherche*
to raise the educational level	*élever le niveau d'éducation*
to bring back selection	*réintroduire la sélection*
to be self-taught	*être autodidacte*
to teach oneself English	*apprendre l'anglais en autodidacte*
a shortfall of teachers	*une pénurie d'enseignants*
to go to night school	*suivre les cours du soir*
the electronic classroom	*l'école électronique*
electronic learning	*apprendre sans professeur*
a video conferencing network	*un réseau de vidéo-conférences*

8 RELIGION — *LA RELIGION*

I RELIGIONS — *LES RELIGIONS*

1 GENERAL BACKGROUND — *GÉNÉRALITÉS*

a religion	*une religion*
religious	*religieux*
lay	*laïque*
laity	*la laïcité*
a layman	*un laïc, un profane*
a secular country	*un État laïque*
disestablishment	*la séparation de l'Église et de l'État*
to proclaim separation of church and state	*proclamer la séparation de l'Église et de l'État*
God	*Dieu*
a god	*un dieu*
a goddess	*une déesse*

2 CHRISTIANITY — *LE CHRISTIANISME*

a Christian	*un chrétien*
Christendom	*la chrétienté*
Christianity	*le christianisme*
the Almighty	*le Tout-Puissant*
the Lord	*le Seigneur*
the Virgin	*la Vierge*
the Messiah	*le Messie*
the Shepherd	*le Berger*
the Holy Ghost	*le Saint-Esprit*
a prophet	*un prophète*
Moses	*Moïse*
an Apostle	*un Apôtre*
a disciple	*un disciple*
paradise	*le paradis*
Heaven	*le Ciel*
Hell	*l'Enfer*
Doomsday	*le jour du Jugement dernier*
Resurrection / Resuscitation	*la Résurrection*
an angel	*un ange*
the devil	*le diable*
catholic	*catholique*
Roman Catholicism	*le catholicisme romain*
a Protestant	*un protestant*
Protestantism	*le protestantisme*
the Church of England	*l'Église anglicane*

3 ISLAM — *L'ISLAM*

Islamism	*l'Islamisme*
a Moslem / a Muslim	*un musulman*
Muhammad / Mohammed	*Mahomet*
the Koran	*le Coran*
Mecca	*la Mecque*
a mosque	*une mosquée*
a prayer mat	*un tapis de prière*
a dress code	*un code vestimentaire*
a head scarf	*un foulard*
a chador	*un tchador*
to wear a veil	*se voiler*
fundamentalism	*l'intégrisme*
a fundamentalist	*un intégriste*

4 JUDAISM — *LE JUDAÏSME*

a Jew	*un Juif*
jewish	*juif*
Hebrew	*hébreu, hébraïque, l'hébreu*
an Israeli	*un Israélien*
Palestine	*la Palestine*
a homeland	*une patrie*
the Gaza Strip	*la bande de Gaza*
the West Bank	*la Cisjordanie*
a zionist	*un sioniste*
a synagogue service	*un office à la synagogue*
Sabbath	*le sabbat*
the flood	*le déluge*
Passover	*la Pâque juive*
antisemitic	*antisémite*
the Holocaust	*l'Holocauste*

5 OTHERS — *AUTRES*

Buddha	*Bouddha*
Buddhism	*le bouddhisme*
a Buddhist	*un bouddhiste*
Hinduism	*l'hindouisme*
a Hindu	*un hindouiste*
a deity	*une divinité*
a sect / a cult	*une secte*
a cultist	*un membre d'une secte*
sectarian / bigoted	*sectaire*
a denomination	*une confession*
a dissenter	*un dissident*
Puritanism	*le puritanisme*
a Puritan	*un Puritain*
Mormonism	*le mormonisme*
a Mormon	*un Mormon*
a Methodist	*un Méthodiste*
a Baptist	*un Baptiste*
a Shiite	*un Chiite*
a Sikh	*un Sikh*
a pagan / a heathen	*un païen*
a non believer / an unbeliever	*un incroyant*
unbelieving	*incroyant*
an atheist	*un athée*
a creed	*un credo, une croyance*
a free mason	*un franc-maçon*
freemasonry	*la franc-maçonnerie*
witchcraft / sorcery	*la sorcellerie*
a witch	*une sorcière*
a witch doctor	*un sorcier (en Afrique)*
a wizard	*un sorcier*
a medicine man	*un sorcier (peau-rouge)*
satanism	*le satanisme*
a witch hunt	*une chasse aux sorcières*

II THE CHURCH — *L'ÉGLISE*

1 GENERAL BACKGROUND — *GÉNÉRALITÉS*

a church	*une église*
a mainstream church	*une église principale*
a churchgoer	*un pratiquant*
a church member	*un membre d'une paroisse*
a parish	*une paroisse*
a parishioner	*un paroissien*
the faithful	*les fidèles*
holy	*saint*
holiness	*la sainteté*
a congregation	*une assemblée de fidèles / les fidèles*
a missionary	*un missionnaire*

2 CHURCH ORGANIZATION — *L'ORGANISATION DE L'ÉGLISE*

the Pope	*le pape*
a minister of the church	*un ministre du culte*
clergy	*le clergé*
a clergyman	*un ecclésiastique*
a preacher	*un prédicateur*
a priest	*un prêtre*
a vicar	*un pasteur (anglican)*
a rector	*un curé (catholique)*
a curate	*un vicaire (anglican)*
a monk	*un moine*
a nun / a sister	*une religieuse*
a chaplain	*un aumônier*
a bishop	*un évêque*
an archbishop	*un archevêque*
a diocese	*un diocèse*
a cardinal	*un cardinal*
a nuncio	*un nonce*
the Rev. Father	*le révérend père (catholique)*
the Right Rev.	*le très révérend*
the most Rev.	*le révérendissime*
a pastor / a reverend / a minister / a parson	*un pasteur*
the Rev. Jackson	*le révérend Jackson (protestant)*
a rabbi	*un rabbin*
an ayatollah	*un ayatollah*
a guru	*un gourou*

3 RELIGIOUS EDIFICES — *LES ÉDIFICES RELIGIEUX*

a place of worship	*un lieu de culte*
a shrine	*un lieu saint*
a temple	*un temple*
a chapel	*une chapelle*

a convent	*un couvent*
a cloister	*un cloître*
an abbey	*une abbaye*
a cathedral	*une cathédrale*
a monastery	*un monastère*
a pillar	*un pilier*
a box / an offertory-box	*un tronc*
a holy font / fount (USA)	*les fonds baptismaux*
the organ	*l'orgue*
a nave	*une nef*
a vault	*un voûte*
a pulpit	*une chaire*
a pew	*un banc d'église*
stained glass windows	*les vitraux*
a steeple	*un clocher*
a spire	*une flèche*
a dome	*un dôme*
a shrine	*un reliquaire*
the vestry	*la sacristie*
a monastery	*un monastère*
a vicarage	*un presbytère (anglican)*
a rectory	*un presbytère (catholique)*

4 WORSHIP — *LE SERVICE RELIGIEUX*

a flock	*les ouailles*
to worship	*adorer, pratiquer, vénérer*
to practise one's religion	*pratiquer sa religion*
to hold a worship service	*organiser un service religieux*
to attend Sunday service	*assister à l'office dominical*
evening service	*l'office du soir*
to go to church	*aller à l'église*
to go to mass	*aller à la messe*
to pray	*prier*
to kneel	*s'agenouiller*
to cross oneself	*se signer*
a prayer	*une prière*
a rosary	*un chapelet*
a missal	*un missel*
to sin / a sin	*pécher / un péché*
to atone for one's sins	*expier ses péchés*
to do penance for	*faire acte de pénitence pour*
a soul	*une âme*
to repent / repentance	*se repentir / le repentir*
to confess	*se confesser*
a confessional box	*un confessionnal*
temptation	*la tentation*
to redeem	*racheter*
to bless / a blessing	*bénir / une bénédiction*
to take holy communion	*recevoir la communion*
to receive communion	*communier*
a host	*une hostie*
to sing a hymn	*chanter un hymne*
a psalm	*un psaume*
a choir / a choirboy	*un chœur / un choriste*
an altar boy	*un enfant de chœur*
to make a collection	*faire une quête*
an altar	*un autel*
the cross	*la croix*
Lent	*le Carême*
Ash Wednesday	*le Mercredi des Cendres*
Shrove Tuesday	*Mardi gras*
Easter	*Pâques*
Easter Sunday	*Dimanche de Pâques*
Ascension	*l'Ascension*
Assumption Day	*l'Assomption*
Thanksgiving	*Thanksgiving*
Hallowe'en (USA)	*la veille de la Toussaint*
All Saints' Day	*la Toussaint*
All Souls' Day	*le jour des Morts*
Christmas	*Noël*
Twelfth Night	*la nuit des Rois*
the Papacy	*la papauté*
the Vatican	*le Vatican*
the Holy See	*le Saint-Siège*
an encyclical	*une encyclique*
to convoke a council	*convoquer un concile*
a papal visit	*une visite pontificale*
televangelism	*le télévangélisme*
a televangelist	*un télévangéliste*
a star preacher	*un prédicateur vedette*
a gospel telecaster	*une vedette de l'Évangile*
a gospeler	*un évangélisateur*
a faith healer	*un guérisseur (mystique)*
to utter prophecies	*annoncer des prophéties*
faith	*la foi*
to believe in God	*croire en Dieu*
a belief / a believer	*une croyance / un croyant*
devout	*dévôt, fervent*
pious	*pieu*
faithful	*fidèle*
fanaticism	*le fanatisme*
fanatical	*fanatique*
a fanatic	*un fanatique*
to fast / a fast	*jeûner / un jeûne*
a pilgrim	*un pèlerin*
a pilgrimage	*un pèlerinage*
to go on a pilgrimage	*partir en pèlerinage*

III THE ROLE OF THE CHURCH — *LE RÔLE DE L'ÉGLISE*

1 BECOMING A PRIEST — *LE CHOIX DE LA PRÊTRISE*

to enter the Church	*entrer dans les ordres*
to enter the priesthood / to join the clergy	*se faire prêtre*
to choose a religious life	*choisir de consacrer sa vie à Dieu*
a lifelong commitment	*l'engagement de toute une vie*
celibacy	*le célibat*
chastity	*la chasteté*
to take the veil	*prendre le voile*
to enter a seminary	*entrer dans un séminaire*
to serve a church	*servir Dieu*
to ordain / ordination	*ordonner / l'ordination*

2 A PRIEST'S DUTIES — *LES DEVOIRS D'UN PRÊTRE*

to perform one's sacerdotal duties	*accomplir ses devoirs sacerdotaux*
to perform charitable work	*s'occuper d'œuvres charitables*
to visit the needy	*rendre visite aux nécessiteux*
to comfort the afflicted	*consoler les affligés*
the sick / the poor	*les malades*
to celebrate mass	*célébrer la messe*
to preach the gospel	*prêcher les évangiles*
to mount the pulpit	*monter en chaire*
a sacrament	*un sacrement*
a christening	*un baptême*
to christen / to baptize	*baptiser*
a baptism	*un baptême*
to be baptised into the catholic church	*se faire baptiser catholique*
Sunday School	*le catéchisme, l'école du dimanche*
bible reading	*l'école du dimanche*
a catechumenate	*un catéchumène*
to hear confession	*confesser (qn.)*
to make confession	*se confesser*
to convert	*convertir*
a conversion	*une conversion*
the extreme unction	*l'extrême onction*
to administer last rites	*administrer les derniers sacrements*
to do missionary work	*faire œuvre missionnaire*

3 ETHICS — *LA MORALE*

morals	*la morale*
morality	*principes moraux*
moral	*conforme à la morale*
morale	*le moral (de qn.)*
a moral standard	*un critère moral*
evil	*le mal / pervers, néfaste*
to do evil	*faire du mal*
to do wrong	*mal agir*
to do good	*faire le bien*
to denounce	*dénoncer*
to reprove	*réprouver*
to stand up for a principle	*défendre un principe*
to battle against	*se battre contre*
secularism	*la laïcisation*
atheism	*l'athéisme*
a tenet	*un principe, une doctrine*

4 SOCIAL ROLE — *LE RÔLE SOCIAL*

to serve an ideal	*être au service d'un idéal*
to see to spiritual needs	*veiller aux besoins spirituels*
social needs	*besoins sociaux*
church involvement (in)	*l'engagement de l'église (dans)*
to crusade against injustice	*faire croisade contre l'injustice*
to preach social justice	*prêcher la justice sociale*
to denounce economic injustice	*dénoncer l'injustice économique*
the downtrodden	*les opprimés*
to take up arms against / over	*s'insurger contre / à propos de*
to be involved in politics	*s'engager dans la politique*
religious activism	*le militantisme religieux*
an activist spirit	*un esprit militant*

IV THEOLOGY — *LA THÉOLOGIE*

1 THEOLOGY UNDER FIRE — *LA THÉOLOGIE EN QUESTION*

a theologian	*un théologien*
liberation theology	*la théologie de la libération*
the Holy Scriptures	*les Écritures Saintes*
the Bible	*la Bible*
the Ancient Testament	*l'Ancien Testament*
the New Testament	*le Nouveau Testament*
the teachings of the Bible	*les enseignements de la Bible*
a parable	*une parabole*
biblical	*biblique*
canon law	*le droit canon*
traditional dogma	*le dogme traditionnel*
an unchallengeable truth	*une vérité éternelle*
to enforce canon law	*appliquer le droit canon*
to correct errant thinkers	*ramener les égarés dans le droit chemin*
to bend to papal will	*se plier à la volonté du pape*
a papal crackdown on	*une injonction papale*
a bull	*une bulle*
a blacklisting	*une mise à l'index*
to excommunicate	*excommunier*
theological heresy	*l'hérésie théologique*
a church progressive	*un réformiste*
to stray off official teaching	*s'égarer de la ligne officielle*
to castigate a doctrine	*fustiger une doctrine*
heresy	*l'hérésie*
heretical	*hérétique*
a heretic	*un hérétique*
to form a breakaway church	*former une église dissidente*

2 THE CHURCH CRISIS — *LA CRISE DE L'ÉGLISE*

to lapse	*arrêter de pratiquer*
a lapsed Catholic	*un catholique qui n'est plus pratiquant*
churchgoing	*la fréquentation des églises*
to fill the pews	*remplir les églises*
to rally the faithful	*rassembler les fidèles*
to secularize	*séculariser*
secularisation	*la sécularisation*
secularism	*la laïcité*
secular	*laïque*
a shortage of priests	*une pénurie de prêtres*
to quit one's vocation	*abandonner la prêtrise*
to leave the church	*quitter les ordres*
to break one's vows of celibacy	*rompre ses vœux de célibat*

to recant one's views	*abjurer sa foi*
apostasy	*l'apostasie*
an apostate	*un apostat*
to unfrock	*défroquer*
a female priest	*une femme-prêtre*
ordination of women	*l'ordination des femmes*

3 RELIGIOUS REVIVAL — *LE RENOUVEAU RELIGIEUX*

salvation	*le salut*
a miracle / miraculous	*un miracle / miraculeux*
a surge of vocations	*une vague de vocations*
church enrollment	*le nombre des fidèles*
a rise in religious fervor	*un élan de ferveur religieuse*
to be born again	*re-naître à Dieu*
to proselytize	*faire du prosélytisme*
proselytism	*le prosélytisme*
to spread the Gospel	*répandre la bonne parole*
to indoctrinate	*endoctriner*
indoctrination	*l'endoctrinement*
a follower	*un adepte*
a practising catholic	*un catholique pratiquant*
church attendance	*la fréquentation à l'église*

4 RELIGIOUS PERSECUTION — *LA PERSÉCUTION RELIGIEUSE*

to persecute	*persécuter*
anti clericalism	*anticléricalisme*
spiritual warfare	*la guerre des religions*
religious freedom	*la liberté de religion*
freedom of worship	*la liberté de culte*
freedom of conscience	*la liberté de conscience*
to repress clergy	*réprimer le clergé*
to be subservient to	*être soumis à*
to live underground	*vivre dans la clandestinité*
to celebrate a clandestine mass	*célébrer une messe clandestine*
a purge	*une purge*
to confiscate church buildings	*confisquer les édifices religieux*
to shut down churches	*fermer les églises*
to oppress churches	*opprimer les églises*
to discriminate against Christians	*pratiquer la discrimination envers les chrétiens*
to harass	*harceler*
harassment	*le harcèlement*
to liquidate a church / to wipe out a religion	*supprimer une religion*
to convert a country to an atheist state	*convertir le pays en un État athée*
to keep the faith	*garder la foi*
to relax a ban	*assouplir une interdiction*
to win religious freedom	*obtenir la liberté de culte*
to restore basic rights	*rétablir les droits fondamentaux*
to be declared the official religion	*être déclaré religion officielle*
a martyr	*un martyr*
martyrdom	*le martyre*

II SOCIAL TENSIONS — *LES TENSIONS SOCIALES*

1 IMMIGRATION — *L'IMMIGRATION*

I IMMIGRANTS — *LES IMMIGRANTS*

an immigrant	*un immigrant, un immigré*
an emigrant	*un émigrant*
migrant	*migrateur, nomade*
a national	*un ressortissant*
a native / a local	*un autochtone*
a migration	*une migration*
sedentary	*sédentaire*
a foreigner	*un étranger*
foreign / alien	*étranger*
an alien	*un ressortissant étranger*
an expatriate	*un expatrié*
a newcomer / an incomer / an entrant	*un nouvel arrivant*
a resident alien / a foreign born resident	*un étranger installé dans le pays d'accueil*
to migrate from	*émigrer (de)*
to migrate to / into	*immigrer (à, dans)*
to immigrate	*immigrer*
a border / a frontier	*une frontière*
a checkpoint / a port of entry	*un point de passage*
customs	*la douane*
a customs officer	*un douanier*
to go through the customs	*passer la douane*
to check documents	*vérifier les papiers*
a passport holder	*le détenteur d'un passeport*
to issue a visa	*délivrer un visa*
to enter on a student visa	*entrer avec un visa d'étudiant*
a temporary visa	*un visa temporaire*
an entrance visa	*un visa d'entrée*
a country of origin	*un pays d'origine*
a host / guest country	*un pays d'accueil*
seasonal migrations	*migrations saisonnières*
forced migration	*émigration forcée*
mass migration	*émigration massive*
to have a fixed abode	*avoir un domicile fixe*
immigration policy	*la politique de l'immigration*
an immigration law	*une loi sur l'immigration*
the Immigration and Naturalization Services (INS) (USA)	*les services d'immigration et de naturalisation*
a citizen	*un citoyen*
citizenship	*la citoyenneté*
to receive citizenship	*recevoir la citoyenneté*
to grant citizenship	*accorder la citoyenneté*
to naturalise	*naturaliser*
to acquire citizenship	*acquérir la nationalité*
by birth	*par la naissance*
by descent	*par ses parents*
through naturalisation	*par naturalisation*
to be eligible for	*avoir les conditions requises pour*
eligibility rules	*règles d'éligibilité*

II ATTRACTION TO A COUNTRY — *L'ATTRAIT POUR UN PAYS*

1 APPEAL — *L'ATTRAIT*

to be attracted to / to be pulled to	*être attiré vers*
to appeal to	*attirer, tenter, séduire*
to feel the appeal	*ressentir l'attrait*
to draw / to lure	*attirer*
a lure	*un attrait, un leurre*
to yearn for	*aspirer à*
to long for	*désirer ardemment*
to entice	*séduire*
to seize an opportunity	*saisir une occasion*
to go in search of	*partir à la recherche de*
to reach a goal	*atteindre un but*
a lifelong dream	*le rêve de toute une vie*
to make a dream come true	*réaliser un rêve*
to fulfill a dream	*accomplir un rêve*

2 INCENTIVES TO MIGRATION — *LES INCITATIONS À L'ÉMIGRATION*

a push factor	*un facteur d'incitation*
to seek a better future	*chercher une vie meilleure*
to seek fortune	*chercher fortune*
to seek employment	*chercher du travail*
to be spurred by a sense of desperation	*être poussé par le désespoir*
to flee economic misery	*fuir la misère économique*
overpopulation	*la surpopulation*
the failure of crops	*la perte des récoltes*
exhaustion of natural resources	*l'épuisement des ressources naturelles*
to flee from	*fuir*
to escape famine	*échapper à la famine*
a gold rush	*une ruée vers l'or*
a gold seeker	*un chercheur d'or*
to go west	*aller vers l'ouest*
a brain drain	*une fuite des cerveaux*
to be drained of	*être vidé de*
to court	*solliciter*
to woo	*rechercher*
a demand for labour	*un appel de main d'œuvre*
a tie	*un lien*
a link	*une attache*
a relative	*un parent (membre de la famille)*
to join one's family	*rejoindre sa famille*
to be separated from	*être séparé de*
to cut one's roots with	*rompre avec*
to be cut off one's roots	*être coupé de ses racines*
uprooted	*déraciné*
uprootedness	*le déracinement*

to leave for good	*quitter définitivement*
to break up with the past	*rompre avec le passé*
tyranny	*la tyrannie*
oppression	*l'oppression*
a yoke	*un joug*
to live under the thumb of	*être sous la coupe de*
a dissident / a dissenter	*un dissident*
to dissent from	*être en désaccord avec*
to flee civil strife	*fuir la guerre civile*
to seek safety	*chercher le salut*
a freedom seeker	*un candidat à la liberté*
a flight to freedom	*une fuite vers la liberté*
to be displaced	*être expulsé / déraciné / transplanté*
to persecute	*persécuter*
to escape persecution	*fuir la persécution*
to practise one's faith	*pratiquer sa religion*
a pogrom	*un pogrom / pogrome*
to provide a haven	*offrir un refuge*
to provide a sanctuary for	*offrir un sanctuaire à*
a sanctuary seeker	*un demandeur d'asile*

3 TRIALS AND HARDSHIPS — *LES ÉPREUVES*

a barrier	*une barrière*
to overcome an obstacle	*surmonter un obstacle*
the language barrier	*la barrière linguistique*
a custom	*une coutume*
travelling conditions	*conditions de voyage*
to cope with	*affronter*
to face problems	*faire face à des problèmes*
to meet with problems	*rencontrer des problèmes*
to face hardships / to meet with hardships	*affronter des épreuves*
to endure hardships	*supporter des épreuves*
hazardous	*dangereux*
risky	*risqué*
precarious	*précaire*
exhausting	*épuisant*
gruelling	*exténuant*
to brave dangers	*affronter les dangers*
a hazard	*un danger*
to die of	*mourir de*
to die from	*mourir des suites de*
an epidemic	*une épidémie*
to break out	*éclater*
to be struck by	*être atteint par*
to be the prey of	*être la proie de*
to take a heavy toll on / to exact a heavy toll on	*prélever un lourd tribut sur*
to risk one's life	*risquer sa vie*

III IMMIGRATION CONTROL — *LA LIMITATION DE L'IMMIGRATION*

1 THE IMMIGRATION FLOW — *LA MARÉE DES IMMIGRANTS*

a surge of immigrants	*une vague d'immigrants*
a stream / a flow	*un flot*
to stream	*s'écouler*
a flood	*un flux*
to flood	*inonder*
to flow	*se déverser*
a tide	*une marée*
an outpouring	*un déferlement*
to pour in	*affluer*
an influx	*un afflux*
an exodus	*un exode*
to be overwhelmed	*être envahi*
to open one's borders	*ouvrir ses frontières*
to let in	*laisser entrer*
to lift the gates on emigration	*ouvrir les portes à l'émigration*
to throw open the door	*ouvrir grand la porte*
to open the floodgates	*ouvrir les vannes*
to fling open one's borders	*ouvrir tout grand ses frontières*
to drop passport controls	*abandonner les contrôles aux frontières*
to get across a border	*franchir une frontière*
to erect a wall	*construire un mur*
to dismantle	*démanteler*
to tear down	*démolir*
to breach	*ouvrir une brèche*
to lose control of one's borders	*perdre la maîtrise de ses frontières*

2 CLOSING THE DOOR — *LA FERMETURE DES FRONTIÈRES*

the threshold of tolerance	*le seuil de tolérance*
to curb the flow	*limiter l'afflux*
to contain the invasion	*contenir l'invasion*
to slow the tide	*ralentir la marée*
to stem the flow	*endiguer le flot*
to slam the door shut	*claquer la porte au nez*
a trickle	*un mince filet*
to slow to a trickle	*s'écouler au compte-gouttes*
to dry up	*se tarir*
to erect a barrier	*ériger une barrière*
to keep immigrants out	*empêcher les immigrants d'entrer*
to staunch the outflow	*arrêter l'exode*
to choke off an exodus	*empêcher un exode*
to take in	*absorber*
an intake	*les admissions*
to absorb	*absorber*
absorptive capacity	*la capacité d'absorption*
a quota	*un quota*
the quota system	*les quotas*
a restriction on	*une restriction de / sur*
to introduce restrictions	*introduire des restrictions*
to relax restrictions (on)	*assouplir les interdictions (de, sur)*
to tighten	*renforcer*
to enact legislation	*faire voter des lois*
to pass laws against	*promulguer des lois contre*
to tighten visa requirements	*renforcer les conditions d'obtention de visa*
to ban automatic citizenship	*interdire la citoyenneté d'office*

to keep a tight lid on	*maintenir un contrôle strict sur*
national preference	*la préférence nationale*
to screen out	*sélectionner*
to be escorted back to the frontier	*être reconduit à la frontière*
to be turned back	*être refoulé*
to send back	*renvoyer*
to ship back	*renvoyer par bateau*
to dump into the sea	*rejeter à la mer*
to tow back to sea	*remorquer vers la haute mer*
to turn a boat away	*renvoyer un bateau*
to send packing	*expédier sans ménagement*
to scale back one's hospitality	*mettre un frein à l'hospitalité*
an irritant	*une cause d'irritation*
border controls	*la surveillance des frontières*
to regulate the flux	*réglementer le flux*
to keep a watch for	*surveiller*
a fence	*un grillage*
topped with barbed wire	*hérissé de fil de fer barbelé*
an electronic sensor	*un détecteur électronique*
a camera	*un appareil photo*
infrared	*à infrarouge*
a nightscope	*lunettes de nuit*
the Border Patrol	*la police des frontières*
a Border Patrol agent	*un fonctionnaire des douanes*
an INS agent	*un fonctionnaire des services de l'immigration*
a border guard	*un garde-frontière*
a fly over patrol	*une patrouille aérienne*
to police a border	*surveiller une frontière*
to dodge	*éviter*
to elude	*échapper à*
to deport	*déporter*
deportation	*la déportation*
a round up	*un coup de filet*
to round up	*faire une rafle*
to crack down on	*réprimer*
to root out illegal immigrants	*chasser les émigrés clandestins*

3 ILLEGAL IMMIGRATION — *L'IMMIGRATION CLANDESTINE*

an illegal	*un clandestin*
an undocumented worker	*un travailleur clandestin*
a visa abuser	*un étranger en situation irrégulière*
visa fraud	*la fraude au visa*
to overstay	*outrepasser son droit de séjour*
a visa overstayer	*qui dépasse le droit de séjour accordé par son visa*
to be armed with false documents	*être muni de faux papiers*
bogus documents	*faux papiers*
forged	*falsifié*
an id card	*une carte d'identité*
a residence permit	*un permis de séjour*
a work permit	*un permis de travail*
a permit-holder	*le titulaire d'un permis*
a green card (USA)	*une carte de séjour*
a marriage license	*une autorisation de mariage*
to masquerade as	*se faire passer pour*
a non-registered immigrant	*un immigré en situation irrégulière*
unwanted / undesirable	*indésirable*
to hire illegal aliens knowingly	*engager sciemment des travailleurs clandestins*
alien smuggling	*le trafic d'immigrants*
to enter a country illegally / to slip across the border into a country	*entrer clandestinement dans un pays*
to smuggle in	*entrer clandestinement*
a smuggling ring	*un réseau de passeurs*
a smuggler / a coyote	*un passeur*
to land immigrants	*faire débarquer des immigrants*
to sneak into	*s'introduire clandestinement*
to try one's luck	*tenter sa chance*
to harbour	*abriter, receler*
under cover of darkness	*à la faveur de l'obscurité*
to ford a river	*traverser un fleuve à gué*

IV ADJUSTMENT TO THE NEW LAND — *L'INTÉGRATION*

to settle	*s'établir*
a settler	*un colon*
to make a fresh start / to start anew	*prendre un nouveau départ*
to start from scratch	*repartir à zéro*
to found a new home	*fonder un nouveau foyer*
to strike new roots	*s'implanter*
to adjust to	*s'adapter à*
to be integrated (into)	*s'intégrer (à)*
to assimilate (oneself) into	*s'assimiler, être assimilé (à)*
assimilation (into)	*l'assimilation (à, dans)*
to fit in	*s'intégrer (à)*
to mix with	*se mélanger (à)*
adjustment to	*l'adaptation à*
maladjustment	*difficultés d'adaptation*
to burrow into society	*faire son trou dans la société*
an adoptive land	*un pays adoptif*
a mosaic	*une mosaïque*
a melting-pot	*un creuset*
a salad bowl	*un saladier*
to suffer from ill-adjutsment	*souffrir d'inadaptation*
to be caught between two worlds	*être partagé entre deux mondes*
to be turned down for	*se voir refuser*
to be rejected (from)	*être rejeté de*
to be excluded (from) / to be shut off / out	*être exclu (de)*

to feel ostracized	*se sentir exclu*
otherness	*le sentiment d'altérité*
to be alienated	*être aliéné*
a divergence of cultures	*une différence de cultures*
the native culture	*la culture du pays*
to cross a culture	*passer d'une culture à une autre*
cultural fusion	*le mélange culturel*
cultural values	*valeurs culturelles*
cultural norms	*critères culturels*
cultural pluralism	*le pluralisme culturel*
cultural background	*le milieu culturel*
the clash of two cultures	*le choc de deux cultures*
cultural wrench	*le déracinement culturel*
the foreignization of culture	*l'acculturation*
multiculturalism	*le pluralisme des cultures*
to be absorbed into a culture	*être absorbé par une culture*
to contribute to a culture	*contribuer à une culture*
ancestry	*ascendance*
forebears / forefathers	*ancêtres*
to claim	*revendiquer*
to belong to a community	*appartenir à une communauté*
to abandon one's ways	*renoncer à ses coutumes*
to abide by one's origins	*rester fidèle à ses origines*
xenophobia	*la xénophobie*
a xenophobe	*un xénophobe*
xenophobic / anti-foreign	*xénophobe*
knee-jerk xenophobia	*un réflexe de xénophobie*
anti-immigrant feelings	*sentiments xénophobes*
an anti-immigrant mood	*un climat xénophobe*
to resent the presence	*s'indigner de la présence*
resentment (over)	*indignation (à propos de)*
to fuel resentment	*fournir matière à indignation*
restrictionist sentiment	*sentiments protectionnistes*
nationalistic	*nationaliste*
a spirit of superpatriotism	*un esprit cocardier*
parochial	*à courte vue*
to arouse suspicion	*susciter la méfiance*
to look down on sb	*mépriser qn.*
a scapegoat	*un bouc émissaire*
a butt	*une cible*
to blame sb for sth / to blame sth on sb	*rendre qn. responsable de qch.*
to bear the brunt of	*subir le contrecoup de*
social ills	*maux de la société*
economic woes	*difficultés économiques*
to stretch social services	*grever les services sociaux*
to rob the natives of jobs	*prendre les emplois aux autochtones*
to take jobs away from	*occuper les emplois réservés à*
to burden the welfare system	*alourdir les programmes d'aide sociale*
a backlash	*un retour de bâton*
to sharpen the immigration issue	*raviver le problème de l'immigration*

V THE IMMIGRANT AT WORK — *L'IMMIGRÉ AU TRAVAIL*

immigrant labour	*la main d'œuvre immigrée*
a guest worker	*un travailleur immigré*
a transient worker	*un travailleur temporaire*
a frontier worker	*un travailleur frontalier*
a casual worker	*un travailleur occasionnel*
to bring in (from another country)	*faire venir (de l'étranger)*
to be welcome	*être bien accueilli*
to be sought after	*être prisé*
a shortage	*une pénurie*
a willing manpower	*une main d'œuvre malléable*
first generation immigrants	*immigrés de la première génération*
old seed immigrants	*immigrants de souche*
to help build a country	*contribuer à la construction d'un pays*
to bring new vitality to	*apporter une énergie nouvelle à*
to bring along skills to	*apporter des talents à*
to bring job experience	*apporter une expérience professionnelle*
to fill a job	*occuper un emploi*
to shun a job	*bouder un emploi*
to spurn	*mépriser*
a menial job	*un emploi subalterne*
bottom-rung	*subalterne*
a low skill job	*un emploi peu qualifié*
low-paying	*faiblement rémunéré*
low-paid / ill-paid	*mal rétribué*
an unwanted job	*un emploi dont personne ne veut*
a janitor	*un concierge, un gardien d'immeuble*
a hospital orderly	*un garçon de salle*
a chambermaid	*une femme de chambre*
a dishwasher	*un plongeur (dans un restaurant)*
a garbage man / a dustman	*un éboueur*
a sweated worker	*un travailleur exploité*
to be paid "off the books"	*être payé au noir*
to take advantage of	*exploiter*
to be turned down for a job	*se voir refuser un emploi*
to make jobs unavailable (to)	*refuser l'accès à l'emploi (à)*
to remit	*envoyer de l'argent*
a remittance	*un envoi de fonds*
a repatriation grant	*une prime de rapatriement*
upward mobility	*l'ascension professionnelle*
to be upwardly mobile	*avancer dans sa carrière*
an economic way station	*une étape dans la vie professionnelle*
to do nicely / to make it	*réussir*
to strike it rich	*faire fortune*
to go from rags to riches	*passer de la misère à la richesse*
a rags-to-riches story	*l'histoire d'une réussite professionnelle*
to pull oneself up by the bootstraps	*s'élever à la force du poignet*
a model minority	*une minorité exemplaire*
to hold up as an example	*brandir comme exemple*
to excel (in, at)	*exceller, se surpasser (en)*

to climb the ladder	*grimper l'échelle*
to rise in the world	*faire son chemin*
to take up senior posts in	*occuper des hauts postes dans*
to reach managerial levels	*atteindre des postes de direction*
to leave one's print	*laisser son empreinte*
to make one's mark	*laisser sa marque*
a benefit for / to	*un avantage pour*
a boon (to)	*une bénédiction / une aubaine (pour)*
an asset	*un atout*
to benefit from	*tirer avantage de*
to enrich a country (by)	*enrichir un pays (par)*
to keep business alive	*dynamiser les affaires*
to bring fresh vigour	*apporter un sang neuf*
to play a dynamic role	*jouer un rôle dynamique*
to pay more in taxes	*payer davantage en impôts*
to take in benefits	*coûter en allocations*
to place a burden (on)	*être à la charge (de)*
to contribute to the economy	*participer à l'économie*
to stand to gain from	*avoir tout à gagner à*

VI REFUGEES — *LES RÉFUGIÉS*

a political refugee	*un réfugié politique*
political asylum	*l'asile politique*
to apply for political asylum	*demander l'asile politique*
an asylum seeker	*un demandeur d'asile*
to grant a status	*accorder un statut*
to be denied sanctuary	*se voir refuser l'asile à*
to qualify as	*remplir les conditions requises pour*
to gain admittance	*être autorisé à entrer*
to have a fear of persecution	*redouter d'être persécuté*
on grounds of	*pour des raisons de*
to resettle	*s'établir, repeupler*
a reception center	*un centre d'accueil*
a refugee camp	*un camp de réfugiés*
to be crammed into a camp	*s'entasser dans un camp*
a holding center	*un centre de détention*
to be held in	*être détenu dans*
a transit camp	*un camp de transit*
to be warehoused	*être parqué dans un hangar*
to quarter	*cantonner*
to quarantine	*mettre en quarantaine*
forced migrations	*les migrations forcées*
to deport	*déporter*
to carry out a deportation	*organiser une déportation*
a deportee	*un déporté*
to win a reprieve	*obtenir un sursis*
displacement	*éviction*
to expatriate	*(s')expatrier*
to repatriate	*rapatrier*
to force back to	*renvoyer par la force*
to volunteer to return	*être volontaire au retour*
a returnee	*un renvoi*
to exile	*exiler*
to send into exile	*envoyer en exil*
to expel	*expulser*
a slave	*un esclave*
slavery	*l'esclavage*
the slave trade	*le commerce d'esclaves*
a slaver	*un négrier*
to haul slaves	*transporter des esclaves*
to bounce people from country to country	*chasser d'un pays à un autre*
under duress	*par la force*
by force	*de force*
by free consent	*librement consenti*
against one's wishes	*contre son gré*
to deter (from)	*dissuader (de)*
a deterrent	*un moyen de dissuasion*
to discourage	*décourager*
to fend off	*refuser, repousser*
to ward off	*éviter*

2 RACISM — *LE RACISME*

1 GENERAL BACKGROUND — *GÉNÉRALITÉS*

racism	*le racisme (théories et doctrines)*
racialism	*le racisme (pratique de discrimination)*
racist	*raciste*
a racist bias	*un préjugé racial*
to uphold racist theories	*défendre des théories racistes*
to advocate racist theories	*prôner des théories racistes*
non racist	*antiraciste*
a race	*une race*
race relations	*relations raciales*
race riots	*émeutes raciales*
on racial grounds	*sur des critères de race*
a multiracial society	*une société multiraciale*
to stir racism	*éveiller des sentiments racistes*
to stir up racial hatred	*inciter à la haine raciale*
overt racism	*le racisme affiché*
subtle racism	*le racisme voilé*
deep-rooted	*profondément ancré*
deeply ingrained	*invétéré*
to practice a form of racism	*pratiquer une forme de racisme*
ethnic	*ethnique*
an ethnic group	*une ethnie*
ethnic makeup	*la composition ethnique*
a minority	*une minorité*
dark-skinned	*de couleur*

brown-skinned	*basané*
colored / non white	*de couleur*
the Blacks	*les Noirs*
the coloreds	*les gens de couleur*
the Whites	*les Blancs*
features	*les traits*
to sport an accent	*avoir un accent*
to take over a neighborhood	*envahir un quartier*
the Commission for Racial Equality	*la Commission sur l'égalité raciale*
the High Council on Integration	*le Haut-Conseil pour l'intégration*
a Race Relations Act	*une loi sur les relations raciales*
a Civil Rights Act	*une loi sur les droits civils*

2 DISCRIMINATION — *LA DISCRIMINATION*

racial discrimination	*la discrimination raciale*
lace curtain discrimination	*la discrimination voilée*
reverse discrimination	*la discrimination à l'envers*
to practice discrimination	*pratiquer la discrimination*
to endure discrimination	*souffrir de discrimination*
to discriminate against	*établir une discrimination envers*
to be discriminated against	*être l'objet de discrimination*
colour	*la couleur*
creed	*la croyance religieuse*
public facilities	*lieux publics*
to engage in discrimination	*se livrer à la discrimination*
discriminatory	*discriminatoire*
a discrimination-free society	*une société sans discrimination*
segregation	*la ségrégation*
to segregate	*séparer*
segregated	*où la ségrégation est appliquée, ségrégé / ségrégué*
desegregated	*où la ségrégation n'est plus appliquée*
to set apart	*séparer*
victimized	*victime de*
on-the-one-hand rulings / on-the-other-hand rulings	*décisions (de justice) partiales*
apartheid	*l'apartheid*
petty apartheid	*l'apartheid mesquin*
to live under apartheid	*vivre sous un régime d'apartheid*
an antiapartheid activist	*un militant contre l'apartheid*
to dismantle apartheid	*démanteler l'apartheid*
to do away with apartheid	*supprimer l'apartheid*
to hold down	*opprimer*
to subjugate	*soumettre*
supremacy	*la suprématie*
sway (over)	*la domination (sur)*
a prejudice / a bias	*un préjugé*
narrow-minded	*étroit d'esprit*
broad-minded	*large d'esprit*
to be open-minded	*avoir un esprit ouvert*
to be prejudiced against	*avoir des préjugés envers*
a prejudiced society	*une société raciste*
to flaunt one's prejudices	*étaler ses préjugés au grand jour*
a bigot / bigotry	*un sectaire / le sectarisme*
bigoted	*intolérant*
anti-semitism	*l'antisémitisme*
an Anti-Semite	*un antisémite*
anti-semitic	*antisémite*
genocide	*le génocide*
a concentration camp	*un camp de concentration*
an outburst of anti-semitic attacks	*une flambée d'attaques antisémites*
anti-Jewish prejudices	*préjugés antisémites*
an act of anti-semitism	*un acte d'antisémitisme*
Jew baiting	*la persécution des Juifs*
a rash of anti-Jewish incidents	*une série d'incidents anti-sémites*
to desecrate	*profaner*
desecration	*la profanation*
to desecrate a grave	*profaner une tombe*
to vandalize a cemetery	*profaner un cimetière*
to be tried for crimes against humanity	*être jugé pour crimes contre l'humanité*

3 RACISM AND POLITICS — *RACISME ET POLITIQUE*

an electoral stock-in-trade	*un fonds de commerce électoral*
to find a political echo	*rencontrer un écho politique*
the far right / the extreme right	*l'extrême droite*
a radical attitude	*une attitude extrémiste*
to have followers	*avoir des adeptes*
to make electoral gains	*enregistrer des progrès en voix*
to seize the race issue	*s'emparer du problème racial*
a scapegoat	*un bouc émissaire*
a rabble-rouser	*un agitateur*
to stoke concern	*alimenter l'inquiétude*
to heighten concern	*accroître l'inquiétude*
to air one's concerns	*exprimer son inquiétude*
to defuse concerns	*désarmer les inquiétudes*
to voice one's fears	*formuler ses craintes*
to raise worries	*soulever des craintes*
to stir a controversy	*susciter une controverse*
controversial	*sujet à controverse*
a bone of contention	*une pomme de discorde*
to threaten the social fabric	*menacer le tissu social*
to manipulate the current situation	*tirer les ficelles de l'agitation actuelle*
to play the racial theme to the hilt	*jouer à fond la carte du racisme*
to wage a scare campaign	*mener une campagne d'épouvante*
a thorny issue	*un casse-tête*
a hot potato	*un problème explosif*
a boiling pot	*un chaudron*
to swing elections	*faire basculer les élections*

4 RACIAL VIOLENCE *LA VIOLENCE RACIALE*

hate / hatred	*la haine*
an outbreak of hatred	*un regain de haine*
out of hatred	*par haine*
to hate	*haïr*
a hate group	*un groupuscule raciste*
verbal abuse	*insultes verbales*
a racist slur	*une insulte raciale*
to taunt	*narguer*
racist taunts	*provocations racistes*
an anonymous phone call	*un appel anonyme*
a threatening letter	*une lettre de menace*
a stare	*un regard*
to glare at	*jeter un regard hostile sur*
to look scornfully at	*regarder avec mépris*
a climate of fear	*un climat de peur*
to carry out a threat	*mettre une menace à exécution*
to harass	*harceler*
harassment	*le harcèlement*
to terrorize	*terroriser*
to hound out	*chasser*
to channel one's aggression	*canaliser son agressivité*
to molest	*brutaliser, rudoyer*
an assault	*une agression*
to assault	*agresser*
a beating	*un passage à tabac*
to beat up	*passer à tabac*
to beat to death	*rosser à mort*
a gang attack	*une agression par une bande*
a hate motivated killing	*un meurtre raciste*
to go unpunished	*rester impuni*
a racial conflict	*un conflit racial*
a riot	*une émeute*
a flare-up	*une flambée de violence*
to go up in flames	*s'embraser*
a breakdown in racial civility	*une cassure dans l'harmonie raciale*
to appeal for race harmony	*plaider pour l'harmonie raciale*
a televised appeal	*un appel télévisé*

5 FIGHTING RACISM *LA LUTTE CONTRE LE RACISME*

non-violence	*la non-violence*
non-violent	*non-violent*
passive resistance	*la résistance passive*
civil disobedience	*la désobéissance civile*
to march against	*défiler contre*
an anti-racist protest	*un défilé antiraciste*
to stage a protest march	*organiser un défilé de protestation*
a demonstration	*une manifestation*
to demonstrate	*manifester*
militancy	*le militantisme*
to alleviate tensions	*apaiser les tensions*
to outlaw racial discrimination	*proscrire la discrimination raciale*
to eradicate	*supprimer*
to tear down the barriers (of)	*démolir les barrières (de)*
to be free of racism	*être libre de tout racisme*
to pass legislation	*faire voter des lois*
to implement	*mettre en œuvre*
to be committed to	*s'engager à*
to grant automatic citizenship	*accorder la nationalité d'office*
to confer nationality	*conférer la nationalité*
to take nationality	*prendre la nationalité*
to build bridges to	*jeter des ponts vers*
assimilation	*l'assimilation*
to assimilate	*assimiler*
equality / inequality	*l'égalité / l'inégalité*
a right	*un droit*
equal rights	*l'égalité des droits*
to stand on one's rights	*revendiquer ses droits*
to assert one's rights	*faire valoir ses droits*
to fight for	*se battre pour*
to obtain equality of rights	*obtenir l'égalité des droits*
civil rights	*les droits civils / civiques*
to enjoy the same rights as	*jouir des mêmes droits que*
to deny sb the right to	*refuser à qn. le droit de*
to grant a right	*accorder un droit*
to be denied equality	*se voir refuser l'égalité*
to achieve equality	*parvenir à l'égalité*
an industrial tribunal	*un conseil des prud'hommes*
Equal Pay Act	*la loi sur l'égalité des salaires*
to ask for equal treatment	*réclamer l'égalité des droits*
to get equal pay	*obtenir l'égalité des salaires*
to achieve equal treatment	*parvenir à une égalité de traitement*
to be on the same footing as	*être sur un même pied que*
to be on an equal footing	*être sur un pied d'égalité*
inferior to / superior to	*inférieur à / supérieur à*
to benefit from the same opportunities (as)	*bénéficier des mêmes chances (que)*
to redress	*réparer*
affirmative action	*action en faveur des minorités*
to roll back	*faire reculer*
to dismantle	*démanteler*
to drag one's feet	*être réticent*
foot-dragging	*les résistances*
to sue	*intenter un procès*
to give a ruling	*rendre une décision*
to issue an injunction	*délivrer une injonction*
to be fined	*être condamné à payer une amende*
to award compensation	*accorder des réparations*

3 DRUGS — *LA DROGUE*

I DRUG TAKING — *L'USAGE DE LA DROGUE*

1 DRUGS — *LES DROGUES*

drugs	*drogues, médicaments, produits pharmaceutiques*
a drug	*une drogue*
a soft / hard drug	*une drogue douce / dure*
dope / junk / shit / nasties	*la came (fam.)*
smack	*la schnouf (fam.)*
glue	*la colle*
a solvent	*un solvant*
to sniff	*inhaler, sniffer, priser*
glue sniffing	*respirer de la colle*
to inhale	*respirer*
marijuana pot / tea / bush / shit	*la marijuana / la marihuana*
to smoke grass	*fumer de l'herbe*
weed	*l'herbe*
a joint / a stick	*un joint, un pétard (fam.)*
a reefer	*une cigarette de marijuana*
a pill	*une pilule*
a sleeping-pill	*un somnifère*
to swallow pills	*avaler des cachets*
a depressant	*un dépresseur*
a barbiturate	*un barbiturique*
a downer	*un tranquillisant*
uppers	*amphétamines*
to be on uppers	*prendre des amphés (fam.)*
a pep pill	*un stimulant*
hallucinogens	*hallucinogènes*
acid	*l'acide, le LSD*
mescaline	*la mescaline*
a hypnotic	*un hypnotique*

2 NARCOTICS — *LES STUPÉFIANTS*

cocaine	*la cocaïne*
coke	*la came, la coke (fam.)*
coca paste	*la pâte de coca*
crack (mixture of cocaine, sodium bicarbonate and water)	*le crack (mélange de cocaïne, de bicarbonate de soude et d'eau)*
base / baseball / rock / roxanne	*le crack*
speed	*un excitant (du type amphétamine)*
an opiate	*un opiacé*
opium	*opium*
to chew opium	*mâcher de l'opium*
morphia / morphine	*la morphine*
heroin	*héroïne*
to inject oneself with	*se piquer à l'aide de*
to sample cocaine	*goûter à la cocaïne*
to sniff a line of coke	*inhaler une ligne de coke*
to snort	*renifler / respirer la poudre*
to free base	*fumer de la cocaïne traitée à l'éther*
to do cocaine	*se poudrer*
to be on cocaine	*se shooter à la cocaïne*
to mainline	*se piquer (par injection intraveineuse)*
to inject into a vein	*injecter dans une veine*
to shoot up / to give oneself a fix	*se shooter (fam.)*
a dose	*une dose*
an overdose	*une surdose*
to shoot an overdose	*absorber une surdose*
a fix / a jab / a shot	*une piquouse (fam.)*
a needle	*une aiguille*
a syringe / a jabber	*une seringue*

3 DRUG ADDICTION — *LA TOXICOMANIE*

a drug addict / a drugster	*un drogué*
a drug taker	*un consommateur de drogue*
a junky	*un toxico (fam.)*
a dope addict / a doper	*un toxico*
an addict / an abuser	*un toxicomane*
a heroin user	*un héroïnomane*
a morphine user	*un morphinomane*
a cocaine user	*un cocaïnomane*
a glue sniffer	*un sniffeur*
an acid freak / an acid head	*un habitué du LSD*
the drug habit	*l'accoutumance à la drogue*
drug abuse	*la toxicomanie*
to try a drug	*essayer une drogue*
to touch the stuff	*toucher à la drogue*
to experiment with drugs	*tâter de la drogue*
to dabble in drugs	*goûter à la drogue*
to abuse drugs	*abuser de la drogue*
to take drugs	*se droguer*
to use drugs	*utiliser de la drogue*
to develop a liking for	*prendre goût à*
to develop a habit	*s'accoutumer à*
habit-forming	*qui crée une accoutumance*
to be dependent on drugs / to be drug-dependent	*être en état de dépendance*
to be on drugs	*se droguer*
to be addicted to	*s'adonner à*
to be addictive	*qui crée une dépendance*
addictiveness	*le pouvoir de dépendance*
to surrender one's life to drugs	*assujettir sa vie à la drogue*
to crave for drugs	*être en manque*
to be hooked on	*se camer à*
to be stoned on	*se shooter avec*
to get high on	*se défoncer avec*
to be on a high	*flipper*
to generate a high	*provoquer une défonce*

II DRUG TRAFFICKING — *LE TRAFIC DE STUPÉFIANTS*

1 DRUG EXPORTING COUNTRIES — *LES PAYS EXPORTATEURS DE DROGUE*

a drug-source nation	*un pays producteur de drogue*
the Golden Triangle	*le Triangle d'Or*
the Golden Crescent	*le Croissant d'Or*
an opium-growing country	*un pays producteur d'opium*
poppy seed	*la graine de pavot*
poppy cultivation	*la culture du pavot*
to grow poppy	*faire pousser du pavot*
a poppy farmer	*un cultivateur de pavot*
coca	*le coca*
a coca leaf	*une feuille de coca*
a coca-growing valley	*une vallée où pousse le coca*
a coca crop	*une récolte de coca*
illegal crops	*cultures illicites*
to harvest a crop	*faire une récolte*
to yield	*produire, rapporter*
a replacement crop	*une culture de substitution*
a source of supply	*une source d'approvisionnement*

2 DRUG PROCESSING — *LA FABRICATION DE LA DROGUE*

to process / a process	*traiter / un procédé*
a processing plant	*une usine de traitement*
a heroin mill	*une fabrique d'héroïne*
to distill / a distillery	*distiller / une distillerie*
to refine	*raffiner*
refinement / refining	*le raffinage*
a refinery	*une raffinerie*
to produce a drug	*produire une drogue*
a lab setup	*un laboratoire*
a processing lab	*un labo de traitement*
a vat	*une cuve*
a burner	*un brûleur*
a vacuum pump	*une pompe à vide*
a chemist	*un chimiste*
chemical	*chimique*
a substitute for	*un succédané de*
a by-product	*un sous-produit*
a derivative	*un dérivé*
high grade	*d'excellente qualité*
low grade	*de qualité médiocre*
to be adulterated	*être frelaté*
to synthesize a drug	*synthétiser une drogue*
to dilute / to get a cut	*diluer*

3 DRUG TRAFFIC — *LE TRAFIC DES STUPÉFIANTS*

the drug trade	*le commerce de la drogue*
to traffic in drugs	*se livrer au trafic de stupéfiants*
a drug trafficker	*un trafiquant de drogue*
the heroin trail	*la piste de l'héroïne*
a cocaine channel	*une filière de la cocaïne*
to mastermind	*organiser*
to push drugs	*revendre de la drogue*
to deal in drugs	*faire le commerce de la drogue*
the narcotics trade	*le narcotrafic*
to peddle	*revendre*
to supply sb with drugs	*fournir de la drogue à qn.*
to ship	*expédier (par bateau)*
a shipment / a cargo	*une cargaison*
to load / a load	*charger / une cargaison*
to unload	*décharger*
to deliver	*livrer*
a delivery	*une livraison*
to fly drugs in	*faire venir la drogue par avion*
to fly drugs out	*expédier la drogue par avion*
to package	*conditionner*
packaging	*le conditionnement*
to transit a country	*transiter par un pays*
to funnel	*faire passer*
to ferry	*transporter*
to stash away	*planquer*
a safe house	*une maison sûre*
a stash / a hideaway	*une cachette*
a stash house / a hideout	*une planque*
a false bottom	*un double fond*
a false-bottomed suitcase	*une valise à double fond*
a courier	*un passeur*
a smurf	*un passeur (fam.)*
a means of conveyance	*un moyen de transport*
a stash man	*un carreur*
smuggling / contraband	*la contrebande*
to smuggle drugs into a country	*introduire de la drogue en contrebande*
to sneak in	*faire entrer en fraude*
to sneak out	*faire sortir en fraude*
to run drugs	*faire de la contrebande de drogues*
drug running	*la contrebande de drogues*
a speedboat	*une vedette rapide*
to inspect	*arraisonner*

4 DRUG TRAFFICKERS — *LES TRAFIQUANTS DE DROGUE*

a dealer	*un fournisseur, un dealer*
a drug pusher / a peddler	*un revendeur de drogue*
a supplier	*un fournisseur*
a drug trader	*un trafiquant de drogue*
a drug lord	*un seigneur de la drogue*
a drug baron	*un baron de la drogue*
a coke tycoon	*un magnat de la cocaïne*
a cocaine czar	*un roi de la drogue*
a drug don	*un capo de la drogue*
a drug kingpin	*un gros bonnet de la drogue*
a hitman	*un homme de main*
a professional killer	*un tueur à gages*
a hired killer	*un sicaire*
a cartel chieftain	*un chef de cartel*
a drug ring operation	*un réseau de drogue*
the drug underworld	*le milieu de la drogue*
the heroin syndicate	*la mafia de l'héroïne*
a drug connection	*un réseau de drogue*

5 MONEY AND DRUGS — *L'ARGENT ET LA DROGUE*

drug money	*l'argent de la drogue*
narco dollars	*narco-dollars*
the drug business	*le commerce de la drogue*
a bustling trade	*un marché actif*
drug revenues	*revenus de la drogue*
to rake up profits	*ramasser des bénéfices*
to reap profits	*récolter des bénéfices*
the proceeds from drugs	*les revenus tirés de la drogue*
a wholesale price	*un prix de gros*
a retail price	*un prix de détail*
street value	*la valeur marchande*
resale value	*la valeur de revente*
to carry a street value of	*avoir une valeur marchande de*
to be in the pay of	*être à la solde de*
to launder money	*blanchir des fonds*
to rinse money	*laver de l'argent*
a launderer	*qui blanchit l'argent*
the money laundering trade	*le trafic du blanchiment de l'argent*
a money-laundering center	*une plaque tournante pour le blanchiment de l'argent*
a hub	*une plaque tournante*
a laundering operation	*une opération de blanchiment*
dirty money	*argent sale*
tainted money	*argent mal acquis*
coke-tinged money	*argent de la cocaïne*
hot money	*capitaux fébriles*
to corrupt	*corrompre*
drug-related corruption	*la corruption liée à la drogue*
to cleanse of corruption	*nettoyer de la corruption*
to buy off	*acheter le silence de*
to grease sb's palms	*graisser la patte de qn.*

III THE FIGHT AGAINST DRUGS — *LA LUTTE ANTI-DROGUE*

a drug czar	*un « Monsieur Drogue »*
the Drug Enforcement Administration (DEA)	*l'Office américain de lutte contre le trafic de drogue (l'Office Central de Répression du Trafic de Stupéfiants, l'OCRTS)*
(the ex-Narcotic Bureau)	*(autrefois la Brigade des stupéfiants)*
a drug squad	*une brigade des stupéfiants*
an antidrug unit	*un dispositif antidrogue*
a drug fighter	*un agent de la lutte anti-drogue*
a drug buster	*un agent chargé de la répression du trafic de drogues*
an antismuggling squad	*une brigade de l'air et des frontières*
an undercover agent	*un informateur*
to confront the drug threat	*faire face à la menace de la drogue*
to give the drug war high priority	*accorder la priorité des priorités à la guerre contre la drogue*
to be high in the agenda	*venir en tête des préoccupations*
an overall anti-drug plan	*un plan d'ensemble pour lutter contre la drogue*
to declare war on	*déclarer la guerre à*
a full scale war	*une guerre totale*
an all-out war	*une guerre maximum*
to wage a war on	*mener une guerre contre*
to destroy the drug menace	*éliminer la menace de la drogue*
to fight the drug scourge	*combattre le fléau de la drogue*
to rid a country of a scourge	*débarrasser un pays d'un fléau*
to strike at the root of an evil	*s'attaquer à la racine d'un mal*
to wipe out a scourge	*extirper un fléau*
to fight a criminal scourge	*lutter contre un fléau criminel*
a strike	*une opération coup de poing*
to strike at	*s'attaquer à*
to tip off	*renseigner*
a tip off	*un renseignement*
to have a lead	*tenir une piste*
to snitch on	*moucharder*
to put a tail on	*prendre en filature*
to stake out	*surveiller*
a bust	*une descente*
to bust	*faire une descente*
a police raid	*une descente de police*
to search a car for drugs	*fouiller une voiture à la recherche de drogue*
to search a house	*perquisitionner une maison*
to keep under surveillance	*faire surveiller*
a search warrant	*un mandat de perquisition*
to use trained dogs	*utiliser des chiens dressés*
a drug-sniffing dog	*un chien renifleur*
to search sb / to frisk sb	*fouiller qn.*
a buy and bust	*un achat suivi d'une arrestation*
to set sb up	*piéger qn.*
to be framed	*être victime d'un coup monté*
to be caught in the act of selling drugs	*être pris en train de vendre de la drogue*
a haul	*une prise*
to seize	*saisir*
to make a seizure	*faire une saisie*
to infiltrate a ring	*s'infiltrer dans un réseau, infiltrer un réseau*
to expose	*démasquer*
to flush down / to dump	*déverser, se débarrasser de*
a search and destroy mission	*une mission de localisation et de destruction*
a stop and search sweep	*un ratissage systématique*

to make a sweep	*ratisser*
to comb an area	*passer une région au peigne fin*
to defoliate coca crops	*défolier les plantations de coca*
a defoliant	*un défoliant*
a crop killer	*un insecte destructeur*
crop eradication	*la destruction des cultures*
to spray crops with herbicides	*arroser les récoltes d'herbicides*
to clamp down on coca cultivation	*supprimer les cultures de coca*
to crack down on the drug trade	*réprimer le trafic de drogue*
to wean farmers from the cocaine trade	*détourner les paysans du commerce de la cocaïne*
to raid a lab	*faire un raid sur un labo*
to tear out a lab	*détruire un labo*
to dismantle an empire	*démanteler un empire*
to curtail the drug trade	*réduire le trafic de drogue*
to hamper the drug traffic	*gêner le trafic de la drogue*
to cut into a booming trade	*entamer un commerce florissant*
to defeat a cartel	*vaincre un cartel*
to pass antidrug legislation	*faire voter des lois contre l'usage des stupéfiants*
to be arrested on narcotics charges	*être arrêté pour détention de stupéfiants*
to keep track of traffickers	*suivre les mouvements des trafiquants*
to be busted	*se faire coffrer*
to extradite	*extrader*
to prosecute	*poursuivre en justice*
to be arraigned on drug charges	*être traduit devant un tribunal sous l'inculpation de trafic de drogue*
to be indicted on / to be charged with	*être accusé de*
an indictment	*un acte d'accusation*

IV CAUSES OF DRUG ADDICTION — *LES CAUSES DE LA TOXICOMANIE*

the rock music culture	*la culture rock*
the cult of personal liberation	*le culte de la libération de soi*
permissiveness	*la permissivité*
a fad drug	*une drogue populaire*
trendy	*à la mode*
a craze for	*un engouement pour*
to assert one's manhood	*affirmer sa virilité*
the rat race	*la course à l'argent*
life in the fast lane	*la vie trépidante*
the pace of life	*le rythme de l'existence*
hectic / frantic	*frénétique*
to be under pressure	*être sous pression*
to relieve the pressure	*relâcher la pression*
to fill a vacuum	*combler un vide*
idleness	*oisiveté*
to relieve the boredom of	*échapper à l'ennui de*
to divert sb from	*détourner qn. de*
to find comfort in	*se réconforter avec*
to find solace in	*se consoler avec*
to take a drug out of frustration	*se droguer par frustration*
to get out of bad moods	*chasser les humeurs noires*
to ease one's tension	*calmer ses nerfs*
to escape from ghetto life	*échapper à la vie du ghetto*
a get-rich-quick lure	*l'attrait de l'argent facile*
fast money	*l'argent facile*
to guarantee minimum wages	*garantir un revenu minimum*
crack earnings	*bénéfices sur la vente du crack*

V CONSEQUENCES OF ADDICTION — *LES CONSÉQUENCES DE LA TOXICOMANIE*

1 PHYSIOLOGICAL CONSEQUENCES — *CONSÉQUENCES PHYSIOLOGIQUES*

a kick / a high	*une sensation*
a trip	*un flip (fam.)*
to trip on	*flipper*
to be tripped out	*être flippé*
to be spaced out	*être dans les vaps (fam.)*
to freak out	*halluciner*
exhilaration	*la griserie*
to have euphoric effects	*avoir des effets euphorisants*
to assuage a thirst for	*calmer une envie de*
instant gratification	*le plaisir instantané*
to enhance one's self	*regonfler son ego*
to bolster creative energy	*stimuler l'énergie créatrice*
to heighten awareness	*rendre la conscience plus vive*
the evils of drug	*les conséquences funestes de la drogue*
to do harm (to)	*causer du tort (à)*
harmful	*nocif*
a health hazard	*un risque pour la santé*
to carry a medical risk	*comporter un risque pour la santé*
to impair the health	*ruiner la santé*
a side effect	*un effet secondaire*
to wreak havoc on life	*causer des ravages dans l'existence*
drug-related ailments	*maux liés à la drogue*
to sap the energy	*saper l'énergie*
to lose weight	*perdre du poids*
withdrawal symptoms	*symptômes de manque*
to exhibit withdrawal symptoms	*donner des signes d'état de manque*
to be cold turkey	*être en manque*

to have the horrors	*avoir des symptômes dus au sevrage*
hepatitis	*l'hépatite*
AIDS	*le sida*
an unsterilized needle	*une aiguille non stérilisée*
reusable	*ré-utilisable*
to collapse from an overdose	*s'effondrer à la suite d'une surdose*
lethal	*mortel*
a death from drugs	*une mort imputable à la drogue*
to die from an overdose	*mourir des suites d'une surdose*
to o.d. (to overdose)	*être victime d'une surdose*

2 ECONOMIC CONSEQUENCES — *CONSÉQUENCES ÉCONOMIQUES*

to be a drain on a budget	*obérer les finances*
a drug-connected offence	*un délit lié à la drogue*
a drug-related crime	*un crime lié à la drogue*
to be reduced to stealing	*en être réduit à voler*
to support a habit	*financer ses besoins en drogue*
to satisfy one's needs	*satisfaire ses besoins*
to ride a drug habit to bankruptcy	*provoquer une faillite à cause de la toxicomanie*
gang warfare	*la lutte des gangs*
drug abuse at work	*l'abus des drogues sur le lieu de travail*
to breed absenteism	*engendrer l'absentéisme*
to screen an applicant for drugs	*faire subir un test de dépistage à l'embauche*
a drug-screening test	*un test de dépistage de la drogue*
to take a urine test	*subir une analyse d'urine*
to put an employee through a test	*faire subir un test à un employé*
random drug-testing	*tests effectués au hasard*
to test positive	*avoir des analyses positives*
to be found drug-free	*se révéler négatif*
an employee assistance program	*un programme d'aide aux employés*

3 DETOXIFICATION — *LA DÉSINTOXICATION*

to detoxify	*désintoxiquer*
to kick a habit	*se désintoxiquer*
to quit cocaine	*arrêter la cocaïne*
to be weaned off	*être sevré de*
to cut one's drug consumption / to cut drug use	*réduire sa consommation de drogue*
to be withdrawn from heroin use	*abandonner l'usage de la drogue*
to be cocaine-free	*être affranchi de la cocaïne*
to keep sb drug-free	*ne plus toucher à la drogue*
to stay off	*s'abstenir de*
to undergo a treatment	*subir un traitement*
to accept treatment	*accepter de se faire soigner*
to respond to a cure	*réagir à un traitement*
a drug clinic	*un centre de désintoxication*
to enter a rehabilitation clinic	*être admis dans un centre de réadaptation*
to undergo drug therapy	*entreprendre une cure de désintoxication*
a drug abuse treatment program	*un programme de désintoxication*
a drug counselor	*un thérapeute*
to provide psychiatric counseling	*fournir une assistance psychiatrique*
a hot line	*une ligne téléphonique spéciale*
a self-help group	*un groupe d'entraide*
a cured addict	*un drogué guéri*
a non-user	*un ancien drogué*
to recover from	*guérir de*
a relapse / to relapse	*une rechute / rechuter*

4 A PROBLEM OF SOCIETY — *UN PROBLÈME DE SOCIÉTÉ*

a public health concern	*un problème de santé publique*
a plague / a bane	*un fléau*
a scourge	*une calamité*
a blight	*une plaie*
a drug-plagued city	*une ville ravagée par la drogue*
a drug-ridden society	*une société envahie par la drogue*
a national drug-control policy	*une politique nationale de lutte anti-drogue*
to set up a task force on drug abuse	*mettre sur pied une commission de travail sur la toxicomanie*
a drug-education program	*un programme d'éducation sur la toxicomanie*
a drug prevention program	*un programme de prévention contre la drogue*
to increase anti-drug expenditures	*accroître les dépenses pour la lutte anti-drogue*
a drug-free school	*une école sans drogue*
a drug-free workplace	*un lieu de travail sans drogue*
to legalize	*légaliser*
to decriminalize	*dépénaliser*
decriminalization	*la dépénalisation*

4 POVERTY — *LA PAUVRETÉ*

I GENERAL BACKGROUND — *GÉNÉRALITÉS*

1 THE POOR — *LES PAUVRES*

a two-tier society	*une société à deux vitesses*
an underclass	*une classe défavorisée*
the destitute	*les indigents*
destitution	*le dénuement, l'indigence, la misère*
the underprivileged	*les défavorisés*
the dispossessed	*les démunis*
the haves and have-nots	*les (pays) riches et les (pays) pauvres*
the needy	*les nécessiteux*
the outcasts of the social order / the throwaways	*les exclus de la société*
the misfits	*les inadaptés*
to be outcast	*être rejeté*
human dross	*le rebut de l'humanité*
scum	*la lie (de la société)*
offal	*déchets humains*
refuse of all classes	*déchets de l'humanité*
a beggar	*un mendiant*
a vagrant	*un vagabond*
a derelict	*une épave (humaine)*
a skid row alcoholic	*un ivrogne (de la zone)*

2 POVERTY — *LA PAUVRETÉ*

structural poverty	*la pauvreté structurelle*
poverty stricken / poverty ridden	*pauvre*
the poverty threshold / the poverty line	*le seuil de pauvreté*
to live in poverty	*vivre dans le besoin*
to live below the poverty line	*vivre en-dessous du seuil de pauvreté*
to live on the margin of society	*vivre en marge de la société*
entrenched poverty	*la pauvreté chronique*
a depressed area / a pocket of poverty	*une région en difficulté*
a grinding poverty	*une misère noire*
a hardship	*une épreuve*
a plight / a predicament	*une situation pénible*
precariousness	*la précarité*
to live from hand to mouth	*vivre d'expédients*
a hand to mouth existence	*une vie d'expédients*
the bare necessities of life	*le strict nécessaire*
to eke out a living	*gagner une maigre pitance*
to scrape an existence	*tirer le diable par la queue*
want	*le besoin*
starvation wages	*un salaire de misère*
to be destitute	*être sans ressources*
to be in dire straits	*être dans une misère noire*
to be in poor circumstances / to be in straitened circumstances / to be poorly off / to be badly off	*être dans la gêne*
to be deprived	*être déshérité*
to be hard up for money / to be short of money	*être à court d'argent*
to be penniless	*être sans le sou*
to be broke	*être fauché (fam.)*
to make both ends meet	*joindre les deux bouts*
to be down and out	*être au bout du rouleau*
the cycle of poverty	*le cycle de la pauvreté*
to join the ranks of the poor	*rejoindre les rangs des pauvres*
to slide into poverty	*glisser dans la pauvreté*
to fall on hard times	*connaître des temps difficiles*
to feel the pinch	*sentir les effets de la rigueur*
to tighten one's belt	*se serrer la ceinture*
to be caught up in a crisis	*être victime d'une crise*
to be down on one's luck	*jouer de malchance*
to exhaust one's savings	*épuiser ses réserves*
to scrimp and save	*économiser sur tout*
to make cheeseparing economies	*faire des économies de bouts de chandelle*
to pawn	*mettre en gage*
a pawnbroker	*un prêteur sur gages*
a pawnshop	*un crédit municipal*
to teeter on the brink of poverty	*être au bord de la pauvreté*
to be forced down into poverty / to be pushed under the poverty line	*basculer dans la pauvreté*
to be untouched by economic recovery	*être exclu de la reprise économique*
an economic upturn	*une relance économique*
to be left out (of)	*être laissé pour compte*
to reach rock bottom	*toucher le fond*
to be beyond hope of recovery	*être sans espoir de salut, n'avoir aucune chance de s'en sortir*
a vicious circle	*un cercle vicieux*
downward social mobility	*la déchéance sociale*
to be left out of the American Dream	*être exclu du rêve américain*
to be shut out / to be locked out	*être exclu*
a wrenching experience	*une expérience déchirante*
to drop out of the labour force	*être rejeté du monde du travail*
occupational plight	*le marasme professionnel*
to be at the bottom of the economy	*être au bas de l'échelle économique*
to wage a war (on)	*faire la guerre (à)*
a task force on poverty	*un groupe de travail sur la pauvreté*
an assistance program	*un programme d'aide*
to defeat poverty	*vaincre la pauvreté*
to fight one's way out of poverty	*se battre pour sortir de la pauvreté*
an antipoverty program	*un programme de lutte contre la pauvreté*
to work one's way out of poverty	*s'efforcer de sortir de la pauvreté*

II HOMELESSNESS — *LES SANS-ABRI*

1 UPROOTEDNESS — *LE DÉRACINEMENT*

the homeless	*les sans-abri*
homelessness	*le phénomène des sans-abri*
street people	*les sans-logis*
to drift / a drifter	*errer / un instable*
a wanderer / a vagrant / a tramp	*un vagabond*
a runaway child	*un fugueur*
vagrancy	*le vagabondage*
a hobo / a down-and-outer	*un clochard*
a transient	*un migrant (à la recherche d'un emploi)*
a migrant worker	*un travailleur saisonnier*
a dosser	*un sans-abri*
to be uprooted	*être déraciné*
the uprooted	*les déracinés*
to be on the move / to pull up stakes	*déménager*
to take to the road	*prendre la route*
to be forced to the street	*être jeté à la rue*
to be driven off the land	*être expulsé de ses terres*
to wander in search of	*errer à la recherche de*
to roam a country	*parcourir un pays*
to criss cross a country	*parcourir un pays dans tous les sens*
to sleep rough	*dormir à la dure*
to doss down for the night	*crécher quelque part pour la nuit, coucher à l'asile de nuit*
to be exposed to the weather	*être exposé aux intempéries*
to huddle (in / on)	*se blottir (dans / sur)*
a steam gate / an air-vent	*une bouche d'aération*
to sleep in hallways	*dormir dans les entrées d'immeubles*
to freeze to death	*mourir de froid*
to pass a sleeping ordinance	*prendre un arrêté municipal interdisant le vagabondage*
to sleep in public places	*dormir sur les bancs publics*
to live a transient existence	*vivre une vie de vagabond*
with no fixed abode	*sans domicile fixe*
to be robbed of one's possessions	*se faire voler tous ses biens*

2 EVICTION — *L'EXPULSION*

to pay the rent	*payer le loyer*
back rent	*le loyer de retard*
to be overdue	*être échu*
a warning letter	*une lettre d'avertissement*
to be displaced from one's home	*se faire expulser de chez soi*
to evict	*expulser*
a holdout tenant	*un locataire récalcitrant*
to squat	*occuper des locaux*
to have squatters removed	*faire expulser des squatters*
to repossess	*reprendre possession de, saisir*
to seize tenants' goods	*saisir les biens des locataires*
a mortgage	*une hypothèque, un emprunt-logement*
to pay off a mortgage	*rembourser une hypothèque*
to meet a mortgage payment	*faire face à une hypothèque*
to put up a house on the block	*mettre une maison en vente*
to be hunted down	*être recherché (par les autorités)*
a bill collector	*un agent de recouvrement*
a collection agency	*une agence de recouvrement*
to lose a home through foreclosure	*se faire saisir sa maison*
to shut down a farm	*cesser une activité agricole*
temporary accommodation	*le logement provisoire*
to assist the homeless	*venir en aide aux sans-abri*
remedial housing	*le logement temporaire*
a shelter	*un asile, un foyer, un centre d'accueil*
to shelter	*accueillir, recueillir*
to house	*abriter*
a flophouse / a doss home / house	*un asile de nuit*
a municipal Lodging House	*un foyer municipal*
a dormitory shelter	*un asile de nuit*
a city shelter	*un foyer municipal*
a city-run shelter	*un foyer géré par la municipalité*
to provide shelter	*procurer un asile*
to be unsheltered	*être sans abri*
to apply for shelter	*faire une demande de logement*
to land in a public shelter	*se retrouver dans un foyer municipal*
to be granted temporary placement	*être logé temporairement*
to be thrown out (of)	*se faire expulser (de)*
to be ousted from	*être mis à la porte de*
a low-rent hotel	*un hôtel bon marché*
a single-room occupancy hotel (SRO)	*un meublé*
a Salvation Army Center	*un centre de l'Armée du salut*
public housing	*le logement social*
a low income dwelling unit	*un logement pour revenus modestes*
rent-controlled	*à loyer réglementé*
a waiting list	*une liste d'attente*
a waiting period	*un délai*
to relocate	*se reloger*
vacant housing	*logements vacants*

III WELFARE *L'AIDE SOCIALE*

1 GENERAL BACKGROUND — *GÉNÉRALITÉS*

the Department of Health and Human Services (HHS) (USA)	*le ministère de la Santé et des services sociaux*
the Department of Housing and Urban Development (HUD) (USA)	*le ministère du Logement et du Développement urbain*
a Ministry of Social Affairs	*un ministère des Affaires sociales*
the welfare responsibility / communal responsibility / solidarity	*la solidarité*
assistance / relief	*l'aide, l'assistance*
the welfare state	*l'État-providence,*
welfare services	*services d'assistance sociale*
a welfare agency	*un bureau d'aide sociale*
a social assistance program	*un programme d'aide sociale*
a federally-assisted program	*un programme d'aide fédérale*
a welfare worker	*un travailleur social*
a case worker	*une assistante sociale*
a welfare check / a relief check	*un chèque d'assistance*
a welfare recipient / a welfarite (USA)	*un prestataire, un bénéficiaire de l'aide sociale*
a welfare hotel	*un foyer de l'assistance*
welfare rolls	*la liste des bénéficiaires*
to remove from the welfare rolls	*rayer de la liste des bénéficiaires*
welfare benefits	*prestations sociales, aide sociale*
to end up on welfare	*finir assisté*
to be on welfare	*bénéficier de l'aide sociale, être assisté*
to be cut off welfare benefits	*se voir supprimer les prestations*
to get public assistance	*recevoir l'aide publique*
to go on relief	*toucher l'assistance*
to rely on handouts	*vivre d'aumônes*

2 WELFARE BENEFITS — *LES AIDES SOCIALES*

to administer a program	*administrer un programme*
transfer payments / social payments	*transferts sociaux*
federal outlays	*dépenses publiques*
federal benefits (USA)	*allocations fédérales*
in-kind benefits	*avantages en nature*
in-cash benefits	*avantages en espèces*
to pay benefits	*verser des prestations*
to claim benefits	*prétendre à des allocations*
to forfeit benefits	*perdre ses droits aux avantages*
a claimant	*un assuré*
a welfare grant	*une aide sociale*
an allowance	*une allocation*
a coupon	*un bon*
food stamps	*bons d'alimentation*
a sickness benefit	*une prestation maladie*
benefit entitlements	*allocation de droits sociaux*
child benefits	*le complément familial*
child nutrition funds	*allocations alimentaires aux enfants*
Aid to Family with Dependent Children (AFDC) (USA)	*système d'allocations pour les sans-ressources*
an AFDC allocation	*une allocation de ressources*
Old Age Assistance	*un fonds de vieillesse*
a housing benefit	*une allocation de logement*
medical care	*soins médicaux*
Social Security (USA)	*la pension de retraite*
to have social security	*toucher une pension de retraite*

3 CHILDREN ON WELFARE — *LES ENFANTS DE LA PAUVRETÉ*

family breakdown	*l'éclatement de la cellule familiale*
a broken family	*une famille désunie*
to preserve family ties	*préserver la cohésion de la famille*
an absentee father	*un père absent*
to be born to an unwed mother	*avoir une mère célibataire*
to be born out of wedlock	*être un enfant naturel*
a welfare mother	*une mère assistée*
a lack of role-models	*une absence de modèle paternel*
an unplanned pregnancy	*une grossesse non prévue*
unwed parenthood	*une mère / un père célibataire*
to walk off a marriage	*quitter le domicile conjugal*
to be left with unsupported children	*rester seul et sans ressources avec ses enfants*
a child support payment	*une pension pour les enfants*
a single parent	*un parent célibataire*
to take away a child (from)	*ôter un enfant (à)*
a foster home	*une famille d'accueil*
to put in foster care	*confier à une famille d'accueil*
to be placed in jurisdiction of the courts	*être confié à la garde de la justice*
a juvenile court	*un tribunal pour enfants*
a juvenile home	*un centre de redressement*
to mature into an adult offender	*devenir un délinquant à l'âge adulte*

4 LIFE ON WELFARE — *LA VIE D'ASSISTÉ*

wretched housing	*le logement misérable*
substandard housing	*le logement insalubre*
a shack	*une cabane*
a shabby street	*une rue minable*
a fleabag	*un asile de nuit*

unheated	*non chauffé*
missing window panes	*carreaux cassés*
urine stench	*odeurs d'urine*
squalor	*la saleté*
dampness	*humidité*
a strip of cardboard	*un morceau de carton*
to be roach infested	*être infesté par les cafards*
rat ridden	*envahi par les rats*
vermin ridden	*infesté de vermine*
garbage strewn	*jonché de détritus*
tacky	*minable, moche*
unwholesome	*malsain*
a firetrap	*un piège à incendie*
to be racked by hunger	*être tenaillé par la faim*
to starve	*être affamé*
to go hungry	*souffrir de la faim*
malnourished	*mal nourri*
to fend off hunger	*assouvir sa faim*
to stifle stomach pains	*calmer ses douleurs d'estomac*
to make do with	*se contenter de*
to do without	*se passer de*
to be on an empty stomach	*avoir le ventre vide*
to cut one's hunger	*couper sa faim*
to cut back on food	*réduire ses dépenses d'alimentation*
scarce food	*maigres repas*
a soup kitchen / a soup line	*une soupe populaire*
a golden heart restaurant	*un resto du cœur*
a meal ticket	*un ticket restaurant*
to panhandle	*mendier*
a chunk of bread	*un quignon de pain*
a bowl of soup	*un bol de soupe*
to forage in trash	*fouiller dans les poubelles*
a handout	*une aumône*
to busk	*chanter dans les rues / dans le métro*
a busker	*un musicien ambulant*
to eat one's fill	*manger à sa faim*
shabby clothes	*vêtements miteux*
used clothes	*habits d'occasion*
threadbare	*élimé*
patched	*rapiécé*
hand-me-down clothes	*vêtements d'occasion*
seedy	*miteux*
rags	*haillons*
to be in rags and tatters	*être vêtu de haillons*
a health threat	*une menace pour la santé*
lead poisoning	*le saturnisme*
lead paint	*la peinture au plomb*
asbestos	*amiante*
to meet the health needs	*satisfaire les besoins médicaux*
follow-up care	*le suivi des soins*
a behavioral problem	*un trouble du comportement*
to deny essential health care	*refuser les soins élémentaires*
a nutrition program	*un programme diététique*
to attend classes	*fréquenter l'école*
regular attendance	*assiduité*
to struggle through one's lessons	*peiner pendant les cours*
to skip a meal	*sauter un repas*
to enroll	*s'inscrire*
to be 3 grades behind	*avoir trois ans de retard*
a learning disability	*un trouble de l'apprentissage*
to be emotionally disturbed	*souffrir de troubles affectifs*
to lose out on an education	*être perdant dans ses études*
pedagogic damage	*dégâts pédagogiques*
a drop-out rate	*un taux d'abandon des études*
illiteracy	*analphabétisme*
illiterate	*analphabète*
to be undereducated	*avoir fait peu d'études*
ill-educated	*peu instruit*

5 JOB INCENTIVES — *LES AIDES À L'EMPLOI*

to train	*former*
to enroll in training programs	*s'inscrire dans des stages de formation*
to provide job training	*offrir une formation*
a local pilot project	*un projet pilote local*
to place a welfare client in a job	*trouver un emploi à un prestataire.*
to push off the relief rolls	*rayer des listes de l'assistance*
to assist sb in looking for a job	*aider qn. à retrouver un emploi*
to get people into the workplace	*mettre les gens au travail*
a workfare program / a community job	*un TUC (travaux d'utilité collective)*
to foster a sense of responsibility	*développer un sens des responsabilités*
to achieve self sufficiency	*devenir autonome*
to tide over	*aider à franchir un cap difficile*
self-reliant	*autonome*
to hold a meaningful job	*avoir un emploi significatif*
to end a cycle of poverty	*mettre fin au cycle de la pauvreté*
to escape poverty	*échapper à la pauvreté*
to break out of the poverty cycle	*sortir du cycle de la pauvreté*
to teach the work ethic	*enseigner la morale du travail*
to provide self-esteem	*apporter l'estime de soi*
supplementary benefit / income support	*le revenu mimimum d'insertion (RMI)*
to be on income support	*toucher le RMI*

5 ABORTION — *L'AVORTEMENT*

1 GENERAL BACKGROUND — *GÉNÉRALITÉS*

an abortion	*un avortement*
voluntary termination of pregnancy	*l'interruption volontaire de grossesse (IVG)*
an abortion Act	*une loi sur l'avortement*
an illegal abortion	*un avortement illégal*
a reported abortion	*un avortement dénoncé*
to have an abortion	*avorter*
to get an abortion	*se faire avorter*
to perform an abortion	*pratiquer un avortement*
an abortion center / clinic	*un centre d'orthogénie*
a backstreet abortionist	*une faiseuse d'anges*
to abort	*avorter*
to self-abort	*s'auto-avorter*
to end a pregnancy / to terminate a pregnancy	*mettre fin à une grossesse*
to induce an abortion	*provoquer un avortement*
to hide a pregnancy from	*cacher une grossesse à*
to carry a pregnancy to term	*mener une grossesse à terme*
a fetus	*un fœtus*
an unborn child	*un enfant à naître*
viable	*viable*
a pregnancy test	*un test de grossesse*
to be suited for motherhood	*être faite pour la maternité*
to be unsuited for	*être inapte à*
to be unready for	*ne pas être mûre pour*
to afford a child	*se permettre d'avoir un enfant*

2 PRO LIFE — *CONTRE L'AVORTEMENT*

to be pro life	*être contre l'avortement*
a prolifer / a right-to-lifer / an antiabortionist	*un adversaire de l'avortement*
the right to life	*le droit à la vie*
to be anti choice	*être contre la liberté de choix*
to disapprove of abortion	*désapprouver l'avortement*
a conscience clause	*une clause de conscience*
to restrict abortion	*restreindre l'avortement*
to enact restrictions on abortion	*décréter des limitations à l'avortement*
to disallow abortions	*prohiber les avortements*
to outlaw abortion	*interdire l'avortement*
to ban abortion	*proscrire l'avortement*
to deserve protection (from)	*avoir le droit d'être protégé (contre)*
to protect potential life	*protéger toute possibilité de vie*
a hallowed obligation	*une obligation sacrée*
the moment of conception	*le début de la conception*
to be tantamount to	*être équivalent à*
a murder	*un meurtre*
baby killing	*l'infanticide*
an expedient way	*un expédient*

3 PRO CHOICE — *POUR L'AVORTEMENT*

an abortion-rights activist	*un militant pour le droit à l'avortement*
a pro choice activist / a pro-choicer	*un partisan du droit à l'avortement*
to control one's life / body	*être maître de son existence / corps*
to bear an unwanted child	*porter un enfant non désiré*
to legalize abortion	*légaliser l'avortement*
a failed abortion / a botched abortion	*un avortement raté*
an abortion pill	*une pilule abortive*
to safeguard the mother's health	*préserver la santé de la mère*
to be at stake	*être en danger*
to survive outside the womb	*survivre après la naissance*
a fetal abnormality	*une malformation fœtale*
to rape	*violer*
a rape victim	*la victime d'un viol*
a rapist	*un violeur*
an incest	*un inceste*
a child conceived in rape / in incest	*un enfant conçu à la suite d'un viol / d'un inceste*

6 HOMOSEXUALITY — *L'HOMOSEXUALITÉ*

1 GENERAL BACKGROUND — *GÉNÉRALITÉS*

a homosexual / a queer	*un homosexuel*
homosexual / gay / queer	*homosexuel*
lesbianism	*le lesbianisme, le saphisme*
a heterosexual	*un hétérosexuel*

to engage in homosexuality activities	*se livrer à des activités homosexuelles*
overt homosexuality	*homosexualité déclarée*
a faggot	*un pédé*
straight	*hétérosexuel*
a lesbian	*une lesbienne*
a gay community	*une communauté homosexuelle*
consenting adults	*adultes consentants*
a lover	*un amant*
a live-in relationship	*un compagnon*
to be sissified in one's dress	*s'habiller de façon efféminée*
to be a sissy	*être efféminé*
manliness	*la masculinité*
the AIDS crisis	*la crise du sida*
to have multiple partners	*avoir plusieurs partenaires*
gay marriage	*le mariage entre homosexuels*

2 HOMOSEXUAL DISCRIMINATION — *LA DISCRIMINATION ENVERS LES HOMOSEXUELS*

to victimize	*prendre pour victime*
victimization	*représailles*
gay bashing	*la chasse aux homosexuels*
anti-gay violence	*la violence contre les homosexuels*
homophobia	*la phobie des homosexuels*
to grow up gay	*grandir homosexuel*
a dreaded secret	*un secret redoutable*
to cloak a fact	*masquer un fait*
to unburden oneself	*soulager sa conscience*
to turn sb away	*rejeter qn.*
political exclusion	*le rejet de la vie politique*
a political backlash	*une réaction politique*
to come out of the closet	*se montrer au grand jour*
an open homosexual	*un homosexuel déclaré*
activism	*le militantisme*
an activist	*un militant*
the gay liberation movement	*le mouvement de libération homosexuel*
the gay revolution	*la révolution homosexuelle*
a gay-rights movement	*un mouvement pour l'égalité des droits des homosexuels*

3 SEXUAL DEVIATIONS — *LES DÉVIANCES SEXUELLES*

sexual orientation	*l'orientation sexuelle*
a sex drive	*une pulsion sexuelle*
a deviant act	*un acte pervers*
to sin	*commettre un péché*
a sin	*un péché*
sinful	*honteux, coupable*
a pervert	*un pervers*
to deprave	*dépraver*
an outrageous conduct	*une conduite scandaleuse*
public decency	*la morale publique*
a transvestite	*un travesti*
transsexualism	*le transsexualisme*
pornography	*la pornographie*
child pornography	*la pornographie enfantine*
a child pornography ring	*un ballet rose*
to take advantage of minors	*abuser des mineurs*
a taboo	*un tabou*
lust	*la concupiscence*
lustful	*concupiscent*
lewd / lewdness	*obscène / obscénité*
lechery	*la luxure, la lubricité*
eroticism	*érotisme*
exhibitionism	*exhibitionnisme*
sodomy	*la sodomie*
fellatio	*la fellation*
to molest	*rudoyer, malmener, attenter à la pudeur de*
to expose oneself	*commettre un outrage à la pudeur*
a flasher	*un exhibitionniste*
nymphomania	*la nymphomanie*
nymphomaniac	*nymphomane*
a prostitute	*une prostituée*
a pick up	*un partenaire occasionnel*
a procurer	*un souteneur*
a pimp	*un maquereau (fam.)*
a whore / a hooker	*une putain (fam.)*
a loose woman	*une femme de petite vertu*
to live off the earnings (of)	*vivre des revenus (de)*
a protector	*un protecteur*
to tout for custom	*racoler des clients*

7 SUICIDE — *LE SUICIDE*

1 GENERAL BACKGROUND — *GÉNÉRALITÉS*

a suicide	*un suicide / un(e) suicidé(e)*
the rate of suicide	*le taux de suicide*
to be suicide prone	*être enclin au suicide*
a suicide attempt	*une tentative de suicide*
to plan one's death	*préparer sa mort*
to be driven to suicide	*être conduit au suicide*
to commit suicide	*se suicider*
to end one's life	*mettre fin à ses jours*
to kill oneself	*se donner la mort*
to take one's own life	*mettre fin à ses jours*
to do oneself in	*se supprimer*
a suicidal tendency	*une tendance suicidaire*
self-destructive	*suicidaire*

uicide	*la complicité de suicide*
	analgésiques
	narcotiques
poisoning	*l'asphyxie à l'oxyde de carbone*
	la pendaison
	se pendre
drowning	*la noyade*
to drown	*se noyer*
a firearm	*une arme à feu*
to turn a weapon on oneself	*retourner une arme contre soi*

2 CAUSES OF SUICIDE — *LES CAUSES DE SUICIDE*

to exhaust all other options	*épuiser toutes les autres solutions*
a last resort	*un dernier recours*
as a last resort	*en dernier recours*
in the last resort	*en dernier ressort*
to resort to	*recourir à*
to be plagued by health problems	*être assailli de problèmes de santé*
failing health	*la santé déclinante*
to end pain	*mettre fin à ses souffrances*
to give way to despair	*céder au désespoir*
despondency	*la déprime*
unstable	*instable*
unbalanced	*déséquilibré*
unhinged	*désaxé*
to exhibit signs of strain	*montrer des signes de surmenage*
to be mentally ill	*être dérangé mentalement*
to be under strain	*être dans un état de tension nerveuse*
to yield to depression	*céder à la dépression*
to be in the grip of	*être en proie à*
a nervous breakdown	*une dépression nerveuse*
to break down	*craquer*
to go to pieces	*s'effondrer*
bereavement	*le deuil*
loneliness	*la solitude*
reduced circumstances	*la pauvreté*
reluctance to become a burden (to)	*la réticence à devenir un poids (pour)*
a glamorous way to die	*une façon glorieuse de mourir*
a cluster effect	*un effet boule de neige*
a copycat death	*une mort par imitation*
an impulse	*une impulsion*
rash	*irréfléchi*
on the spur of the moment	*sur un coup de tête*
to shake a family	*ébranler une famille*
to numb a country	*paralyser un pays*
a sense of horror	*un sentiment d'horreur*
suicide prevention	*la prévention des suicides*
to deter potential victims	*décourager les candidats au suicide*
to be in need of support	*avoir besoin d'aide*
to avert a suicide	*éviter un suicide*
a suicide hot line	*S.O.S. détresse*
a counseling network	*un réseau de conseil*

8 MORAL CRISIS — *LA CRISE MORALE*

I CONFIDENCE — *LA CONFIANCE*

1 A SENSE OF CONFIDENCE — *UN SENTIMENT DE CONFIANCE*

self-confidence / self-assurance	*la confiance en soi*
to gauge the confidence	*mesurer la confiance*
to lose confidence (in)	*perdre confiance (en)*
to restore confidence	*rétablir la confiance*
overconfidence	*la suffisance, la confiance aveugle*
boundless optimism	*l'optimisme sans borne*
a surge of optimism	*une vague d'optimisme*
sanguine / optimistic	*optimiste*
sanguinity	*optimisme*
pride	*la fierté*
to pride oneself on	*se targuer de*
to take pride in	*se réjouir de*
to brim with pride	*déborder de fierté*
proud	*fier*
to congratulate oneself	*se féliciter*
to boast / to brag (about, of)	*se vanter (de)*
bluster	*la bravache*
to be the envy of	*faire l'envie de*
to be envied for	*être envié pour*

2 A MOOD OF CONFIDENCE — *UN CLIMAT DE CONFIANCE*

to shake a belief	*ébranler une conviction*
to erase a belief	*effacer une conviction*
renewal	*le renouveau*
soaring spirits / sunny spirits	*un moral au beau fixe*
to brighten the mood	*remonter le moral*
wholesome	*sain*
jaunty	*enjoué*
zesty	*enthousiaste*
ebullience	*exubérance*
buoyancy	*optimisme*
to feel buoyant (about)	*être optimiste (pour)*
upbeat	*optimiste, euphorique*
to cheer up	*se réjouir*
cheerful	*réconfortant, réjouissant*
high-spirited	*plein d'entrain*
to send spirits high	*avoir lieu de se réjouir*

3 PATRIOTISM — *LE PATRIOTISME*

a patriot	*un patriote*
patriotic / flag-waving	*patriotique*
the moral fiber	*la fibre morale*
to elicit a sense of patriotism	*provoquer un sentiment de patriotisme*
an outpouring of patriotism	*une vague de patriotisme*
the national will	*la volonté nationale*
to capture the flag	*s'emparer du thème patriotique*
jingoism	*le chauvinisme*
jingoistic	*chauvin*
to stand tall	*être fier*
to bend the world to one's will	*tenir le monde dans sa main*

4 VISION — *LA VISION*

an appeal	*un attrait*
to enliven a dream	*égayer un rêve*
a visionary	*un visionnaire*
to make a dream come true / to fulfill a dream	*réaliser un rêve*
to conjure up	*évoquer*
a beacon to all	*un phare pour tous*
to fire the imagination	*embraser l'imagination*
a driving force	*une force agissante*
to set up standards	*montrer l'exemple*
to live up to values	*être fidèle à ses valeurs*
an energizer of people	*un mobilisateur de foules*
to convey an uplifting vision	*transmettre une vision optimiste*
an inspirational message	*un message inspiré*
to drive a message home	*faire passer un message*
a breadth of vision	*une largeur de vue*
a lofty spirit	*une hauteur d'idées*
creativeness	*la créativité*
a powerhouse of new ideas	*une mine d'idées nouvelles*
to make strides (in)	*faire des progrès (en)*
to bend to change	*se plier aux changements*
drive	*énergie*
to mark a country's achievements	*marquer les réalisations d'un pays*
entrepreunarial energy	*l'énergie d'entreprendre*
a sense of purpose	*la résolution*
a sense of pioneering	*un sens de l'innovation*
unfettered opportunities	*possibilités illimitées*
a can-do spirit	*un sens du possible*
a solvable problem	*un problème soluble*
an intractable problem	*un problème insoluble*
boldness	*la hardiesse*
bold	*hardi*
inventiveness	*l'esprit inventif*
the promise of plenty	*la promesse de l'abondance*
to seek betterment of	*chercher à améliorer*
to be in search of	*être à la recherche de*

5 SHAPERS OF THE WORLD — *LES BÂTISSEURS*

determination	*la détermination*
determined	*résolu*
ruthless	*impitoyable*
demanding	*exigeant*
rewarding work	*le travail gratifiant*
hard driving	*ambitieux*
dedicated	*dévoué*
tough minded	*persévérant*
godlike	*divin*
to exert influence / to wield influence	*exercer une influence*
leadership	*le leadership, la capacité à diriger*
to retain a leading role	*conserver un rôle primordial*
to achieve success	*parvenir au succès*
a rebirth of the spirit	*un renouveau de l'esprit*
to ride a crest	*être au faîte de la réussite*
to be on the crest of a wave	*être celui à qui tout réussit*
to set ideas around the world	*imposer des idées dans le monde entier*
missionary zeal	*le zèle missionnaire*
a divinely ordained mission	*une mission d'inspiration divine*
a Good Samaritan	*un bon Samaritain*
to lift one's best face (to)	*se montrer sous son meilleur jour (à)*
the appeal of a culture	*l'attrait d'une culture*
to play a global role	*jouer un rôle planétaire*
to set the pace (in)	*donner le ton (dans)*
to have a heyday	*connaître un apogée*
halcyon days	*jours heureux*
a banner year	*une année faste*
to embody	*incarner*
to shape the world	*déterminer le destin du monde*
to hunt for challenges	*traquer les défis*
to take up a challenge	*relever un défi*
to overcome challenges	*venir à bout des difficultés*
the stuff of greatness	*l'étoffe des grands*
a search for heroes	*une quête de héros*

II DIFFIDENCE — *LA DÉFIANCE*

1 A SENSE OF DIFFIDENCE — *UN SENTIMENT DE DÉFIANCE*

diffident	*qui manque de confiance*
distrust	*la méfiance*
to distrust	*se défier de*
mistrust	*la méfiance*
to mistrust	*se méfier de*
a breach of faith	*une forfaiture*
a breach of trust	*un abus de confiance*
to experience a crisis of confidence	*traverser une crise de confiance*
dispirited	*démoralisé*
cynicism / cynical	*le cynisme / cynique*
to loathe / loathing	*abhorrer / le dégoût*

2 DECADENCE — *LA DÉCADENCE*

decadent	*décadent*
prudish	*pudibond*

decline	*le déclin*
to be on the wane / to be in decline	*être en déclin*
a declinist	*un Cassandre*
to wane	*décliner*
a bleak fate	*un sombre destin*
to look bleak	*paraître sombre*
to decay	*pourrir*
decay	*le pourrissement, la décadence*
to berate	*admonester*
to underrate	*sous-estimer*
self-centered	*égocentrique*
mediocrity	*la médiocrité*
bigotry	*le sectarisme*
complacence	*la suffisance*
conformity	*le conformisme*
complacent	*satisfait de soi*
to tarnish a dream	*ternir un rêve*
faded grandeur	*la grandeur passée*
a disposable culture	*une culture jetable*
shallowness	*le caractère superficiel*
shallow	*superficiel*

3 « THE CLOSING OF THE MIND » — *« L'ÂME DÉSARMÉE »*

a mood	*un état d'esprit*
to sour	*s'aigrir, tourner à l'aigre*
to sink	*sombrer*
a decline of the spirit	*un déclin moral*
to harbour scepticism	*être sceptique*
to duck reponsibility	*fuir les responsabilités*
to blame sb for	*accuser qn. de*
national self-doubt	*les incertitudes d'un pays*
to take a toll on the spirit	*prendre un coup au moral*
to overtake a nation	*s'emparer d'un pays*
a sense of loss	*un sentiment de désarroi*
a sense of dislocation	*un sentiment de déséquilibre / confusion*
dismay	*le désarroi*
impotence / helplessness	*impuissance*
limitation	*insuffisance*
defeatism	*le défaitisme*
inadequacy	*le déphasage*
helpless	*impuissant*
an inferiority complex	*un sentiment d'infériorité*
to erode national confidence	*saper la confiance d'un pays*
to lose faith in	*perdre confiance en*
to take a second look at	*reconsidérer*
to be critical of	*critiquer*
self-critical	*auto-critique*
inward-looking	*replié sur soi*
to speak ill of	*dire du mal de*
to disparage	*dénigrer*
to be disdainful of	*mépriser*
to feel contempt (for)	*éprouver du mépris (pour)*
contemptuous	*méprisant*

III LAW AND ORDER — *LE MAINTIEN DE L'ORDRE*

1 CRIME — *LA CRIMINALITÉ*

I PATTERNS OF CRIME — *LES FORMES DE CRIMINALITÉ*

1 GENERAL BACKGROUND — *GÉNÉRALITÉS*

crime	*la violation de la loi, la délinquance, la criminalité*
a crime	*un délit, un crime, une infraction*
to commit a crime	*commettre une infraction*
a criminal	*un criminel*
a hardened criminal	*un criminel endurci*
to have a criminal record	*avoir un casier judiciaire*
criminal behaviour	*attitude criminelle*
the criminal population	*les criminels*
to report a crime	*signaler un crime*
to go unreported	*omettre de signaler*
to engage in crime	*se livrer à des activités criminelles*
to abet in a crime	*être complice d'un crime*
to be charged with a crime	*être inculpé pour crime*
the crime rate	*le taux de criminalité*
a crime for fun	*un crime gratuit*
wanton	*injustifié*
callous	*sans pitié*
horrendous	*horrible*
chilling	*qui donne le frisson*
impulsive crime	*un crime irréfléchi*
an increase in crime	*une augmentation de la criminalité*
a tide of crime / a crime wave	*une vague de criminalité*
crime prevention	*la prévention de la criminalité*
to curb crime	*freiner la criminalité*
to control crime	*enrayer la criminalité*
to crack down on crime	*réprimer la criminalité*
to deter crime	*décourager les criminels*
to keep crime down	*limiter la criminalité*
to be convicted of a crime	*être condamné pour un délit*

2 CRIMES AND CRIMINALS — *CRIMES ET CRIMINELS*

a respectable citizen	*un citoyen respectable*
to abide by the law	*respecter la loi*
law abiding	*soucieux de la loi*
to be above the law	*être au-dessus de la loi*
(a) scofflaw	*qui bafoue la loi*
to break the law	*enfreindre la loi*
a law breaker	*un délinquant*
to have a brush with the law	*avoir maille à partir avec la justice*
to be on the wrong side of the law	*être en infraction avec la loi*
to be caught red-handed	*être pris la main dans le sac*
a misdemeanour	*un délit*
a misdeed	*un délit, un méfait*
to do wrong	*mal agir*
a wrongdoer	*un malfaiteur*
wrongdoing	*méfaits*
a wrongful act	*un acte dommageable*
an offence	*un délit, une infraction*
an offender	*un délinquant*
a first offender	*un délinquant primaire*
a petty offender	*un simple délinquant*
a persistent offender	*un repris de justice*
a repeater	*un récidiviste*
a felon	*un criminel*
a felony	*un crime, un forfait*
felonious	*criminel*
an accomplice / a partner in crime	*un complice*
to assist an offender	*se faire complice d'une infraction*
in collusion with	*de connivence avec*
to be in cahoots with	*être de mèche avec*
to connive	*être complice de*
an accessory after the fact	*un complice par assistance*
to aid and abet	*être complice de qn.*
to be party to a crime	*participer à un délit*
juvenile delinquency	*la délinquance juvénile*
a juvenile delinquent	*un délinquant juvénile*
truancy	*l'école buissonnière*
to play truant	*faire l'école buissonnière*
to cut classes	*sécher les cours*

II OFFENCES AGAINST THE PUBLIC INTEREST — *LES CRIMES CONTRE L'INTÉRÊT PUBLIC*

1 OFFENCES AGAINST THE STATE — *LES CRIMES CONTRE L'ÉTAT*

treason	*la trahison*
a traitor	*un traître*
to be a traitor to one's country	*trahir son pays*
to sell out	*passer à l'ennemi*
to betray	*trahir*
to spy / a spy	*espionner / un espion*
to aid the enemy	*collaborer avec l'ennemi*
to overthrow the government	*renverser le gouvernement*
a plot	*un complot*

to hatch a plot	*ourdir un complot*
to scheme	*intriguer*

2 PUBLIC ORDER — *L'ORDRE PUBLIC*

public peace	*la tranquillité publique*
public nuisance	*troubles d'ordre public*
a vagrant	*un vagabond*
with no fixed abode	*sans domicile fixe*
drunkenness	*l'ivrognerie*
disturbance of the peace / a breach of the peace / disorderly conduct	*le tapage nocturne*
abusive words	*propos injurieux*
a barroom brawl	*une rixe dans un bar*
an affray	*une rixe*
a drunken brawl	*une bagarre d'ivrognes*
a scuffle	*une échauffourée, une rixe*
a rout	*un attroupement illégal*
unlawful assembly	*un rassemblement illicite*
a riot	*une émeute*
to sack	*mettre à sac*
to loot / looting	*piller / le pillage*
arson	*l'incendie volontaire*
an arsonist	*un pyromane*
to gut	*dévaster*
to run amuck	*être pris d'une crise de folie meurtrière*
to create havoc	*causer des dégâts*
to go on a rampage	*se déchaîner*
mayhem	*la violence*

3 CORRUPTION — *LA CORRUPTION*

to be corrupt	*être corrompu*
a corrupt regime	*un régime corrompu*
to be riddled by corruption	*être rongé par la corruption*
a bribe / hush money / a sweetener	*un pot-de-vin*
to take a bribe	*se laisser corrompre*
to offer a bribe	*faire une tentative de corruption*
to bribe	*suborner, soudoyer, corrompre*
bribery	*la subornation, la corruption*
to be open to bribery	*être corruptible*
graft	*la corruption*
to fix officials	*soudoyer des responsables*
influence peddling	*le trafic d'influence*
a kickback	*une ristourne, un pourcentage*
a rake-off	*un dessous de table*
a payoff	*un versement illégal*
to graft	*graisser la patte*
payola	*pots-de-vin*
to be in the pay (of)	*être à la solde (de)*
to blackmail	*faire chanter*
blackmail	*le chantage*
a blackmailer	*un maître chanteur*
to shake sb down for money	*soutirer de l'argent à qn.*
a shake down	*une extorsion*
protection money	*somme versée par intimidation, argent extorqué par intimidation*
to pay protection money	*acheter sa protection*

4 FRAUD — *LA FRAUDE*

to defraud (sb of sth)	*frauder, escroquer (qch. à qn.)*
fraud	*la fraude, l'abus de confiance*
a fraud	*un piège à gogos*
a bank fraud	*une escroquerie financière*
a defrauder	*un fraudeur*
fraudulent conversion	*le carambouillage*
consumer fraud	*la fraude à la consommation*
mislabeling	*étiquetage trompeur*
misrepresentation in advertising / misleading advertising	*la publicité mensongère*
food adulteration	*le frelatage des aliments*
to honour a contract	*honorer un contrat*
to rescind a contract	*résilier un contrat*
a breach of contract	*une rupture de contrat*
a breach of trust	*un abus de confiance*
a contracting party	*une partie contractante*
to rig a market	*manipuler un marché*
to fix prices	*s'entendre sur les prix de façon illicite*
price fixing	*l'entente illicite sur les prix*
tax fraud	*la fraude fiscale*
a tax dodger / a tax evader	*un fraudeur du fisc*
tax dodging / tax evasion	*évasion fiscale*
securities fraud	*la fraude aux titres de valeur*
inside information	*informations privilégiées*
insider trading	*le délit d'initié*
antitrust violations	*violations des lois anti-trusts*
industrial espionage	*espionnage industriel*
patent infringement	*la contrefaçon de brevets*
a patent pirate / a trademark thief	*un contrefacteur*
an infringement of patent	*une contrefaçon de brevet*
a trademark	*une marque*
piracy	*le plagiat*
embezzlement	*le détournement de fonds*
to embezzle	*détourner des fonds*
misappropriation (of public funds)	*une concussion, un détournement de fonds, un abus de confiance*
falsification of accounts	*un faux en écriture*
falsification of a document	*la falsification d'un document*
forgery	*la contrefaçon*
a banknote / a bill (USA)	*un billet de banque*
to forge	*contrefaire, falsifier*
a forgery	*un faux, un document falsifié*
a forger	*un faux-monnayeur*
to counterfeit	*contrefaire de la monnaie*
a counterfeiter	*un faux-monnayeur*
a counterfeit note	*un faux billet*
a watermark	*un filigrane*

5 SWINDLING — *L'ESCROQUERIE*

a swindler / a crook / a conman / a confidence trickster / a confidence man	*un escroc*
to swindle / to fleece / to con	*escroquer*

a congame / a con	une escroquerie
a confidence game	un abus de confiance, une escroquerie
to deceive	tromper, induire en erreur
deception / deceit	la tromperie, la fraude
deceitfulness	le caractère trompeur
deceitful	trompeur
by stealth	à la dérobée
a rip off	une escroquerie, une arnaque
shenanigans	magouilles, manigances
hanky panky	une entourloupe
a sham	un imposteur, la frime
a scam	une carambouille, un scandale
to be taken in	être dupé

6 TRAFFICKING — *LES TRAFICS*

to traffic in	faire le trafic de
to smuggle	faire la contrebande de
a smuggler	un contrebandier
dope smuggling	faire la contrebande de la drogue
to bootleg	faire la contrebande d'alcools, fabriquer de l'alcool illégalement
bootlegging	la contrebande d'alcool
a bootlegger	qui fait la contrebande de l'alcool
to run guns	faire le trafic d'armes
a run gunner	un trafiquant d'armes

III OFFENCES AGAINST PROPERTY — *LES INFRACTIONS CONTRE LES BIENS*

1 THEFT — *LE VOL*

to steal	voler
to rob	dérober
to rob sb of sth	dérober qch. à qn.
a robber	un voleur
robbery	le vol qualifié
an armed robbery	une attaque à main armée
a thief / a theft	un voleur / un vol
auto theft	le vol d'automobiles
larceny	le vol
grand larceny	le vol qualifié
petty larceny	un larcin
to pilfer	chaparder
a pilferer	un spécialiste des petits larcins
a shoplifter	un voleur à l'étalage
shoplifting	le vol à l'étalage
to filch	chiper
purse snatching	le vol à l'arraché
a purse snatcher	un vol à l'arraché
a wallet	un portefeuille
to lift	voler (dans une poche), barboter
to pick pockets	faire les poches
art theft	le vol des œuvres d'art
an art thief	un voleur d'œuvres d'art
a master painting	une peinture de maître
to mastermind	organiser
to recover	retrouver
a haul	une prise
hot art	œuvres d'art volées
to resell in the open market	revendre sur le marché
an insurance theft	un vol à l'assurance

2 BANK ROBBERY — *L'ATTAQUE DE BANQUE*

to rob a bank / to hold up a bank	attaquer une banque
a stick up	un vol à main armée
to heist	faire un casse
a heist	un casse
a heister	l'auteur d'un casse
an armed robber	un braqueur
to raid a bank	attaquer une banque
a vault	une chambre forte
a safe	un coffre-fort
a teller / a window	un guichet
a cashier	un caissier
an armoured car	un fourgon blindé
a balaclava	un passe-montagne
a hood	une cagoule
to tie	attacher
to bind	ligoter
to gag	bâillonner
to hold sb at gunpoint	braquer son arme sur qn.
to hand over	remettre
a haul	un butin
used notes	coupures usagées
to make a getaway	prendre la fuite

3 TRESPASSING — *LA VIOLATION DE PROPRIÉTÉ*

to trespass (upon)	s'introduire illégalement (chez)
a trespasser	un intrus
to break in	entrer par effraction
a break-in	un cambriolage
to burglarize	cambrioler
a burglar	un cambrioleur
burglary	le cambriolage, l'effraction de domicile
to pick a lock	crocheter une serrure
a picklock	un rossignol
to crack a safe	ouvrir un coffre-fort
a jemmy	une pince monseigneur
to poach / a poacher	braconner / un braconnier
to squat	occuper illégalement, squattériser
a squatter	un squatter
receiving / fencing	le recel
to fence a loot	vendre à un receleur, fourguer un butin (fam.)
a fence / a receiver	un receleur
to receive stolen goods	receler des biens volés

IV CRIMES AGAINST PERSONS — *LES CRIMES CONTRE LES PERSONNES*

1 ASSAULTS — *LES AGRESSIONS*

an assault / a mugging	*une agression*
to assault / to mug	*agresser, violenter*
to lurk / to prowl	*rôder*
to stalk	*suivre*
a prowler	*un rôdeur*
a hoodlum / a hood	*un voyou*
a thug	*un loubard*
a hooligan	*un voyou, un casseur*
to stab	*poignarder*
to knife	*donner un coup de couteau*
to be set upon	*se faire attaquer*
to beat up	*tabasser*
to beat to death	*tabasser à mort*
assault and battery	*voies de fait, coups et blessures*
rape	*le viol*
a gang rape	*un viol collectif*
a rapist	*un violeur*
indecent exposure	*outrage public à la pudeur*
indecent assault	*attentat à la pudeur*
to molest	*rudoyer, malmener*
a child molester	*un attentat à la pudeur sur mineur*
child abuse	*violences sur enfants*

2 GANG WARFARE — *LA GUERRE DES GANGS*

a gang	*un gang, une bande*
a street gang	*un gang de rue*
gang life	*la vie des gangs*
a street gang network	*un réseau de gangs de rue*
to be inducted into a gang	*être incorporé dans un gang*
to be initiated into a gang	*être intronisé dans un gang*
to join a gang	*s'enrôler dans un gang*
a gang member	*le membre d'un gang*
inter gang warfare	*la guerre des gangs*
gangland territory	*le territoire d'un gang*
to be jumped by gang members	*se faire attaquer par des membres d'un gang*
to slip into a life of crime	*sombrer dans le crime*
peer pressure	*la pression d'autrui*
to show one's mettle	*faire ses preuves*
to test one's mettle	*être mis à l'épreuve*
to assert one's identity	*affirmer son identité*
to prove one's manhood	*prouver sa virilité*
a switchblade	*un couteau à cran d'arrêt*
a sense of belonging	*un sentiment d'appartenance*
to give sb status	*conférer un statut à qn.*
to feud	*s'affronter*
to battle it out for supremacy	*lutter pour la suprématie*
the inner city	*le ghetto*
a high crime area	*une zone de forte criminalité*
to churn out killers	*fabriquer des assassins*
a deserted street	*une rue déserte*
cross fire	*le tir croisé*
a free fire zone	*une zone dangereuse*
a no-go area	*une zone interdite*
to spray bullets (into)	*arroser de balles*
to shoot it out with	*régler ses comptes à coups de revolver*
to be caught in the line of fire	*être dans la ligne de tir*
a bystander	*un passant*
to trap innocents	*prendre des innocents au piège*
wilful destruction	*le vandalisme*

3 KIDNAPPING — *LE RAPT*

to kidnap / to abduct / to snatch	*enlever*
a kidnapper	*un kidnappeur*
to be in the hands of	*être aux mains de*
to foil a kidnapping	*déjouer un kidnapping*
an abduction	*un rapt*
an abductor	*un ravisseur*
to hold sb captive	*détenir qn. prisonnier*
to seize	*s'emparer de*
a seizure	*une capture*
a hostage	*un otage*
to hold sb hostage	*détenir en otage*
hostage taking	*la prise d'otages*
a hostage taker	*un preneur d'otages*
a ransom	*une rançon*
to collect a ransom	*rassembler une rançon*
to prey on wealthy families	*s'attaquer aux familles fortunées*
to be a target of choice	*être une cible de choix*
to prod sb into paying	*inciter qn. à payer*
to threaten sb into paying	*forcer qn. à payer sous la menace*
to meet the demands	*satisfaire aux exigences*
to hold for ransom	*détenir en vue d'obtenir une rançon*
to pay a ransom	*verser une rançon*
to release / a release	*relâcher / une libération*
to hijack	*détourner*
hijacking	*la piraterie aérienne*
a hijacking	*un détournement d'avion*
a hijacker	*un pirate de l'air*
a carjacker	*un pirate de la route*
rustling (of cattle)	*le vol de bétail*

4 HOMICIDES — *LES HOMICIDES*

a murder	*un meurtre*
a murderer	*un meurtrier*
a murderess	*une meurtrière*
an attempted murder	*une tentative de meurtre*
a first degree murder	*un assassinat*
a second degree murder	*un meurtre au 2e degré*
a mass murder / mass killing	*une tuerie*
with malice aforethought	*avec préméditation*
a manslaughter	*un homicide involontaire et non prémédité*
to murder / to assassinate	*assassiner*
to commit a murder	*commettre un meurtre*

an assassination	*un assassinat (politique)*
to slay	*massacrer*
a killer	*un tueur*
a serial killer	*un tueur qui commet des meurtres en série*
a slaughter	*un massacre*
a bloodbath	*un bain de sang*
to clear a murder / to solve a murder	*élucider un meurtre*
a post mortem	*une autopsie*
an inquest	*une enquête (après mort)*
to strangle	*étrangler*
to smother	*étouffer*
to lynch	*lyncher*
to hang	*pendre*
to poison	*empoisonner*
to wipe out	*éliminer*
to do to death	*tuer*

5 ORGANIZED CRIME — *LE GRAND BANDITISME*

the Mafia / the Syndicate	*la mafia*
the mob / the underworld	*la pègre, le milieu*
a mobster	*un mafioso, un mafieux*
a godfather	*un parrain*
a crime syndicate	*un syndicat du crime*
the conspiracy of silence	*la conspiration du silence*
to break the code of silence	*rompre la règle du silence*
to commission a crime	*commanditer un crime*
a hit man	*un tueur à gages*
a hit	*un meurtre sur commande*
to make a hit	*remplir un contrat*
to have a contract on sb	*être payé pour exécuter qn.*
a racket	*un racket*
to operate a racket	*diriger un racket*
a racketeer	*un racketteur*
a train robbery	*une attaque de train*
gambling	*le jeu*
the gambling industry	*l'industrie des jeux*
a gaming organisation	*une organisation des jeux*
a gamester	*un joueur*
a slot machine	*une machine à sous*
loan sharking	*la pratique de prêts à taux usuraires*
a shark	*un requin*

V GUNS AND CRIME — *LES ARMES À FEU ET LA CRIMINALITÉ*

1 FIREARMS — *LES ARMES À FEU*

a gun / a firearm	*une arme à feu*
a pistol / a handgun	*un pistolet*
a rifle	*un fusil*
a shotgun	*un fusil de chasse*
a sawn-off shotgun	*un fusil à canon scié*
a machine gun	*une mitrailleuse*
a submachine gun	*une mitraillette*
an assault rifle	*un fusil d'assaut*
a weapon	*une arme (blanche / à feu)*
gauge	*le calibre*
large calibre	*de gros calibre*
small calibre	*de petit calibre*
a silencer	*un silencieux*
a butt	*une crosse*
a barrel	*un canon*
double-barrelled	*à deux coups*
a magazine	*un magasin*
a cock	*un chien*
a breech	*une culasse*
a trigger	*une gâchette*
a safety catch	*un cran de sûreté*
to pull the trigger	*appuyer sur la gâchette*
a muzzle	*une gueule*
a bullet	*une balle*
buckshot	*la chevrotine, le gros plomb*
a slug	*une balle (de revolver)*
to slug	*tirer un coup*
a shell	*une cartouche*
a blank cartridge	*une cartouche à blanc*
a clip	*un chargeur*
to empty one's magazine	*vider son chargeur*
to load one's rifle with live ammunition	*charger son fusil de balles réelles*
a rubber bullet	*une balle en caoutchouc*
a plastic bullet	*une balle en plastique*
gunshot	*le plomb*
a holster	*un étui*
a shot	*un coup*
to shoot	*tirer*
gunfire	*coups de feu, fusillade*
a round of ammunition	*une décharge*
a volley	*une salve*
to arm	*armer*
a gun owner	*un détenteur d'une arme à feu*
a good shot	*un bon tireur*
to carry a gun / to pack a gun	*porter une arme*
to wield a gun	*manier une arme*
to draw a gun on sb	*braquer une arme sur qn.*
a gunman	*un bandit armé*
a gunsmith	*un armurier*
target shooting / target practice	*exercices de tir*
to register a gun	*déclarer une arme*
gun registration	*la déclaration de détention d'arme*
a license	*un port d'arme*
an unlicensed gun	*une arme sans autorisation*
to be trigger-happy	*avoir la gâchette facile*
a gunshot wound	*une blessure par balle*
to kill by accident	*tuer par méprise*
deadly	*mortel*
self-defense / self-protection	*autodéfense*
the right of self defense	*le droit à l'autodéfense*
to defend oneself against	*se défendre contre*
to protect one's property from	*défendre ses biens contre*
a constitutional right	*un droit constitutionnel*
to guarantee a right	*garantir un droit*
to stand up for one's rights	*défendre ses droits*
the right to bear arms	*le droit de porter une arme*

the National Rifle Association (NRA) (USA)	*l'Association nationale de défense des armes à feu*
a shooting range	*un stand de tir*

2 GUN CONTROL — *LA LIMITATION DES ARMES À FEU*

to take the law into one's own hands	*se faire justice*
a lawless individual	*un individu sans foi ni loi*
to administer justice / to mete out justice	*rendre la justice*
to take revenge for / to get even with	*se venger de*
to wreak revenge (upon)	*exercer une vengeance (sur)*
to seek redress	*chercher réparation*
to redress a grievance	*réparer un tort*
to vindicate	*faire valoir (ses droits)*
to hit back at / to strike back at	*riposter*
to retaliate (against)	*user de représailles (envers)*
retaliation / reprisals	*représailles*
to pay sb back in his own coin	*rendre à qn. la monnaie de sa pièce*
an eye for an eye	*la loi du talion (œil pour œil)*
a gun control initiative	*une initiative pour limiter le port d'arme*
to push for gun control	*préconiser la limitation des armes*
to prod legislators into	*pousser les élus à*
to crack down on gun sales	*réprimer les ventes d'armes*
to enact strict gun legislation	*voter des lois strictes sur les armes à feu*
a gun law	*une loi sur la réglementation des armes à feu*
to outlaw guns / to ban guns	*proscrire les armes*
to restrict gun ownership	*restreindre la possession des armes à feu*
a thorough check	*une vérification complète*
to run a check	*faire une vérification*
a would-be buyer	*un acheteur potentiel*
to disclose	*révéler*
to maintain up-to-date records	*conserver des archives à jour*
to deter	*dissuader*
a gun control activist	*un adversaire des armes à feu*
to keep guns out of circulation	*restreindre le nombre d'armes en circulation*
to require licencing	*exiger un port d'arme*
mandatory registration	*la déclaration obligatoire*

VI CAUSES OF CRIME — *LES CAUSES DE LA CRIMINALITÉ*

1 CRIMINAL BEHAVIOUR — *LE COMPORTEMENT CRIMINEL*

the makeup of an offender	*la constitution d'un criminel*
a psychological deviation	*une aberration psychologique*
deviant	*anormal*
antisocial behaviour	*un comportement antisocial*
a genetic component	*un facteur génétique*
a chromosomal aberration	*une aberration chromosomique*
a rooted impulse	*une impulsion irrésistible*
an aggressive tendency	*une tendance à l'agressivité*
to channel aggressive impulses	*canaliser des impulsions agressives*
a sexual urge	*un besoin sexuel*
kleptomania	*la kleptomanie*
motiveless	*sans mobile*
depraved	*dépravé*
mean / vicious	*méchant*
evil	*diabolique*
unforgiving	*impitoyable*
relentless	*implacable*
coldblooded / unfeeling / coldhearted	*insensible*
ruthless / merciless	*sans pitié*
remorseless	*sans remords*
vengeful	*vindicatif*
embittered	*aigri*
sadistic	*sadique*
to mean ill	*vouloir du mal*
to be up in arms against	*être en révolte contre*
to air one's frustration	*exprimer ses frustrations*
pent up frustrations	*frustrations refoulées*
innermost tensions	*tensions profondes*
to direct rage at	*prendre pour cible de sa colère*
violence prone	*enclin à la violence*
destructive	*destructeur*
pointless violence	*la violence gratuite*
to show disregard for one's victim	*montrer de l'indifférence envers sa victime*

2 SOCIETY AND CRIME — *SOCIÉTÉ ET CRIMINALITÉ*

a social ill	*un fléau social*
a permissive society	*une société permissive*
loose morals	*mœurs relâchées*
ethical chaos	*la confusion morale*
cultural decay	*le délabrement culturel*
to erode norms of social behaviour	*miner les normes sociales*
blurred rules	*la confusion des règles*
to go over the line	*dépasser les limites*
leniency	*l'indulgence, la clémence*
lenient (to)	*indulgent (envers)*
to take a lenient attitude toward	*adopter une attitude de clémence envers*
to hand out minimal sentences	*accorder des peines minimum*
to condone	*fermer les yeux sur*
weakness of will	*la veulerie*

weakheartedness	*la faiblesse*
softeness (on)	*la faiblesse (envers)*
materialistic excess	*l'excès de matérialisme*
a freewheeling business climate	*un climat d'affairisme anarchique*
a scandal scarred era	*une période marquée par les scandales*
scandal plagued	*marqué par les scandales*
to deflect responsibility	*rejeter la responsabilité*
to stiffen law enforcement	*durcir les peines*

3 FAMILY BREAKDOWN — *LA DÉCOMPOSITION DE LA FAMILLE*

the household	*le foyer*
the family cell	*la cellule familiale*
family values	*les valeurs de la famille*
a closely-knit family	*une famille étroitement soudée*
well balanced	*bien équilibré*
family relationships	*relations familiales*
a problem family	*une famille à problèmes*
to break apart	*se rompre*
to fall apart	*se disloquer*
to collapse / to crumble	*s'effondrer*
a collapse	*un effondrement*
to be headed by	*être dirigé par*
an uninvolved parent	*un parent indifférent*
overachieving parents	*parents soucieux de leur réussite professionnelle*
to be strung out on alcohol / drugs	*être abruti par l'alcool / la drogue*
to desert one's home	*abandonner son foyer*
parental discord	*la mésentente conjugale*
to instill a set of values	*inculquer un ensemble de valeurs*
to be taught the difference between right and wrong	*apprendre la différence entre le bien et le mal*
to misbehave	*mal se conduire*
a lack of discipline	*un manque de discipline*
to forgo punishments	*s'abstenir de punir*
a lack of parenting	*un manque d'éducation*
to lack attention and supervision	*manquer d'attention et de surveillance*
to be left to one's devices	*être livré à soi-même*
to fend for oneself	*se débrouiller par ses propres moyens*
to neglect	*négliger, délaisser*
neglect (of)	*le désintérêt (pour)*
to be ill-treated	*être maltraité*
to bully	*maltraiter*
to feel rejected	*se sentir rejeté*
parental rejection	*l'abandon parental*
an emotionally disturbed child	*un enfant déséquilibré psychiquement*

to rebel against authority	*se révolter contre l'autorité*
to develop a poor self-image	*avoir une piètre image de soi*

4 LIFE IN THE CITY — *LA VIE CITADINE*

the urban crisis	*la crise urbaine*
urban decay	*le déclin des villes*
the growth of urbanisation	*la péri-urbanisation*
dehumanization	*la déshumanisation*
to feel cut off from	*se sentir coupé de*
a selfish world	*un monde égoïste*
to live in a shell	*vivre replié sur soi*
to lose all sense of community	*perdre tout sens de la communauté*
to lose contact with	*devenir étranger à*
to keep in touch with	*rester en contact avec*
to be alienated	*être aliéné*
to be anonymous	*être anonyme*
to be overcome by	*être envahi par*
feelings of alienation	*sentiments d'aliénation*
to feel helpless	*se sentir impuissant*
to barricade oneself	*se barricader*
to patrol the streets	*patrouiller dans les rues*

5 THE MEDIA — *LES MÉDIAS*

a violent film	*un film de violence*
a thriller	*un film policier*
a steady diet of violence	*un régime régulier de violence*
to be standard fare	*être servi régulièrement*
to feature	*représenter*
a violent trend	*une tendance à la violence*
to make violence look common	*banaliser la violence*
pervasiveness of violence	*l'envahissement de la violence*
to become insensitive to	*devenir insensible à*
to glorify violence	*glorifier la violence*
to become a 6 o'clock news hero	*devenir le héros du journal de 20 heures*
to emulate a crime	*imiter un crime*
TV's impact (on)	*impact télévisuel (sur)*
to dwell on violence	*insister sur la violence*
to reduce the level of violence	*réduire le degré de violence*
to avoid sponsoring a program	*éviter de parrainer une émission*
an objectionable program	*une émission contestable*
a warning label	*un carré blanc*
to censor program content	*censurer le contenu d'une émission*

2 POLICE — *LA POLICE*

I POLICE FORCES — *LES FORCES DE L'ORDRE*

1 GENERAL BACKGROUND — *GÉNÉRALITÉS*

a policeman	*un policier*
a police unit	*une unité de police*
a cop	*un flic (fam.)*
the fuzz / the heat	*la flicaille (fam.)*
a lawman	*un représentant de l'ordre*
a plain-clothes policeman	*un policier en civil*

a police officer	*un fonctionnaire de police*
a squad	*une brigade*
a bomb squad	*une équipe de déminage*
the drugs squad	*la brigade des stupéfiants*
the fraud squad	*la brigade financière*
the crime squad	*la brigade criminelle*
the vice squad	*la brigade des mœurs, la mondaine*
a SWAT team (Special Weapons and Tactics Team)	*le GIGN (Groupe d'Intervention de la Gendarmerie Nationale) / le RAID (Recherche, Assistance, Intervention, Dissuasion)*
a bodyguard	*un garde du corps*
a private investigator (PI) / a private eye	*un détective privé*
a sleuth	*un limier*
a gumshoe	*un privé*
to join the police	*entrer dans la police*
to police	*assurer le maintien de l'ordre*
to enforce the law	*appliquer la loi*
enforcement of the law	*l'application de la loi*
a law enforcement officer	*un fonctionnaire de police chargé de faire respecter la loi*

2 THE UNITED KINGDOM — *LE ROYAUME-UNI*

the Home Office	*le ministère de l'Intérieur*
the Home Secretary	*le ministre de l'Intérieur*
the Special Branch	*le contre-espionnage*
the Metropolitan Police	*la police métropolitaine (la police de Londres et de ses environs)*
the Special Patrol Group (SPG)	*le GIGN*
the Royal Ulster Constabulary (RUC)	*la police royale d'Ulster*
the Criminal Investigation Department (CID)	*la police judiciaire (PJ), les affaires criminelles*
a Chief Commissioner	*un inspecteur principal*
the Criminal Records Office	*l'identité judiciaire*
a police station	*un commissariat de police, une gendarmerie*
a Chief Constable	*un commissaire divisionnaire*
a Superintendent	*un commissaire de police*
a police inspector	*un inspecteur de police, un capitaine de gendarmerie*
a Police Constable (PC)	*un agent de police*
a bobby	*un flic*
the constabulary	*la gendarmerie*

3 THE USA — *LES ÉTATS-UNIS*

the Department of Justice	*le ministère de la Justice*
the Attorney General	*le ministre de la Justice*
the Federal Bureau of Investigation	*le FBI*
a United States marshal	*un capitaine, un officier fédéral chargé d'exécuter des jugements*
the National Guard	*la Garde nationale*
a deputy sheriff	*un shérif adjoint*
a police commissioner	*un chef de la police (par ville)*
a police department	*une gendarmerie*
a rookie	*un bleu, un sans-grade*
the highway patrol	*la police de la route*
a precinct	*un commissariat de quartier*

4 POLICE GEAR — *L'ÉQUIPEMENT POLICIER*

a uniform	*un uniforme*
a bullet-proof vest	*un gilet pare-balles*
to flash one's badge	*montrer son insigne*
a two-way radio	*un radio émetteur*
to don	*revêtir*
a padded uniform	*un uniforme rembourré*
a whistle	*un sifflet*
a helmet	*un casque*
a vizor	*une visière*
the outfit	*l'équipement*
a shield	*un bouclier*
a truncheon / a billy	*une matraque*
a club	*un gourdin*
a nightstick	*un bâton*
to wield a baton	*manier une matraque*
tear gas	*le gaz lacrymogène*
a tear gas canister	*une bombe lacrymogène*
a tear gas shell	*une bombe lacrymogène (la cartouche)*
a gas mask	*un masque à gaz*
a smoke grenade	*une grenade fumigène*
to pop	*faire exploser*
to lob	*lancer*
to tear gas	*lancer des grenades lacrymogènes*
a water cannon	*un canon à eau*
to spray	*asperger*
to hose down	*arroser*
handcuffs	*menottes*
to handcuff	*passer les menottes*

5 POLICE TECHNOLOGY — *LA TECHNOLOGIE POLICIÈRE*

the Criminal Records	*le service de l'identité judiciaire*
to keep records (on)	*conserver des archives (sur)*
computerized records	*archives informatisées*
police files	*fichiers de police*
to have a record	*avoir un casier judiciaire*
to have a clean record	*avoir un casier vierge*
to keep tabs on	*conserver la trace de*
automotive registration	*immatriculations automobiles*
to trace stolen property	*retrouver l'origine de marchandises volées*
to be reported missing	*être porté disparu*
to trace a person	*rechercher une personne*
the scene of a crime	*les lieux d'un crime*
an inquest	*une enquête (en cas de mort suspecte)*
a body	*un cadavre*
to fingerprint	*relever les empreintes digitales*

to dust for fingerprints	*saupoudrer pour relever les empreintes*
a footprint	*une empreinte de pied*
car tracks	*traces de pneu*
to make a cast	*faire un moule*
a bloodtest	*un examen sanguin*
a bloodstain	*une tache de sang*
semen	*le sperme*
a forensic scientist	*un spécialiste de médecine légale*
a coroner	*un coroner*
a medical examiner	*un médecin légiste*
to conduct an autopsy	*faire une autopsie*
a post mortem examination	*une autopsie*
to establish identity	*établir l'identité*
to suspect foul play	*soupçonner un meurtre*
to ascertain the cause of death	*déterminer la cause du décès*
natural causes	*causes naturelles*
to return a verdict	*rendre un verdict*
an open verdict	*un verdict constatant l'impossibilité de déterminer les causes de la mort*
to issue a death certificate	*délivrer un acte de décès*
ballistics	*la balistique*
to recover a bullet (from)	*récupérer une balle (de)*
a spent bullet	*une balle utilisée*
a shell casing	*une douille*
electronics	*l'électronique*
electronic eavesdropping / wiretapping	*écoutes téléphoniques*
to wiretap	*mettre sur table d'écoute*
to bug	*mettre un micro*
a bug	*un micro*
to plant a bug	*installer un micro*
a radio transmitter	*un radio émetteur*
voice recording equipment	*le matériel d'enregistrement*
to listen in to	*intercepter*
to monitor a conversation	*enregistrer une conversation*
binoculars	*jumelles*

II POLICE OPERATIONS — *LES OPÉRATIONS DE POLICE*

1 ROUTINE ACTIVITIES — *LES ACTIVITÉS DE ROUTINE*

a shift rota	*un tableau de service*
to be on duty	*être de service*
to be off duty	*ne pas être de service*
a duty officer	*un agent de police de garde*
a police dog	*un chien policier*
a police car / a squad car	*une voiture de police*
a prowl car	*une voiture de patrouille*
a police van	*un fourgon cellulaire*
an unmarked car	*une voiture banalisée*
the beat	*la ronde*
to patrol one's beat	*faire sa ronde*
to patrol a district	*patrouiller dans un quartier*
to keep the peace	*maintenir la paix*
to maintain civil order	*maintenir l'ordre public*
to be under police protection	*être protégé par la police*
traffic control / traffic regulations	*la réglementation de la circulation*
a traffic policeman	*un agent de la circulation*
a traffic warden	*une contractuelle*
to be on point duty	*diriger la circulation*
to give a ticket	*dresser un procès verbal*
to book	*coller un procès verbal*
to get booked	*être verbalisé*
an endorsement	*un avertissement (système de permis à points)*
to lose one's license	*se faire retirer son permis*
the Highway Code	*le code de la route*
a traffic offense / a traffic violation	*une infraction au code de la route*
reckless driving	*la conduite dangereuse*
a restricted area	*une zone bleue*
to enforce parking regulations	*faire observer les règles de stationnement*
a parking meter	*un parcmètre*
a radar trap	*un radar*
to impound	*mettre en fourrière*
a pound	*une fourrière*
to breathalyse	*soumettre à l'alcootest*
a breathalyser / a drunkometer (USA)	*un alcootest*
to disqualify sb from driving	*retirer son permis à qn. à titre provisoire*

2 HUNTING A CRIMINAL — *LA CHASSE AU CRIMINEL*

to trace an offender	*retrouver un coupable*
an all-points-bulletin (APB)	*un avis à toutes les voitures*
a dispatcher	*une radio*
to run a plate	*rechercher l'identification du propriétaire d'un véhicule par sa plaque d'immatriculation*
a manhunt	*une chasse à l'homme*
a dragnet	*un filet*
to search for sb	*rechercher qn.*
to chase	*poursuivre*
to hunt down	*traquer*
to track down	*pourchasser*
to be on the trail	*être sur la piste*
to be in hot pursuit	*être aux trousses de*
to tail	*suivre*
to be on the heels (of)	*être sur les talons (de)*
a tracker dog	*un chien policier*
to follow the scent	*suivre la piste*
to put off the scent	*mettre sur une mauvaise piste*
to be on sb's track	*être sur la piste de qn.*
to comb an area	*passer une région au peigne fin*
to set up a roadblock	*installer un barrage*
to cover one's tracks	*brouiller les pistes*
to give the slip	*échapper (à la police)*
to give sb the slip	*fausser compagnie à qn.*

to abscond	*se soustraire à la justice*
to skip the country	*fuir le pays*
to be on the lam / to be on the run	*être en cavale*
to elude the police	*échapper aux recherches de la police*
to be on the loose	*être en liberté*
a mug shot	*un portrait*
an identikit picture	*un portrait-robot*
to be on the most wanted list	*être le suspect numéro un*
to put a bounty on sb's head	*mettre une tête à prix*
a cover	*une fausse identité*
to tip	*donner un tuyau*
a tip-off	*un renseignement*
a police informer	*un indicateur de police*
a grass	*un mouchard*
to grass on sb	*balancer qn.*
an informant	*un informateur*
to stake out	*surveiller, faire la planque*
to swoop	*faire une descente*
to round up	*interpeller*
to sweep	*ratisser*
to raid a house	*perquisitionner une maison*
to give oneself up	*se livrer à la police*

III POLICE INVESTIGATION — *L'ENQUÊTE POLICIÈRE*

1 GENERAL BACKGROUND — *GÉNÉRALITÉS*

to probe into	*enquêter sur*
a probe / an investigation / an inquiry	*une enquête*
to investigate	*enquêter*
an investigator	*un enquêteur*
a charge	*une accusation*
to investigate a charge	*enquêter sur une accusation*
to substantiate a charge	*fournir des preuves à l'appui d'une accusation*
to levy charges at	*porter des accusations à l'encontre de*
to inquire (into) / to check (into)	*faire des investigations (sur)*
evidence	*preuves, témoignages*
to uncover evidence	*découvrir des preuves*
to ferret out	*découvrir, mettre à jour*
to check out	*vérifier*
to come across	*tomber sur*
to hit upon	*tomber par hasard sur*
to hint at	*faire une allusion au fait que*
a hint	*une insinuation, une allusion*
to unveil	*dévoiler*
to expose	*révéler*
to unearth	*déterrer*
to collect evidence	*rassembler des preuves*
to take sb's evidence	*recueillir la déposition de qn.*
to witness	*être témoin de*

2 SEARCH — *LA PERQUISITION*

a clue	*un indice*
a lead	*une piste*
to search	*perquisitionner*
a legal search	*une perquisition légale*
to carry out a search	*effectuer une perquisition*
to search the premises	*perquisitionner les lieux*
to frisk (sb)	*fouiller (qn.)*
to strip-search	*déshabiller*
a search warrant	*un mandat de perquisition*
to make an application for a warrant	*solliciter un mandat*
to issue a warrant	*délivrer un mandat*
an allegation	*une allégation*
alleged	*présumé*
an alibi	*un alibi*
to verify an alibi	*vérifier un alibi*
to challenge an alibi	*récuser un alibi*
to disclose	*révéler*
to disclose the identity	*divulguer l'identité*
a disclosure	*une révélation*

3 ARREST — *L'ARRESTATION*

to crack a case	*résoudre une affaire*
to arrest / to bust	*arrêter*
to make an arrest	*procéder à une arrestation*
a warrant of apprehension	*un mandat d'amener*
to issue a warrant	*délivrer un mandat*
a summons	*une assignation*
to serve a summons (on)	*signifier une assignation (à)*
to apprehend	*appréhender*
to be busted (for)	*être coffré (pour)*
to get nicked	*se faire coffrer*
to nab	*cueillir*
to nail	*intercepter*
to pick up	*agrafer*
a suspected criminal	*un criminel présumé*
to hand over a suspect	*livrer un suspect*

4 CONFESSION — *LES AVEUX*

the presumption of innocence	*la présomption d'innocence*
guilt	*la culpabilité*
to be guilty (of)	*être coupable (de)*
to read sb his / her rights	*informer qn. de ses droits*
to inform a suspect of his rights / to read a suspect his Miranda (USA)	*informer un suspect de ses droits*
the right to remain silent	*le droit de se taire*
to caution	*mettre en garde*
to question	*interroger*
police interrogation	*un interrogatoire policier*
an examination	*un interrogatoire*
to confess / to own up to	*avouer*
a confession	*aveux*
to make a confession	*faire des aveux*
under duress	*sous la contrainte*

to be given in evidence	*être retenu comme preuve*
to admit	*reconnaître*
to get it off one's chest	*déballer ce qu'on a sur le cœur*
to make a clean breast (of)	*décharger sa conscience*
to spill the beans	*se mettre à table (fam.)*
to make a statement	*faire une déposition*
to issue a statement	*faire une déclaration*
to sign a statement	*signer une déclaration*
an affidavit	*une déposition sous serment*
to deny / a denial	*nier / une dénégation*
to recant	*se rétracter*
a recantation	*une rétractation*
to have a change of heart	*changer d'avis*
a police line-up	*une séance d'identification d'un suspect*
a lie detector	*un détecteur de mensonges*
to wrap up a case	*résoudre une affaire*

5 DETENTION — *LA GARDE À VUE*

to haul in	*amener*
to put under lock and key / to jail / to gaol	*écrouer*
to lock up	*emprisonner*
a police lock up	*le violon (fam.)*
a cell	*une cellule*
custody	*la détention*
police custody	*la garde à vue*
to keep in custody / to detain	*garder à vue*
a detainee	*un détenu*
24 hours' detention rule	*la règle des 24 heures de garde à vue*
to hold a suspect	*maintenir un suspect en détention*

6 CHARGING A SUSPECT — *LA MISE EN EXAMEN D'UN SUSPECT*

to prefer charges / to charge sb with	*mettre en examen*
a charge (against)	*une présentation*
a rap	*une accusation*
a murder rap	*une accusation de meurtre*
to accuse sb of	*accuser qn. de*
an indictement	*une mise en examen*
a defendant	*un prévenu, un accusé*
to appear before magistrates	*être présenté au parquet*
to bring before a Magistrates' Court	*déférer devant le parquet*
to arraign	*traduire devant un tribunal*
arraignment	*assignation*

to bail / to remand on bail / to release on bail / to bail out	*mettre en liberté sous caution*
bail	*la liberté sous caution*
to set bail at / to post bail	*fixer la caution à*
to raise bail	*rassembler une caution*
to jump bail	*se dérober à la justice*
committal to prison	*incarcération*
pre-trial detention	*la détention préventive*
to be on remand / to commit for trial / to remand in custody	*être en détention préventive, provisoire / placer sous mandat de dépôt*
to release	*remettre en liberté*
to go free	*se retrouver libre*

7 POLICE ABUSE — *LES BAVURES POLICIÈRES*

police malpractice	*la faute professionnelle policière*
police brutality	*brutalités policières*
to coerce physically	*contraindre physiquement*
to rough people up	*rudoyer, tabasser les personnes*
a roughing-up	*un passage à tabac*
a brutality suit	*un procès pour brutalités*
an excessive-force complaint	*une plainte pour brutalités*
a police-abuse victim	*une victime de brutalités policières*
a rights-violation complaint	*une plainte pour violation de droits*
to be arrest-prone	*arrêter pour un oui ou pour un non*
an unlawful arrest	*une arrestation illégale*
false imprisonment	*la séquestration arbitraire*
to fabricate evidence	*fabriquer des preuves*
to plant drugs on sb	*cacher de la drogue sur qn.*
to frame sb	*monter un coup contre qn.*
a frame-up	*un coup monté*
to trespass	*entrer illégalement*
a breach of police discipline	*un manquement à la discipline de la police*
to lay a charge against	*porter plainte contre*
to hold a disciplinary hearing	*réunir un conseil de discipline*
to be cautioned	*recevoir un avertissement*
to be fined	*se voir infliger une amende*
to be reprimanded	*être l'objet d'un blâme*
to suspend without pay	*suspendre sans solde*
to be required to resign	*être prié de démissionner*
to reinstate	*réintégrer*
a reinstatement	*une réintégration*
the Police Complaints Authority (UK) / Internal Affairs (IA) (USA)	*l'Inspection générale des Services*
to leave the force	*quitter la police*
to resign from the force	*démissionner de la police*

3 JUSTICE — *LA JUSTICE*

I SOURCES OF LAW — *LES SOURCES DU DROIT*

due process of law	*la procédure légale régulière*
canon law	*le droit canon*
civil law	*le droit civil*
criminal law	*le droit pénal*
statute law	*le droit statutaire*
common law	*le droit coutumier*
a written constitution	*une constitution écrite*
a constitutional amendment	*un amendement à la constitution*
to hold unconstitutional	*être inconstitutionnel*
a lawmaker / a legislator	*un législateur*
lawmaking	*l'élaboration des lois*
case law	*la jurisprudence, le droit jurisprudentiel*
a judicial precedent	*un précédent juridique*
judicial interpretation	*l'interprétation des lois*
a binding decision	*une décision obligatoire*
statute legislation	*la loi (d'origine législative)*
a legislative code	*un code juridique, un recueil fédéral*
a criminal code	*un code pénal*
to enact	*promulguer une loi, rendre un arrêté*
legislative enactment	*la promulgation*
a statute	*une loi, un règlement, une ordonnance, un recueil étatique*
statute	*légal, juridique*
statutory	*légal, établi, fixé, prévu par la loi*
a statutory offence	*un délit prévu par la loi*
a statute of limitations	*une prescription*
by statute	*en vertu d'une loi*
an order	*un décret, une ordonnance*
an executive order	*un décret-loi*
an ordinance	*une ordonnance*
a rule	*une règle*
the rules of procedure	*les règles de procédure*
a directive	*une directive*
an opinion	*une décision*

II THE COURT SYSTEM — *L'ORGANISATION DES TRIBUNAUX*

1 GENERAL BACKGROUND — *GÉNÉRALITÉS*

the judiciary	*le pouvoir judiciaire*
the judicial system	*le système juridique*
a court / a tribunal	*un tribunal*
a courthouse	*un palais de justice*
a court of justice / a court of law	*une Cour de justice*
a magistrates' court / a civil court	*un tribunal d'instance*
a court of first instance	*un tribunal de première instance*
a high(er) court / a criminal court	*un tribunal de grande instance*
a commercial court	*un tribunal de commerce*
a court of Session	*une Cour de cassation*
a juvenile court	*un tribunal pour mineurs*
a police court	*un tribunal de simple police*
a court of Assizes	*une Cour d'assises*
a court of inquiry	*une commission d'enquête*
a state-security court	*une Cour de sûreté de l'État*
a court-martial	*une Cour martiale*
a kangaroo court	*un tribunal irrégulier, un tribunal guignol*
a term of court	*une session*
to be in session	*siéger*
a court room	*une salle d'audience, un auditoire*
to administer justice / to mete out justice	*rendre la justice*
to apply the law	*appliquer la loi*

2 THE BRITISH SYSTEM — *LE SYSTÈME BRITANNIQUE*

a circuit	*un circuit (6 en tout) (Angleterre et pays de Galles)*
the Court of Appeal	*la Cour d'appel*
the Supreme Court	*les juridictions supérieures*
the High Court	*la Haute Cour*
the commercial Court	*le Tribunal de Commerce*
the Admiralty Court	*le Tribunal Maritime*
the Chancery Division	*la Chambre de la Chancellerie*
the Central Criminal Court (the Old Bailey)	*la Cour Criminelle (de Londres), les Assises*
criminal offences	*crimes*
a criminal court	*une juridiction pénale*
a Magistrates' Court	*un tribunal de police / correctionnel*
the petty sessions	*la correctionnelle*
a civil action	*un procès civil*
a civil court	*un tribunal civil*
a county court	*un tribunal d'instance*
a divisional court	*un tribunal d'appel*
special courts	*juridictions d'exception*
an administrative court	*un tribunal administratif*
an industrial tribunal	*un conseil des prud'hommes*
an ombudsman	*un médiateur*

3 THE AMERICAN SYSTEM — *LE SYSTÈME AMÉRICAIN*

a federal court	*un tribunal fédéral*
the Supreme Court	*la Cour suprême*

a Justice	*un juge (de la Cour suprême)*
the Chief Justice	*le président de la Cour suprême*
an Associate Justice	*un juge associé*
a clerk	*un assistant-stagiaire*
to clerk	*être stagiaire*
to write an opinion	*rédiger un jugement*
a unanimous decision	*une décision à l'unanimité*
a dissenting opinion	*une décision contraire, un avis de minorité*
a court ruling	*une décision de la Cour*
a landmark decision	*une décision historique*
to resign from the Supreme Court	*démissionner de la Cour suprême*
to fill a vacancy	*nommer à un poste*
to appoint	*désigner*
an appointee	*une désignation*
a nominee	*un candidat désigné, une proposition de candidature*
to battle a nominee	*s'opposer à une candidature*
to derail a nomination	*faire échouer une nomination*
a hearing	*une audition*
to pack a court	*composer une cour favorable*
to win senate approval	*être approuvé par le Sénat*
to be elevated to the Court	*être nommé à la Cour suprême*
to elevate to the Court	*nommer au poste de juge*
a court of appeals	*une Cour d'appel*
a circuit	*une circonscription judiciaire*
a district court	*une Cour de district (une par État)*
a state court	*un tribunal d'État*
a trial court	*une Cour de première instance*

4 THE STAFFING OF COURTS — *LA COMPOSITION DES TRIBUNAUX*

to staff a court	*composer un tribunal*
a magistrate	*un juge, un magistrat*
an examining magistrate / an investigating magistrate	*un juge d'instruction*

4.1 ENGLAND — *L'ANGLETERRE*

the Bench	*le personnel de la magistrature, la magistrature assise*
the Lord Chancellor (UK)	*le Garde des Sceaux, le Président de la Chambre des Lords*
an officer of the court	*un officier ministériel*
a proctor	*un procureur*
the prosecution	*l'accusation, les plaignants*
a counsel for the prosecution	*un avocat de l'accusation*
a prosecuting counsel	*un avocat de la partie civile*
a defending counsel	*un avocat de la défense*
the prosecuting magistrate	*le ministère public, le procureur, le parquet*
the public prosecutor	*le ministère public, le procureur de la République*
an attorney general	*un procureur général*
the Director of Public Prosecutions (DPP)	*l'avocat général, le substitut du procureur général*
a Justice of the Peace	*un juge de paix*
an examining justice	*un juge d'instruction*
a sheriff	*un représentant de la Couronne (dans un comté)*
a bailiff	*un huissier*

4.2 THE USA — *LES ÉTATS-UNIS*

the Attorney General	*le ministre de la Justice*
the American Bar Association (ABA)	*l'association des barreaux américains*
a district attorney (DA)	*un procureur*
an attorney general	*un procureur général*
a judge	*un juge*
a justice of the peace	*un juge de paix (à la campagne) (bénévole)*
a magistrate	*un juge (à la ville)*
a clerk / a registrar	*un greffier*
to elect a judge	*élire un juge*
a crooked judge	*un juge malhonnête*
to impeach	*mettre en accusation*
an impeachment	*une mise en accusation*
a removal	*une destitution*

5 THE LEGAL PROFESSION — *REPRÉSENTANTS ET DÉFENSEURS*

training	*la formation*
the bar	*le barreau*
to read for the bar	*faire son droit*
to go to law school	*faire une faculté de droit*
a law graduate	*un diplômé en droit*
to be called to the Bar	*être admis au barreau*
pupillage / a vocational training period	*un stage*
to clerk (for)	*être clerc (chez)*
to enter on the roll	*inscrire à l'Ordre des avoués*
to practise law	*être homme de loi*
a private practice	*une clientèle privée*
a law practice / a law firm	*un cabinet d'avocats*
chambers	*le cabinet, l'étude (d'avocat)*
a lawyer	*un homme de loi, un avocat, un juriste*
a criminal lawyer	*un avocat d'assises, un avocat au criminel*
a trial lawyer	*un avocat plaidant*
a barrister	*un avocat (inscrit au barreau)*
a counsel / an attorney-at-law / a counselor (at-law)	*un avocat de la défense*
King's / Queen's Counsel (KC / QC)	*un avocat de la Couronne, un avocat général*
a solicitor	*un avoué, un notaire, un huissier*

a public notary	*un notaire*
to take counsel's opinion	*consulter un avocat*
to retain a lawyer / to hire a lawyer	*prendre un avocat*
a client	*un client*
fees	*honoraires, émoluments*
a retainer / retaining fees	*honoraires versés d'avance*
to pay a retainer	*verser une provision*
a refresher	*honoraires supplémentaires*
to continue the case	*poursuivre l'affaire*
legal aid / legal assistance	*assistance judiciaire*
a legal advice center	*un centre de consultation juridique*
to apply for legal aid	*faire une demande d'aide judiciaire*

III PROCEEDINGS — *LES POURSUITES*

proceedings	*poursuites judiciaires*
civil proceedings	*la procédure civile*
criminal proceedings	*la procédure pénale*
a private controversy	*un conflit entre personnes*
to be in dispute (over)	*être en litige (à propos)*

1 GOING TO COURT — *L'ACTION EN JUSTICE*

to sue	*ester en justice, engager des poursuites*
to go to court / law	*recourir à la justice*
to prosecute	*engager des poursuites*
prosecution	*poursuites judiciaires*
to file a suit (against) / to bring an action (against) / to institute proceedings (against)	*intenter un procès (à)*
to take a case to law	*porter une affaire devant les tribunaux*
to go to law with sb	*poursuivre qn. en justice*
to initiate an action	*intenter une action*
to take action	*introduire l'instance*
a court order	*une ordonnance judiciaire*
an injunction	*une mise en demeure, une injonction*
to issue an injunction	*émettre une injonction*
a writ	*un acte judiciaire*
a writ of subpoena	*une assignation, une citation en justice*
a writ of summons	*une citation à comparaître*

2 THE INVESTIGATORY PHASE — *L'INSTRUCTION*

to reach the trial stage	*atteindre la phase du jugement*
to work on a case	*travailler sur un dossier*
to have a strong case	*avoir des arguments bien étayés*
pretrial proceedings	*poursuites préliminaires*
a pretrial hearing (USA)	*une audition préliminaire*
a formal hearing	*une audition solennelle*
case papers	*pièces du dossier*
a brief	*le dossier d'un litige*
an examination before trial (EBT)	*un examen avant procès*
to document a claim	*établir le bien-fondé d'une demande*
to turn over files	*remettre les dossiers*
to lodge a complaint (against) / to bring / to lay a charge (against)	*porter plainte (contre)*
to prefer a complaint	*déposer plainte*
to be immune from prosecution	*être à l'abri de poursuites judiciaires*
to press charges	*engager des poursuites*
to have a weak case	*avoir de faibles arguments*
a procedural device	*un artifice de procédure*
an irregularity	*un vice de procédure*
to drop charges	*abandonner les poursuites*
to dismiss a case	*rendre une décision de non-lieu, classer une affaire*
to have no case	*être débouté*
to come to an agreement	*parvenir à un accord*
estoppel	*une fin de non-recevoir*
to estop (from bringing an action)	*opposer une fin de non-recevoir*
a summary trial	*un jugement simplifié (sans jury)*
to discharge a defendant	*relaxer un prévenu*

3 THE CASE — *LE PROCÈS*

a claimant / a plaintiff	*un demandeur*
to file a claim	*déposer une demande*
a plaint	*une plainte*
a trial / a suit	*un procès*
a lawsuit	*un procès civil*
a criminal case	*une affaire pénale*
a civil case	*une affaire civile*
a divorce case	*une affaire de divorce*
in open court	*en audience publique*
in camera	*à huis-clos*
to examine a case	*examiner une affaire*
to handle a case	*s'occuper d'une affaire*
to conduct a case	*plaider une affaire*
to prosecute a case	*introduire une action*
to adjudicate on a case	*statuer sur une affaire*
a class action suit	*une action collective*
a dispute / a litigation	*un litige*

IV THE TRIAL — *LE PROCÈS PÉNAL*

1 TRIAL PROCEDURE — *LA PROCÉDURE*

to try	*juger*
to arraign	*poursuivre en justice, accuser*
to be arraigned	*être assigné à comparaître*
an arraignment	*une lecture de l'acte d'accusation*
an indictement	*un acte d'accusation, une mise en accusation*
to be indicted (on a charge of)	*être accusé (de)*
a count	*un chef d'accusation*
particulars of charge	*le chef d'accusation*
to come before the court	*comparaître devant le tribunal*
to attend court	*se présenter au procès*
to bring before a judge	*comparaître devant un juge*
to bring sb into court	*amener qn. devant la cour*
to bring sb to trial	*faire passer qn. en justice*
to go on trial	*passer en justice*
to stand trial	*passer en jugement, se présenter à l'audience*
to be on trial (for)	*être jugé (pour)*
to try a case	*plaider un procès*
to be tried	*passer en procès*
to conduct a trial	*diriger un procès*
the right to a fair trial	*le droit à un procès équitable*
a jury trial	*un jugement par jury*
a public trial	*un procès public*
trial transcripts	*les minutes du procès*
the venue	*le lieu du procès, la juridiction*
to extradit	*extrader*
extradition	*l'extradition*
to flee from justice	*fuir la justice*
a fugitive from justice	*un fugitif recherché par la justice*

2 PLEAS — *LES MOYENS DE DÉFENSE*

defense	*la défense*
a pleading	*une plaidoirie*
to plead guilty	*plaider coupable*
to plead non guilty	*plaider non coupable*
to accept a plea	*accueillir un moyen de défense*
to enter a plea of guilty	*plaider coupable*
to enter a not-guilty plea	*plaider non coupable*
unfit to plead	*inapte à se défendre*
to cop a plea	*plaider coupable (pour atténuer une peine)*
to plea bargain	*négocier une peine*
plea bargaining	*la négociation des peines*
to seek a deal	*chercher à négocier*
to reduce charges	*abandonner une partie des poursuites*
criminal liability	*la responsabilité pénale*
to be held liable (for)	*être tenu pour responsable (de)*
extenuating circumstances	*circonstances atténuantes*
insanity	*aliénation mentale*
diminished responsibility	*la responsabilité atténuée*
to impair mental responsibility	*diminuer la responsabilité pénale (pour raisons mentales)*
to be under the influence of drugs / of alcohol	*être sous l'empire de la drogue / de la boisson*

3 THE PARTIES — *LES PARTICIPANTS AU PROCÈS*

the litigants	*les plaideurs*
a litigant	*un plaignant*
the plaintiff	*la partie civile, le plaignant, le demandeur*
the prosecutor	*le plaignant, le demandeur*
a respondent	*un défendeur*
a stenographer	*un greffier*
the dock	*le banc des accusés / des prévenus*
in the dock	*sur le banc des accusés*
the accused / the person charged	*l'inculpé, le prévenu, l'accusé*
a defendant	*un prévenu, un plaideur, un intimé (en appel), un accusé (criminel)*
the jury	*les jurés*
to empanel a jury	*constituer un jury*
to vet a jury	*sélectionner les jurés*
to be eligible for jury duty / service	*être apte à remplir la fonction de juré*
to be disqualified from serving	*être déchu du droit d'être juré*
to do jury service	*exercer les fonctions de juré*
to sit on the jury	*faire partie du jury*
a grand jury	*un jury d'accusation*
the jury box	*le banc du jury*
a jury man / a juror	*un juré*
the forewoman / foreman	*la présidente / le président du jury*
to take an oath / to be sworn in	*prêter serment*
a sworn juror	*un juré assermenté*
to be sworn to secrecy	*jurer de garder le secret des délibérations*
to pack a jury	*composer un jury favorable*
to challenge a juror	*récuser un juré*
to charge the jury	*faire l'allocution au jury, faire le résumé des débats (par le juge)*
to decide the question of guilt	*décider de la culpabilité*
a hung jury	*un jury dans l'impasse*

4 SEARCHING FOR TRUTH — *LA RECHERCHE DE LA VÉRITÉ*

to see the parties	*accueillir les tiers*
to expose falsehoods	*mettre en évidence les mensonges*
a presumption	*une présomption*
to answer a charge	*réfuter une accusation*
a demurrer	*une fin de non-recevoir*
an opening statement	*l'exposition des faits*
a statement	*une déposition*
a written statement	*un mémoire*
to question	*interroger*
to elicit the facts	*faire la lumière sur les faits*
to disprove facts	*nier les faits (preuves à l'appui)*
to check an alibi	*vérifier un alibi*
to produce an alibi	*fournir un alibi*
to admit to	*reconnaître*
to deny	*nier*
the burden of proof	*la charge de la preuve*
a presumption of innocence	*une présomption d'innocence*
a piece of evidence	*une preuve*
oral evidence	*une déposition orale*
hearsay evidence	*témoignages par ouï-dire (sur la foi d'un tiers)*
admissible evidence	*preuves recevables*
incriminating evidence	*pièces à conviction*
the evidence for the prosecution	*les témoins à charge*
the evidence for the defense	*les témoins à décharge*
to produce evidence	*administrer la preuve*
to bear / give evidence	*déposer en justice*
to call sb in evidence	*appeler qn. en témoignage*
the hearing of evidence	*l'audition des témoins*
an exhibit	*une pièce à conviction*
King's evidence (UK) / state's evidence (USA)	*un témoin dénonciateur de ses complices*
to turn state's evidence	*témoigner contre ses complices (sous promesse de pardon)*
grassing	*la délation*

5 WITNESS — *LES TÉMOIGNAGES*

a witness	*un témoin*
an eye witness	*un témoin oculaire*
a witness for the defense	*un témoin à décharge*
a witness for the prosecution	*un témoin à charge*
to subpoena a witness	*citer un témoin à comparaître*
a subpoena	*une citation à comparaître, une assignation*
the witness box	*la barre des témoins*
to take the witness stand	*se présenter à la barre des témoins*
to bear witness / to give evidence	*témoigner, déposer*
to testify (to) / to give testimony	*témoigner (de)*
to examine a witness	*interroger un témoin*
an examination	*un interrogatoire, une audition*
to cross-examine	*faire subir un contre-interrogatoire*
a cross examination	*un contre-interrogatoire*
subornation of a witness	*la corruption de témoin*
a leading question	*une réponse suggérée*
to raise an objection	*soulever une objection*
to make an objection	*faire une objection*
to sustain an objection	*admettre une objection*
to uphold an objection	*maintenir une objection*
to overrule an objection	*rejeter une objection*
perjury	*faux témoignages*
to commit perjury	*se parjurer*
a perjurer	*un parjure*
false information	*faux renseignements*
to alter one's testimony	*modifier son témoignage*
an affidavit	*une déclaration sous serment*
to swear an affidavit	*déclarer sous serment*
to plead the fifth (USA)	*invoquer le 5ème amendement (qui donne le droit de garder le silence afin de ne pas se compromettre)*
self-incriminating evidence	*preuves compromettantes (pour soi)*

V THE OUTCOME OF A TRIAL — *L'ISSUE DE LA PROCÉDURE*

1 THE VERDICT — *LA DÉCISION*

to notify the parties	*faire des intimations aux parties*
notification	*la notification (du jugement)*
to reach a verdict	*parvenir à un verdict*
to come to a verdict / to return a verdict	*rendre un verdict*
to bring in a verdict	*prononcer un verdict*
a conviction	*une condamnation*
to convict sb of	*reconnaître qn. coupable de*
to gain a conviction / to secure a conviction	*obtenir une condamnation*
to be found guilty	*être reconnu coupable*
to return a guilty verdict	*rendre un verdict de culpabilité*
to take the rap	*payer les pots cassés, porter le chapeau*
to settle a case out of court	*arranger une affaire à l'amiable, retirer une plainte*
to enforce a judgement	*appliquer un jugement*
to comply with a judgement	*se conformer à un jugement*
contempt of court	*outrage à magistrat*
to be found innocent	*être reconnu innocent*
to be cleared of a charge	*être lavé d'une accusation*
to have a clear conscience	*avoir la conscience nette*

to acquit	*acquitter, relaxer*
an acquittal	*un acquittement*
to discharge	*relaxer*
a discharge	*une relaxe*
inconclusive evidence	*preuves non concluantes*
to dismiss a charge	*rendre un non-lieu*
a dismissal of charges	*un non-lieu*
to dismiss a case	*rendre une fin de non-recevoir*
to release / to let off	*relâcher*

2 SENTENCING — *LA CONDAMNATION*

to sentence	*condamner*
a sentence	*une condamnation*
to pass a sentence	*prononcer une peine*
to pronounce sentence	*prononcer une condamnation*
to hand out a sentence	*infliger une condamnation*
a suspended sentence	*une peine avec sursis*
a supervision order	*une mise à l'épreuve*
a judgement by default	*un jugement par contumace*
leniency	*indulgence*
conditional sentencing	*une peine conditionnelle*
to serve a sentence	*purger une peine*
to defer judgement	*différer un jugement*
to throw the book (at)	*infliger une peine maximum (à)*
to administer a slap on the wrist	*infliger une peine légère*
to award costs / to order costs	*condamner aux dépens*
to carry a penalty	*sanctionner d'une peine*
to receive a jail sentence	*être condamné à une peine de prison*
a non-custodial sentence	*une peine sans privation de liberté*
a short-term sentence	*une peine légère*
a long-term sentence	*une lourde peine*
a life sentence	*une condamnation à vie*
imprisonment for life	*la réclusion à perpétuité*
to serve one's sentence	*subir sa peine*
to be jailed for . . .	*être mis en prison pour...*
probation	*la mise à l'épreuve, la liberté surveillée*
to be released on licence	*bénéficier d'une liberté conditionnelle*
a probation officer	*un agent de probation*
a probationer	*un condamné en liberté surveillée, un probationnaire*
to place on probation	*mettre à l'épreuve*
a halfway house	*un centre de réadaptation*
to put teenagers behind bars	*mettre des jeunes en prison*
a young offender	*un jeune délinquant*
a care order	*une ordonnance de placement*
to receive into care	*prendre en charge*
a Borstal (UK) / a young offender institution	*un établissement pour mineurs*
a community home school (CHS)	*un établissement socio-éducatif*
an approved school	*un internat agréé*
a foster home	*un foyer (nourricier)*

3 APPEAL — *LES VOIES DE RECOURS*

the right to appeal	*le droit de faire appel*
a notice of appeal	*une intimation, une assignation (en appel)*
to file a motion for	*déposer une demande pour*
an appellant	*un appelant*
an appellee / a respondent	*un intimé*
unfounded evidence	*témoignages sans fondement*
newly discovered evidence	*témoignages nouveaux*
to come to light	*apparaître*
pending an appeal	*en instance d'appel*
on appeal	*en seconde instance*
to appeal a case / to bring an appeal	*interjeter appel*
to appeal from	*faire appel de*
to appeal to	*faire appel à, introduire un recours devant*
appellate proceedings	*poursuites en appel*
to appeal a conviction	*faire appel d'un jugement*
to reverse a decision	*infirmer une décision*
to quash a conviction	*casser un jugement, effacer une condamnation du casier judiciaire*
to overturn a conviction	*infirmer un jugement*
to remit a case back to	*renvoyer une affaire à*
means of enforcement	*voies d'exécution*
to pardon	*pardonner, gracier*
a pardon	*une grâce*
the right to pardon	*le droit de grâce*
a presidential pardon	*une grâce présidentielle*
to grant a pardon	*accorder la grâce*
to commute a sentence	*commuer une peine*
to remit part of a sentence	*accorder une remise de peine*
to amnesty	*amnistier*
a full unconditional pardon	*une grâce amnistiante*

4 THE MISCARRIAGE OF JUSTICE — *L'ERREUR JUDICIAIRE ET LA VICTIME DU PROCÈS*

a misconduct of justice	*une erreur judiciaire*
to clear sb of a charge	*laver qn. d'une accusation*
to remedy injustice	*réparer une injustice*
to rehear witnesses	*entendre à nouveau les témoins*
to take additional evidence	*recueillir de nouveaux témoignages*
to supplement a testimony	*compléter un témoignage*
to tamper with evidence	*trafiquer les preuves*
to fake evidence	*falsifier les preuves*
to withhold evidence	*dissimuler des preuves*
wrongful evidence	*preuves montées de toutes pièces*
to conceal information	*dissimuler des éléments*
to mislead the court	*induire la cour en erreur*
to misdirect the jury	*mal instruire le jury*
to reverse a conviction	*infirmer un jugement*
a reversal	*une annulation*
to coerce a confession	*arracher des aveux par la force*

to bully sb into making a confession	*contraindre qn. à faire des aveux (par la force*
a false confession	*faux-aveux*
to trump up	*fabriquer de toutes pièces*
a trumped-up charge	*une fausse accusation*
to meddle with a jury	*influencer le jury*
to be wrongly convicted	*être condamné à tort*
a mistrial	*un procès entaché d'un vice de procédure*
to request a mistrial	*demander l'annulation d'un procès*
a retrial	*un nouveau procès*
to reopen a case	*ré-ouvrir un procès*
to review a case	*réexaminer un procès*
to order a new trial	*demander à repasser en jugement*

4 PRISON — *LA PRISON*

I IN JAIL — *EN PRISON*

1 GENERAL BACKGROUND — *GÉNÉRALITÉS*

the penal system	*le système pénal*
a jailhouse	*une prison (le bâtiment)*
the can	*la taule (fam.)*
a cooler / a lockup	*un mitard (fam.)*
the hole	*le trou (fam.)*
to hole up	*faire du mitard*
a dry tank	*une cellule (de désintoxication)*
a cell	*une cellule*
to go to prison	*aller en prison*
to send to prison	*envoyer en prison*
to put into prison	*incarcérer*
to throw into prison	*jeter en prison*
to put away	*boucler*
to jail	*mettre en prison*
to lock up	*mettre au violon (fam.)*
to commit to the cells	*écrouer au dépôt*
to detain	*arrêter*
a detainer	*un mandat de dépôt*
a custodial sentence	*une peine de prison*
to be sentenced to three months' imprisonment	*être condamné à trois mois de prison ferme*
a prison term	*une peine de prison*
to do time	*faire de la prison*
to be on remand	*être en détention préventive*
in custody	*en détention préventive*
to remand in custody	*placer en détention provisoire / préventive*
confinement	*la réclusion, la détention*
to be behind bars	*être derrière les barreaux*

2 PENAL INSTITUTIONS — *LES ÉTABLISSEMENTS PÉNITENTIAIRES*

a detention facility	*un établissement pénitentiaire*
a house of correction	*une maison de correction*
a federal penitentiary	*un pénitencier fédéral*
a penitentiary / a pen	*un pénitencier*
a Borstal	*une maison de redressement*
a reformatory	*une maison de redressement (UK), un centre d'éducation surveillée (USA)*
a detention centre (UK) / a detention home (USA)	*un centre de redressement*
a remand home (UK)	*une maison d'arrêt*
a convict prison	*une centrale*
a low / minimum security prison	*une prison de sécurité minimum*
a maximum security prison	*une prison de haute sécurité*
a watchtower	*un mirador*
a remand wing	*l'aile des détenus en préventive*

3 THE PRISON POPULATION — *LA POPULATION CARCÉRALE*

a prisoner / a detainee	*un prisonnier*
an inmate / a convict	*un détenu*
the inmate population	*la population carcérale*
a jailbird	*un taulard (fam.)*
an ex-convict / an ex-con	*un ancien taulard*
a trusty	*un prisonnier à qui on donne certains privilèges, un prévôt*
a repeat offender	*un récidiviste*
a hardened criminal	*un criminel endurci*
a petty criminal	*un léger délinquant*
to have a long criminal record	*avoir un casier judiciaire chargé*
a lifer	*un condamné à perpétuité*
a parolee	*un condamné en liberté conditionnelle*
a prison guard	*un gardien de prison*
a warden (UK) / a prison governor (USA)	*un directeur de prison*
a warder / a wardress	*un(e) surveillant(e)*

4 LIFE INSIDE — *LA VIE EN TAULE*

to deprive of liberty	*priver de liberté*
the deprivation of liberty	*la privation de liberté*
to be inside	*être en taule*
a lack of prison space	*un manque d'espace carcéral*
to be filled beyond capacity	*être surchargé*
to be jammed into cells	*être en surnombre dans les cellules*
to pack prisoners (into)	*entasser les prisonniers (dans)*
prison overcrowding	*la surpopulation pénale*

a prison-building program	*un programme de construction de prisons*
a staff shortage	*une pénurie de personnel*
a sanitation bucket	*un seau hygiénique*
to be short-rationed	*être rationné*
the prison yard	*la cour de prison*
to mark time	*attendre son heure*
to languish in cells	*languir en prison*
to be victimized	*être l'objet de représailles*
occupational training	*la formation professionnelle*
to confine	*enfermer*
a punishment block	*le mitard*
solitary confinement	*le régime cellulaire*
to put into solitary confinement	*placer en isolement cellulaire*
maximum security confinement	*isolement maximum*
to isolate (a criminal from)	*isoler (un criminel de)*
to be held incommunicado	*être au secret*
to be in protective custody	*être protégé*
death row	*le couloir des condamnés à mort*
to be on death row	*être condamné à mort*
to live on borrowed time	*être en sursis*
a prison disturbance	*les incidents en prison*
a prison riot	*une révolte de prisonniers*
to search cells	*fouiller les cellules*
an escape	*une évasion*
to escape (from)	*s'évader (de)*
to break jail / to fly the coop	*s'évader de prison*
to be on the lam	*être en cavale*
prison labour	*le travail en prison*
a visiting order	*une autorisation de visite*
visiting hours	*heures de visite*
a visiting privilege	*un droit de visite*
a conjugal visit	*une visite conjugale*

5 RELEASE MEASURES — *LA LEVÉE D'ÉCROU*

to serve a prison sentence	*purger une peine de prison*
to serve time	*purger une peine*
to serve 20 years	*faire vingt ans de prison*
to complete a term	*faire son temps*
good behaviour	*la bonne conduite*
parole	*la liberté conditionnelle*
to be eligible for parole	*avoir droit à une libération conditionnelle*
to release sb on parole	*mettre qn. en liberté conditionnelle*
parole violation	*le non-respect des conditions de liberté conditionnelle*
to go home on furlough	*regagner son foyer en permission*
a home leave	*une permission de sortie*
a commutation of punishment	*une commutation de peine*
a remission	*une remise de peine*
to release	*libérer*
to discharge	*élargir*
a discharge	*un élargissement*
to be given an early release	*obtenir une libération anticipée*
to be sprung from jail / to be let out of prison	*être libéré de prison*
to readjust to	*se réadapter à*
to stay out of trouble	*éviter les ennuis*
to run afoul of the law	*se mettre en contradiction avec la loi*
after-care	*aide post-pénitentiaire*

II PUNISHMENT — *LE CHÂTIMENT*

1 GENERAL BACKGROUND — *GÉNÉRALITÉS*

to punish	*punir*
to inflict punishment	*infliger un châtiment*
the effectiveness of punishment	*l'efficacité du châtiment*
to fit the crime	*correspondre au crime*
to pay for a crime	*faire payer un crime*
retribution	*la vengeance*
to reform	*s'amender*
reformation	*le retour à une vie honnête*
to rehabilitate	*réhabiliter*
rehabilitation	*la réhabilitation*
the recidivism rate	*le taux de récidive*
contact with other inmates	*le contact avec d'autres détenus*
to reinforce criminal attitudes	*renforcer les comportements criminels*
to harden	*endurcir*
to assuage the suffering	*soulager les douleurs*
to retaliate (against)	*user de représailles envers, se venger de*
retaliation	*représailles*
to expiate	*expier*

2 CAPITAL PUNISHMENT — *LA PEINE CAPITALE*

the death penalty	*la peine de mort*
a death sentence	*une condamnation à mort*
a death row inmate	*un condamné à mort*
to carry out a death sentence	*exécuter la peine de mort*
to execute / to mete out execution	*exécuter*
an execution	*une exécution*
the executioner	*le bourreau*
an executed man	*un supplicié*
to put to death	*mettre à mort*
to carry out an execution	*procéder à une exécution*
to retain capital punishment	*conserver la peine de mort*
to restore capital punishment	*rétablir la peine capitale*
to reinstate	*rétablir*
to enforce the death penalty	*appliquer la peine de mort*
to abolish / abolition	*abolir / abolition*
to appeal against a death sentence	*faire appel d'une condamnation à mort*
to file a petition for clemency	*déposer un recours en grâce*

to reverse a sentence	*casser une condamnation*
to uphold a death sentence	*confirmer une peine capitale*
to go ahead with an execution	*procéder à une exécution*
to reject a request for clemency	*rejeter un appel à la clémence*
a reprieve	*un délai de grâce*
to win a reprieve	*obtenir un délai de grâce*
to stay an execution	*surseoir à une exécution*
a stay of execution	*un sursis à exécution*
to behead	*trancher la tête*
to guillotine	*guillotiner*
the gas chamber	*la chambre à gaz*
the electric chair	*la chaise électrique*
to burn	*mourir sur la chaise électrique*
to inject	*faire une piqûre*
a lethal dose	*une dose mortelle*
to hang	*pendre*
a rope	*une corde*
a loop	*un nœud coulant*
a hood	*une cagoule*
to blindfold	*bander les yeux*
death by hanging	*la mort par pendaison*
to die on the gallows	*mourir sur la potence*
the firing squad	*le peloton d'exécution*
to act as a deterrent	*exercer un effet dissuasif*
to commit a second offence	*récidiver*
to protect society from	*protéger la société de*
a grisly practice	*un sinistre cérémonial*
a primitive attitude	*une attitude primitive*
to go against the grain of	*aller à l'encontre de l'idée de*
to cheapen the value of human life	*faire peu de cas de la vie humaine*
a miscarriage of justice	*une erreur judiciaire*
posthumous admissions	*aveux posthumes*
to be ineffective as a deterrent	*être un moyen de dissuasion inefficace*
to be counter productive	*être inefficace*
to bring the victim back to life	*ramener la victime à la vie*
to take the law into one's own hands	*faire justice soi-même*
insanity	*aliénation mentale*
to curb crime	*faire baisser la criminalité*

IV LEISURE SOCIETY

1 A LEISURE SOCIETY — *UNE SOCIÉTÉ DE LOISIR*

I GENERAL BACKGROUND — *GÉNÉRALITÉS*

leisure activities	*activités de loisir*
a recreational activity	*une activité de loisir*
leisure time	*le loisir*
to be at leisure	*avoir du temps libre*
recreational industries	*industries de loisir*
to have time on one's hands	*avoir du temps devant soi*
spare time	*le temps libre*
to devote one's time to	*consacrer son temps à*
outdoor activities	*activités de plein air*
indoor activities	*activités d'intérieur*
to take time off	*prendre du repos*
to take a break	*faire une pause, s'interrompre dans ses activités*
idle / idleness	*oisif / oisiveté*
a holiday / a vacation (USA)	*les vacances*
a bank holiday	*un jour de congé légal*
to vacation	*passer / prendre des vacances*
the Summer holidays	*les grandes vacances*
the Easter break	*les vacances de Pâques*
half-term	*petites vacances*
the holiday season	*la saison des vacances*
to take a holiday	*prendre des vacances*
to go on holidays	*partir en vacances*
to be on vacation	*être en vacances*
to take a day off	*prendre un jour de congé*
holiday with pay	*les congés payés*
a holiday resort	*une villégiature*
a vacationer / a vacationist / a holiday maker	*un vacancier*
a package holiday	*un forfait-vacances*
the seaside	*le bord de la mer*
the country(side)	*la campagne*
a rafting expedition	*une expédition en radeau*
a pristine beach	*une plage immaculée*
a sun seeker	*un amateur de soleil*
a sun worshipper	*un adepte du soleil*
a sandy beach	*une plage sablonneuse*
to sunbathe	*prendre un bain de soleil*
to soak up the sun	*se dorer au soleil*
sunburn / suntan	*le hâle, le bronzage*
to get a tan	*bronzer*
an entertainment	*une distraction*
to entertain people	*recevoir des gens*
the entertainment industry	*l'industrie des spectacles*
to have fun / to have a good time / to enjoy oneself	*s'amuser*
an amusement park	*un parc d'attractions*
a theme park	*un parc à thème*
a leisure park	*un parc de loisir*
a park operator	*un exploitant de parc*
themed attractions	*attractions à thème*
a fair	*une foire*
a fun fair	*une foire foraine*
a fairground ride	*une attraction foraine*
a stall holder	*un forain*
a roller coaster / the scenic railway (UK)	*les montagnes russes*
bumper cars / dodgem cars / dodgems	*autos tamponneuses*
a roundabout	*un manège*
a fortune teller	*une diseuse de bonne aventure*
an entrance fee	*un prix d'entrée*
to charge admission	*faire payer l'entrée*

II TRAVELLING — *LES VOYAGES*

1 GENERAL BACKGROUND — *GÉNÉRALITÉS*

to travel / to journey	*voyager*
to reach a destination	*atteindre une destination*
a journey	*un voyage*
a trip	*une excursion*
a one-day trip	*une excursion d'une journée*
to take a trip	*faire une excursion / un voyage*
a voyage	*un voyage à travers les océans*
a crossing	*une traversée*
a route	*un itinéraire*
to pack off to	*faire ses valises pour*
to pack up	*boucler ses valises*
well travelled	*qui a beaucoup voyagé*
to travel round the world	*voyager dans le monde entier*
to travel a country	*parcourir un pays*
a travel agency	*une agence de voyages*
a travel agent	*un agent de tourisme*
a package tour	*un voyage organisé*
to be travel sick	*avoir le mal de la route / de mer...*
to be carsick	*être malade en voiture*
to be seasick	*avoir le mal de mer*
to be travel weary	*être lassé des voyages*
to book ahead	*réserver à l'avance*
to book a seat	*réserver une place*
a traveller	*un voyageur*
a backpacker	*un voyageur sac au dos*
a hiker	*un marcheur*
a trekker / a day tripper	*un randonneur*

a foreigner	*un étranger*
a foreign country	*un pays étranger*
to go abroad	*aller à l'étranger*
to travel overseas	*voyager à l'étranger*
exoticism	*le dépaysement*
a photograph buff	*un amateur de photos*
to snap pictures	*prendre des photos*
to visit museums	*faire les musées*
a valid passport	*un passeport en cours de validité*
a visa	*un visa*
customs	*la douane*
to go through customs	*passer la douane*

2 WAYS OF TRAVELLING — *LES MODES DE VOYAGE*

a means of conveyance	*un moyen de locomotion*
a means of transportation	*un moyen de transport*
to travel on foot	*voyager à pied*
a hike	*une excursion à pied*
to go on a hike	*partir en excursion*
to hike	*excursionner (à pied)*
to trek	*faire de la randonnée*
a trek	*une randonnée pédestre*
to rent a car	*louer une voiture*
a car rental agency	*une agence de location de voitures*
to drive	*conduire*
to ride a bicycle	*aller à vélo*
to go by train	*aller en train*
by bus / by plane	*en autobus / en avion*
to fly	*prendre l'avion*
a flight	*un vol*
to take a charter flight	*prendre un vol charter*
to sail	*naviguer*
hitchhiking	*l'auto-stop*
to hitchhike	*faire de l'auto-stop*
a hitchhiker	*un auto-stoppeur, une auto-stoppeuse*
to pick up a hitchhiker	*prendre un auto-stoppeur à son bord*
to give a ride (to) (USA) / to give a lift (to) (UK)	*prendre en stop*
a timetable / a schedule	*un horaire*
to wander	*aller à l'aventure*
to be dependent on	*dépendre de*
to be free from	*être libre de*
a constraint	*une contrainte*

3 TRAVELLING GEAR — *L'ÉQUIPEMENT DU VOYAGEUR*

to take along	*emporter avec soi*
a travelling bag	*un sac de voyage*
to travel light	*voyager léger*
luggage / baggage	*les bagages*
a piece of luggage	*un bagage*
a suitcase	*une valise*
to backpack	*partir sac au dos*
a sleeping bag	*un sac de couchage*
a rucksack	*un sac à dos*
hiking boots	*chaussures de marche*
socks	*chaussettes*
pyjamas	*pyjamas*
underwear	*sous-vêtements*
swimming trunks / a swimsuit	*un costume de bain*
a sweater	*un pullover*
traveller's checks	*chèques de voyage*
a camera	*un appareil photo*
a movie camera	*une caméra*
a roll of film	*une pellicule*
a lens	*un objectif*
a wide angle lens	*un grand angle*
an electric shaver	*un rasoir électrique*
a battery	*un pile*
a plug	*une prise*
a money belt	*une ceinture pour mettre son argent*
a shot	*une piqûre*
to be insured	*être assuré*
to camp	*camper*
to go camping	*faire du camping*
a camper	*un campeur / une campeuse*
to pitch camp	*installer sa tente*
to sleep under the stars	*dormir à la belle étoile*
a camping ground / a camping site / a campground (USA)	*un camping*
a tent	*une tente*
a campfire	*un feu de camp*
a caravan / a trailer	*une caravane*
a motor home	*un camping-car*

4 REASONS FOR TRAVELLING — *POURQUOI VOYAGER ?*

to broaden one's horizon	*élargir son horizon*
to change horizons	*changer d'horizon*
a change of air	*un changement d'air*
to be pent-up / to stay in	*rester enfermé*
to feel restless	*être impatient*
to itch to go	*être impatient de partir*
to feel an urge to go / to feel like going	*brûler d'envie de partir*
to get an insight into	*permettre de comprendre*
a way of living	*une façon de vivre*
to head for	*être en route pour*
to be bound for	*partir à destination de*
to have a thirst for adventure	*avoir soif d'aventure*
to have a taste for adventure	*avoir le goût de l'aventure*
to go in search of adventure	*partir à l'aventure*
an adventurer	*un aventurier*
an explorer	*un explorateur*
the spirit of adventure	*l'esprit d'aventure*
to follow the beaten track	*suivre les sentiers battus*
to stray off the beaten track	*s'aventurer hors des sentiers battus*

III TOURISM — *LE TOURISME*

1 GENERAL BACKGROUND — *GÉNÉRALITÉS*

touristic / touristical	*touristique*
to tour	*faire du tourisme*
a tour	*un voyage, un périple*
to go on a tour	*faire un périple*
a tour round the world	*un tour du monde*
a tourist agency	*une agence de tourisme*
a tour operator	*un voyagiste*
a tourist bureau	*un syndicat d'initiative*
a tourist home	*une table d'hôtes*
a seaside resort	*une station balnéaire*
a ski resort	*une station de ski*
to see the sights	*voir les hauts lieux*
to sightsee / to go sightseeing	*faire du tourisme*
sightseeing	*le tourisme*
to be drawn to	*être attiré par*
a landmark	*une attraction touristique à ne pas manquer*
a tourist trap	*un piège à gogos*
touristy	*trop touristique*
a visitor	*un touriste*
a newcomer	*un nouveau venu*
a seasoned tourist	*un touriste chevronné*
an out-of-towner	*un touriste, un étranger*
a low budget tourist	*un touriste fauché*
a rushed tourist	*un touriste pressé*
to suffer from jet lag	*souffrir du décalage horaire*
the boon of tourism	*la manne du tourisme*
the tourism industry	*l'industrie du tourisme*
the tourist trade	*le tourisme*
to enjoy a boom in tourism	*jouir d'un essor touristique*
a tourist boom	*le développement du tourisme*
tourism growth	*essor touristique*
tourism revenues	*revenus tirés du tourisme*
a source of income	*une source de revenus*
to cash in on tourism	*tirer parti du tourisme*
to bolster local economies	*stimuler les industries locales*

2 TOURISM DAMAGE — *LES DÉGÂTS DUS AU TOURISME*

an annual invasion	*une invasion annuelle*
to flood a city	*envahir une ville*
to swarm on a city	*s'abattre sur une ville*
a flock of tourists	*un troupeau de touristes*
to contribute much of the damage	*contribuer largement aux dégâts*
to contribute little of the profit	*contribuer peu aux bénéfices*
to blame visitors	*accuser les touristes*
frantic development	*l'exploitation à tout crin*
to accommodate tourists	*loger les touristes*
to litter	*déposer des ordures*
sleeping outdoors	*passer la nuit à la belle étoile*
to conform to the decorum	*respecter les usages*
to cause trouble	*créer des ennuis*
to threaten the environment	*menacer l'environnement*
to jeopardize the ecology of a region	*mettre en danger l'équilibre naturel d'une région*
to eat the walls of cathedrals	*ronger les murs des cathédrales*
to be cluttered with cars	*être encombré de voitures*
to be packed with tourists	*être rempli de touristes*
a souvenir stall	*un vendeur de souvenirs*
a vandal	*un vandal*
to vandalize	*vandaliser*
a barbarian	*un barbare*
a souvenir hunter	*un amateur de souvenirs*
to steal artefacts (from)	*dérober des objets anciens (à)*
to be scarred by graffiti	*être souillé par les graffitis*
to defile	*souiller*
to keep tourists at bay	*maintenir les touristes à l'écart*
to post guards at tourist sites	*mettre des gardes en faction sur les lieux touristiques*
to crack down on	*réprimer*
to impose fines on	*dresser des procès verbaux*
to maintain sites	*entretenir les sites*
to care about the heritage	*prendre soin de l'héritage*

3 THE TOURISM CRISIS — *LA CRISE DU TOURISME*

mass tourism	*le tourisme populaire*
to come in masses	*arriver en masse*
to stem the flow (of)	*arrêter le flot (de)*
to register an increase in visitors	*enregistrer une augmentation du nombre des touristes*
resort development	*le développement des stations de villégiature*
to make travelling available	*rendre les voyages accessibles*
to strain travel infrastructures	*mettre les équipements à rude épreuve*
to place a strain on airports	*mettre les aéroports à rude épreuve*
to overwhelm hotels	*prendre les hôtels d'assaut*
to be pushed to capacity	*être plein à craquer*
a hotel glut	*une surabondance d'hôtels*
a shortage of rooms	*une pénurie de chambres*
to be short by . . . beds	*être à court de... lits*
to overcome a shortage	*faire face à une pénurie*
to meet the demand	*répondre à la demande*
hotel development	*la construction d'hôtels*
to be hurt by tourism	*être affecté par le tourisme*

IV THE HOTEL INDUSTRY — *L'INDUSTRIE HÔTELIÈRE*

1 THE HOTEL — *L'HÔTEL*

a chain of hotels	*une chaîne d'hôtels*
a luxury hotel	*un palace*
a first class hotel	*un hôtel de première catégorie*
a medium standard hotel	*un hôtel de catégorie moyenne*
a three-star hotel	*un hôtel de luxe*
a posh hotel	*un hôtel luxueux*
a budget hotel	*un hôtel bon marché*
a youth hostel	*une auberge de jeunesse*
a motor hotel / a motor inn	*un motel*
a YMCA (Young Men's Christian Association)	*un YMCA (hôtel bon marché réservé aux hommes)*
a YWCA (Young Women's Christian Association)	*un YWCA (réservé aux femmes)*
a bed and breakfast (B & B)	*une chambre d'hôte*
timesharing	*la multipropriété*
a boardinghouse	*une pension de famille*
an inn	*une auberge*
an innkeeper	*un aubergiste*
a fleabag	*un hôtel minable*
a hotel manager	*un gérant d'hôtel*
a hotelkeeper	*un hôtelier*
a room clerk	*un réceptionniste*
a chambermaid / a housemaid / a maid	*une femme de chambre*
a doorman	*un portier*
a night clerk	*un employé de nuit*
room service	*le service des chambres, le garçon d'étage*
a page boy / a bellboy	*un chasseur*

2 STAYING IN A HOTEL — *LE SÉJOUR À L'HÔTEL*

accommodation	*hébergement*
to put up at a hotel	*descendre dans un hôtel*
to stay in a hotel	*séjourner dans un hôtel*
to book a room in a hotel	*réserver une chambre à l'hôtel*
deposit required with booking	*arrhes exigées à la réservation*
an early booking	*une réservation précoce*
a final booking	*une réservation définitive*
a late booking	*une réservation tardive*
to cancel	*annuler*
a cancellation	*une annulation*
a no show	*une défection*
a guest	*un client (d'un hôtel)*
a resident	*un pensionnaire*
to stay overnight	*passer la nuit*
a vacancy	*une chambre libre*
no vacancy	*complet*
available	*disponible*
a lounge	*un salon*
a dining room	*une salle à manger*
a single room	*une chambre pour une personne*
a double room	*une chambre pour deux personnes*
to do a room	*faire la chambre*
to make a bed	*faire un lit*
full board	*la pension complète*
half board	*la demi-pension*
the reception desk	*la réception*
to fill in a form	*remplir une fiche*
to check in	*remplir une fiche (en arrivant)*
to check out	*quitter un hôtel*
to charge a room	*faire payer une chambre*
to vacate a room	*libérer une chambre*
a deposit	*une caution*

3 THE CATERING INDUSTRY — *LA RESTAURATION*

a steak house	*un restaurant*
a delicatessen / a deli	*un café-restaurant*
a diner	*un restoroute*
the head waiter	*le maître d'hôtel, le chef de rang*
a cashier	*la caisse*
a waiter	*un garçon*
a waitress	*une serveuse*
a bartender	*un serveur*
a busboy	*un aide-serveur*
a dishwasher	*un plongeur*
a wine steward	*un sommelier*
to lay the table	*mettre la table*
to clear the table	*débarrasser la table*
to order	*commander*
an order	*une commande*
as a starter	*pour commencer*
to tuck in	*attaquer (un repas)*
an appetizer	*une entrée*
appetizers	*amuse-gueule*
a dish	*un plat*
the main dish	*le plat principal*
a side dish	*un plat d'accompagnement*
a three-course dinner	*un repas à 3 plats*
a helping	*une portion*
to have a second helping	*se resservir*
rare / underdone meat	*la viande saignante*
well done	*bien cuit*
medium	*à point*
vegetables	*légumes*
a dessert / a sweet	*un dessert*
the bill / the check	*l'addition*
to check the bill	*vérifier l'addition*
a wine list	*une carte des vins*
to tip	*donner un pourboire*
a tip	*un pourboire*
take-away food	*repas à emporter*

4 CRUISING — *LES CROISIÈRES*

the cruising market	*le marché des croisières*
to carry passengers	*transporter des passagers*
a passenger ship	*un navire de ligne*
an ocean liner	*un transatlantique*
a cruise liner	*un bateau de croisière*
a passenger liner	*un paquebot*
to cruise	*être en croisière*

to go on a cruise	*faire une croisière*	a fly-cruise package	*un voyage bateau / avion*
to embark for	*s'embarquer à destination de*	onboard entertainment	*distractions à bord*
		a theme cruise	*une croisière à thème*

2 CINEMA — *LE CINÉMA*

I THE PICTURE SHOW — *LA SÉANCE*

a movie theater / a multiplex cinema	*un cinéma*	a gangster film / a detective film	*un film policier*
a drive-in movie	*un autorama*	a comedy	*une comédie*
a cinema operator	*un exploitant de salle*	a Western	*un western*
film archives	*la cinémathèque*	a cartoon	*un dessin animé*
a film library	*une cinémathèque*	a documentary film	*un film documentaire*
a film / a movie / a motion picture	*un film*	a skin flick	*un film porno*
		a blockbuster	*une superproduction*
to go to the movies / to the cinema	*aller au cinéma*	a box office success	*un film à succès*
		a low budget film	*un film à petit budget*
a flick	*une toile (fam.)*	to flop	*faire un bide*
to go to the flicks	*se payer une toile (fam.)*	a flop	*un échec*
a screen	*un écran*	a lousy film	*un navet*
a silent film	*un film muet*	censorship	*la censure*
a talkie	*un film parlant*	a certificate	*un visa de censure*
sound	*le parlant*	an X-rating	*interdit aux mineurs*
a full-length film	*un long métrage*	an X-rated film	*un film interdit aux mineurs, un film classé X*
a short (feature) / a featurette	*un court métrage*		
the feature	*le grand film*	to watch a film	*regarder un film*
a guns-and-ammo movie	*un film de sang et de feu*	a moviegoer / a film buff	*un cinéphile*
an adventure film	*un film d'aventures*	to screen a movie	*voir un film*
a thriller	*un film à suspense*	to draw an audience	*attirer le public*
a horror film	*un film d'horreur*	an usherette	*une ouvreuse*
a space opera	*un film de science-fiction*		

II THE FILM INDUSTRY — *L'INDUSTRIE CINÉMATOGRAPHIQUE*

a studio	*une maison de production*	distribution rights	*droits de distribution*
the movie market	*le marché cinématographique*	to funnel a movie to a theater	*distribuer un film dans une salle*
the motion picture industry	*l'industrie cinématographique*	to release a film	*sortir dans les salles*
		to show only at	*être en exclusivité à*
a mogul	*un nabab*	to be on general release	*ne plus être en exclusivité*
the majors	*les grands studios*	a new release	*un nouveau film*
to produce a film	*produire un film*	a wide-release film	*un film grand public*
a mammoth production	*une superproduction*	to open a movie in a market	*sortir un film sur un marché*
a producer	*un producteur*		
a film funding board	*une commission d'avances sur recettes*	the box office	*le nombre de spectateurs*
		box offices takings	*recettes*
to put together a series	*monter une série*	to make good box office	*faire recette*
film rights	*droits d'adaptation*	to rake in	*rapporter*
to fetch $10 million	*coûter 10 millions de dollars*	video rights	*droits vidéo*
		a video rental store	*un magasin de location vidéo*
to distribute	*distribuer*		
a distributor	*un distributeur*		

III MOVIE MAKING — *LE TOURNAGE*

1 THE CAST — *LA DISTRIBUTION*

to feature	*mettre en vedette*	to give sb a film test	*faire tourner un bout d'essai à qn.*
to feature in	*figurer dans, jouer dans*	a movie actor	*un acteur de cinéma*
		an actress	*une actrice*
		to act	*jouer*

to play in a film / to be in a film	*jouer dans un film*
a film star	*une vedette de cinéma*
a megastar	*un géant du cinéma*
a star part	*un premier rôle*
a starring role / a lead role	*un rôle principal*
to star	*être la vedette d'un film*
to star in a film	*jouer dans un film*
starring Paul Newman as . . .	*avec Paul Newman dans le rôle de...*
stardom	*le vedettariat*
to co-star	*partager la vedette dans un film*
a supporting cast	*la distribution des seconds rôles*
a supporting actor	*un second rôle*
an extra	*un figurant*
a bit player	*un acteur de complément*
an understudy	*une doublure*
a stuntman	*un cascadeur*
a stunt	*une cascade*
a make-up artist	*un spécialiste du maquillage*
a dresser	*une habilleuse*
a character	*un personnage*
to impersonate	*jouer (un personnage)*
a hero	*un héros*
a villain	*un traître, un méchant*
to film	*filmer*
to film well	*être photogénique*

2 DIRECTING — *LA MISE EN SCÈNE*

a film director	*un metteur en scène*
a costume designer	*un styliste*
an art director	*un décorateur*
to direct a film	*réaliser un film*
a screenplay	*un scénario*
a screenwriter	*un scénariste*
to screen a novel	*porter un roman à l'écran*
the floor	*le plateau*
a crew	*une équipe*
a continuity girl	*une script-girl*
props	*accessoires de cinéma*
a stage hand	*un assistant de plateau*
a clapper board	*un clap*
"Quiet everybody! Action"	*"Silence ! On tourne"*

3 SHOTS — *LES PRISES DE VUE*

camera movement	*le mouvement de la caméra*
to focus	*mettre au point*
a lens	*une lentille*
lighting	*éclairage*
to shoot a film	*tourner un film*
to shoot on location	*tourner en extérieur*
the shots on location	*les extérieurs*
to shoot in the studio	*tourner en studio*
to scan	*balayer*
to pan	*panoramiquer*
a pan shot	*un plan panoramique*
to zoom (in / out)	*faire un zoom (sur)*
a take	*une prise de vue*
a shooting angle	*un angle de vue*
a medium close shot	*un plan américain*
a long shot	*un plan d'ensemble*
a high angle shot	*une plongée*
a low angle shot	*une contre-plongée*
a close shot	*un plan rapproché*
a distance shot	*un plan éloigné*
a freeze shot	*un arrêt sur image*
a tracking shot	*un travelling*
depth of field	*la profondeur de champ*
a flashback	*un retour en arrière*
a flashforward	*une projection dans le temps*
a close-up	*un gros plan*
day-for-night	*la nuit américaine, effets de nuit*
a frame	*un plan, un cadre*
to blow up	*agrandir*
a blow up	*un agrandissement*

4 EDITING — *LE MONTAGE*

to process	*traiter*
to edit a film	*couper un film*
a film editor	*un monteur*
a reel	*une bobine*
footage	*de la pellicule, le métrage*
a set	*un lieu de tournage*
a cutting room	*une salle de montage*
rushes	*la projection d'essai, chutes*
dailies	*rushes*
a score	*une musique de film*
a track	*une piste, une bande*
the soundtrack	*la bande sonore*
special effects	*effets spéciaux*
sound effects	*effets sonores*
a trick effect	*un effet spécial*
credits	*le générique*
to dub	*doubler*
to subtitle	*sous-titrer*
to colorize	*coloriser*
a première	*une première*
to open	*avoir lieu*
an opening night	*une première, une soirée d'ouverture*
the curtain	*le rideau*
to go up	*se lever*
a film festival	*un festival de cinéma*
a film award	*une récompense cinématographique*
an Oscar-winning film	*un Oscar*
a prize winner	*un film primé*
a remake	*une nouvelle version*

3 THEATER — *LE THÉÂTRE*

1 GENERAL BACKGROUND — *GÉNÉRALITÉS*

a theater	*un théâtre*
a center for the performing arts	*un centre d'art dramatique*
a playhouse	*une salle de théâtre*
a theater district	*un quartier des spectacles*
the Barbican	*le quartier des spectacles à Londres*
Broadway	*le quartier des théâtres à New York*
off-Broadway	*petits théâtres d'avant-garde à New York*
a theatrical production	*une production théâtrale*
to book	*réserver*
to run	*tenir l'affiche*
to be running	*être à l'affiche*
to be played out	*ne plus être à l'affiche*
a theater company	*une troupe de théâtre*
an opera	*un opéra*
comic opera	*opéra comique*
a ballet	*un ballet*
a problem play	*une pièce à thèse*
a comedy of manners	*une comédie de mœurs*
a tragedy	*une tragédie*
a drama	*un drame*
a plot	*une intrigue*
an act	*un acte*
a scene	*une scène*
a dramatist / a playwright	*un dramaturge*

2 THE HOUSE — *LA SALLE*

a performance	*une représentation*
the audience	*la salle, les spectateurs*
a full house	*une salle comble*
crowded	*plein*
jammed	*bondé*
packed to capacity	*comble*
sold out	*complet*
no performance tonight	*relâche*
a playgoer	*un amateur de théâtre*
a box	*une loge*
stalls	*fauteuils d'orchestre*
the front row	*la première rangée*
the dress circle	*les fauteuils de balcon*
the circle	*le balcon*
the balcony	*le deuxième balcon*
gods	*le poulailler*
a seat	*une place*
the stage	*la scène*
a proscenium	*une avant-scène*
the stage door	*l'entrée des artistes*
backstage	*les coulisses*
a wing	*une aile*
behind the scenes	*en coulisse*
the limelight / the footlight	*la rampe*
to be in the limelight	*être en vedette*
the scenery / the props	*le décor*

3 THE CAST — *LA DISTRIBUTION*

to cast	*distribuer les rôles*
a part	*un rôle*
a performer	*un artiste*
a producer / a stage director	*un metteur en scène*
to stage manage	*être le régisseur de*
a stage manager	*un régisseur*
stage effects	*effets scéniques*
stage direction / staging	*la mise en scène*
a conductor	*un chef d'orchestre*
a prompter	*un souffleur*
a stage designer	*un décorateur*
a walk-on	*un figurant*
to put on a play	*monter une pièce*
to act in a play	*jouer dans une pièce*
playacting	*le théâtre*
to stage	*monter (une pièce)*
a staging	*une mise en scène*
to be on stage	*être en scène*
to playact	*faire du théâtre*
a playbill	*une affiche*
to top the bill	*être en tête d'affiche*
to rehearse	*répéter*
a rehearsal	*une répétition*
a dress rehearsal	*une répétition générale*
the first night	*la première*
an evening performance	*une soirée*
to be on tour	*être en tournée*
an interval / an intermission	*un entracte*
stage fright	*le trac*
to clap / to cheer	*applaudir*
applause	*applaudissements*
a round of applause	*une salve d'applaudissements*
to encore	*bisser*
to boo	*siffler*
a standing ovation	*une ovation debout*

4 MUSIC — *LA MUSIQUE*

I CLASSICAL MUSIC — *LA MUSIQUE CLASSIQUE*

1 GENERAL BACKGROUND — *GÉNÉRALITÉS*

a musician	*un musicien*
a music academy	*un conservatoire*
classical music	*la musique classique*
a classical label	*un disque classique*
a classical recording	*un enregistrement classique*
to be musical	*être musicien, aimer la musique*
a concertgoer	*un amateur de concert*
a composer	*un compositeur*
to set to music	*mettre en musique*
a music lover	*un mélomane*
a musical	*une comédie musicale*
a sonata	*une sonate*
a libretto	*un livret*
sharp	*dièse*
flat	*bémol*

2 MUSICAL INSTRUMENTS — *LES INSTRUMENTS DE MUSIQUE*

solfeggio / solfa	*le solfège*
to practise	*s'exercer*
to play scales	*faire ses gammes*
a chord	*un accord*
to tune	*accorder*
harmonious	*harmonieux*
discordant	*discordant*
mistuned	*désaccordé*
a quartet	*un quatuor*
a quintet	*un quintette*
an instrument maker	*un fabricant d'instruments*
to play the piano	*jouer du piano*
a pianist	*un pianiste*
a grand piano	*un piano à queue*
a harpsichord	*un clavecin*
a keyboard	*un clavier*
a key	*une touche*
an organ	*un orgue*
a mouth organ	*un harmonica*
the stringed instruments	*les instruments à cordes*
the strings	*les cordes*
a banjo	*un banjo*
a (double) bass	*une contrebasse*
a cello	*un violoncelle*
a cellist	*un violoncelliste*
a harp	*une harpe*
a viola	*un alto*
a violin	*un violon*
a violonist	*un violoniste*
a wind instrument	*un instrument à vent*
a bagpipe	*une cornemuse*
the brass	*les cuivres*
a clarinet	*une clarinette*
a flute	*une flûte*
a horn	*un cor*
an oboe	*un hautbois*
a saxophone	*un saxophone*
a trumpet	*une trompette*
a percussion instrument	*un instrument à percussion*
the drums	*la batterie*
a drummer	*un batteur*

3 THE ORCHESTRA — *L'ORCHESTRE*

a full orchestra	*un grand orchestre*
a jazz band	*un orchestre de jazz*
a brass band	*une fanfare*
a bandsman	*un musicien*
a conductor / a bandmaster	*un chef d'orchestre*
a baton	*une baguette*
to conduct	*diriger*
the orchestra pit	*la fosse d'orchestre*
to perform	*exécuter*
a performer	*un exécutant, un interprète*
a piece	*un morceau de musique*
a score	*une partition*
a symphony	*une symphonie*
a piano concerto	*un concerto pour piano*
an overture	*une ouverture*
a recital	*un récital*
a virtuoso	*un virtuose*

4 SINGING — *LE CHANT*

a singer	*un chanteur*
the lyrics	*les paroles*
a verse	*un couplet*
a chorus	*un refrain, un chœur*
a song	*un chant*
a chorister	*un choriste*
a cantata	*une cantate*
a duet	*un duo*
a tune	*un air*
to sing in tune	*chanter juste*
to sing out of tune	*chanter faux*
to sing in chorus	*chanter en refrain*
a soloist	*un soliste*
a soprano	*une soprano*
a tenor	*un ténor*
a baritone	*un baryton*
a bass	*une basse*

II POP MUSIC — *LA MUSIQUE POP*

the show business / show biz	*le monde du spectacle, l'industrie du spectacle*
pop culture	*la culture pop*
a pop singer	*un chanteur pop*
a pop star	*une vedette de la chanson*
a teen idol	*une idole des jeunes*
a crooner	*un chanteur de charme*
a negro spiritual	*un spiritual*
a gospel song	*un chant religieux noir*
a teenage dominated market	*un marché pour adolescents*
a record company / a label	*une compagnie de disques*
a record store	*un disquaire*
to tape	*enregistrer*
to cut a record	*faire un disque*
to release a record	*sortir un disque*
an LP (Long-Playing)	*un 33 tours*
a CD (compact disc)	*un compact disque (un CD)*
a VCD (Video Compact Disc)	*un vidéodisque*
a record sleeve	*une jaquette de disque*
a sampler album	*un disque de démonstration*
a new release	*un nouvel album*
to achieve a hit	*faire un succès*
to top the chart	*être en tête des ventes*
to be top of the pops	*être en tête du hit-parade*
to make number one	*devenir numéro un*
to break big	*faire un tabac*
to clean up	*rapporter un joli paquet*
to sell records by the million	*vendre des disques par millions*
to rack up twenty million worldwide sellers	*se vendre à 20 millions d'exemplaires dans le monde*
to go gold	*devenir disque d'or*
a gold record	*un disque d'or*
a concert	*un concert*
a concert stage	*une scène de concert*
on tour	*en tournée*
an amplifier	*un amplificateur*
a loudspeaker	*un haut-parleur*
a stereo loudspeaker	*une enceinte*
a microphone / a mike	*un micro*
acoustic feedback / regeneration	*effet larsen*
a circuit breaker	*un disjoncteur*
to play a concert	*jouer en concert*
to lip-synch	*chanter en playback*
to lionize	*faire un accueil délirant à*
to swoon	*s'évanouir*
to riot	*provoquer une émeute*

5 GAMBLING — *LE JEU*

1 CASINO GAMBLING — *LES JEUX DE CASINO*

to gamble	*jouer (pour de l'argent)*
a gambler	*un joueur*
a compulsive gambler	*un joueur invétéré*
to gamble away	*perdre au jeu*
gaming	*le jeu*
the gaming industry	*l'industrie du jeu*
to play dice	*jouer aux dés*
a die / dice	*un dé / dés*
a casino	*un casino*
a slot machine (USA)	*une machine à sous*
a one-armed bandit	*un bandit manchot*
the jackpot	*le gros lot*
to hit the jackpot	*gagner le gros lot*
a roulette	*une roulette*
make your bets!	*faites vos jeux !*
no more bets!	*les jeux sont faits !*
a chip	*une plaque*
a croupier / a dealer	*un croupier*
a wheel	*une roue*
to spin	*faire tourner*
a state-run lottery	*une loterie nationale / d'État (USA)*
bingo	*le loto*
a raffle	*une tombola*

2 HORSE RACING GAMBLING — *LE PMU*

off track betting	*le PMU*
to bet / to place a bet	*parier*
to lay £10 on	*jouer 10 livres sur*
a bettor	*un parieur*
tote	*le pari mutuel*
a totalisator / a totalizer / a tote	*un totalisateur*
to wager money	*parier de l'argent*
to lay a wager	*placer un pari*
a racegoer	*un turfiste*
a bookie	*un bookmaker*
a tip	*un tuyau*
to take a tip	*suivre un conseil*
a payoff	*un gain*
a racehorse	*un cheval de course*
a racecourse	*un hippodrome*
a racecard	*un programme des courses*
a rider	*un cavalier, un jockey*
a trainer	*un entraîneur*
to race a horse	*faire courir un cheval*
to ride a horse	*monter un cheval*

3 CARD GAMES — *LES JEUX DE CARTES*

to play cards	*jouer aux cartes*
a pack of cards	*un paquet de cartes*
to shuffle	*battre (les cartes)*
to deal (the cards)	*distribuer (les cartes)*
to cut	*couper*
a trick	*une levée*
to take a trick	*faire une levée*
to follow suit	*fournir de la couleur*
a trump	*un atout*
to play trumps	*jouer atout*
a suit / a set	*une couleur*
clubs	*le trèfle*
diamonds	*le carreau*
hearts	*le cœur*
spades	*le pic*
gambling addiction	*le démon du jeu*
to play for money	*jouer pour de l'argent*
a stake	*un enjeu*
to be at stake	*être en jeu*
to play low	*jouer petit*
to play for high stakes	*jouer gros*
to cheat / a cheater	*tricher / un tricheur*
a one-off opportunity	*une chance sur un million*
to become a millionaire	*devenir milliardaire*
the odds against winning	*les chances de gagner*
a payout	*un gain*
a record prize	*un gain record*
gambling fever	*la fièvre du jeu*
to run up debts	*faire des dettes*
to pay a gambling debt	*régler une dette de jeu*
to admit a compulsion	*avouer son habitude invétérée*
to be saddled with debts	*être criblé de dettes*

6 SPORTS — *LES SPORTS*

I SPORT — *LE SPORT*

1 GENERAL BACKGROUND — *GÉNÉRALITÉS*

to practise a sport	*pratiquer un sport*
to be keen on sports	*être passionné de sport*
field sports	*activités de plein air*
a spectator sport	*un sport populaire*
a game	*un match*
a meet	*une rencontre*
prelims	*matches de qualification*
a contest	*une rencontre, un combat*
an athletic event	*un événement sportif*
an indoor event	*une rencontre en salle*
sportsmanship	*la sportivité*
unsportsmanlike conduct	*la conduite antisportive*
to draw up the rules	*établir un règlement*
to lay down the rules	*fixer les règles*
attendance	*le public*
a ticket-holder	*le possesseur d'un billet*
to draw crowds	*attirer les foules*
a sellout	*un stade / une salle comble*
a capacity crowd	*un stade comble*
a seating capacity	*le nombre de places assises*
an amateur	*un amateur*
a professional	*un professionnel*
to turn professional	*passer professionnel*
to sign a contract (with)	*signer un contrat (chez)*
a field	*les concurrents*
a sportsman	*un sportif*
an athlete	*un athlète*
athletic	*athlétique*
an all-round sportsman	*un sportif complet*
a team	*une équipe*
a teammate	*un équipier, un coéquipier*
the home team	*l'équipe locale*
the visiting team	*les visiteurs*
to captain a team	*être capitaine d'une équipe*
to field a team	*aligner une équipe*
a prospect	*un espoir*
to sign a prospect	*engager un espoir*
a draft	*une sélection*
a scout	*un recruteur*

2 TRAINING — *L'ENTRAÎNEMENT*

fitness	*la forme*
daily workout	*entraînement quotidien*
warm-up	*échauffement*
a work-out program	*un programme de mise en forme*
to train (for)	*s'entraîner (en vue de)*
a training session	*une séance d'entraînement*
a training regimen	*un régime d'entraînement*
to coach	*entraîner*
a coach	*un entraîneur*
to be short of practice	*être à court d'entraînement*
to be in top shape	*être au mieux de sa forme*
to shape up	*se préparer*
an in-form player	*un joueur en forme*
a stayer	*qui a de la résistance*
to rank	*être classé*
technical skills	*adresse*
cunning	*la ruse*
mettle	*l'ardeur, la fougue*
stamina	*l'endurance, la résistance*
grit	*le cran*
unflagging endeavour	*efforts soutenus*
to rise to the occasion	*se montrer à la hauteur de la situation*
burnout	*usure*
to burn oneself out	*s'user*

to enhance one's reputation	*grandir la réputation*

3 COMPETITION — *LA COMPÉTITION*

a referee / an umpire	*un arbitre, un juge-arbitre*
to referee	*arbitrer*
a line judge	*un juge de ligne*
a touch judge / a linesman	*un juge de touche*
to compete for	*concourir pour*
a competitor / an opponent	*un adversaire*
a contest	*un combat, une lutte, un concours*
a contestant	*un concurrent, un adversaire*
an underdog	*un perdant*
the runner-up	*le second*
a contender (for)	*un prétendant (à), un adversaire*
to lay claim to top contender	*prétendre à la place de numéro un*
a rival / a rivalry	*un rival / une rivalité*
a reigning champion	*un champion en titre*
a challenge	*un défi*
to square off (with)	*se mesurer (à)*
to vie with one another	*se mesurer*
to face a strong challenge	*avoir affaire à forte partie*
to put down a challenge / to hold off a challenge	*repousser un défi*
to put out a challenge	*lancer un défi*
to take up a challenge	*relever un défi*
to challenge sb (to)	*mettre qn. au défi (de)*
a cliff-hanger	*une épreuve indécise jusqu'au bout*
a world record	*un record du monde*
to break a record	*battre un record*
a record breaker	*un recordman*
to better a record	*améliorer un record*
to set a record	*établir un record*
to smash a record	*pulvériser un record*
to qualify	*se qualifier*
to eliminate	*éliminer*
to scratch	*se désister*
to be rained out	*être annulé*
to dominate a field	*dominer ses adversaires*
the outcome	*l'issue*
to beat	*battre*
to lose / a loser	*perdre / un perdant*
to defeat / a defeat	*battre / une défaite*
to place second	*terminer second*
a lackluster showing	*une piètre performance*
a humiliating defeat	*une défaite humiliante*
to meet defeat	*subir une défaite*
to trail by 14 points	*avoir un retard de 14 points*
to be outclassed	*être dominé*
to be outscored	*être surclassé*
to let one's chance go astray	*laisser passer sa chance*
to be overwhelmed by the occasion	*être dépassé par les événements*
the agony of defeat	*les affres de la défaite*
to ascribe one's failure to	*attribuer son échec à*
to lead / a lead	*mener / une avance*
to fight tooth and nail	*se battre avec acharnement*
to hold the lead	*avoir une avance*
to seize the lead	*s'emparer du commandement*
to narrow a lead	*réduire l'écart*
to shake off a lead	*se débarrasser de ses poursuivants*
to regain the lead	*reprendre la tête*
an unassailable lead	*une avance insurmontable*
to win / a win	*gagner / une victoire*
a winner	*un vainqueur*
to register a win	*enregistrer une victoire*
to scratch out a win	*effacer une victoire*
to win by a score of 3 to 1	*gagner par 3 à 1*
the winning side	*les vainqueurs*
a 9-match winning sequence	*une série de 9 matches sans défaite*
to better a time	*améliorer un temps*
to equal a time	*égaliser un temps*
a prowess	*une prouesse*
a hunger for victory	*une soif de victoire*
a surprise victory	*une victoire surprise*
a narrow victory	*une victoire serrée*
to post a victory	*inscrire une victoire*
to court a victory	*courir après la victoire*
to score a victory	*remporter une victoire*
to squeak by to win	*gagner de justesse*
to steamroll / to overwhelm	*écraser*
to put to rout	*mettre en déroute*
to overpower / to be on top	*dominer*
to repeat a feat	*répéter un exploit*
to knock out	*éliminer*
to outplay	*surclasser*
to trounce / to crush	*écraser*
to slam a team	*écraser une équipe*
to drub	*battre à plates coutures*
a drubbing	*une raclée*
to lose face	*perdre la face*
to rise to the top	*atteindre les sommets*
to surpass a field	*surclasser ses adversaires*
a historic upset over	*une victoire surprise sur*
to clinch a championship	*remporter un championnat*
to covet a title	*convoiter un titre*
to take a title	*remporter un titre*
to go unbeaten	*rester invaincu*
a hat trick	*trois victoires successives*
an unbeaten run of 29 games	*une série de 29 victoires consécutives*
the thrill of victory	*le frisson de la victoire*
to cap a career	*couronner une carrière*
to mark the dawn of a new age	*marquer l'avènement d'une nouvelle ère*
to etch one's name in history	*inscrire son nom dans les annales*
to congratulate	*féliciter*
congratulations	*félicitations*
to celebrate	*fêter*
a celebration	*une fête*
a field day	*un grand jour*
to set off celebrations	*donner lieu à des festivités*
to present sb with a trophy	*remettre une coupe à qn.*
the prize money	*le montant des prix*
earnings	*revenus*
to net sb $ 100,000	*rapporter 100 000 dollars à qn.*
an endorsement contract	*un contrat publicitaire*
to cash in on	*tirer parti de*

4 THE OLYMPIC GAMES — *LES JEUX OLYMPIQUES*

the Winter Games	*les Jeux d'hiver*
the Summer Games	*les Jeux d'été*
the Olympic flame / torch	*la flamme olympique*
the torchbearer	*le porteur de la flamme*
to host the Olympics	*accueillir les J.O.*
a host country	*un pays organisateur*
broadcast rights	*droits de retransmission*
the opening ceremony	*la cérémonie d'ouverture*
pageantry	*la pompe*
to release pigeons	*lâcher des pigeons*
a closing ceremony	*une cérémonie de clôture*
a parade of competitors	*un défilé des athlètes*
to be eligible to compete	*avoir le droit de participer*
an entry	*un concurrent*
to hold the Games	*organiser les Jeux*
a gold medal	*une médaille d'or*
a gold medalist	*un champion olympique, une médaille d'or*
a silver medal	*une médaille d'argent*
a bronze medal	*une médaille de bronze*
the awards ceremony	*la cérémonie de remise des récompenses*
to be awarded a medal	*se voir décerner une médaille*
to harvest three golds	*remporter trois médailles d'or*
to play a national anthem	*jouer un hymne national*
to do proud	*faire honneur à*

5 DRUGS AND SPORT — *LE DOPAGE ET LE SPORT*

steroids	*stéroïdes, hormones*
anabolic steroid	*anabolisants*
a painkiller	*un analgésique*
an energy builder	*un tonique*
a banned substance	*un produit interdit*
to increase muscle bulk	*développer la masse musculaire*
to condone the use of drugs	*fermer les yeux sur l'utilisation des drogues*
to be on drugs	*se doper*
to administer drugs	*doper*
alleged drug abuse	*allégations de dopage*
to avoid detection	*échapper à tout examen*
to enhance a performance	*améliorer une performance*
to disqualify	*disqualifier*
to be stripped of a medal	*être privé d'une médaille*
to withdraw a team	*retirer une équipe*
to besmirch an ideal	*souiller un idéal*
a disgraced champion	*un champion discrédité*
to have one's name cleared	*être réhabilité*

6 SPORT AND VIOLENCE — *SPORT ET VIOLENCE*

a troublemaker	*un perturbateur*
a hooligan	*un voyou*
hooliganism	*le vandalisme*
to be marred (by)	*être gâché (par)*
to jeer	*huer, conspuer*
brawling	*bagarres*
a pitch invasion	*l'envahissement d'une pelouse*
to ransack	*mettre à sac*
to smash	*briser*
to rip up	*arracher*
to hurl	*lancer*
to wreck	*saccager*
to panic	*s'affoler*
panic-stricken	*pris de panique*
to stampede	*fuir en désordre*
to trample	*piétiner*
to be crushed to death	*mourir écrasé*
to clear	*dégager*
to check hooliganism	*enrayer le vandalisme*
to control crowds	*surveiller les foules*
to equip a stadium with a closed-TV circuit surveillance	*équiper un stade de un circuit de TV interne*
to play a game in camera	*jouer un match à huis-clos*
to pan the crowd	*panoramiquer la foule*
to search at the gate	*fouiller à l'entrée*
to frisk fans for alcohol / weapons	*fouiller les supporters à la recherche d'alcool / d'armes*
to fence	*installer des grillages*
high police visibility	*une imposante présence policière*
to outlaw alcoholic beverages	*interdire les boissons alcoolisées*
to fine a club for violent behaviour	*infliger une amende à un club pour violences*
to dock . . . league points from a team	*pénaliser une équipe de ... points (dans le championnat)*
a ban on club competition	*une interdiction de jouer en championnat*

II SPORTS — *LES SPORTS*

1 SOCCER — *LE FOOTBALL*

1.1 GENERAL BACKGROUND — *GÉNÉRALITÉS*

football association	*le football (européen)*
football pools	*le concours de pronostic de football, le loto sportif*
to play soccer	*jouer au football*
a stadium	*un stade*
a stand	*une tribune*
standing room	*places debout*
the terraces	*les gradins*
a tier	*un gradin*
the bleachers	*les gradins*
the playing ground	*le terrain de sport*
the pitch	*la pelouse*
a locker room	*les vestiaires*
a shower	*une douche*
a touchline	*une ligne de touche*
the dugout	*le banc des entraîneurs*
the goal	*le but*
a goalpost	*un poteau de but*

the net	*le filet*
the crossbar	*la barre transversale*
a soccer player	*un joueur de football*
a forward	*un avant*
a midfield	*un milieu de terrain*
a defense	*un arrière*
a winger	*un ailier*
a goal keeper / a goalie	*un gardien de but*
to play on the wing	*jouer ailier*
to play at centre	*jouer au centre*
spiked shoes	*chaussures à crampons*
player substitution	*le changement de joueurs*
a substitute / a reserve player	*un remplaçant*
to take out a player	*remplacer un joueur*
an injured player	*un joueur blessé*
to be out of action	*être indisponible*
to sustain an injury	*être blessé*
to strain a muscle	*se froisser un muscle*
to sprain an ankle	*se fouler une cheville*
to be carried off on a stretcher	*être emmené sur une civière*
a shin guard	*un protège-tibia*
a pad	*un protège-cheville*
to transfer a player	*opérer un transfert de joueur*
to sign on with a squad	*signer avec une équipe*

1.2 THE CHAMPIONSHIP — *LE CHAMPIONNAT*

the World Cup	*la Coupe du Monde*
a world championship	*un championnat du monde*
the Cup Winners' Cup	*la Coupe des vainqueurs de coupe*
the league championship	*le championnat professionnel*
a tie	*une rencontre de championnat*
a cup tie	*un match de coupe*
a league match	*un match de championnat*
a draw	*un tirage au sort*
the fixture list	*le calendrier des rencontres*
a recess	*une trêve*
to play over two legs	*jouer un match aller et un match retour*
a return game	*un match retour*
a friendly (game)	*un match amical*
a warm-up game	*un match de préparation*
a replay	*un match rejoué*
to pip Tottenham for the championship	*coiffer Tottenham sur le poteau pour le championnat*
postponed	*remis*
a table	*un classement*
the top of the table	*la tête du classement*
the bottom of the table	*la queue du classement*
play offs for relegation position	*matches de barrages*
the relegation play off zone	*les barrages*
to progress to round two	*passer le premier tour*
to cap	*sélectionner*
a cap	*une sélection*
to be named to a squad	*être sélectionné dans une équipe*

1.3 DEMERITS — *LES SANCTIONS*

to play the game	*jouer franc jeu, être loyal*
a foul	*une faute*
to foul	*commettre une faute*
to be off side	*être hors jeu*
the penalty area	*la surface de réparation*
the penalty spot	*le point de penalty*
to award a penalty	*accorder un penalty*
a penalty kick	*un tir de penalty*
a free kick	*un coup franc*
a bookable offence	*une infraction coupable d'un carton*
a yellow card	*un carton jaune*
booked	*carton jaune*
a booking	*un avertissement*
a red card	*un carton rouge*
sent off	*carton rouge*
to send off	*expulser*

1.4 THE GAME — *LE MATCH*

to play a game	*disputer un match*
a home game	*un match à domicile*
an away-game	*un match en déplacement*
to win away	*gagner à l'extérieur*
to win home	*gagner à domicile*
to win the toss	*gagner le tirage au sort*
the kick-off	*le coup d'envoi*
the first half	*la première mi-temps*
the second half	*la seconde mi-temps*
an interval	*une mi-temps (durée)*
an intermission	*une mi-temps (intervalle entre)*
the scoreboard	*le panneau d'affichage*
to shoot / a shot	*tirer / un tir*
a drive	*un tir au but*
to drive	*tirer au but*
to go out of play	*sortir du terrain*
to net a goal	*envoyer le ballon au fond des filets*
to score an own goal	*marquer contre son camp*
to concede a goal	*s'incliner*
a scoring opportunity	*une occasion de but*
to disallow a goal	*refuser un but*
a two-goal lead	*une avance de deux buts*
a tying goal	*un but égalisateur*
to be held goalless	*être tenu en échec*
a goalless draw / a draw	*un match nul*
to tie	*faire match nul*
to equalize the score	*égaliser*
to level the score	*mettre les équipes à égalité*
the highest scorer	*le meilleur buteur*
a lunge	*un plongeon*
to centre on	*centrer sur*
to prise open a defense	*percer une défense*
to unsettle a defense	*déstabiliser une défense*
marking	*le marquage*
unmarked	*démarqué*
to win in overtime	*gagner pendant les arrêts de jeu*
extra time	*les prolongations*
the final whistle	*le coup de sifflet final*

2 TENNIS — *LE TENNIS*

2.1 GENERAL BACKGROUND — *GÉNÉRALITÉS*

a tennis player	*une joueuse / un joueur de tennis*
lawn tennis	*le tennis sur gazon*
a hard court	*un court en dur (ciment)*
clay	*la terre battue*
an all-weather court	*un terrain en quick*
an indoor court	*un court couvert*
a linesman	*un juge de ligne*
a base line	*une ligne de service*
a net	*un filet*
a wide-bodied racket	*une raquette à grand tamis*
a racket head	*la tête d'une raquette*
a frame	*un cadre*
catgut	*le boyau*
a handle	*un manche*
a 128-player draw	*un tableau de 128 joueurs*
the singles	*le simple*
the doubles	*le double*
the mixed doubles	*le double mixte*
a tournament	*un tournoi*
to enter a tournament	*participer à un tournoi*
to play a tournament	*faire un tournoi*
to be seeded (5)	*être tête de série (numéro 5)*
to land a tournament title	*remporter un tournoi*
a round robin	*une poule*
a round	*un tour*
to hold the Davis Cup	*détenir la Coupe Davis*
a holder	*un détenteur*
a rubber	*un match de rencontre en Coupe Davis*
a key rubber	*un match décisif*
a grand slam	*un grand chelem*
a leg of the grand slam	*une étape du grand chelem*

2.2 A TENNIS GAME — *UN MATCH DE TENNIS*

to play a match	*disputer un match*
footwork	*le placement*
legwork	*le jeu de jambes*
to drop a set	*perdre une manche*
deuce	*égalité*
to rally	*échanger des balles*
serve and volley	*service-volée*
a server	*un serveur*
to serve underarm	*servir à la cuillère*
to break serve	*prendre le service de l'adversaire*
to be broken	*perdre son service*
an ace	*un service gagnant*
to deliver an ace	*faire un service gagnant*
a return of serve	*un retour de service*
to hit a winner	*décocher un coup gagnant*
to doublefault	*faire une double faute*
a footfault	*une faute de pied*
to net the ball	*envoyer la balle dans le filet*
a forehand drive	*un coup droit*
a backhand drive	*un revers*
a forehand winner	*un coup droit gagnant*
a two-handed shot	*un coup à deux mains*
to slice	*choper*
to lob	*lober*
a drop shot	*une amortie*
a passing shot	*un coup gagnant*
to volley	*volleyer*
to put a spin on a ball	*donner un effet à une balle*
to give topspin to the ball	*lifter une balle*
a tie-break	*un jeu décisif*
to hold a break point	*avoir une balle de break*
to square at 5-5	*égaliser à 5 partout*
to be held to 5-6	*être mené 5 jeux à 6*
set point	*balle de set*
match point	*balle de match*
to run up to the net	*monter au filet*
to anchor oneself to the baseline	*se cantonner sur sa ligne de fond de court*
to take command	*prendre le commandement*
to step into overdrive	*passer la vitesse supérieure*
a straight-sets defeat	*une défaite sèche*
to find oneself set point down	*avoir une balle de set contre soi*
with a set under one's belt	*avec un set en poche*
to lose in two straight sets	*perdre en deux sets sec*
a one-sided final	*une finale déséquilibrée*
a supervisor	*un superviseur*
to overrule	*annuler une décision*
a line-call	*une balle faute*
to hurl one's racket	*jeter sa raquette*
default	*un blâme*
to be issued a default	*écoper d'un blâme*
a warning	*un avertissement*
a point penalty	*un point de pénalité*

3 MOTOR SPORTS — *LES SPORTS MÉCANIQUES*

automobile racing	*la course automobile*
to enter a race	*participer à une course*
Formula 1	*la Formule 1 (F1)*
a Grand Prix (GP)	*un grand prix*
the constructors' championship / the manufacturers' championship	*le championnat des constructeurs*
a round	*une course, une épreuve du championnat*
a racing driver	*un pilote de course*
a team mate	*un compagnon d'écurie*
the chequered flag	*le drapeau à damiers*
a speedway	*un circuit de vitesse*
a track	*une piste*
a right-hander	*un virage à droite*
a straight	*une ligne droite*
a starting grid	*une grille de départ*
on the second row of the grid	*en deuxième ligne*
a lap	*un tour*
a speed record	*un record de vitesse*
a spare car	*un mulet*
the pits	*les stands*
a pit stand	*un stand*
the pit crew	*l'équipe de mécaniciens*
a pit stop	*un arrêt aux stands*
a fuel stop	*un arrêt de ravitaillement*
a tire stop	*un arrêt pour changer de pneus*

to refuel	*faire le plein*
to make a lightning getaway	*prendre un départ en flèche*
to overtake	*dépasser*
slipstream	*l'aspiration*
to be on sb's tail	*suivre de près*
to hold 7th place	*occuper la septième position*
to pull away from one's pursuers	*semer ses poursuivants*
to make up the ground	*rattraper le terrain perdu*
to ease into the lead	*se glisser en tête*
a flag-to-flag victory	*une domination de bout en bout*
to stall	*caler*
engine failure / engine trouble	*ennuis mécaniques*
engine overheating	*la surchauffe du moteur*
to be sidelined by mechanical problems	*être mis sur la touche par des ennuis mécaniques*
to retire 20 laps from the finish	*abandonner 20 tours avant l'arrivée*
to run off the road	*quitter la route*
a spin	*un tête-à-queue*
to plough into	*s'encastrer dans*
a pile-up	*un carambolage*
a safety precaution	*une mesure de sécurité*
a crash helmet	*un casque protecteur*
a harness	*un harnais*
a roll bar	*un arceau de sécurité*
a fairing	*un carénage*
a guardrail	*un rail de sécurité*

4 ATHLETICS — *L'ATHLÉTISME*

track-and-field sports	*l'athlétisme*
a track	*une piste*
a track meet	*une réunion d'athlétisme*
a lap	*un tour*
pole jumping / pole vaulting	*le saut à la perche*
to toss / throw the hammer	*lancer le marteau*
the discus throw	*le lancement du disque*
the javelin throw	*le lancement du javelot*
a javelin thrower	*un lanceur de javelot*
to throw the shot put	*lancer le poids*
long jumping	*le saut en longueur*
a footrace	*une course à pied*
running	*la course à pied*
a runner	*un coureur*
a stride	*une foulée*
a 100-meter dash	*un 100 mètres*
a 10,000-meter run	*un 10 000 mètres*
the 3,000 meters	*le 3000 mètres*
a middle-distance runner	*un coureur de demi-fond*
a long distance runner	*un coureur de fond*
a relay	*un relais*
a relay squad	*une équipe de relais*
a hurdle	*une haie*
a 110-metre hurdles	*le 110 mètres haies*
to take a hurdle	*franchir une haie*
a hurdler	*un coureur de haies*
a steeplechase	*un steeple chase*
the pace	*l'allure*
a hare	*un lièvre*
heats	*qualifications*
to clock under 3'	*être chronométré en-dessous de 3'*

5 WINTER SPORTS — *LES SPORTS D'HIVER*

5.1 SKIING — *LE SKI*

to ski	*skier*
a skier	*un skieur*
Alpine skiing	*le ski alpin*
cross country skiing	*le ski de fond*
ski sticks	*bâtons de ski*
safety bindings	*fixations de sécurité*
to wax a ski	*farter un ski*
a ski run	*une piste de ski*
a ski lift / a ski tow / a towline	*un téléski / un télésiège*
to tread down	*damer*
downhill	*la descente*
a downhill racer / a downhiller	*un descendeur*
a gate	*une porte*
ski jumping	*le tremplin*
a ski jumper	*un sauteur*

5.2 SKATING — *LE PATINAGE*

to skate	*patiner*
ice-skating	*le patinage*
a skating rink	*une patinoire*
a speed skater	*un patineur de vitesse*
figure skating	*le patinage artistique*
ice dancing	*la danse sur glace*
bobsledding	*le bobsleigh*
a bobsledder	*un bobbeur*
luge / tobogganing	*la luge*
to sledge / to sled	*faire de la luge*
ice hockey	*le hockey sur glace*

6 BOXING — *LA BOXE*

a boxing match	*un match de boxe*
a bout	*un combat*
a title fight	*un combat pour le titre*
a fighter	*un boxeur*
the ring	*le ring*
a featherweight	*un poids plume*
a bantam	*un poids coq*
a middle weight	*un poids moyen*
a heavy weight	*un poids lourd*
a cruiserweight	*un poids mi-lourd*
a glove	*un gant*
a fist	*un poing*
to spar (with)	*s'entraîner (avec)*
an opening round	*un premier round*
to deal blows	*échanger des coups*
a jab	*un coup droit, un direct*
a punch	*un coup*
a swing	*un crochet*
a straight left	*un direct du gauche*
a left hook	*un crochet du gauche*
to throw a right	*envoyer un direct du droit*
to be put on the canvas	*être envoyé au tapis*
to outpoint	*battre aux points*
to throw in the towel	*jeter l'éponge*
to put a title on offer	*mettre un titre en jeu*
to take a title	*remporter un titre*
vacated by	*laissé vacant par*
to retain a crown	*conserver une couronne*

7 WATER SPORTS — *LES SPORTS NAUTIQUES*

to fish	*pêcher*
big game fishing	*la pêche au gros*
fishing grounds	*zones de pêche*
a fishing line	*une ligne de pêche*
angling	*la pêche à la ligne*
casting	*la pêche au lancer*
fly fishing	*la pêche à la mouche*
an angler	*un pêcheur à la ligne*
a fisherman	*un pêcheur*
to bait	*appâter*
a worm	*un ver de terre*
to cast a line	*jeter sa ligne*
a hook	*un hameçon*
a rod	*une gaule*
a reel	*un moulinet*
a cork	*un bouchon*
a spinner	*une cuiller*
a fishing net	*une épuisette*
meshes	*mailles*
to bite	*mordre*
a shoal of fish	*un banc de poissons*
a catch	*une prise*
to hook a trout	*ferrer une truite*
a bit	*une prise*
a lure	*un leurre*
to land a fish	*attraper un poisson*
a swimming pool	*une piscine*
a lane	*un couloir*
the deep end	*le grand bassin*
the shallow end	*le petit bain*
a swimming suit	*un maillot de bain*
freestyle	*le crawl*
butterfly	*le papillon*
backstroke	*le dos crawlé*
a backstroker	*un nageur de dos*
breaststroke	*la brasse*
a medley	*un 4 nages*
to dive / a diver	*plonger / un plongeur*
a somersault	*un saut périlleux*
scuba diving	*la plongée sous-marine*
a scuba	*un scaphandre autonome*
a snorkel	*un tuba*
a fin	*une palme*
a deep-sea diver	*un plongeur sous-marin*
to sail	*faire de la voile*
a racing yacht	*un bateau de course*
to set sail	*mettre à la voile*
to tack	*louvoyer, tirer des bords*
a regatta	*une régate*
a round-the-world race	*une course autour du monde*
a waterline	*une ligne de flottaison*
rigging / rig	*le gréement*
a mast	*un mât*
the mainsail	*la grand-voile*
a jib	*un foc avant*
to hoist	*hisser*
a buoy	*une bouée*
a cox / a helmsman	*un barreur*
to cox	*barrer*
to steer	*tenir la barre*
a steersman	*un homme de barre*
the wheel	*la barre*
a monohull	*un monocoque*
a multihull	*un multicoque*
rowing	*l'aviron*
a scull	*un aviron*
an oar	*une rame*
rafting	*la descente de rapides en radeau*
windsurfing	*le véliplanchisme*
a fun board / a surfboard	*une planche à voile*

8 HORSE RACING — *LES COURSES HIPPIQUES*

to train	*entraîner*
to breed	*élever*
an arena	*un manège*
a racing stud / a stable	*une écurie*
a stall	*un box*
a stallion / a studhorse	*un étalon*
a mount	*une monture*
a thoroughbred	*un pur-sang*
a saddle	*une selle*
a bridle	*une bride*
a spur	*un éperon*
a riding whip	*une cravache*
a bit	*un mors*
a stirrup	*un étrier*
the post	*le poteau*
riding	*l'équitation*
a rider	*un cavalier*
to ride a horse	*monter à cheval*
horse racing	*les courses de chevaux*
the flat racing season	*la saison du plat*
a horserace	*une course de chevaux*
a race course	*un champ de courses*
a steeplechase	*une course d'obstacles*
to canter	*aller au petit galop*
a bookmaker	*un parieur*
to bet (on)	*parier (sur)*
a betting parlour	*une officine de PMU*
a racegoer	*un turfiste*

9 OTHER SPORTS — *AUTRES SPORTS*

basketball	*le basketball*
a free throw	*un lancer franc*
to bounce	*faire rebondir*
to make a try for the basket	*essayer de marquer*
a toss	*un lancer*
a held ball	*un ballon tenu*
a foul shot	*une faute*
the hoop	*l'anneau*
a backboard	*un panneau*
a jump ball	*une remise en jeu*
archery	*le tir à l'arc*
an archer	*un arbalétrier*
a bow	*un arc*
an arrow	*une flèche*
a target	*une cible*
baseball	*le baseball*
a base	*une base*
to bat	*manier la batte*
a batter (an in)	*un batteur*
an infielder	*un intérieur*
a fielder / an outfielder	*un extérieur*
a pitcher	*un lanceur*
to pitch	*lancer*
a catcher	*un attrapeur*

an inning at bat	*un tour de batte*
a home run	*un tour complet*
bicycle racing	*la course cycliste*
the yellow jersey	*le maillot jaune*
cycling	*le cyclisme*
a stage	*une étape*
a timed trial	*une épreuve contre la montre*
billiards / pool / snooker	*le billard*
a cue	*une queue*
a bowling alley	*une piste de bowling*
a pin	*une quille*
bowls	*la pétanque*
chess	*les échecs*
a chessboard	*un échiquier*
a game of chess	*une partie d'échecs*
to check	*mettre en échec*
to be held in check	*être tenu en échec*
to be checkmated	*être mis échec et mat*
the bishop	*le fou*
the knight	*le cavalier*
the castle	*la tour*
a pawn	*un pion*
cricket	*le cricket*
a bat	*une batte*
a batsman	*un batteur*
a bowler	*un lanceur*
a wicket	*une porte*
darts	*les fléchettes*
greyhound racing	*courses de lévriers*
fencing	*l'escrime*
a fencing bout	*un assaut d'escrime*
a fencer	*un escrimeur*
a foil	*un fleuret*
a lunge	*une estocade*
a thrust	*une botte*
to parry	*parer*
golf	*le golf*
a golfer	*un golfeur*
a golf links	*un terrain de golf*
a round of golf	*un parcours*
a hole	*un trou*
a gymnast	*un gymnaste*
the apparatus	*les appareils*
the horizontal bar	*la barre fixe*
the high bar	*la barre haute*
double bars	*les barres parallèles*
rings	*les anneaux*
the pommelled horse / the vaulting horse	*le cheval d'arçons*
the balance beam	*la poutre*
hunting	*la chasse*
a sportsman / a hunter	*un chasseur*
deer hunting	*la chasse à courre*
a cartridge	*une cartouche*
the barrel	*le canon*
the cock	*le chien du fusil*
game	*le gibier*
to load	*charger*

to raise	*mettre en joue*
to aim	*viser*
to fire	*tirer*
judo	*le judo*
karate	*le karaté*
a karate chop	*une manchette de karaté*
a belt	*une ceinture*
mountaineering	*l'alpinisme*
a climber	*un alpiniste*
rock climbing	*l'escalade*
to climb	*escalader*
to rope up	*s'encorder*
to rope down	*descendre en rappel*
a rope of climbers	*une cordée d'alpinistes*
abseiling	*le rappel*
to abseil	*descendre en rappel*
to fall off	*dévisser*
potholing	*la spéléologie*
a pot	*une grotte, un gouffre*
a potholer	*un spéléologue*
motorboating	*les sports nautiques*
parachute jumping / sky diving	*le saut en parachute*
hang gliding	*le parapente, le deltaplane*
a hang glider	*un parapente, un parapenteur, un libériste*
paragliding	*le parapente*
bungee-jumping	*le saut à l'élastique*
an ultralight / a motorised hang glider	*un ULM*
roller-skating	*le patin à roulettes*
shooting	*le tir*
a shooting range	*un pas de tir, un stand de tir*
trapshooting	*le balle-trap*
skeet shooting	*le tir aux pigeons*
a target	*une cible*
squash	*le squash*
table tennis	*le tennis de table*
volleyball	*le volleyball*
weight lifting	*l'haltérophilie*
a barbell / a dumbbell	*une haltère*
wrestling	*la lutte*
all-in wrestling	*le catch, la lutte libre*
a wrestler	*un lutteur*
rugby league	*le rugby à treize*
rugby union	*le rugby à quinze*
rugger	*le rugby*
a post	*un poteau*
a ruck	*une formation*
a try / a touchdown	*un essai*
a conversion	*une transformation*
a scrimmage / scrummage / a scrum	*une mêlée*
a halfback	*un demi*
a free throw lane	*une raquette*

7 THE ART MARKET — *LE MARCHÉ DE L'ART*

I ART — *L'ART*

1 ART FOR ART'S SAKE — *L'ART POUR L'ART*

the fine arts	*les beaux-arts*
an art school	*une école des beaux-arts*
an art student	*un étudiant des beaux-arts*
an artist	*un artiste*
a work of art / an artwork	*une œuvre d'art*
a masterpiece	*une toile de maître, un chef-d'œuvre*
a studio	*un atelier*
modern art	*l'art moderne*
abstract art	*l'art abstrait*
figurative art	*l'art figuratif*
impressionism	*l'impressionnisme*
expressionism	*l'expressionnisme*
the Old Masters	*les grands peintres*
an art lover	*un amoureux de la peinture*

2 PAINTING — *LA PEINTURE*

to paint / a painter	*peindre / un peintre*
to paint from life	*peindre d'après nature*
an abstract painter	*un peintre abstrait / non figuratif*
a painting	*une peinture, un tableau*
a picture	*un tableau, une image, une photo*
to sketch	*esquisser*
a study	*une étude*
an outline	*un contour*
to draw	*dessiner*
drawing	*le dessin*
charcoal drawing	*le dessin au fusain*
to stencil	*passer au pochoir*
engraving	*la gravure*
to etch	*graver à l'eau-forte*
a print	*une estampe*
an oil on canvas	*une huile sur toile*
a water-color	*une aquarelle*
a pastel / a crayon	*un pastel*
a landscape	*un paysage*
a seascape	*une marine*
a still life	*une nature morte*
a nude	*un nu*
a fresco / frescoes	*une fresque / fresques*
a mural	*une peinture murale*
a self-portrait	*un auto-portrait*
coloring	*le coloris*
light	*la lumière*
shade / to shade	*l'ombre / ombrer*
a hue	*une nuance*
a tint	*une teinte*
a tinge	*un ton*
chiaroscuro	*le clair-obscur*
brush work	*la facture*
picturesque	*pittoresque*
the foreground	*le premier plan*
the background	*l'arrière-plan*
a brush	*un pinceau*
an easel	*un chevalet*
a canvas	*une toile*
a frame	*un cadre*
to mix colors	*mélanger les couleurs*
to apply	*appliquer*
to tone down	*atténuer*
to soften down	*adoucir*
to shade off	*dégrader*
glowing	*chaud*
vivid	*vif*
brightly colored	*éclatant*
gaudy	*criard*
striking	*impressionnant*
tasteful	*de bon goût*
tasteless	*de mauvais goût*

3 SCULPTING — *LA SCULPTURE*

a sculptor	*un sculpteur*
to model	*modeler*
a model	*un modèle, un mannequin*
to sit	*poser*
a sitting	*une séance de pose*
moulding	*le moulage*
to carve	*sculpter*
to chisel	*tailler au ciseau*
clay	*argile*
plaster	*le plâtre*
brass	*le bronze*
marble	*le marbre*
terracotta	*la terre cuite*
a bust	*un buste*
a statue	*une statue*
a pedestal	*un piédestal*
a likeness	*une ressemblance*
to bear a likeness to	*ressembler à*

4 PHOTOGRAPHY — *LA PHOTOGRAPHIE*

the graphic arts	*les arts graphiques*
an art form	*un moyen d'expression artistique*
colour photography	*la couleur*
black-and-white photography	*le noir et blanc*
a photo	*une photo*
a photograph	*une photographie*
a good shot	*une bonne photo*
a colour slide	*une diapositive couleur*
to photograph	*photographier*
to photograph well	*être photogénique*
a photographer	*un photographe*
a camera	*un appareil photo*
a viewfinder	*un viseur*
the shutter	*l'obturateur*
the shutter speed	*la vitesse d'obturation*
a lens	*une lentille*
a flash gun	*un flash*
a filter	*un filtre*
a tripod	*un trépied*
a viewer	*un projecteur*
a roll of film	*une pellicule*

a negative	*un négatif*
to load a film	*charger un appareil*
to unload a film	*retirer une pellicule (d'un appareil)*
to process a film	*développer un film*
a fixing bath	*un bain de fixage*
a fixer	*un fixateur*
a print	*un cliché, une épreuve*
to print a film	*tirer*
grain	*le grain*
glossy	*brillant*
to blow up	*agrandir*
a blow up	*un agrandissement*
an exposure	*une pose*
an exposure time	*un temps de pose*
to make an exposure	*prendre un cliché*
an exposure meter	*un posemètre*
to bring into focus	*mettre au point*
out of focus	*mal réglé*
blurred	*flou*
accurate	*net*
the aperture	*l'ouverture*
lighting	*éclairage*
backlighting	*le contre-jour*
the depth of field	*la profondeur du champ*
to underexpose	*sous-exposer*
to overexpose	*surexposer*

5 THE MUSEUM — *LE MUSÉE*

a fine arts museum / an art institute	*un musée des beaux-arts*
a permanent collection	*une collection permanente*
a department	*une section*
to visit a museum	*visiter un musée*
to collect	*collectionner*
to house a collection	*abriter une collection*
restoration	*la restauration*
a restorer	*un restaurateur*
to exhibit one's work	*exposer ses œuvres*
an exhibition	*une exposition*
a curator	*un conservateur de musée*
a donator	*un donateur*
a patron (of the arts)	*un protecteur des arts, un mécène*
to bequeath	*léguer*
a bequest	*un legs*
to donate a collection	*faire don d'une collection*
a dation	*une dation*
a loan / on loan	*un prêt / prêté*
an entrance fee	*un droit d'entrée*
to charge admission (to)	*faire payer l'entrée (de)*
a gift (from)	*un don (de)*
to endow	*faire une dotation*
endowment	*la dotation*
a museum trustee	*un administrateur de musée*

II THE ART MARKET — *LE MARCHÉ DE L'ART*

art criticism	*la critique d'art*
an art critic	*un critique d'art*
an art gallery	*une galerie d'art*
an art collector	*un collectionneur*
an art dealer	*un marchand de tableaux*
a bogus painting / a fake	*un faux*
a daub	*une croûte*
the art boom	*l'explosion de l'art*
an inflated market	*un marché gonflé*
art auction frenzy	*la frénésie des ventes aux enchères*
a fevered state	*la fébrilité*
hyped auction	*enchères surévaluées*
a pre-sale estimate	*une estimation avant-vente*
a price estimate	*une estimation de prix*
to fetch a price of . . .	*chercher dans les...*
to go through the roof	*crever le plafond*
to pay top dollar	*payer le prix fort*
a ceiling	*un plafond*
to drive up a price	*faire monter un prix*
a sale value	*une valeur marchande*
to unsettle the market	*déséquilibrer le marché*
to manipulate the market	*manipuler le marché*
to be taken for a ride	*se faire berner*
to buy heavily	*faire des achats massifs*
a coveted painting	*un tableau convoité*
cultural patrimony	*le patrimoine culturel*
art investment	*l'investissement dans l'art*
an investment value	*un investissement*
an auction house	*une maison de ventes*
an auction room	*une salle de ventes*
an auction sale	*une vente aux enchères*
a sale by auction	*une adjudication, une vacation*
to sell by auction	*vendre aux enchères*
to put sth up for auction	*mettre qch. aux enchères*
to come under the hammer	*être vendu aux enchères*
an auctioneer	*un commissaire-priseur*
to auctioneer	*mettre aux enchères*
to bid (for)	*faire une enchère (de)*
a bid	*une enchère*
a bidder	*un enchérisseur*
an underbidder	*un sous-enchérisseur*
to bid against	*renchérir sur qn.*
a gavel	*un marteau*
"Going, going, gone!"	*"Une fois, deux fois, trois fois, adjugé !"*
to go for	*s'élever à, s'enlever pour le prix de, être adjugé pour le prix de*
to knock down sth to sb	*adjuger qch. à qn.*
to go to the limit	*aller jusqu'au bout de ses possibilités*
a price reserve	*un prix de réserve*
to reach a reserve	*atteindre sa réserve*
to pay a record amount	*payer une somme record*
to break a record	*battre un record*
a record price	*un prix record*
to sell at a peak	*vendre au plus haut*
a buyer's commission	*la commission du vendeur*

V THE MEDIA — *LES MÉDIAS*

1 THE PRESS — *LA PRESSE*

I PRINT JOURNALISM — *LA PRESSE ÉCRITE*

Fleet Street (UK)	*le quartier des journaux à Londres, les milieux journalistiques*
the fourth estate	*le quatrième pouvoir*
the national press	*la grande presse*
the gutter press / the yellow press	*la presse à sensation*
the popular press	*la presse à grand tirage*
a news agency	*une agence de presse*
a press release	*un communiqué de presse*
a press clipping	*une coupure de presse*
the press run	*le tirage*
journalism	*le journalisme*
investigative journalism	*le journalisme d'investigation*
journalese	*le jargon journalistique*
reporting	*le reportage*
to be in the news	*avoir la vedette*
a newsmaker	*un sujet d'actualité*
to cover an event	*couvrir un événement*
media coverage	*la couverture médiatique*
a media event	*un événement médiatique*
a newspaper / a paper	*un journal*
the national newspapers	*les grands quotidiens*
a right-wing paper	*un journal de droite*
a give-away paper	*un journal gratuit*
a Sunday paper	*une édition dominicale*
a color supplement	*un supplément couleur*
an official mouthpiece	*un organe officiel*
a Tory-leaning paper (UK)	*un journal de sensibilité conservatrice*
a news stand / a news stall	*un kiosque à journaux*
a news vendor	*un vendeur de journaux*
a tabloid	*un tabloïd*
lurid	*à sensation*
a rag	*une feuille de chou*
a broadsheet	*un format de journal de qualité, un journal plein format*
quality press	*les journaux sérieux*
a quality paper	*un journal sérieux*
a political organ	*l'organe d'un parti*
a magazine	*un magazine, une revue*
a news magazine	*un magazine de presse*
a woman's magazine	*un magazine féminin*
a fashion magazine	*une revue de mode*
a literary magazine	*une revue littéraire*
a pulp magazine	*un magazine à sensation, un torchon*
the glossies	*les magazines de luxe*
a comics	*un magazine illustré*
a comic strip	*une bande dessinée*
a daily	*un quotidien*
a weekly	*un hebdomadaire*
a monthly	*un mensuel*
a quarterly	*une revue trimestrielle*
a journal	*un journal, une revue*
a scholarly journal	*une revue savante*
a medical journal	*une revue médicale*
a periodical	*un périodique*
a newsletter	*une lettre confidentielle*
a dateline	*une date de parution*
a deadline	*une date limite*
a dummy	*une maquette*

II RUNNING A PAPER — *LA DIRECTION D'UN JOURNAL*

a press baron / a press lord	*un magnat de la presse*
a newspaper owner	*un propriétaire de journaux*
to found a paper	*fonder un journal*
to start a paper	*lancer un journal*
to control 160 dailies	*être propriétaire de 160 quotidiens*
a publishing empire	*un empire de presse*
to take control of a paper	*prendre le contrôle d'un journal*
to seek backers	*rechercher des financements*
a chain of papers	*une chaîne de journaux*
the press corps	*les journalistes*
to be in journalism	*faire du journalisme*
the editorial staff	*la rédaction*
the newspaper office	*la salle de rédaction*
a desk	*un secrétariat de direction*
the news / city desk	*le service des informations*
an editor-in-chief	*un rédacteur en chef*
a science editor	*un responsable de la rubrique scientifique*
an editorialist	*un éditorialiste*
a publisher	*un éditeur*
to edit	*être rédacteur en chef*
a pool	*une équipe*
a member of the press / a journalist / a newsman / a pressman / a newspaperman	*un journaliste*
a special reporter	*un envoyé spécial*
a writer reporter	*un grand reporter*
a sporting journalist	*un journaliste sportif*
a freelance	*un pigiste*
to work freelance	*travailler à la pige*
an opinion maker	*un chroniqueur*

a contributor	*un collaborateur, un journaliste*
a correspondent	*un envoyé, un correspondant*
a columnist	*un chroniqueur*
a copy writer	*un rédacteur publicitaire*
a copyreader	*un secrétaire de rédaction*
an art critic	*un critique d'art*
a reviewer	*un critique*
to rewrite	*remanier*
a rewrite man	*un réviseur*
a newspaper photographer	*un photographe de presse*
a cartoonist	*un dessinateur*
a muckraker	*un "fouille merde" (fam.)*
a pressroom	*une salle de presse*
a presscard	*une carte de presse*
a paper boy	*un distributeur de journaux*
a paper route	*la tournée du distributeur*

III PUTTING A PAPER TOGETHER — *LA FABRICATION D'UN JOURNAL*

1 NEWSPAPER CONTENT — *LE CONTENU D'UN JOURNAL*

a section	*une partie*
the sports section	*le cahier des sports*
a column	*une chronique, une colonne, une rubrique*
a regular	*une chronique de revue*
a correspondence column	*le courrier des lecteurs*
the agony column / the lonely heart column	*le courrier du cœur*
a leader / a comment	*un éditorial*
edition	*la publication, le tirage*
to editorialize	*rédiger un éditorial*
a syndicated column	*un éditorial vendu à plusieurs journaux*
news in brief	*la rivière, faits divers, nouvelles brèves*
an advertisement / an ad	*une petite annonce*
classified advertisements	*annonces classées*
the wanted ads / small ads (USA)	*les petites annonces*
the weather report	*la météo*
the readers' mail	*le courrier des lecteurs*
a serial	*un feuilleton*
to serialize	*faire paraître en feuilleton*
the obituary column	*la rubrique nécrologique*
a comic / comics	*une bande dessinée*
the crosswords	*les mots croisés*
to review	*faire la critique de*
to have a good / bad review	*avoir bonne / mauvaise presse*
a rave review / a rare review	*une critique dithyrambique*
to make scathing comments	*faire des commentaires cinglants*
to pull to pieces	*éreinter (fam.)*
to slate / to savage	*éreinter, démolir*
a slating	*un éreintement*
the layout	*la mise en page, la maquette*
to lay out a paper	*faire la mise en page d'un journal*
a front page	*une première page*
a back page	*une dernière page*
to front page	*mettre en première page*
the sports page	*la page des sports*
a full-page spread	*une page entière (consacrée à un sujet)*
a double spread	*une double page*
the oped (OPposite EDitorial)	*la page de face de l'éditorial (chroniques et commentaires)*
an article	*un article*
a sidebar	*un article consacré à un aspect d'un problème majeur*
a paragraph	*un alinéa*
the lead	*le premier paragraphe*
a story	*un article, un reportage, une nouvelle, une affaire*
a cover story	*un article en couverture*
a story line	*un scénario*
a survey	*une enquête*
a report	*un compte rendu*
to report	*faire un reportage, rendre compte, annoncer, relater*
a dispatch	*une dépêche*
to file a dispatch	*envoyer une dépêche*
a head	*un titre, une manchette*
a subhead	*un sous-titre, un intertitre*
a cross head	*un sous-titre*
a headline	*un grand titre*
the news headlines	*les titres de l'actualité*
a banner headline	*une manchette barrant la première page*
scary headlines	*gros titres à sensation*
screaming headlines	*gros titres criards*
to make the headlines	*faire la une, défrayer la chronique*
to be front page news	*être à la une*
a scarehead	*une manchette à sensation*
a heading	*un en-tête, un chapeau*
a kicker	*un petit titre accrocheur*
a flag / a nameplate / a masthead	*un drapeau*
a by-line	*une signature*
to box in / a box	*encadrer / un encadré*
an ear	*une oreille*
a graph	*une courbe, un graphique*
a credit line	*un crédit photographique*
a caption	*une légende, un sous-titre*
a chart	*un diagramme*
an insert	*un encart*
a feature	*une chronique, un reportage spécial*
featurish	*accrocheur*
circulation	*la diffusion, le tirage*
high circulation	*un fort tirage*
a mass circulation paper	*un journal à gros tirage*
the readership	*le lectorat*
to subscribe to	*s'abonner à*
a subscription	*un abonnement*
to take out a subscription	*s'abonner*

a subscription rate	*un tarif d'abonnement*
a subscriber	*un abonné*
to lapse	*prendre fin*
to cancel a subscription	*annuler un abonnement*
to discontinue a subscription	*cesser de s'abonner à un journal*
unsold copies	*le bouillon*
to close / to shut down a paper	*arrêter la publication*
to fold / to fail	*faire faillite*
to drop the newspaper habit	*perdre l'habitude de lire un journal*
to do without a paper	*se passer d'un journal*
to keep a paper afloat	*maintenir un journal à flot*
to issue	*paraître*
an issue	*un numéro, un exemplaire*

2 PRINTING — *L'IMPRESSION*

to print	*imprimer*
a printer / a printing office	*un imprimeur*
to be out of print	*être épuisé*
a misprint	*une coquille*
a print union	*un syndicat du livre*
to set	*composer*
wood-pulp paper	*la pâte à papier*
a type	*un caractère*
to set sth in type	*composer qch.*
a linotype machine	*une linotype*
to run a press	*faire fonctionner une presse*
colour printing	*l'impression en couleur*
phototypesetting / filmtyping	*la photocomposition*
a machine compositor	*un claviste*
a rotary printing machine	*une rotative*
typesetting	*la composition*
a typesetter	*un compositeur, une linotype*
to stereotype	*clicher*
stereotyping	*le clichage*
to proofread	*corriger les épreuves*
a punctuation mark	*un signe de ponctuation*
a block letter	*une lettre majuscule*
bold type	*caractères gras*
a full stop	*un point*
a comma	*une virgule*
colon	*deux-points*
a semi-colon	*un point-virgule*
a dash	*un tiret*
dots	*points de suspension*
a dot	*un point*
in brackets	*entre parenthèses*
(in) quotation marks / (in) inverted commas	*(entre) guillemets*
quote / unquote	*ouvrez les guillemets / fermez les guillemets*
to quote	*citer*
to put a paper to bed	*boucler un journal*

IV THE ROLE OF THE PRESS — *LE RÔLE DE LA PRESSE*

1 GENERAL BACKGROUND — *GÉNÉRALITÉS*

to inform	*informer*
to air opinions	*donner un avis*
to spread a message	*diffuser un message*
to sensitize public opinion	*sensibiliser l'opinion publique*
to investigate	*enquêter*
to be newsworthy	*présenter un intérêt pour le public*
to scoop	*publier en exclusivité*
a scoop	*une exclusivité*
"stop press"	*dernière heure*
an item of news / a news item	*une information*
to break the news	*annoncer les nouvelles*
to disclose	*révéler*
hard news	*l'actualité brute*
soft news	*nouvelles récentes et générales*
hot news	*nouvelles brûlantes / sensationnelles*
straight news	*l'information pure*
a news source	*une source (d'information)*
to hold a press conference	*tenir une conférence de presse*
to field questions	*répondre aux questions*
a question-and-answer session	*une interview à bâtons rompus*
off-the-record	*officieux*
on the record	*officiel*
a backgrounder	*un arrière-plan*
a background story	*un papier d'ambiance*
to grant an interview	*accorder une interview*
to request an interview	*demander une interview*
to dodge a question	*éluder une question*
to be given equal time	*accorder le même temps d'antenne*
to go over the heads of the press to the country	*s'adresser directement au pays*
to send a disclaimer to the press	*envoyer un démenti à la presse*

2 SCANDAL — *LE SCANDALE*

a scandal	*un scandale*
to unearth / to dig out	*déterrer*
to poke one's nose into	*mettre son nez dans*
to expose	*révéler*
to hush up / to cover	*étouffer*
to check a source	*vérifier une source*
to double check	*faire une double vérification*
from reliable sources	*de source sûre*
accurate / accuracy	*précis / la précision*
biased / prejudiced	*partial*
unbiased / unprejudiced	*impartial*
to reveal a source	*révéler une source*
to claim credit for	*revendiquer*
to be well-informed	*être bien informé*
to be ill-informed	*être mal renseigné*
to pander to	*flatter bassement*
to forfeit the loyalty of readers	*perdre la fidélité des lecteurs*
to check a lead	*vérifier une source*
newspaper ethics	*la morale journalistique*
defamation of character	*la diffamation*

to defame	*diffamer*
defamatory	*diffamatoire*
to harm the reputation	*nuire à la réputation*
to libel	*diffamer, calomnier*
a libel	*une diffamation, une calomnie*
seditious libel	*la calomnie séditieuse*
to sue for libel	*poursuivre en diffamation*
a libel suit	*un procès en diffamation*
slander	*la calomnie, la diffamation (verbale)*
slanderous	*calomnieux*
to sue a paper	*faire un procès à un journal*
a breach of ethics	*une violation de la déontologie*
to file suit	*porter plainte*
to protect the right to privacy	*protéger le droit à la vie privée*
to apologize in print	*présenter des excuses écrites*
to correct mistakes	*rectifier les erreurs*

3 PRESS CENSORSHIP — *LA CENSURE DE LA PRESSE*

to suppress press freedom	*interdire les journaux*
to curtail freedom	*réduire les libertés*
to be subject to censorship	*être soumis à la censure*
censorship violations	*les infractions à la censure*
to censor	*censurer*
a press law	*une loi sur la presse*
to expel a correspondent	*expulser un correspondant*
to have one's credentials suspended	*se voir supprimer son accréditation*
restrictions on coverage	*les restrictions à la couverture d'un événement*
an embargo on news	*un black-out sur les informations*
to submit materials to	*soumettre les articles à*
to jam a broadcast	*brouiller une émission*
to impose a ban on news	*imposer un black-out sur les nouvelles*
to gag the press	*bâillonner la presse*
to suppress a paper	*interdire un journal*
to seize a paper	*saisir un journal*
to mute a paper's bark	*réduire un journal au silence*
to lift press curbs	*lever les restrictions sur la presse*
an underground press	*une presse clandestine*
to be back on the streets	*être à nouveau autorisé*

2 TELECOMMUNICATIONS — *LES TÉLÉCOMMUNICATIONS*

1 INFORMATION TECHNOLOGY — *LES TECHNOLOGIES DE L'INFORMATION*

the information age	*l'ère de l'information*
to spread information	*répandre l'information*
to share information with	*partager l'information avec*
to process information	*traiter l'information*
information processing	*le traitement de l'information*
to speed the information flow	*accélérer le débit des informations*
to electronicize	*installer des systèmes électroniques*
telephony	*la téléphonie*
a telephone	*un téléphone*
a payphone	*un téléphone public*
a coin-operated payphone	*un téléphone à pièces*
a call box / a phone booth	*une cabine téléphonique*
a telephone card	*une carte de téléphone*
a mobile cellular telephone	*un radiotéléphone, un téléphone mobile*
a cordless telephone	*un téléphone sans fil*
a videophone / a picture phone	*un visiophone*
a car phone	*un téléphone de voiture*
an extension	*un poste*
a receiver	*un combiné*
an answering machine	*un répondeur téléphonique*
an answering service	*un service des abonnés absents*
to lift the receiver	*décrocher*
to be on the phone / to have a phone	*être abonné*
a phone number	*un numéro de téléphone*
an area code	*un indicatif de région*
a time zone	*un fuseau horaire*
an unlisted number	*un numéro rouge*
to be ex-directory (UK) / to be unlisted (USA)	*être sur la liste rouge*
a phone directory	*un annuaire téléphonique*
the yellow pages	*les pages jaunes*
a telephone call	*un appel téléphonique*
a dial	*un cadran*
to dial	*composer un numéro*
a dial tone	*une tonalité*
a dialer	*un usager du téléphone*
a ringing tone	*une sonnerie*
a busy signal / a busy tone	*un signal occupé*
the line is busy	*la ligne est occupée*
an unobtainable number	*un numéro en dérangement*
a wrong number	*un faux numéro*

2 MAKING A CALL — *LA COMMUNICATION*

to phone / to ring up / to call (up)	*téléphoner*
to give a call / to make a call	*passer un coup de téléphone*
to dial direct	*appeler par l'automatique*
to call back	*rappeler*
to ring off	*raccrocher*
to hang up (on)	*raccrocher (au nez de)*
"Hold on" / "Hang on"	*"Ne quittez pas"*
to hold the line	*rester en ligne*
to put sb through	*passer qn.*
to talk on the phone	*parler au téléphone*
to disconnect	*couper*
to reconnect	*rétablir la communication*
to be engaged	*être occupé*
to trace a call	*localiser un appel*
a caller	*un demandeur*
a called person	*un correspondant*
a nuisance caller	*un appel importun*
an emergency call	*un appel d'urgence*
a recorded time message	*l'horloge parlante*
to call collect	*appeler en PCV*
a collect call / a reverse charge call	*un appel en PCV*
a local call	*une communication locale*
to call long distance	*faire un appel interurbain*
a trunk call (UK) / a long-distance call (USA)	*un appel interurbain*
a personal call (UK) / a person-to-person call (USA)	*un appel avec préavis*
an 800-number call (USA) / a toll-free number	*un numéro d'appel gratuit, un numéro vert*
to unplug	*débrancher son téléphone*
the network	*le réseau*
a fiber optical cable	*un câble à fibres optiques*
to connect	*relier*
a telephone line	*une ligne téléphonique*
a trunk line	*une ligne interurbaine*
a party line	*une ligne téléphonique commune*
a hot line	*une ligne rouge*
a connection	*une liaison*
to go dead / to be cut off	*être coupé*
the telecommunications industry	*les télécoms*
telematics	*la télématique*
a communication satellite / a com-sat	*un satellite de communications*
a telecommunication company	*une compagnie du téléphone*
a subscriber	*un abonné*
a telephone customer	*un abonné du téléphone*
a telephone exchange	*un central téléphonique*
a switchboard	*un standard*
an operator	*une opératrice*
a teleconference	*une téléconférence, une audioconférence*
a videoconference	*une visioconférence*
a videotex	*un minitel*
an electronic noticeboard	*un bulletin électronique*
shopping at home	*achats à domicile*
a bill	*une facture*
the duration of a call	*la durée d'un appel*
a call charge	*le montant d'un appel*
a unit charge	*une taxe de base*

3 TELEVISION — *LA TÉLÉVISION*

I THE NETWORK — *LE RÉSEAU*

1 GENERAL BACKGROUND — *GÉNÉRALITÉS*

television	*la télévision*
the telly / the tube	*la télé*
the idiot box / the gogglebox	*la téloche (fam.)*
the small screen	*le petit écran*
to watch television	*regarder la télévision*
a television set	*un poste de télévision*
a black and white set	*un poste en noir et blanc*
a color TV	*un poste en couleur*
the PAL system (phase alternation line)	*le système PAL*
the SECAM system	*le système SECAM (système électronique couleur avec mémoire)*
high definition television (HDTV)	*la télévision haute définition*
to televise / to telecast	*téléviser*
to broadcast	*diffuser*
broadcasting	*la diffusion, les émissions*
a broadcast bill	*une loi sur l'audio-visuel*
to turn on / to shut off TV	*allumer / éteindre la télévision*
to change over to	*passer sur, mettre*
to listen to the radio	*écouter la radio*
a radio set	*un poste de radio*
ear plugs	*écouteurs*

2 THE NETWORK — *LE RÉSEAU*

a stationary satellite	*un satellite stationnaire*
to carry a program by satellite	*diffuser un programme par satellite*
a dish aerial / antenna	*une antenne parabolique*
a TV franchise	*une licence d'exploitation TV*
a television transmitter	*un émetteur TV*
cable television	*la télévision par câble*
to cable cast	*diffuser par câble*
a cablecast	*un programme câblé*
pay cable	*le câble à péage*
a paid subscriber	*un abonné au câble*
remote control	*la télécommande*
a screen	*un écran*

an antenna	*une antenne*
to reach viewers	*être capté*
a TV guide	*un magazine de télévision*
instant replay	*le retour sur image*
slow motion	*le ralenti*
a monitor screen	*un écran de contrôle*

3 CHANNELS — *LES CHAÎNES*

a channel	*une chaîne*
ITV (Independent TV) (UK)	*la chaîne ITV (commerciale)*
ABC (American Broadcasting Corporation) (USA)	*la chaîne ABC*
NBC (National Broadcasting Company) (USA)	*la chaîne NBC*
CBS (Columbia Broadcasting System) (USA)	*la chaîne CBS*
HBO (Home Box Office)	*HBO (télévision câblée payante)*
CNN (Cable News Network)	*la chaîne CNN*
ITV (instructional television) (USA)	*la chaîne ITV (programmes scolaires)*
MTV (Music TV) (USA)	*MTV (chaîne de clips)*
IBA (Independent Broadcasting radio-Authority) (UK)	*organisme britannique de télévision commerciale*
Channel 2	*Antenne 2*
an independent television commission	*une Haute Autorité*
the Federal Communications Commission (FCC) (USA)	*la Commission fédérale de contrôle (équivalent de la Haute Autorité)*
a regulatory body	*un organisme de contrôle*
a monopoly	*un monopole*
educational TV	*la télévision scolaire*
a pay channel	*une chaîne payante*
pay per view	*programmes payants*
state-owned television	*les chaînes publiques*
a decoder	*un décodeur*

II PROGRAMMING — *LA PROGRAMMATION*

1 PROGRAMS — *LES ÉMISSIONS*

a program	*une émission*
program making	*la fabrication des programmes*
a sponsored program	*un programme sponsorisé*
a sustaining program	*une émission non patronnée*
a format	*un type de programme*
a panel discussion	*une réunion-débat*
a panel game	*un jeu télévisé*
to pre-empt a program	*remplacer une émission (en raison de l'actualité)*
to tape a show	*enregistrer un spectacle*
live from	*en direct de*
a live program	*un programme en direct*
to carry live	*retransmettre en direct*
a pre-recorded broadcast	*une émission en différé*

2 THE NEWS — *LES NOUVELLES*

a news broadcast	*un programme d'actualités*
a newsflash	*un flash info*
the 6 o'clock news (USA)	*le journal de 20 heures, le 20 heures*
instant news	*nouvelles instantanées*
to watch the news	*regarder les nouvelles*
a running commentary	*un reportage*
an investigation in depth	*une enquête approfondie*
a depth interview	*un entretien à bâtons rompus*
a current affairs documentary	*une "Heure de vérité"*
a news magazine	*un magazine d'actualités*
a documentary film	*un documentaire*
a documentary of general knowledge	*un magazine grand public*
a sports broadcast	*un reportage sportif*
an infotainment	*un programme d'informations et de distraction*
the weather forecast	*le bulletin météo*
a weatherman	*un Mr Météo*

3 VARIETY SHOWS — *LES VARIÉTÉS*

a variety show	*un programme de variétés*
a play	*une pièce de théâtre*
a quiz	*un jeu-concours*
recorded	*en différé*
a rerun	*une rediffusion*
a show	*un spectacle*
a talk show	*un débat*
a serial	*un feuilleton, une série*
a soap opera	*un mélo*
a musical	*une comédie musicale*
a sitcom (situation comedy)	*une comédie de situation*
a feature film	*un grand film, le film de la soirée*
a teleplay	*un téléfilm*
a phone-in / a call in	*une émission avec participation des téléspectateurs*
the highlights	*émissions vedette*
an Emmy Award	*un Sept d'or*
Meet the Press	*le Club de la Presse*
60 Minutes	*7 sur 7*
the Hour of Truth	*l'Heure de vérité*
the Wheel of Fortune	*la Roue de la fortune*
Sesame Street	*un programme pour enfants*

4 TV RATINGS — *LA MESURE D'AUDIENCE*

audience measurement	*la mesure d'audience*
a viewer	*un téléspectateur*

a viewing audience	*un public de téléspectateurs*
an audience share	*une part d'audience*
prime time / peak viewing time	*heures de grande écoute*
TV advertising	*la publicité à la TV*
a commercial	*un message publicitaire*
a TV spot	*une séquence publicitaire*
to attract 30 percent of the audience	*faire 30 % d'écoute*
a top rated show	*un spectacle de grande écoute*
to lose viewers	*perdre des téléspectateurs*
to win back viewers	*reconquérir des télespectateurs*

III THE TV JOURNALIST — *LE JOURNALISTE DE TÉLÉVISION*

a newsroom	*une salle de rédaction*
to be on the air	*être à l'antenne*
to cover an event	*couvrir un événement*
TV coverage	*la couverture, le reportage*
an assignment	*une mission*
air time	*le temps d'antenne*
to air	*émettre*
to be on the air	*être à l'antenne, émettre*
to go off the air	*quitter l'antenne*
footage	*le filmage*
an autocue	*un téléprompteur*
to sign on	*annoncer les programmes*
to sign off	*prendre congé des téléspectateurs*
TV stars	*les vedettes du petit écran*
a TV studio	*un studio de télévision*
a TV crew	*une équipe de télévision*
an anchorman	*un présentateur du journal télévisé*
to anchor	*présenter le journal*
a host	*un présentateur vedette*
a foreign correspondent	*un correspondant à l'étranger*
a broadcaster	*un chroniqueur, un journaliste*
a sportscaster	*un journaliste sportif*
an announcer	*un présentateur, un speaker, une speakerine*
a presenter / a compère	*un présentateur*
to compère	*présenter*
an emcee (MC)	*un animateur de télévision*
a quiz master	*un meneur de jeu*
to broadcast a program into a home	*diffuser un programme à domicile*
to convey information	*transmettre des informations*
to keep sb informed	*tenir qn. au courant*
to influence public opinion	*influencer l'opinion publique*
to brainwash	*conditionner*
cultural imperialism	*l'impérialisme culturel*
to expose the ills and abuses of	*dénoncer les maux et les abus de*
to get a story to the public	*rendre public une affaire*
an educational role	*un rôle pédagogique*
to make entertainment available	*fournir des distractions*
TV addiction	*l'intoxication par la TV*
TV fare	*la nourriture télévisuelle*
to be glued to	*être collé à*
to be mesmerized	*être hypnotisé*
a craze	*un engouement*
to tune in to	*se brancher sur*
a small screen devotee	*un fanatique du petit écran*
a couch potato	*un passionné de télévision*
to latch onto a show	*se brancher sur un spectacle*
to switch channels	*changer de chaîne*
a channel jumper / surfer	*un zappeur*
an attention span	*un degré de concentration*
to mould opinions	*façonner les opinions*
depersonalization	*la massification*
to set fashions	*lancer les modes*
to win / lose elections	*faire gagner / perdre les élections*
saturation bombing	*abrutissement*

IV A TV DEBATE — *UN DÉBAT TÉLÉVISÉ*

a televised debate	*un débat télévisé*
a presidential TV debate	*un débat télévisé (pendant une campagne présidentielle)*
debating skill	*le talent oratoire*
broadcast campaigning	*une campagne sur les ondes*
a head-on meeting	*un face à face*
a face-to-face debate	*un face à face télévisé*
a moderator	*un président de débat*
a press panel	*un groupe de journalistes*
a panelist	*un journaliste participant*
to shoot a candidate	*filmer un candidat*
to exchange views	*débattre*
to touch on an issue	*aborder un problème*
to air an issue	*expliquer un problème au grand jour*
a great communicator	*un grand communicateur*
a seasoned performer	*un habitué de la télévision*
to give equal time	*accorder le même temps d'antenne*
to sell a candidate	*vendre un candidat*
makeup	*le maquillage*
a make-up job	*un travail de maquillage*
timing	*le minutage*
a cue device / a time-warning device	*un signal d'avertissement (du temps restant à chacun)*
a lavalier microphone	*un micro cravate*
to shoot a question	*lancer une question*
to present a statement	*faire une déclaration*

to make an opening statement	*faire une déclaration d'introduction*
a closing statement	*une conclusion*
to draw the first position	*parler en premier*
an outright debate	*un débat direct (sans intermédiaire)*
to hold an audience	*captiver le public*
to take a stand	*prendre position*
a follow-up question	*une question complémentaire*

4 VIDEO — *LA VIDÉO*

1 GENERAL BACKGROUND — *GÉNÉRALITÉS*

a video cassette recorder (VCR) / a videotape recorder	*un magnétoscope*
a video cassette / a video cartridge	*une vidéocassette*
a videotape	*une bande vidéo*
a videodisc / a videodisk	*un vidéodisque*
a walkman	*un baladeur*
a camcorder	*une caméra portative*
a compact disc player	*une platine laser*
a compact disc (CD)	*un disque compact*
a cassette player	*un lecteur de cassettes*
a cassette deck	*une platine à cassettes*
a laser disc	*un disque laser*
a laser disc player	*une platine laser*
a film disc	*un disque vidéo*
home viewing	*le cinéma à domicile*
to videotape / to tape	*enregistrer sur cassette*
to tape a show live	*enregistrer un spectacle en direct*
home taping	*l'enregistrement à domicile*
video mania	*la folie de la vidéo*
a videophile	*un amateur de vidéo*
to release a film on video	*mettre un film en vente vidéo*
to distribute one's work on videos	*distribuer son œuvre sur cassettes*
a top seller	*un succès de vente*
a box of the office hit	*un succès du box-office*
a screening room	*une salle de projection*
to videotape for insurance purpose	*filmer pour les besoins de l'assurance*

2 THE VIDEO REVOLUTION — *LA RÉVOLUTION VIDÉOTIQUE*

home entertaining	*loisirs domestiques*
an entertainment revolution	*une révolution dans les loisirs*
to revolutionize home viewing	*révolutionner le spectacle à domicile*
to abandon local movie theaters	*déserter les salles de spectacle*
to record a show	*enregistrer un spectacle*
an instant home movie	*un film personnel instantané*
to rerun a show	*repasser un spectacle*
to play back a program	*repasser un programme*
to skip over the commercials	*sauter les publicités*
to expand the viewership	*élargir l'audience*
to tap in to foreign channels	*se brancher sur les programmes étrangers*
to harvest information from	*recueillir des informations à partir de*
to stretch the reach of	*étendre le champ de*
to open windows	*ouvrir des perspectives*
to offer instruction to	*enseigner à*
to improve literacy	*améliorer l'alphabétisation*
a source of information	*une source de renseignements*
a video distributor	*un distributeur de cassettes*
a video shop	*un magasin de vidéo*
to rent a tape	*louer une cassette*
a rental market	*un marché de la location*
the rental trade	*le commerce de la location*
a membership fee	*un droit d'inscription*
to pirate a cassette	*pirater une cassette*
video bootlegging	*le trafic de films vidéo*
a hot video	*une vidéo pirate*
an underground video market	*un marché noir de la vidéo*
to duplicate a tape	*copier une bande*
to make a duplicate (of)	*faire une copie (de)*
a violation of copyright laws	*une infraction aux droits de reproduction*
copyright protection	*la protection des droits d'auteur*
infringement of copyrighted works	*infraction à la loi sur les droits d'auteur*

3 THE BANE OF VIDEO — *LA VIDÉO : UN POISON*

a propaganda vehicle	*un véhicule de propagande*
a weapon for subversion	*une arme de subversion*
to have a stranglehold on the news	*tenir les informations en coupe réglée*
a tool for electioneering	*un outil électoraliste*
to document police brutality	*témoigner de violences policières*
to pass around videos	*faire circuler des films vidéo*
to corrupt moral values	*pervertir les valeurs morales*

to introduce values (into)	*introduire des valeurs (dans)*
to preserve one's cultural identity	*préserver son identité culturelle*
a subversion of local culture	*une subversion de la culture locale*
the opiate of the mass	*l'opium du peuple*
video pervasiveness	*l'envahissement par la vidéo*
cultural impurity	*l'impureté culturelle*
declining morality	*la décadence morale*
an unsanctioned videotape	*une bande vidéo non approuvée par la censure*
to raid a video shop	*faire une descente dans un magasin vidéo*
to confiscate tapes	*confisquer des bandes*
an unauthorized tape	*une bande interdite*
an unlicensed video	*une vidéo illicite*
the video black market	*le marché noir de la vidéo*

VI HEALTH — *LA SANTÉ*

1 SYSTEMS AND ORGANS — *APPAREILS ET ORGANES*

the cardiovascular system	*le système cardio-vasculaire*
the heart	*le cœur*
lungs	*les poumons*
to breathe	*respirer*
to choke / to stifle	*étouffer*
the chest	*la poitrine*
blood / to bleed	*le sang / saigner*
blood pressure	*l'hypertension artérielle*
a blood vessel	*un vaisseau sanguin*
a blood donor	*un donneur de sang*
an artery	*une artère*
a vein	*une veine*
the digestive system	*l'appareil digestif*
the mouth	*la bouche*
the lips	*les lèvres*
the gums	*les gencives*
the cheeks	*les joues*
the tongue	*la langue*
a tooth / teeth	*une dent / dents*
the jawbone	*la mâchoire*
the digestive tract	*l'appareil digestif*
the throat	*la gorge*
the tonsils	*les amygdales*
the stomach	*l'estomac*
the liver	*le foie*
the spleen	*la rate*
the urinary system	*le système urinaire*
the urinary tract	*le canal urinaire*
a kidney	*un rein*
kidney stones	*calculs rénaux*
the bladder	*la vessie*
the testicles	*les testicules*
urine	*l'urine*
renal failure	*une insuffisance rénale*
dialysis	*la dialyse*
the optical system	*le système oculaire*
an eye	*un œil*
the orbit	*l'orbite*
the apple	*la prunelle*
an eyelid	*une paupière*
the lens	*le cristallin*
visual acuity	*l'acuité visuelle*
an eyebrow	*un sourcil*
an eyelash	*un cil*
the nervous system	*le système nerveux*
the brain	*le cerveau*
a muscle	*un muscle*
a hamstring	*un adducteur*
a torn muscle	*une déchirure musculaire*
to tear a muscle	*se faire une déchirure musculaire*
to pull a muscle / to strain a muscle	*se claquer un muscle*
a joint	*une articulation*
Achilles' tendon	*le tendon d'Achille*
a ruptured tendon	*un claquage*
the spinal cord / the bone marrow	*la moelle épinière*
a nerve	*un nerf*
a nervous system	*un système nerveux*
to be on edge	*être tendu*
the skeleton	*le squelette*
a limb	*un membre*
a bone	*un os*
flesh	*la chair*
the height	*la taille*
the skull	*le crâne*
the neck	*le cou*
the nape of the neck	*la nuque*
the forehead	*le front*
the temple	*la tempe*
the chin	*le menton*
the nose	*le nez*
a nostril	*une narine*
the trunk	*le tronc*
the backbone	*la colonne vertébrale*
a collarbone	*une clavicule*
the waist	*la taille*
a rib	*une côte*
a disc	*un disque*
the back	*le dos*
a hip	*une hanche*
a shoulder blade	*une omoplate*
the rib cage	*la cage thoracique*
the spine	*la colonne vertébrale*
an elbow	*un coude*
a wrist	*un poignet*
a hand	*une main*
the thumb	*le pouce*
the forefinger	*l'index*
the middle finger	*le médius*
a fingernail	*un ongle*
a fist	*un poing*
a knuckle	*une phalange*
a leg	*une jambe*
a thigh	*une cuisse*
a knee	*un genou*
a kneecap	*une rotule*
a shinbone	*un tibia*
a calf	*un mollet*
an ankle	*une cheville*
a foot / feet	*un pied / pieds*
a heel	*un talon*
the sole	*la plante de pied*
a toe	*un orteil*
a sinew	*un tendon*

2 HEALTH CONDITION — *L'ÉTAT DE SANTÉ*

1 DISEASE — *LA MALADIE*

to be in good health	*être en bonne santé*
healthy	*sain, bien portant*
sound	*sain, robuste*
physical fitness	*la forme physique*
to keep fit	*entretenir sa forme*
to be in poor health	*être en mauvaise santé*
health trouble	*ennuis de santé*
stamina	*la résistance*
weakness	*la faiblesse*
a symptom	*un symptôme*
to diagnose	*diagnostiquer*
a diagnosis	*un diagnostic*
an occupational disease	*une maladie professionnelle*
to catch a disease	*attraper une maladie*
to flare up	*se déclarer soudainement*
to be stricken with a disease	*être frappé d'une maladie*
to be bedridden	*être cloué au lit*
to be down with	*être au lit avec*
the outcome	*l'issue*
acute	*aigu*
chronic	*chronique*
malignant	*malin*
benign	*bénin*
curable / incurable	*curable / incurable*
contagious / catching	*contagieux*
fatal	*fatal*
to be infected with	*être atteint de*
an infection	*une infection*
illness	*la maladie*
to be ill (with)	*être malade (de)*
to fall ill	*tomber malade*
a sickness	*une maladie*
the sick	*les malades*
a sick person	*un malade*
to be sick / to throw up	*vomir*
to feel sick	*avoir la nausée*
to be car sick	*être malade en voiture*
to be seasick	*avoir le mal de mer*
to be home sick	*avoir le mal du pays*
sickly	*maladif, souffreteux*
to be ailing	*être souffrant*
unwell	*indisposé*
to suffer from	*souffrir de*
to worsen	*s'aggraver*
to be in critical condition	*être dans un état critique*

2 RECOVERY — *LA GUÉRISON*

to improve	*s'améliorer*
to make progress	*faire des progrès*
to regain strength	*reprendre des forces*
to be on the mend	*aller mieux*
to rally	*reprendre des forces / le dessus*
to perk up	*se retaper*
to pick up	*se remettre*
to come along	*faire des progrès*
to pull through	*s'en sortir*
to get back on one's feet	*être sur pied*
to cure	*guérir*
a cure	*une guérison, un miracle*
to recover from	*guérir de*
to heal	*guérir, se cicatriser*
a remission	*une rémission*
a reprieve	*un répit*
to relapse / a relapse	*rechuter / une rechute*
to save	*sauver*
to rest	*se reposer*

3 AILMENTS — *LES MAUX*

to have a headache	*avoir mal à la tête*
a stomachache	*un mal de ventre*
a toothache	*un mal de dent*
a stiff neck	*un torticolis*
to have a fever	*avoir de la fièvre*
a high fever	*une forte fièvre*
sore / a sore	*endolori / une plaie*
a pimple	*un bouton*
a boil	*un furoncle*
a blister	*une ampoule*
a splinter	*une écharde*
a bump	*une bosse*
a scratch	*une égratignure*
a bruise	*une contusion*
kidney trouble	*troubles rénaux*
to have an upset stomach	*être dérangé*
diarrhoea	*la diarrhée*
nausea	*une migraine, une nausée*
a side effect	*un effet secondaire*
to swell	*enfler*
to feel dizzy	*être pris de vertige*
to throw up	*vomir*
to faint	*s'évanouir*
to pass out	*avoir une syncope*
to be in a coma	*être dans le coma*

4 PAIN — *LA DOULEUR*

agony	*la douleur atroce*
to be in pain	*souffrir*
painful	*douloureux*
recurrent	*périodique*

excruciating	*atroce*
throbbing	*lancinant*
dull	*sourd*
unbearable	*insupportable*
agonizing	*déchirant*
splitting	*épouvantable*
acute	*vif / vive*
sharp	*aigu*
shooting	*violent*
suffering	*souffrances*
to ache	*avoir mal*
to hurt	*faire mal*
to smart	*causer une douleur vive, brûler*
to sting	*piquer*
to burn	*brûler*
to itch	*démanger*
to throb	*avoir des élancements*
to complain	*se plaindre*
a complaint	*une affection*
to relieve	*soulager*
a relief	*un soulagement*
to ease	*atténuer*
to soothe	*calmer*
to allay	*apaiser*
a painkiller	*un analgésique*

3 HEALTH TROUBLE — *LES TROUBLES DE LA SANTÉ*

I GENETIC DISEASES — *LES MALADIES GÉNÉTIQUES*

genetics	*la génétique*
a geneticist	*un généticien*
the genetic coding	*le code génétique*
a genetic tracer	*un marqueur génétique*
a gene	*un gène*
to track down a gene	*rechercher un gène*
to screen genes	*déchiffrer les gènes*
the DNA	*l'ADN*
a chromosom	*un chromosome*
to decipher	*déchiffrer*
a molecule	*une molécule*
molecular medicine	*la médecine moléculaire*
growth	*la croissance*
development	*le développement*
heredity	*l'hérédité*
a hereditary trait	*un trait héréditaire*
the genetic legacy	*l'hérédité génétique*
a genetic disorder	*une maladie génétique*
a faulty gene	*un gène défectueux*
to pass on from a generation to another	*(se) transmettre de génération en génération*
a birth defect	*une malformation congénitale*
a chromosomal abnormality	*une malformation chromosomique*
a mongoloid child	*un enfant trisomique*
a retard	*un handicapé mental*
a chromosomal disorder	*une maladie chromosomique*
haemophilia / hemophilia	*l'hémophilie*
a hemophiliac	*un hémophile*
gene therapy	*la thérapie génique*
genetic engineering	*le génie génétique*
genetic tinkering	*manipulations génétiques*
to splice a gene	*restructurer un gène*
gene-splicing	*la restructuration des gènes*
an antibody	*un anticorps*

II VIRAL AND BACTERIOLOGICAL DISEASES — *LES MALADIES VIRALES ET BACTÉRIENNES*

micro organisms	*les micro organismes*
a bacillus	*un bacille*
a germ	*un microbe*
a bacterium / bacteria	*une bactérie / bactéries*
a fungus / fungi	*un champignon / champignons*
a bug	*un virus (fam)*
a virus / viruses	*un virus / virus*
a viral disease	*une maladie virale*
the immune system	*le système immunitaire*
to be immune to	*être immunisé contre*
immunodeficiency	*la déficience immunitaire*
to develop immunity	*s'immuniser*
to erode the immune system	*attaquer le système immunitaire*
to weaken the body's immune system	*affaiblir les défenses immunitaires*
to provoke the immune response	*entraîner une réponse immunitaire*
an antigen	*un antigène*
infection	*l'infection*
exposure to	*le contact avec*
to escape detection	*échapper à l'examen*
an infective agent	*un agent d'infection*
to be at risk of infection	*risquer une infection*
to be infected with / by	*être infecté par*
the infected people	*les malades contaminés*
an incubation period	*une période d'incubation*
to be the prey to	*être victime de*
to strike adults	*frapper les adultes*
to harbour a virus / to carry a virus	*être porteur d'un virus*
to pass on a virus	*transmettre un virus*
to catch	*attraper*
to spread	*se propager*
to progress	*gagner du terrain*
to contract a disease	*contracter une maladie*
to wreak havoc	*faire des ravages*
to spare	*épargner*
to repel an infection	*combattre une infection*

to fight off a disease	*lutter contre une maladie*
to inhibit a virus	*neutraliser un virus*
a strain	*une souche*
a culture dish	*une culture*
to home in on	*se concentrer sur*
to make inroads against	*faire des progrès dans la lutte contre*
to be free of a virus	*être débarrassé d'un virus*
a vaccine	*un vaccin*
vaccination	*la vaccination*
a vaccination booster	*un rappel de vaccination*
an epidemic	*une épidémie*
a pandemic	*une pandémie*
to report a new case	*faire état d'un nouveau cas*
rampant	*galopant*
to break out	*se déclarer, éclater*
an outbreak	*une manifestation soudaine*
a scourge	*un fléau*
to strike down man	*frapper l'homme*
to decimate	*décimer*
to stem the spread	*endiguer la course*
to contain an epidemic	*contenir une épidémie*
to control an epidemic	*juguler une épidémie*
a preventable epidemic	*une épidémie évitable*
to subside	*se calmer*
to abate	*décroître*
to die down	*s'éteindre*
a hard hit country	*un pays fortement touché*
the death toll	*le bilan des victimes*
viral diseases	*maladies virales*
to catch a chill	*prendre froid*
to catch a cold	*attraper un rhume*
to cough	*tousser*
to sneeze	*éternuer*
to shiver	*grelotter*
a cough	*une toux*
a sore throat	*un mal de gorge*
to be hoarse	*être enroué*
the flu / influenza	*la grippe*
bronchitis	*la bronchite*
chickenpox	*la varicelle*
smallpox	*la variole*
hepatitis	*l'hépatite*
rabies	*la rage*
the mumps	*les oreillons*
the measles	*la rougeole*
mononucleosis	*une mononucléose*
multiple sclerosis	*la sclérose en plaques*
arthritis	*l'arthrite*
tuberculosis (TB)	*la tuberculose*
a venereal disease (VD)	*une maladie vénérienne*
sexually transmissible diseases (STD)	*maladies sexuellement transmissibles (MST)*
bacterial diseases	*maladies bactériennes*
anthrax	*la maladie du charbon*
cholera	*le choléra*
diarrhea	*la diarrhée*
diphteria	*la diphtérie*
leprosy	*la lèpre*
meningitis	*la méningite*
the plague	*la peste*
pneumonia	*une pneumonie*
food poisoning	*une intoxication alimentaire*
scarlet fever	*la scarlatine*
tetanus	*le tétanos*
a protozoan disease	*une maladie parasitaire*
a protozoon / protozoa	*un protozoaire / protozoaires*
a parasite	*un parasite*
parasitic	*parasite*
an amoeba	*une amibe*
typhus	*le typhus*
malaria	*le paludisme*

III NON CONTAGIOUS DISEASES — *LES MALADIES NON CONTAGIEUSES*

glaucoma	*un glaucome*
the rickets	*le rachitisme*
scurvy	*le scorbut*
anemia	*l'anémie*
diabetes	*le diabète*
rheumatism	*le rhumatisme*
rheumatic fever	*le rhumatisme articulaire*
a heart murmur	*un souffle au cœur*
a heart failure	*une défaillance cardiaque*
a heart disease	*une maladie du cœur*
a heart attack	*une crise cardiaque, un infarctus du myocarde*
cardiac arrest	*un arrêt du cœur*
a stroke	*un accident vasculaire cérébral (AVC)*
a cerebral hemorrhage	*une hémorragie cérébrale*

IV MENTAL DISORDERS — *LES TROUBLES MENTAUX*

psychiatry	*la psychiatrie*
to develop psychiatric problems	*présenter des troubles psychiatriques*
a mental illness	*une maladie mentale*
a depressive illness	*une maladie dépressive*
a nervous breakdown	*une dépression nerveuse*
to be depressed	*être déprimé*
a fit of depression	*un accès dépressif*
sleep disturbances	*troubles du sommeil*
decreased appetite	*la perte d'appétit*
to lose weight	*perdre du poids*
a mood disorder	*troubles de l'humeur*
insomnia	*l'insomnie*
a mania	*un délire*
schizophrenia	*la schizophrénie*
paranoia	*la paranoïa*
a neurosis	*une névrose*
a psychosis	*une psychose*
mad / insane	*fou*
a lunatic	*un fou*
a maniac	*un fou furieux*
cerebral palsy	*la paralysie agitante*
a fit of epilepsy	*une crise d'épilepsie*

to land in a mental hospital	*se retrouver dans un hôpital psychiatrique*
electrical shocks	*électrochocs*
psychoanalysis	*la psychanalyse*
a couch	*un divan*
the subconscious	*l'inconscient*

V INFLAMMATIONS — *LES INFLAMMATIONS*

tissue	*le tissu*
to swell	*enfler*
to drain an abcess	*vider un abcès*
a blister	*une ampoule*
to lance a boil	*vider un furoncle*
a carbuncle	*un furoncle*
a whitlow	*un panaris*
a wart	*une verrue*
a cyst	*un kyste*
a sore	*une plaie*
a first-degree burn	*une brûlure au premier degré*
a sunburn	*un coup de soleil*
a sunstroke	*une insolation*
a chilblain	*une engelure*
chapped	*gercé*
frostbite	*une gelure*
hay fever	*le rhume des foins*
asthma	*asthme*
cirrhosis of the liver	*la cirrhose du foie*
piles	*hémorroïdes*

VI INJURIES — *LES BLESSURES*

to injure / an injury	*blesser / une blessure*
to sustain an injury	*recevoir une blessure*
to wound	*blesser (par armes)*
a wound	*une blessure*
an open fracture	*une fracture ouverte*
to break a leg / one's leg	*se casser une jambe / la jambe*
to crack	*(se) fêler*
to be in a cast	*être plâtré*
to be in traction	*être en traction*
to have one's arm in splints	*avoir le bras éclissé*
to carry an arm in a sling	*porter le bras en écharpe*
crutches	*béquilles*
a wheelchair	*un fauteuil roulant*
to sustain concussion	*être commotionné*
a trauma	*un traumatisme*
a gash	*une entaille*
to dislocate a shoulder	*se luxer une épaule*
to rupture oneself	*se faire une hernie*
a slipped disc	*une hernie discale*
to sprain an ankle	*se fouler une cheville*
to twist	*se tordre*
a scar	*une cicatrice*

VII HANDICAPS — *LES HANDICAPS*

mental handicaps	*handicaps mentaux*
to be handicapped / to be disabled	*être handicapé*
the mentally handicapped	*les handicapés mentaux*
to be mentally retarded	*être arriéré mental*
to have a low IQ	*avoir un faible QI*
the physically handicapped	*les handicapés physiques*
a disability	*un handicap*
a disability pension	*une pension d'invalidité*
to be crippled	*être infirme*
to be lame	*boiter*
to maim	*estropier*
to amputate	*amputer*
sensory handicaps	*infirmités sensorielles*
the visually impaired	*les malvoyants*
blindness	*la cécité*
the blind	*les non-voyants*
blind	*aveugle, non voyant*
to be color-blind	*être daltonien*
to be short-sighted	*être myope*
far-sighted	*presbyte*
long-sighted	*hypermétrope, presbyte*
to squint	*loucher*
spectacles / glasses	*lunettes*
to wear glasses	*porter des lunettes*
contact lenses	*verres de contact*
hearing	*l'ouïe*
impaired hearing	*l'ouïe abîmée*
a hearing aid	*un sonotone*
deafness	*la surdité*
deaf	*malentendant*
mute	*muet*
the deaf and mute	*les sourds-muets*
a speech defect	*un défaut d'élocution*
to stutter	*bégayer*
a learning disability	*un trouble de l'apprentissage*
emotional disturbance	*troubles affectifs*

VIII CANCER — *LE CANCER*

to have cancer	*avoir un cancer*
cancer mortality	*la mortalité par le cancer*
a deep-seated cancer	*un cancer profond*
cancerous	*cancéreux*
a cancer cell	*une cellule cancéreuse*
to spread	*se répandre*
a metastasis	*une métastase*
a high risk group	*un groupe à risque*
a carcinogen	*un produit cancérigène*
occupational chemicals	*produits chimiques utilisés dans le cadre d'une profession*

coal tar	*le goudron*
asbestos	*l'amiante*
cigarette smoking	*la tabagie*
alcohol consumption	*la consommation d'alcool*
radiation	*les radiations*
a tumour	*une tumeur*
a malignant growth	*une tumeur maligne*
leukaemia / leukemia	*la leucémie*
cancer of the liver	*le cancer du foie*
breast cancer	*le cancer du sein*
skin cancer	*le cancer de la peau*
early detection	*la détection précoce*
an early stage	*un stade primaire*
an advanced stage	*un stade avancé*
to have advanced cancer	*être à un stade avancé de cancer*
to be terminally ill	*être en phase terminale*
a cancer drug	*un médicament contre le cancer*
to bolster the immune responses	*renforcer les réponses immunitaires*
to be resistant to drugs	*résister à un traitement*
to undergo chemotherapy	*subir une chimiothérapie*
radiation therapy	*la radiothérapie*
cancer surgery	*la chirurgie cancéreuse*
to be in remission	*être en rémission*
to recur	*réapparaître*
a recurrence	*une rechute*
cancer research	*la recherche sur le cancer*

IX AIDS — *LE SIDA*

1 THE CENTURY'S EVIL — *LE FLÉAU DU SIÈCLE*

AIDS (Acquired Immune Deficiency Syndrome)	*le sida (syndrome d'immuno-déficience acquise)*
HIV (human immunodeficiency virus)	*le virus HIV (virus d'immuno-déficience chez l'homme)*
an HIV positive	*un porteur du virus HIV, un séropositif*
an AIDS carrier	*un sidéen*
an AIDS sufferer / an AIDS patient	*un malade du sida*
to be infected with AIDS	*être contaminé par le sida*
to test positive for	*subir un contrôle positif*
to screen (sb) for AIDS	*faire subir un test de dépistage du sida (à qn.)*
to be diagnosed with AIDS	*diagnostiquer le sida chez qn.*
to develop AIDS	*contracter le sida*
a killer disease	*une maladie mortelle*
a global emergency	*une urgence mondiale*
a lethal virus	*un virus mortel*
to be stricken with AIDS	*être atteint du sida*
an AIDS-free country	*un pays épargné par le sida*
the homosexual population	*la population homosexuelle*
to spread unchecked	*se propager librement*
a preventable disease	*une maladie évitable*
to come up with a vaccine	*trouver un vaccin*
barring a cure	*à moins d'un remède*
a blood transfusion	*une transfusion sanguine*
tainted blood	*le sang contaminé*
to be transmitted through semen	*se transmettre par le sperme*
to spread through casual contact	*se transmettre par simple contact*
a risk group	*un groupe à risque*
bisexual dating	*fréquentations bisexuelles*
a high risk sexual practice	*une pratique sexuelle à haut risque*
a drug user	*un toxicomane*
to mess with drugs	*toucher à la drogue*
an unsterilized needle	*une seringue non stérilisée*
retribution	*la vengeance*
God's wrath	*la colère divine*
to urge caution	*exhorter à la prudence*
to practice safe sex	*faire l'amour sans danger*
to overburden	*obérer*
the health care system	*le système de santé*
to increase discrimination	*accroître les discriminations*

2 AIDS PREVENTION — *LA PROPHYLAXIE ANTISIDÉENNE*

to launch a public-awareness campaign	*lancer une campagne publique de sensibilisation*
to be alerted to the dangers (of)	*être au fait des dangers (de)*
to underplay the danger	*sous-estimer le danger*
to suggest the use of condoms	*suggérer l'utilisation de préservatifs*
an automatic condom vending machine	*un distributeur automatique de préservatifs*
to be made more readily available	*élargir la distribution*
a prevention program	*un programme de prévention*
an AIDS-control program	*un programme de lutte contre le sida*
to launch an information program	*lancer une campagne d'information*
to supply free needles	*fournir des seringues gratuites*
over the counter	*sans ordonnance*
to sterilize needles	*stériliser les seringues*
bleach	*l'eau de javel*
AZT (azidothymidine)	*l'AZT*
to provide sb with AZT	*fournir de l'AZT à qn.*
an immune system booster	*un renfort des défenses immunitaires*
to resist infection	*résister à l'infection*
to slow the course of the disease	*ralentir le cours de la maladie*
to keep the epidemic at bay	*repousser l'épidémie*
a cure on the horizon	*un traitement à l'horizon*
in the offing	*en perspective*
a life-giving drug	*une drogue qui sauve*
to pass an AIDS test	*subir un test de dépistage du sida*
to require routine tests	*exiger des tests réguliers*

to request a blood test from	demander à qn. de faire un test sanguin
to mandate testing for	rendre le dépistage obligatoire pour
to impose quarantine	imposer une quarantaine
to be confined to quarantine	être mis en quarantaine
an AIDS ward	un pavillon des sidéens
to earmark money for	destiner des fonds à
to allocate resources	répartir des ressources
to lobby for federal funds (USA)	faire pression pour obtenir des crédits du gouvernement

X DRINKING *L'ALCOOLISME*

1 DRINKING *LA BOISSON*

to drink	boire
a soft drink	une boisson non alcoolisée
a stiff drink	une boisson forte
to stand sb a drink	offrir à boire à qn.
to take to drink / drinking	se mettre à boire
drunkenness	l'ivresse
alcoholism	l'alcoolisme, l'éthylisme
alcoholic	alcoolique, éthylique
to hit the bottle / to go on the booze	picoler (fam.)
to get drunk	se soûler
to be tipsy	être éméché
a drinking bout	une séance de beuverie, un excès de boisson
to go on a drinking spree	se livrer à des excès de boisson
to be intoxicated	être en état d'ivresse
to have a drinking problem	être alcoolique
a drunk / a drunkard	un ivrogne
a wino	un poivrot
to teeter	vaciller
to stagger	chanceler
to reel	tituber
liquor	l'alcool, les spiritueux
hard liquor	alcools forts
spirits	spiritueux, liqueurs alcooliques, liqueurs fortes
booze	boissons alcoolisées
moonshine	l'alcool de contrebande
pale ale	la bière blonde
porter / stout	la bière brune épaisse
a lager	une bière blonde
rum	le rhum
brandy	l'eau de vie, le cognac
gin	le gin
whiskey	le whisky (irlandais)
Scotch whisky	le whisky écossais
Rye	le whisky canadien
Bourbon	le bourbon
a liqueur	une liqueur
proof of alcohol	la teneur en alcool
wine	le vin
plonk	le vin ordinaire, le gros rouge
burgundy	le bourgogne
claret	le bordeaux
hock	le vin du Rhin
champagne	le champagne
port	le porto
sherry	le Xérès
a liquor store	un marchand de vins et spiritueux
a drinks outlet	un point de vente d'alcools
a bootlegger	un trafiquant d'alcool
a public house	un débit de boissons
a publican	un patron de bistrot
a pub-crawl	une tournée des troquets (fam.)
a bartender	un garçon
the drinking age	l'âge légal pour consommer de l'alcool

2 DRINKING AND HEALTH *LES DANGERS DE LA BOISSON*

the demon drink	le démon de la boisson
alcohol abuse	alcoolisme
to experiment with alcohol	toucher à l'alcool
to pick up a habit	prendre l'habitude
to become addicted to alcohol	devenir toxico-dependant
to be alcohol-dependent	être toxico-dépendant
to crave for a drink	avoir follement envie d'un verre
a problem drinker	un alcoolique
to impair the health	(s') abîmer la santé
slurring of words	paroles indistinctes
to dull perceptions	émousser les perceptions
to suffer memory loss	souffrir de pertes de mémoire
a hangover	une gueule de bois
to be hung over	avoir la gueule de bois
a drunk driver	un conducteur ivre
to drive under the influence	conduire en état d'ivresse
driving under the influence (DUI)	la conduite en état d'ivresse
the alcoholism toll	le bilan de l'alcoolisme
to get sober	devenir sobre, arrêter de boire
to sober up	se dessoûler
soberness	la sobriété
to refrain from drinking	s'abstenir de boire
to swear off drink	jurer de ne plus boire
a teetotaler	qui ne boit jamais d'alcool
to go on the wagon	décider de ne plus boire
to stay on the wagon	rester sobre
to kick the habit	se désintoxiquer
to recover from alcohol abuse	guérir de l'alcoolisme
to pull one's life together	remettre de l'ordre dans sa vie
a nonalcoholic	un sobre
Alcoholic Anonymous (AA)	les Alcooliques Anonymes
a chapter of AA	une branche des AA
to dry out	se désintoxiquer
a temperate meeting	une réunion anti-alcoolique
to relapse / a relapse	rechuter / une rechute
to fall off the wagon	se remettre à boire

the anti-drinking campaign	*la campagne anti-alcoolique*
to turn prohibitionist	*réglementer le commerce et la vente d'alcool*
to discourage drinking	*dissuader de boire*
an anti-alcohol drive	*une campagne anti-alcoolique*
to carry a health warning	*comporter une mise en garde*
to curb alcohol abuse	*réduire l'alcoolisme*
to cut back one's consumption	*diminuer sa consommation*
to ban the advertising of alcohol	*interdire la publicité pour l'alcool*
an alcohol ad	*une publicité pour l'alcool*
to keep liquor commercials off TV	*interdire la publicité pour alcools à la TV*
to curtail advertising	*réduire la publicité*
to raise the minimum drinking age	*relever l'âge légal de boire*
drunk driving laws	*lois contre l'alcoolisme au volant*
to destroy vines	*détruire des pieds de vigne*
to drink in moderation	*boire avec modération*
mineral water	*l'eau minérale*
fruit juice	*le jus de fruit*

XI SMOKING *LE TABAC*

to smoke	*fumer*
to have a smoke	*en griller une*
a compulsive smoker	*un fumeur invétéré*
a non smoker	*un non-fumeur*
a smoking area	*une zone fumeurs*
a smoking section	*un coin fumeurs*
a pack of cigarettes	*un paquet de cigarettes*
mild tobacco	*le tabac blond*
a Virginia cigarette	*une blonde*
menthol	*mentholé*
a butt	*un mégot*
to take a drag	*tirer une bouffée*
a puff	*une bouffée*
to draw	*tirer*
tar	*le goudron*
a filtered cigarette	*une cigarette à filtre*
tobacco-addiction	*la tabacomanie*
a health hazard	*un danger pour la santé*
to quit smoking	*cesser de fumer*
to give up smoking	*renoncer à fumer*
tobacco regulation	*la politique anti-tabac*
an anti-smoking campaign	*une campagne anti-tabac*
antismoking activists	*les adversaires de la cigarette*
to take on the tobacco industry	*s'attaquer aux fabricants de cigarettes*
to lambast tobacco companies	*fustiger les fabricants de tabac*
to restrict smoking	*limiter l'usage du tabac*
to pass an ordinance (against)	*signer un arrêté (interdisant)*
anti-smoking measures	*mesures anti-tabac*
to post a smoking policy	*afficher un règlement anti-tabac*
cigarette advertising	*la publicité pour cigarettes*
a tobacco ad	*une publicité pour le tabac*
smoke-free	*interdit aux fumeurs*
anti-smoking sentiment	*un état d'esprit anti-tabac*
a tobacconist	*un buraliste*
a tobacco company / a cigarette maker	*un fabricant de cigarettes*
a cigarette monopoly	*le monopole des cigarettes*
a cigarette brand	*une marque de cigarettes*
to exact a tax on tobacco products	*prélever un impôt sur les produits du tabac*

XII SURGERY *LA CHIRURGIE*

to operate on sb	*opérer qn.*
to perform an operation	*effectuer une opération*
to have surgery	*subir une opération*
an operating theater	*un bloc opératoire*
an operating room	*une salle d'opération*
a surgical team	*une équipe chirurgicale*
a gown	*une blouse*
a cap	*un calot*
a mask	*un masque*
a needle	*une aiguille*
cotton wool	*le coton*
gauze	*la gaze*
a bandage	*une bande*
a bedpan	*un bassin hygiénique*
a temperature chart	*une feuille de température*
a gurney	*un chariot*
to remove	*enlever*
a removal	*une ablation*
to be under anaesthetic / to be sedated	*être sous anesthésie*
basic life support	*un appareil de respiration artificielle*
a monitoring device	*un appareil de contrôle*
an intravenous infusion (an IV)	*une intraveineuse*
a respirator	*un respirateur*
an iron lung	*un poumon d'acier*
blood pressure	*la pression artérielle*
blood replacement	*la transfusion sanguine*
the pulse rate	*le nombre de pulsations à la minute*
to sew	*coudre*
stitches	*agrafes, points de suture*
a drip	*une perfusion*
to be on a drip	*être sous perfusion*
to be drip-fed	*être alimenté par perfusion*
surgical shock	*le choc opératoire*
to be in intensive care	*être en réanimation*
an intensive care unit	*une unité de soins intensifs*
to be in a stable condition	*être dans un état stationnaire*
to be in a critical condition	*être dans un état critique*

physiotherapy	*la kinésithérapie, la rééducation*
general surgery	*la chirurgie générale*
a brain tumour	*une tumeur au cerveau*
physiologic surgery / reconstructive work	*la chirurgie réparatrice*
extirpative surgery	*la chirurgie d'exérèse*
pediatric surgery	*la chirurgie infantile*
orthopedic surgery	*la chirurgie orthopédique*
a clubfoot	*un pied-bot*
to set a fracture	*réduire une fracture*
a metal plate	*une plaque de métal*
a screw	*une vis*
a steel rod	*une tige d'acier*
a hip joint	*une hanche artificielle*
to have plastic surgery	*subir une opération de chirurgie plastique*
a facelift	*un lissage, un lifting*
a liposuction	*une liposuccion*
a scar	*une cicatrice*
to remove wrinkles	*supprimer des rides*
to graft	*greffer*
a graft	*une greffe, un greffon*
skin grafting	*la greffe de peau*
obstetrics	*l'obstétrique*
termination of pregnancy	*une IVG*
to deliver a child	*accoucher une femme*
a Caesarean section	*une césarienne*
an artificial heart	*un cœur artificiel*
open-heart surgery	*une opération à cœur ouvert*
a coronary bypass	*un pontage coronarien*
a plastic valve	*une valve en plastique*
a transplant	*une transplantation*
an organ	*un organe*
to transplant	*greffer*
to perform a transplant	*effectuer une greffe*
a heart transplant	*une transplantation cardiaque*
a donor	*un donneur*
a potential donor	*un donneur éventuel*
a suitable donor	*un donneur compatible*
to match	*être compatible*
a recipent	*un receveur*
an immunosuppressive drug	*un immunosuppresseur*
to develop antibodies	*développer des anticorps*
to keep alive	*maintenir en vie*
lifesaving	*vital*
the survival rate	*le taux de survie*

4 HEALTH SERVICES — *LES SERVICES DE SANTÉ*

1 THE MEDICAL STAFF — *LE PERSONNEL MÉDICAL*

a doctor / a medical practitioner	*un docteur*
a physician	*un médecin*
a general practitioner (GP)	*un généraliste*
a Health Service doctor (UK) / a panel doctor	*un médecin conventionné*
a psychiatrist	*un psychiatre*
a psychoanalyst	*un psychanalyste*
a neurologist	*un neurologue*
a gynaecologist	*un gynécologue*
an ophtalmologist	*un ophtalmologue*
an ear nose and throat specialist	*un oto-rhino-laryngologiste*
a heart specialist	*un cardiologue*
a dermatologist	*un dermatologue*
a pediatrician	*un pédiatre*
an internist	*un spécialiste de médecine générale*
a physiotherapist	*un physiothérapeute, un kinésithérapeute*
a psychologist	*un psychologue*
a chemist	*un pharmacien*
a dentist	*un dentiste*
a dental surgeon	*un chirurgien dentiste*
a surgeon	*un chirurgien*
a brain surgeon	*un neurochirurgien*
a forensic surgeon	*un médecin légiste*
a midwife	*une sage-femme*
a witch doctor	*un sorcier*
a quack	*un charlatan*
a bone setter	*un rebouteux*
a nurse	*une infirmière*
a practical nurse	*une aide soignante*
a male nurse	*un infirmier*
a health visitor	*une infirmière à domicile*
a paramedic	*un secouriste, un auxiliaire de soins*
an ambulanceman	*un ambulancier*

2 HOSPITALS — *LES HÔPITAUX*

a medical facility	*un centre médical*
a university hospital	*un centre hospitalier universitaire (CHU)*
a private hospital	*une clinique*
a health spa	*une station thermale*
the medical staff	*le personnel soignant*
a ward	*un service*
an intensive-care unit (ICU)	*un service de soins intensifs*
a casualty department	*un service des urgences*
an emergency room	*une salle des urgences*
a maternity ward	*un service de maternité*
a nursery	*une pouponnière*
a bank of organs	*une banque d'organes*
a rehabilitation center	*un centre de rééducation*
a nursing home	*une clinique, une maison de santé, un hôpital pour enfants (UK)*
a mental institution	*un centre spécialisé pour troubles psychiques*
a lunatic asylum	*un hôpital psychiatrique*
to be hospitalized	*être hospitalisé*
an outpatient	*un malade ambulatoire*

3 MEDICAL TRAINING — *LES ÉTUDES MÉDICALES*

to study medicine	*faire sa médecine*
a medical student	*un étudiant en médecine*
to go to medical school	*être étudiant en médecine*
an intern (USA)	*un étudiant en fin d'études*
internship	*le résidanat*
a non-resident	*un stagiaire en médecine*
medical residency	*l'internat*
speciality training	*la formation de spécialiste*
a chief resident (USA)	*un interne en dernière année*
a registrar (UK)	*un interne*
a senior physician	*un médecin qualifié*
a medical degree	*un diplôme de médecine*
a medical certification board	*une commission apte à délivrer les diplômes*
licensing rules	*règles de déontologie*
a certified doctor	*un médecin diplômé*
to practice medicine	*exercer la médecine*
a practice	*une clientèle*

4 HEALTH CARE — *LES SOINS MÉDICAUX*

a patient	*un malade, un patient*
to attend a patient	*s'occuper d'un malade*
to minister to	*s'occuper de*
to cure / to heal	*guérir*
to send for the doctor / to call in the doctor	*faire venir le médecin*
to make one's rounds	*faire ses visites*
to be on duty	*être de garde*
to be off duty	*ne pas être de garde*
to be on call	*être en visite*
an office call	*une visite chez le médecin*
a home visit	*un déplacement à domicile*
a shift	*une garde*
a night on-call	*une garde de nuit*
call schedules	*horaires de garde*
medical care	*soins*
to be given first aid	*recevoir les premiers soins*
to examine a patient	*examiner un malade*
a check-up	*un bilan de santé*
to feel the pulse	*prendre le pouls*
to check the blood pressure	*vérifier la tension artérielle*
to sound the chest	*ausculter*
to have a bloodtest	*subir une prise de sang*
a smear	*un frottis*
to treat	*administrer les soins*
to administer a drug	*administrer un médicament*
to have an X-ray	*passer une radio*
to dress a wound	*panser une blessure*
to apply a dressing	*mettre un pansement*
to prescribe	*prescrire*
to write a prescription	*faire une ordonnance*
to fill a prescription	*exécuter une ordonnance*
to renew a prescription	*renouveler une ordonnance*
to claim back the cost of a prescription	*se faire rembourser par la sécurité sociale*

5 HEALTH SYSTEMS — *LES SYSTÈMES DE SANTÉ*

the Health Department	*le ministère de la Santé*
the National Health Service (NHS) (UK)	*le service national de santé*
Medicare (USA)	*Medicare (système d'assurance-maladie qui couvre les personnes âgées et les handicapés)*
Medicaid (USA)	*Medicaid (système d'assistance aux plus démunis)*
a health care system	*un système de santé*
national health insurance legislation	*la législation de la sécurité sociale*
social insurance / sickness insurance	*assurance maladie*
invalidity insurance	*assurance invalidité*
maternity insurance	*assurance maternité*
a Health Maintenance Organization (HMO)	*un réseau coordonné de soins*
a Preferred Providers Organization (PPO)	*un système de fournisseurs privilégiés*
means-tested	*proportionnel aux ressources*
a maternity leave	*un congé de maternité*
a sick leave	*un congé de maladie*
social security	*la sécurité sociale (France), l'aide sociale (États-Unis)*
social security benefits	*prestations de sécurité sociale*
a cover	*une couverture sociale*
to lose cover	*ne plus être assuré*
to be uninsured	*ne pas être assuré*
to cover costs	*couvrir les frais*
a salaried physician / a public-health physician	*un médecin salarié*
a doctor's fees	*les honoraires d'un médecin*
to charge a fee	*demander des honoraires*
a patient's contribution	*un ticket modérateur*
to bill the patient	*envoyer la note au malade*
a negotiated fee	*un tarif conventionné*

6 HEALTH IN CRISIS — *LA SÉCURITÉ SOCIALE EN CRISE*

social security	*la Sécurité sociale*
health expenditures	*dépenses de santé*
health costs	*le coût de la santé*
state-of-the-art treatment	*un traitement sophistiqué*
a costly procedure	*une intervention coûteuse*
high tech treatment	*un traitement de pointe*
a CAT (coaxial tomography) scan	*une tomographie*
magnetic nuclear resonance	*la résonance nucléaire magnétique*
rocketing medical costs	*coûts astronomiques de santé*
to go through the roof	*exploser*
to shoot up	*grimper en flèche*
runaway costs	*coûts incontrôlables*
to run over budget	*dépasser les prévisions*
overspending in health	*l'excès des dépenses de santé*
overmedication	*la surmédication*
health rationing	*le rationnement des soins*
to curtail spending	*diminuer les dépenses*
to cut the cost of health care	*diminuer les dépenses de santé*
to drive down costs	*réduire les coûts*
cost containment	*la maîtrise des dépenses*
to ration health care	*rationner les soins*
out-of-pocket health care	*soins non conventionnés*
financial inefficiency	*la gabegie financière*
to cap health-care costs	*limiter les dépenses de santé*
to deny medical services	*refuser l'accès aux soins*
to practice triage by age / money	*pratiquer la sélection par l'âge / l'argent*
health reform	*la réforme de la santé*
malpractice	*la faute professionnelle*
a faulty diagnosis	*une erreur de diagnostic*
a mishandled operation	*une intervention ratée*
a malpractice suit	*un procès pour négligence*
negligence	*la négligence*
to be held liable	*être tenu pour responsable*
to award damages	*accorder des dommages-intérêts*

5 MEDICINE IN QUESTION — *LA MÉDECINE EN QUESTION*

1 MEDICAL PROGRESS — *LES PROGRÈS DE LA MÉDECINE*

to vaccinate	*vacciner*
a vaccine	*un vaccin*
to develop a vaccine	*mettre un vaccin au point*
to inoculate	*inoculer*
a syringe	*une seringue*
an injection	*une piqûre*
to give a shot	*faire une piqûre*
a therapy	*un traitement*
a cure	*une guérison, un remède*
to respond to a treatment	*réagir à un traitement*
to fail	*échouer*
to be beyond cure	*être perdu*
the last resort	*le dernier recours*
the last recourse	*la dernière extrémité*
to be on drugs	*être sous médicaments*
to take medication	*être sous traitement*
to be available by prescription	*être disponible sur ordonnance*
to stay on a drug	*poursuivre un traitement*
to go off a drug	*arrêter un traitement*
to benefit from a drug	*profiter d'une drogue*
a vitamin	*une vitamine*
a pill	*une pilule*
a tablet	*un comprimé*
a lozenge	*une pastille*
a syrup	*un sirop*
an ointment	*une pommade*
a sleeping pill	*un somnifère*
herbal treatment	*le traitement par les tisanes*
a medicinal plant	*une plante médicinale*
faith healing	*la guérison par la foi*
a faith healer	*un guérisseur*
to provide relief	*soulager*
medical research	*la recherche médicale*
medical progress	*les progrès de la médecine*
to do research (in)	*faire de la recherche (en)*
a search for	*une recherche de*
to duplicate the findings	*corroborer les résultats*
to chance upon	*découvrir par hasard*
to stumble upon	*tomber par hasard sur*
a breakthrough	*une percée*
to pioneer	*faire œuvre de pionnier*
animal testing / animal experimentation	*expérimentation animale*
to test a vaccine on	*tester un vaccin sur*
health officials	*les responsables de la santé*
an advance	*un progrès*
to make progress	*faire des progrès*
to make strides	*avancer à grands pas*
pioneering effort	*les efforts de la recherche*
to usher a revolution in	*marquer une révolution dans*
to halt the progression of	*stopper l'avance de*
to thwart a virus	*contrecarrer un virus*
to produce a drug	*produire un médicament*
to pave the way for	*ouvrir la voie à*
to eradicate a disease (from)	*faire disparaître une maladie (de)*
to stamp out a disease	*juguler une maladie*
to devise un treatment	*mettre au point un traitement*

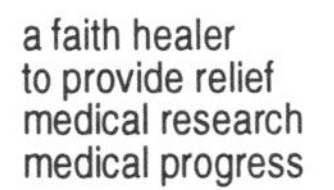

a promising therapy	*une thérapie prometteuse*
to yield results	*produire des résultats*
to conquer diseases	*vaincre les maladies*
to expand the life span	*allonger la durée de la vie*
to prolong life	*prolonger la vie*

2 MEDICAL ETHICS *L'ÉTHIQUE MÉDICALE*

a code of ethics	*un code de déontologie*
an ethics commission	*une commission d'éthique*
an ethicist	*un membre d'une commission d'éthique médicale*
a topic of controversy	*un sujet de controverse*
an issue	*un problème*
controversial	*controversé*
long simmering	*qui couve depuis longtemps*
thorny	*épineux*
disturbing / roiling	*troublant*
burning	*brûlant*
touchy	*délicat*
agonizing	*déchirant*
to evade an issue	*esquiver un problème*
to push an issue	*faire avancer un problème*
to force back an issue	*imposer à nouveau un problème*
to wrestle with an issue	*être aux prises avec un problème*
to agonise over an issue	*être travaillé par un problème*
to defy an easy answer	*échapper à toute simplification*
to raise a problem	*soulever un problème*
to ignite a fiery debate	*mettre le feu aux poudres*
to provoke widespread debate	*provoquer un débat général*
to fuel a debate	*alimenter un débat*
medical principles	*la déontologie*
to be guided by a principle	*être mû par un principe*
to work out guidelines (for)	*mettre au point des directives (pour)*
a dilemma	*un dilemme*
to draw the line	*fixer une limite*
a matter of conscience	*un cas de conscience*
to abuse a power	*abuser d'un pouvoir*
to violate a code of conduct	*bafouer un code de conduite*
to generate political heat	*enflammer les passions politiques*
to denounce a practice	*s'élever contre une pratique*
to find a middle ground	*trouver un terrain d'entente*
to halt a technique	*mettre fin à une technique*
to grope for adequate policies	*tâtonner à la recherche de règles adéquates*
to legislate morality	*donner un cadre juridique à la morale*
a legal limbo	*un vide juridique*
to end ambiguity	*mettre un terme à l'ambiguité*
to condone	*fermer les yeux sur*
to ban experiments on	*interdire les expériences sur*
to tread carefully (on)	*avancer avec précaution (dans le domaine de)*
to advance medical knowledge	*faire avancer les connaissances médicales*
the sorcerer's apprentice	*l'apprenti sorcier*
scientific manipulation	*manipulations scientifiques*
to misuse a technique	*abuser d'une technique, mal utiliser une technique*
to be aware of the implications	*être conscient des répercussions*
to tamper with	*manipuler*
eugenics	*eugénisme*
to influence human destiny	*influencer la destinée de l'homme*
to create a master race	*créer une race de surhommes*
to change the course of heredity	*changer le cours de l'hérédité*
to uphold the sacred principles of	*défendre les principes sacrés de*
to go against the grain (of)	*aller à l'encontre (de)*

3 EUTHANASIA *L'EUTHANASIE*

mercy killing	*l'euthanasie*
to favor euthanasia	*être partisan de l'euthanasie*
to get legal recognition	*être reconnu en droit*
to practice euthanasia	*pratiquer l'euthanasie*
a right to die	*le droit de mourir*
in dignity	*dans la dignité*
to let death proceed	*laisser la mort faire son œuvre*
an assisted suicide	*un suicide aidé*
to aid a suicide	*aider qn. à se suicider*
an executioner	*un bourreau*
to have one's life terminated	*mettre fin à sa vie*
to yearn for death	*aspirer à mourir*
to state a wish to die	*affirmer le souhait de mourir*
to shorten a patient's life	*abréger la vie d'un malade*
to abide by sb's wishes	*respecter les vœux de qn.*
the vegetative state	*l'état végétatif*
to lie unconscious	*être inconscient*
to linger in a vegetative state	*se maintenir dans un état végétatif*
a lingering death	*une mort lente*
a vegetable	*un légume*
to be kept alive artificially	*être maintenu en vie artificiellement*
life sustaining medical care	*soins médicaux de survie*
a life-support system	*un respirateur artificiel*
to be hooked up to a respirator	*être relié à un respirateur*
to turn off a respirator	*débrancher un respirateur*

to be forced fed through a tube	*être alimenté artificiellement de force*
to withhold nourishment	*refuser d'alimenter*
to be irreversibly comatose	*être plongé dans un coma irréversible*
to be clinically dead / to be brain dead	*être mort cliniquement*
a clinical death	*une mort clinique*
a hopeless cripple	*un infirme à vie*
incurable illness	*la maladie incurable*
to be terminally ill	*être atteint d'une maladie incurable*
a terminal illness	*une maladie en phase terminale*
a terminal patient	*un malade en phase terminale*
the incurably ill	*les malades incurables*
to be beyond hope of recovery	*être dans un état désespéré*
the advanced stage of an illness	*le stade avancé d'une maladie*
to be in the final stage	*être dans la phase terminale*
to suffer intolerable pain	*souffrir de douleurs insupportables*
intractable pain	*les douleurs qu'on ne peut soulager*
to put sb out of misery	*abréger les souffrances de qn.*
to prolong life needlessly	*prolonger la vie inutilement*
to be relieved of suffering	*être soulagé de ses souffrances*
to cut short the suffering	*abréger les souffrances*
to hasten death	*hâter la mort*
to save a patient from	*épargner à un malade*
to take the horror out of	*ôter son caractère atroce à*
to be allowed to end one's suffering	*être autorisé à mettre un terme à ses souffrances*
therapeutic fury	*acharnement thérapeutique*
aggressive therapy	*la thérapeutique agressive*
to be a burden to	*être un poids pour*
pain-killing drugs	*analgésiques*
death-inducing drugs	*drogues qui provoquent la mort*
to administer a drug (to)	*administrer une drogue (à)*
an overdose	*une surdose*
the right to life	*le droit à la vie*
a criminal offence	*un crime*
to condone euthanasia	*fermer les yeux sur l'euthanasie*
a barbaric procedure	*une procédure barbare*
the sanctity of life	*le caractère sacré de la vie*
the Hippocratic oath	*le serment d'Hippocrate*
family surrogate decision making	*la prise de décision en lieu et place de la famille*

II POLITICS de 135 à 162

VII POLITICAL LIFE — *LA VIE POLITIQUE*

1 POLITICS — *LA POLITIQUE*

I GENERAL BACKGROUND — *GÉNÉRALITÉS*

politics	*la politique (vie, science)*
political science	*la science politique*
to go into politics	*embrasser une carrière politique*
a policy	*une politique, une ligne politique*
foreign policy	*la politique étrangère*
domestic policy	*la politique intérieure*
economic policy	*la politique économique*
a policy maker	*un décideur*
a political man	*un homme politique*
political circles	*milieux politiques*
a political campaign	*une campagne politique*
a political party	*un parti politique*
political power	*le pouvoir politique*
a political comeback	*un retour au pouvoir / à la politique*
political personnel	*le personnel politique*
politicking	*l'activité politique, la politique politicienne*
a politician / a pol	*un homme politique, un politicien, un vieux routier de la politique, un combinard*
politician	*politicien, politicard*
a public servant	*un fonctionnaire*
an office holder	*un élu, le titulaire d'un poste*
an incumbent	*un candidat sortant*
a statesman	*un homme d'État*
a head of state	*un chef d'État*
a president	*un président*
a vice-president	*un vice-président*
a head of government	*un chef de gouvernement*
a deputy	*un député (autre qu'anglais)*
a substitute	*un suppléant*
the Chamber of deputies	*la Chambre des députés*
a congressman	*un membre du Congrès*
a senator	*un sénateur*
a Member of Parliament (an MP)	*un membre du Parlement*
a representative	*un représentant*
a governor	*un gouverneur*
local authorities	*le Conseil général*
a mayor	*un maire*
liberal	*libéral*
conservative	*conservateur*
labour	*travailliste*
democrat	*démocrate*
practiced	*expérimenté*
experienced	*chevronné*
radical (USA)	*extrémiste*
a moderate	*un modéré*

II THE POLITICAL CAREER — *LA CARRIÈRE POLITIQUE*

1 POLITICAL STAR RISING — *L'ASCENSION POLITIQUE*

to scheme (toward)	*intriguer (en vue de devenir)*
a schemer	*un intrigant*
a political schemer	*un politicard*
crafty	*malin*
sly / cunning	*rusé*
tricky	*roublard*
wheeling and dealing	*combines*
to climb the political ladder	*grimper dans la hiérarchie politique*
to be power-hungry	*avoir soif de pouvoir*
to seize power	*s'emparer du pouvoir*

2 PUBLIC OPINION — *L'OPINION PUBLIQUE*

fame	*la réputation*
to portray oneself as	*se représenter sous les traits de*
to inspire a feeling of	*inspirer un sentiment de*
to build an image	*façonner une image*
popular	*populaire*
to measure a popularity	*mesurer une popularité*
public approval	*l'approbation générale*
a honeymoon	*un état de grâce*
to bask in one's popularity	*jouir de sa popularité*
to ride a tide of popularity	*jouir d'une vague de popularité*
to capitalize on a popularity	*tirer profit d'une popularité*
to get the kudos	*récolter les lauriers*
to be high in the public's approval	*être très aimé du public*
to lionize	*porter aux nues*
to worship	*adorer*
unpopular	*impopulaire*
to damage a popularity	*nuire à une popularité*
a flagging popularity	*une popularité en baisse*
to make a dent in sb's popularity	*entamer la popularité de qn.*
to smear	*éclabousser, salir*
to curry popular favour	*chercher à gagner la faveur du public*
a dive in confidence	*une chute de la confiance*
shallow popularity	*la popularité superficielle*
to tarnish one's image	*ternir son image*
to fall into disfavor	*tomber en disgrâce*
to cancel a honeymoon	*mettre un terme à l'état de grâce*

an opinion poll	*un sondage d'opinion*
a respondent	*une personne interrogée*
an exit poll	*un sondage à la sortie des urnes*
a benchmark poll	*un sondage de référence*
a tracking poll	*un sondage de suivi*
a rigged poll	*un sondage truqué*
a pollster	*un spécialiste des sondages d'opinion*
a poll taker	*un sondeur*
to take a poll	*faire un sondage*
a sample	*un échantillon*
to fathom voters	*sonder les électeurs*
an approval rating	*une cote de confiance*
an opinion survey	*une enquête d'opinion*

3 QUALITIES OF A STATESMAN — *LES QUALITÉS D'UN HOMME D'ÉTAT*

to have the requisite qualities	*avoir les qualités nécessaires*
statesmanship	*habileté politique, diplomatie*
a gift for	*un don pour*
a turn for	*des dispositions pour*
endowed with	*pourvu de*
well suited for	*taillé pour*
an asset	*un atout*
a liability	*un handicap*
a weak spot	*un point faible*
a flaw	*un défaut*
to exude confidence	*respirer la confiance*
a man of principles	*un homme droit*
to stand up for	*défendre*
to come up to the people's expectations	*répondre aux attentes des gens*
to perform one's duty	*accomplir son devoir*
to be a bulwark against	*être un rempart contre*
articulate	*qui s'exprime bien*
upright	*intègre*
truthful	*honnête*
dependable / trustworthy	*digne de confiance*
humane	*bienveillant*
compassionate	*compatissant*
sensitive	*sensible*
heedful of	*à l'écoute de*
to reach out to	*chercher à atteindre*
grit	*le cran*
nerve	*l'audace*
dogged	*opiniâtre*
to have a will of one's own	*avoir de la volonté*
self confident	*sûr de soi*
daring	*audacieux*
bold	*hardi*
energetic	*énergique*
hard-working / industrious	*travailleur*
hard-driving	*ambitieux*
dedicated	*dévoué*
pragmatism	*le pragmatisme*
political savvy	*le bon sens politique*
tough	*dur*
ruthless	*impitoyable*
soft on	*mou en matière de*
a wimp	*un mou*
hard-headed	*réaliste*
knowledgeable	*bien informé*
experienced	*expérimenté*
insight	*la perspicacité*
determined	*déterminé*
forceful	*énergique*
credible	*crédible*
hazy	*flou*
to have charisma	*avoir du charisme*
to have a folksy appeal	*plaire au peuple*
to appeal to	*plaire à, séduire*
to have a vote pulling power	*plaire à l'électorat*
a unifier	*un rassembleur*
a healer	*un réconciliateur*
a savior	*un sauveur*
to command influence	*disposer d'un prestige*
oratory skill	*dons oratoires*
a visionary	*un visionnaire*

III POLITICAL PARTIES — *LES PARTIS POLITIQUES*

1 THE POLITICAL SPECTRUM — *L'ÉVENTAIL POLITIQUE*

a ruling party	*un parti au pouvoir*
a mainstream party	*un parti principal*
an opposition party	*un parti d'opposition*
a fractured party	*un parti divisé*
an alliance	*une alliance*
a faction	*une faction, un courant*
a flank	*un flanc*
a political group	*une famille politique*
a grassroots movement	*un mouvement populaire*
political leanings	*couleurs politiques*
to lean (towards)	*pencher (vers)*
the center	*le centre*
dyed-in-the-wool	*bon teint, invétéré*
the party line	*la ligne du parti*
leftish-leaning	*gauchisant*
a rightward shift	*un glissement vers la droite*
to veer rightward	*virer à droite*
to swing to the right	*pencher vers la droite*

2 THE PARTY MACHINE — *L'APPAREIL DU PARTI*

the leadership	*la direction*
the party apparatus	*l'appareil du parti*
a party congress	*le congrès d'un parti*
the party grandees	*les caciques du parti*
the party executives	*les états-majors*
a party official	*un responsable du parti*
the big wheels	*les huiles*
a figurehead leader	*une figure de proue*
a power broker	*une éminence grise*
the old guard	*la vieille garde*

the rank and file / the grassroots	*la base*
the party members	*les membres du parti*
party membership	*l'adhésion à un parti*
the activists	*les militants*
a party man	*un homme d'appareil*
a die-hard	*un dur à cuire*
a crony	*un copain*
a hardliner	*un dur*
a dove	*une colombe*
a hawk	*un faucon*
to found a party	*fonder un parti*
to set up a party	*créer un parti*
to join a party	*adhérer à un parti*
to shake up a party	*restructurer un parti*
to overhaul a party machine	*rénover l'appareil d'un parti*
electoral strength	*la force électorale*
to disband	*dissoudre*
to legalize a party	*légaliser un parti*
to ban a party	*interdire un parti*
to unban	*lever l'interdiction*

IV POLITICAL LIFE — *LA VIE POLITIQUE*

1 POLITICAL STANDS — *LES POSITIONS POLITIQUES*

to stand	*se situer*
a stance	*une position*
to assume a stance	*assumer une position*
to reverse a stand	*faire marche arrière*
to recant one's opinion	*se déjuger*
to disown	*désavouer, renier*
to back-pedal	*faire marche arrière*
to renege	*manquer à sa parole*
to soften a position	*adoucir une position*
to toughen a stand	*durcir une position*
to shore up a position	*renforcer une position*
to gain influence	*gagner en influence*
to wield influence	*exercer de l'influence*
to enhance one's power	*accroître son pouvoir*
to undertake a switch	*opérer un revirement*
a historic shift	*un changement historique*
a turnaround	*une volte-face*
a U-turn	*un virage à 180 degrés*
the crumbling of a position	*l'effritement d'une position*
to take sides with	*prendre parti pour*
to switch sides	*changer de parti*
to adopt a low profile	*adopter un profil bas*

2 THE POLITICAL PROGRAM — *LE PROGRAMME POLITIQUE*

a manifesto	*un manifeste*
a platform	*un programme*
an agenda	*un calendrier*
to be on top of the agenda	*venir en tête des préoccupations*
to cobble together a program	*élaborer un programme*
to carry through one's program	*réaliser son programme*
to push a program	*faire avancer un programme*
to suffer a setback	*subir un revers*
to advocate	*préconiser*
to focus on an issue	*se concentrer sur un problème*
to back a policy	*soutenir une politique*
to bear fruit	*porter ses fruits*
to highlight a record	*souligner les succès / un bilan*

3 POLITICAL RHETORIC — *LE DISCOURS POLITIQUE*

a speechwriter	*qui rédige des discours*
a speechmaker	*un orateur*
to deliver a speech	*prononcer un discours*
an address	*un discours*
a radio address	*un discours à la radio*
a keynote address	*un discours-programme*
a fireside chat	*une causerie au coin du feu*
a TV debate	*un débat télévisé*
to broadcast	*retransmettre*
content	*le contenu*
the core	*l'essentiel*
the gist	*le point central*
to drum up arguments	*rassembler des arguments*
vague phraseology	*formulations vagues*
an analysis	*une analyse*
a sally	*une boutade*
an untruth	*une contrevérité*
a solemn warning	*une mise en garde solennelle*
to cool one's rhetoric	*modérer son discours*
to dampen speculations	*mettre un frein aux spéculations*
a prickly / thorny issue	*une question épineuse*
tricky	*difficile*
intricate	*compliqué*
a pending issue	*une question en suspens*
bread and butter issues	*problèmes matériels*
to tackle an issue	*(s') attaquer (à) une question*
to take a stand on an issue	*prendre position sur un problème*
to back down on an issue	*reculer devant un problème*
to dodge an issue	*éviter un sujet*
style	*le style*
oratorical skill	*adresse oratoire*
demagoguery	*la démagogie*
inspiring / uninspiring	*inspiré / peu inspiré*
subdued	*discret*
elaborate	*recherché*
subtle	*subtil*
forcible	*qui porte*
straightforward	*direct*
far-fetched	*tiré par les cheveux*
matter of fact	*terre à terre*

homely	*simple*
well balanced	*bien équilibré*
well put	*bien tourné*
colourful	*pittoresque*
lengthy	*plein de longueurs*
long winded	*interminable*
clumsy	*maladroit*
bombastic	*pompeux*
high flown	*grandiloquent*
stilted	*guindé*
specious	*trompeur*
plain speaking	*le parler-vrai*
no-speak	*la langue de bois*
doublespeak	*le double langage*
to take up a subject	*aborder un sujet*
to give an account of	*faire le récit de*
to remark that	*(faire) observer que*
to outline	*tracer les grandes lignes*
to stress	*insister (sur)*
to expound one's views	*exposer ses vues*
to state	*déclarer*
to convey	*communiquer*
to admit	*avouer*
to denounce	*dénoncer*
to concede	*concéder*
to wander away from	*s'éloigner de (son sujet)*
to rush to judgement	*conclure hâtivement*
to jump to conclusions	*tirer des conclusions hâtives*
to quote	*citer*
to dwell upon	*insister sur*
to expatiate upon	*développer*
to hold forth (on)	*pérorer (sur)*
to evince	*montrer (une qualité)*
to hammer a point home	*revenir sur un point avec insistance*
to hit the nail on the head	*faire mouche*
to be tantalized by	*être tourmenté par*
to harp upon	*rabâcher*
to water down	*mettre de l'eau dans son vin, diluer, édulcorer*
to sum up	*résumer*
criticism	*la critique*
a scathing remark	*un commentaire acerbe*
polemics	*la polémique*
controversial	*controversé*
to mock	*se moquer de*
to quip	*dire avec esprit, railler*
a broadside against	*une descente en flammes de*
to center attacks on	*diriger ses attaques contre*
to direct an accusation at	*diriger une accusation contre*
to lash out at	*s'en prendre vigoureusement à*
to savage / to lambast	*éreinter*
to excoriate	*clouer au pilori*
to take to task	*prendre à partie*
an indictment	*un réquisitoire*
to qualify a statement	*nuancer une déclaration*
qualifications	*restrictions*
to make allowances for	*se montrer indulgent envers*
to exalt the spirit	*exalter l'esprit*
to extol the virtues	*chanter les louanges*
to lavish praise on	*prodiguer des éloges à*
to shower praise on	*couvrir d'éloges*
to sit on the fence	*refuser de se mouiller*
to match words with deeds	*joindre le geste à la parole*
to backbite	*médire de*
a slanging match	*un échange d'insultes*
mudslinging	*le dénigrement*
to rubbish	*salir*

4 POLITICAL DIVISION — *LA DIVISION POLITIQUE*

to debate (about)	*discuter (de)*
debatable	*discutable, contestable*
to join issue with	*contester l'opinion de*
to have it out with	*s'expliquer avec*
to be divided	*être divisé*
a disagreement (on)	*un désaccord (à propos de)*
to disagree with	*être en désaccord avec*
to differ with	*ne pas être d'accord avec*
a divergence	*une divergence*
to object to	*s'opposer à*
to suppress dissent	*mettre fin aux dissensions*
to hush up	*faire taire*
to cover up	*étouffer*
to put down / to quell	*réprimer*
to be at variance with	*être en désaccord avec*
intestine rivalries	*rivalités intestines*
to go sour	*tourner au vinaigre*
to antagonize	*contrarier*
antagonistic	*hostile*
fractious	*hargneux*
a contest	*une lutte*
disunity	*la désunion*
to sow discord	*semer la bisbille*
a bone of contention	*une pomme de discorde*
to up the ante	*faire monter les enchères*
a dispute	*un conflit*
to bicker / to fall out / to wrangle (over)	*se disputer (à propos de)*
to clash	*entrer en conflit*
to quarrel (with)	*se quereller (avec)*
a spat	*une prise de bec*
backstabbing	*coups de poignard dans le dos*
to squabble (over)	*se quereller (à propos de)*
the political fray	*le combat politique*
to enter the fray	*descendre dans l'arène*
party warfare	*querelles internes*
warring factions	*factions rivales*
to put down a revolt	*étouffer une révolte*
to come to a deadlock	*aboutir à une impasse*
a morass	*un imbroglio*
a cleavage	*une division*
a schism	*un schisme*
to break up with one's allies	*rompre avec ses alliés*
a rift	*une scission, une division*
to widen	*s'élargir*
to suffer a split	*subir une scission*
to splinter	*se fractionner*
a splinter group	*un groupe dissident*
to bolt from a party	*quitter un parti*
to be torn apart	*se déchirer*
to get the better of	*l'emporter sur*
to dissociate oneself from	*se désolidariser de*

the aftermath	*les conséquences*
to take the political heat	*faire les frais de, subir le contrecoup*
to vindicate	*prouver le bien-fondé de*
to be left with one option	*ne pas avoir d'autre choix*
to be in disarray	*être en plein désarroi*
in a shambles	*sens dessus dessous*
to keep a party afloat	*maintenir un parti à flot*

5 POLITICAL UNION — *L'UNION POLITIQUE*

to secure a political union	*parvenir à une union politique*
a call for unity	*un appel à l'unité*
to muster support	*rassembler ses forces*
to drum up support	*battre le rappel de ses forces*
a tie	*un lien*
a coalition	*une coalition*
to put up a coalition	*former une coalition*
a ruling coalition	*une coalition au pouvoir*
to rally	*rassembler*
to broaden the political base	*pratiquer l'ouverture, élargir sa base*
the redrawing of the political landscape	*la recomposition du paysage politique*
to reshape	*refaçonner*
to cut across party lines	*rassembler au-delà des partis*
a middle-of-the-roader	*un modéré*
to share power	*cohabiter*
power sharing	*la cohabitation*
an unspoken consensus	*un consensus tacite*
to bridge divisions	*trouver un terrain d'entente*
to soothe divisions	*aplanir les différences*
to heal a rift	*panser les blessures*
to make conciliatory moves	*faire des gestes conciliants*
relaxed politics	*la décrispation*
to patch up a quarrel	*se raccommoder (provisoirement)*
to propitiate	*se concilier*
to placate	*calmer*
to break the deadlock	*sortir de l'impasse*
to smoothe things over	*arranger les choses*
to make it up with	*se réconcilier*
to compromise with	*faire un compromis avec*
to come to terms with	*arriver à un accord avec*
to meet half-way	*faire un compromis*
to make peace	*faire la paix*
to settle a dispute	*régler un différend*
to fall in line behind	*se ranger aux côtés de*
to avert the worst	*éviter le pire*

V POLITICAL SYSTEMS — *LES SYSTÈMES POLITIQUES*

1 THE LEFT — *LA GAUCHE*

a socialist	*un socialiste*
socialist	*socialiste*
socialism	*le socialisme*
labor	*le monde du travail*
Labor (USA)	*les syndicats*
the Labour Party	*le Parti travailliste*
the Democratic party	*le Parti démocrate*
to be left wing	*être de gauche*
leftist	*gauchiste*
a workers' party	*un parti ouvrier*

2 COMMUNISM — *LE COMMUNISME*

a communist	*un communiste*
the Eastern bloc	*le bloc de l'Est*
the communist party	*le parti communiste*
a bureaucrat	*un bureaucrate*
red tape	*la bureaucratie*
a dogma	*un dogme*
Stalin / Lenin	*Staline / Lénine*
Marxism	*le marxisme*
the dictatorship of the proletariat	*la dictature du prolétariat*
class warfare / struggle	*la lutte des classes*
rabid anticommunism	*anti-communisme primaire*
the old guard	*la vieille garde*
gerontocracy	*la gérontocratie*
monolithic	*monolithique*
to toe the party line	*suivre la ligne du parti*
to kowtow to	*suivre aveuglément*
a hardliner	*un dur*

3 THE RIGHT — *LA DROITE*

the Conservative party	*le Parti conservateur*
the Republican party	*le Parti républicain*
the Grand Old Party (GOP) (USA)	*les Républicains*
the Tories	*les conservateurs*
the right wing	*l'aile droite*
rightist	*de droite*
the ultraright	*l'extrême-droite*

4 REFORM — *LA RÉFORME*

a reform program	*un programme de réformes*
a package of reforms	*un train de réformes*
a reform wing	*une aile réformatrice*
a reformer	*un réformateur*
a renovator	*un rénovateur*
a reconstructor	*un reconstructeur*
to be reform-minded	*être réformateur*
reformist	*réformiste*
to carry out reforms	*appliquer les réformes*
to pull off reforms	*réussir les réformes*
to drag one's feet / heels	*traîner les pieds*
to make token reforms	*faire des réformes symboliques*
to stifle the reform movement	*étouffer le mouvement des réformes*
the winds of change	*un courant d'air frais*
to decommunize	*mettre fin au communisme*
the collapse of communist rule	*la chute du pouvoir communiste*

to shuffle old dogmas aside	*abandonner les vieux dogmes*
a historic breach	*une rupture historique*
to lose one's sway	*perdre son influence*
to dismantle a monopoly on power	*abolir le monopole du pouvoir*
to ditch the party's leading role	*abandonner le rôle dirigeant du parti*
a multi-party system	*un multipartisme*
to turn in one's card	*renvoyer sa carte de membre*
a turncoat communist	*un communiste repenti*
the democratization process	*le processus de démocratisation*
pluralism	*le pluralisme*
to push political democratization	*encourager la démocratisation politique*
a Prague spring	*un printemps de Prague*
socialism with a human face	*le socialisme à visage humain*

2 ELECTIONS — *LES ÉLECTIONS*

I ELECTIONS — *LES ÉLECTIONS*

1 TYPES OF ELECTIONS — *LES TYPES D'ÉLECTIONS*

a direct election	*une élection au suffrage direct*
a two-stage election / a two-tier election	*une élection à deux tours*
a by-election	*une élection partielle*
a snap election	*une élection anticipée*
a re-election	*une réélection*
a voter initiative	*un référendum d'initiative populaire*
a congressional election	*une élection au Congrès*
a general election	*les élections législatives*
national elections	*élections générales*
parliamentary elections	*élections parlementaires*
a sitting member	*un député en exercice*
to disband an electoral assembly	*dissoudre un parlement / une assemblée élue*
to dissolve Parliament	*prononcer la dissolution du Parlement*
the presidential race	*la course à la présidence*
to run for president	*faire campagne pour devenir président*
a presidential campaign	*une campagne présidentielle*
a presidential election	*une élection présidentielle*
an incumbent president	*un président sortant / en exercice*
a gubernatorial election	*une élection de gouverneur*
local elections	*élections municipales*
state elections	*élections locales*

2 DECISION RULES IN VOTING — *LES SYSTÈMES ÉLECTORAUX*

a voting system	*un système électoral*
the list system	*le scrutin de liste*
an election on a majority basis	*un scrutin majoritaire*
the uninominal system	*le scrutin uninominal*
plurality voting	*la majorité*
an absolute majority	*une majorité absolue*
a cross-party majority	*une coalition majoritaire*
the silent majority	*la majorité silencieuse*
to be elected by a majority (of)	*être élu à une majorité (de)*
to achieve a majority	*remporter la majorité*
to secure 50% of the vote	*obtenir 50 % des voix*
the party in power	*le parti majoritaire*
a round of voting	*un tour de scrutin*
a two-round system	*un système à deux tours*
a first round / a first ballot	*un premier tour*
a second ballot / a run-off	*un second tour*
to hold a run-off	*organiser un second tour*
proportional representation	*le scrutin à la proportionnelle*

II VOTING — *LE VOTE*

the right to vote	*le droit de vote*
the suffrage	*le droit de vote, le suffrage*
to be eligible for	*avoir les conditions requises pour*
an eligible voter	*un électeur inscrit*
to register	*s'inscrire sur les listes électorales*
the electoral register	*le registre électoral*
the voting age	*l'âge de vote*
to abstain	*s'abstenir*
a stay-away voter	*un abstentionniste*
an absentee voter	*un électeur par correspondance*
voter apathy	*l'indifférence des électeurs*
electoral turnout	*la participation électorale*
balloting	*les élections*
to hold balloting	*organiser des élections*
to go to the polls	*aller aux urnes*
to call an election	*décider une élection*
to call an early election	*organiser des élections anticipées*
to set elections for	*fixer les élections à*
to go to the country	*en appeler aux électeurs*
a vote	*une voix, un vote*
a voter / an elector	*un électeur*
the electorate	*le corps électoral*
to vote (for)	*voter (pour)*

to elect / to vote in	*élire*
to vote out	*rejeter par un vote*
polling day / election day	*le jour du scrutin*
the poll	*les suffrages*
a polling booth	*un isoloir*
a polling station	*un bureau de vote*
a voting machine	*une machine à voter électronique*
a ballot slip	*un bulletin de vote*
an unmarked ballot / a blank vote	*un bulletin blanc*
a spoilt ballot paper	*un bulletin nul*
a ballot box	*une urne*
to cast a ballot	*déposer son bulletin*

III THE CANDIDATE *LE CANDIDAT*

an officeholder	*le titulaire d'un poste*
to be elected to public office	*être élu à une fonction publique*
to run for office	*se présenter aux élections*
to put up for re-election	*être candidat à un nouveau mandat*
a run at	*une campagne (pour)*
to stand down	*ne pas se représenter*
to stand for Parliament	*se présenter aux élections législatives*
to seek another term	*se représenter*
to win office	*être élu à un poste*
a seat	*un siège*
a safe seat	*un siège sûr, un bastion*
a marginal seat	*un siège disputé*
to hold a seat	*occuper un siège*
to go after a seat	*se lancer à l'assaut d'un siège*
to contest a seat	*(se) disputer un siège*
to command . . . seats	*disposer de... sièges*
to unseat	*faire perdre son siège à*
a candidacy	*une candidature*
to stand as candidate	*se porter candidat*
an incumbent candidate	*un candidat sortant*
to run a candidate	*présenter un candidat*
to enter a race	*se lancer dans une campagne*
a political label	*une étiquette politique*
to endorse a candidate	*soutenir un candidat*
to stump for a candidate	*faire campagne pour un candidat*
a contender	*un adversaire*
a contestant	*un concurrent*

IV THE CAMPAIGN *LA CAMPAGNE*

1 GENERAL BACKGROUND *GÉNÉRALITÉS*

to campaign	*faire campagne*
to run a campaign for	*diriger une campagne pour*
a campaign worker	*un collaborateur*
a campaigner	*un militant*
the cronies	*les fidèles*
a stalwart	*un fidèle (d'un parti)*
a loyal	*un partisan*
to issue a manifesto	*publier un manifeste*
to campaign on a platform	*faire campagne sur un programme*
a campaign manager	*un directeur de campagne*
the campaign headquarters	*le quartier général de la campagne*
mudslinging	*attaques calomnieuses*

2 CAMPAIGN FINANCING *LE FINANCEMENT D'UNE CAMPAGNE*

to raise money / to fundraise	*recueillir des fonds*
direct mail soliciting	*le démarchage postal*
a fund raiser	*un gala en vue de rassembler des fonds*
a fund-raising campaign	*une campagne d'appel de fonds*
to outspend an opponent	*dépenser plus que son adversaire*
a slush fund	*une caisse noire*
a finance committee	*une trésorerie*
a fat cat	*un bailleur de fonds*

3 STARTING A CAMPAIGN *LE DÉBUT DE LA CAMPAGNE*

electioneering	*la campagne, la propagande électorale, l'électoralisme*
to go to the country / to hit the hustings / to take the stump / to go on the stump	*se mettre en campagne*
to launch a campaign	*lancer une campagne*
to mark a campaign kickoff	*marquer le coup d'envoi d'une campagne*
to stump for votes	*aller à la rencontre des électeurs*
to paste posters on walls	*coller des affiches sur les murs*
to press the flesh	*prendre un bain de foule*
to work crowds	*chauffer les foules*
to canvass a district	*faire du porte à porte*
to address public meetings	*prendre la parole lors de réunions publiques*
a campaign stop	*une étape électorale*
a campaign rally	*une réunion électorale*
a rabble rouser	*un tribun*
to fire up a crowd	*enflammer une foule*
to hand out leaflets	*distribuer des tracts*
a button	*un badge*
a national billboard campaign	*une campagne d'affichage nationale*
a TV debate	*un débat télévisé*
a blunder	*une gaffe*
to run commercials	*faire passer des publicités*
to pound home a message	*marteler un message*

4 THE FIGHT — *LA LUTTE*

to fight a campaign	*être en campagne*
to jump in the fray	*se jeter dans la mêlée*
to go after votes	*aller à la pêche aux voix*
to rouse voters	*enthousiasmer les électeurs*
to compete for votes	*se disputer les voix*
to pull in votes	*engranger des voix*
a do-or-die appeal	*un appel de la dernière chance*
to bow out of the race	*se retirer de la course*
a voter swing	*un report de voix*
to sway	*influencer*
the front-runner	*le favori*
to gain momentum	*gagner du terrain*
to woo voters	*récupérer des électeurs*
a slim lead over	*une avance ténue sur*
to build a lead	*prendre une avance*
to lead the pack	*être en tête de la meute*
an insuperable lead	*une avance insurmontable*
to have an edge on	*avoir une avance infime sur*
to narrow the gap	*combler son retard*
to rally behind	*se rallier à*
to close ranks around	*resserrer les rangs autour*
to root for	*encourager*
to plump for	*se décider pour*
a groundswell	*une lame de fond*
to score points	*marquer des points*
an unassailable position	*une position inattaquable*
to lose ground	*être en perte de vitesse*
to fall behind	*se laisser distancer*
to trail	*avoir un retard*
victory at the polls	*la victoire électorale*
to come out first / to come out on top	*sortir vainqueur*
to snatch an election	*arracher une élection*
to carry an election	*remporter une élection*
to win handily	*gagner facilement*
hands-down	*les doigts dans le nez (fam.)*
overwhelmingly	*haut la main*
a Pyrrhic victory	*une victoire à la Pyrrhus*
a win	*une victoire*
overwhelming	*écrasant*
stunning	*stupéfiant*
scanty	*étriqué*
to head for victory	*s'acheminer vers la victoire*
to sweep an election	*enlever largement une élection*
a landslide	*un raz-de-marée*
to win by a landslide	*remporter une victoire écrasante*
an outright victory	*une victoire sans appel*
to pull off a victory	*remporter une victoire*
to challenge sb's victory	*disputer la victoire à qn.*
to claim victory	*revendiquer la victoire*
to wrap up a re-election	*assurer sa réélection*
to be declared winner	*être déclaré vainqueur*
an upset	*une victoire surprise*
to pull off an upset	*remporter une victoire surprise*
to squeak through re-election	*être réélu de justesse*
to win control of	*s'emparer du contrôle de*
to take a city	*enlever une ville*
to bring down	*faire tomber*
to defeat sb	*battre qn.*
a razor-thin majority	*une majorité étriquée*
a grace period	*un état de grâce*
to lose an election	*perdre une élection*
the runner-up	*le second*
a born loser	*un éternel second*
a crushing defeat	*une défaite cuisante*
to suffer a rout	*subir une déroute*
to suffer a reverse	*subir un revers*
to be trounced at the polls	*être battu à plates coutures*
to be out of the race	*être hors course*
to take a stumble	*trébucher*
to be given a drubbing	*recevoir une belle raclée*
to deny a convincing majority to	*refuser d'accorder une nette majorité à*
to result in a hung parliament	*aboutir à un parlement sans majorité*
to be consigned to an opposition role	*être relégué dans l'opposition*
to be toppled by	*être renversé par*
to go into opposition	*entrer dans l'opposition*
to concede (the elections)	*reconnaître sa défaite*
to drop out of a campaign	*abandonner une campagne*
to be sidelined	*être mis sur la touche*
to cut short a career	*abréger une carrière*
to stand down	*ne pas se représenter*
to relinquish power	*abandonner le pouvoir*
to step down	*passer la main*
to retire from politics	*se retirer de la politique*
to pass through the wilderness	*faire sa traversée du désert*
to stage a political comeback	*effectuer un retour en politique*

5 ELECTION RETURNS — *LES RÉSULTATS DU SCRUTIN*

early projections	*premières tendances*
early returns	*premiers résultats*
to tally the votes	*compter les voix*
a tally	*un comptage*
to tote up	*totaliser*
to muster 5% of the votes	*rassembler 5 % des voix*
to collect 5% of the votes	*atteindre la barre des 5 %*
to go beyond 10% of the votes	*dépasser la barre des 10 %*
to grab 60% of the vote	*emporter 60 % des voix*
to score less than 2%	*faire moins de 2 %*
to translate into an overall majority	*se traduire par une majorité absolue*
election crumbs	*miettes électorales*
a strong showing / a poor showing	*une performance impressionnante / décevante*
a third place finish	*terminer troisième*
a cliff-hanging vote	*un vote à suspense*
transition	*la passation des pouvoirs*
to hand over power to	*transmettre le pouvoir à*
to step down from	*se retirer de, passer la main*

to succeed sb	*succéder à qn.*
to change hands	*changer de mains*
an anointed successor	*un dauphin désigné*
a handpicked heir	*un héritier trié sur le volet*
electoral fraud / ballot rigging / ballot fraud	*la fraude électorale*
a flawed campaign	*une campagne entachée d'irrégularités*
to rig elections	*truquer des élections*
dirty tricks	*magouilles*
vote buying	*la corruption d'électeurs*
to stuff ballot boxes	*bourrer les urnes*
to tamper with	*falsifier*
dishonest counting	*calculs malhonnêtes*
to be marred by irregularities	*être entaché d'irrégularités*
an election watcher	*un scrutateur*
to invalidate an election	*annuler une élection*
a recount	*un second décompte des voix*

6 THE AMERICAN PRESIDENTIAL ELECTIONS — *LES ÉLECTIONS PRÉSIDENTIELLES AMÉRICAINES*

the president-elect	*le président élu*
a four-year term	*un mandat de quatre ans*
a mid-term election	*une élection intermédiaire*
a primary	*une primaire*
a delegate	*un délégué*
a precinct	*une circonscription électorale, un arrondissement*
a caucus	*une réunion de dirigeants partisans, un comité de primaire*
to caucus	*se réunir*
a straw vote	*un vote indicatif*
a ticket	*une liste des candidats d'un parti, un programme (de parti politique), l'investiture (d'un candidat par un parti), les candidats à la présidence et à la vice-présidence*
the Republican ticket	*le ticket républicain*
a straight ticket	*une liste sans modification*
a split ticket	*un panachage*
to be on the ticket	*faire partie de la liste*
an elector	*un grand électeur*
the electoral college	*le collège des grands électeurs*
a running mate	*un colistier*
the underdog	*le perdant*
a dark horse	*un candidat inattendu, un outsider*
the odds-on favourite	*le grand favori*
the favourite son	*l'enfant du pays*
Labor Day	*la Fête du Travail (1er dimanche de septembre et ouverture de la campagne officielle)*
a whistle-stop campaign	*une campagne à bord d'un train*
to barnstorm	*faire une tournée électorale*
a power broker	*un homme-clé*
a convention	*une convention, un congrès du parti*
to nominate	*accorder l'investiture*
nomination	*l'investiture*
the nominee	*le candidat officiel investi par la convention du parti*
the inauguration	*l'inauguration, la prise de fonction, l'investiture*
the swearing-in ceremony	*la cérémonie d'investiture*
to be sworn in / to take the oath of office	*prêter serment*

3 GOVERNMENT — *LE GOUVERNEMENT*

I POLITICAL SYSTEMS — *LES SYSTÈMES POLITIQUES*

a system of government	*un régime*
an emperor	*un empereur*
a colony	*une colonie*
a republic	*une république*
a power	*une puissance*
a super power	*une superpuissance*
a dictatorship	*une dictature*
a military junta	*une junte militaire*
monarchy	*la monarchie*
the Crown	*la Couronne*
a sovereign	*un souverain*
sovereignty	*la souveraineté*
a kingdom / a realm	*un royaume*
a king / a queen	*un roi / une reine*
royalty	*un membre de la famille royale, la royauté*
the royals	*les membres de la famille royale*
the heir apparent	*l'héritier présomptif*
to succeed	*succéder à*
the accession	*l'avènement*
coronation	*le couronnement*
to reign	*régner*
to abdicate	*abdiquer*
a peer	*un pair*
nobility	*la noblesse*
the gentry	*la petite noblesse*
aristocracy	*l'aristocratie*
a democracy	*une démocratie*
a democrat	*un démocrate*
a bill of rights	*une déclaration des droits*
a constitutional monarchy	*une monarchie constitutionnelle*
a parliamentary democracy	*une démocratie parlementaire*

II GOVERNMENT — *LE GOUVERNEMENT*

1 THE CABINET — *LE GOUVERNEMENT*

the Cabinet	*le cabinet (ensemble des secrétaires d'État aux États-Unis)*
a member of the Cabinet	*un membre du gouvernement*
a Cabinet minister	*un ministre*
a shadow cabinet	*un cabinet fantôme*
an inner cabinet	*un cabinet restreint*
a cabinet meeting	*un conseil des ministres*
a Cabinet appointment	*une nomination à un ministère*
the head of government	*le chef de gouvernement*
(a) premier	*(un) premier ministre*
a department / a ministry	*un ministère*
a portfolio	*un maroquin*
a minister of state	*un ministre d'État*
a junior minister	*un secrétaire d'État*
a secretary (USA)	*un ministre / un secrétaire*
to put together a government	*former un gouvernement*
to enter the government	*entrer au gouvernement*
to appoint a minister	*nommer un ministre*
to allocate ministries	*répartir les ministères*
to head a department	*diriger un ministère*
a spokesman / a spokesperson	*un porte-parole*
a Cabinet shake up	*un réaménagement ministériel*
a Cabinet shuffle / reshuffle	*un remaniement ministériel*
to go out of office	*mettre fin à ses fonctions, perdre son portefeuille*
a walkout from a Cabinet	*un départ du gouvernement (en signe de protestation)*
to send to Coventry	*limoger*
to dismiss	*écarter*
to resign / a resignation	*démissionner / une démission*
to hand in one's resignation	*remettre sa démission*

2 THE BRITISH SYSTEM — *LE SYSTÈME BRITANNIQUE*

the Prime Minister	*le premier ministre*
the Chancellor of the Exchequer	*le chancelier de l'Échiquier*
the Ministry of Finance	*le ministère des Finances*
the Lord Chancellor	*le président de la Chambre des Lords, le ministre de la Justice*
the Keeper of the Seal / the Minister of Justice	*le ministre de la Justice*
the Home secretary	*le ministre de l'Intérieur*
the Home Office	*le ministère de l'Intérieur*
the Foreign Secretary	*le ministre des Affaires étrangères*
the Foreign Office	*le ministère des Affaires étrangères*
the Defence Secretary	*le ministre de la Défense*
an ombudsman	*un médiateur*
10, Downing Street	*la résidence du premier ministre*
Whitehall	*le siège du gouvernement, les milieux gouvernementaux*
Westminster	*le Parlement, les Chambres*
Parliament	*le Parlement*
the Houses of Parliament	*le Palais de Westminster*
the House of Parliament	*le Parlement*
the House of Commons	*la Chambre des députés*
the Commons	*les Communes*
a Member of Parliament (an MP)	*un membre du Parlement*
the backbenchers	*le gros des députés*
the front bench	*le banc des ministres et des membres du cabinet fantôme*
the Speaker	*le Président de la Chambre des Communes*
the Leader of the Opposition	*le chef de l'opposition*
a party whip	*un président de groupe*
the state opening of Parliament	*l'ouverture solennelle du Parlement*
to summon a session	*convoquer le Parlement*
a parliamentary session	*une session parlementaire*
to be sitting	*être en session*
to recess	*suspendre la séance, être en vacances (parlementaires)*
a recess	*vacances parlementaires*
the Queen's speech (UK)	*le discours du trône*

3 THE US GOVERNMENT — *LE GOUVERNEMENT AMÉRICAIN*

the White House	*la Maison Blanche*
the Oval office	*le bureau oval*
the administration	*le gouvernement*
the Bush administration	*l'administration Bush*
the civil service	*l'administration*
the State Department	*le département d'État*
the State Secretary	*le secrétaire d'État*
the Treasury Department	*le ministère du Trésor*
the Department of Defense	*le ministère de la Défense*
the Defense Secretary	*le ministre de la Défense*
the Pentagon	*le Pentagone*
the Attorney General	*le ministre de la Justice*
the Office of the President	*les services de la présidence*
the Council of Economic Advisers	*le conseil économique*
the National Security Council	*le conseil national de sécurité*
a presidential aide	*un conseiller de la présidence*
a special advisor	*un conseiller spécial*
an agency	*une agence*
a bureau	*un service, un office*
a lobby	*un groupe de pression*
a civil servant	*un fonctionnaire*
Capitol Hill	*la colline du Capitole, le Capitole*
Congress	*le Congrès*

a member of Congress	*un membre du Congrès*
a term	*un mandat*
a congressman / a congresswoman	*un membre de la Chambre des représentants*
the Senate	*le Sénat*
a senator	*un sénateur*
the Leader	*le chef de la majorité (au Sénat)*
the House of Representatives	*la Chambre des représentants*
a representative	*un représentant*
a Speaker	*un Speaker (de la Chambre)*
a whip	*un chef de file (chargé d'assurer la liaison entre les membres d'un parti)*
the Speech on the Union	*le discours sur l'état de l'union*

III POWERS — *LES POUVOIRS*

checks and balances	*poids et contrepoids*
the separation of powers	*la séparation des pouvoirs*
to vest a power in	*investir d'un pouvoir*
the executive branch	*l'exécutif*
the chief executive	*le chef de l'exécutif*
executive power	*le pouvoir exécutif*
to run a country	*diriger un pays*
to run the day-to-day affairs	*gérer les affaires quotidiennes*
to make government policy	*faire la politique du gouvernement*
a decision-making body	*un corps exécutif*
to wield the power	*détenir le pouvoir*
to preside over the destiny of	*présider aux destinées de*
to be at the helm	*être à la barre*
to implement	*mettre en œuvre*
implementation	*la mise en œuvre*
to spell out a program	*présenter un programme*
the legislative power	*le pouvoir législatif*
a law-making body	*un corps chargé de l'élaboration des lois*
to draft legislation	*rédiger des lois*
to draft a law	*rédiger une loi*
to pass legislation	*voter des lois*
an act (of parliament / Congress)	*une loi (du parlement)*
a bill	*un projet de loi*
to sponsor a bill	*introduire un projet de loi*
a provision	*une disposition*
a decree	*un décret*
an executive order	*un décret-loi*
an ordinance / an order	*une ordonnance*
a motion	*une proposition*
a rule	*un règlement*
a Government order	*un décret ministériel*
to enact	*promulguer, donner force de loi*
enactment	*la loi*
to present a bill	*déposer un projet de loi*
to table a bill	*présenter un projet de loi*
to second	*appuyer*
the committee stage	*le passage en commission*
a division	*un vote*
to sign a bill into law	*signer une loi*
a filibuster	*un flibuste*
to filibuster	*faire de l'obstruction*
to sidetrack	*enterrer*
examination	*l'examen de procédure*
question time	*le temps réservé aux questions orales*
a veto	*un veto*
to veto	*opposer son veto à*
to wield a veto	*brandir un veto*
to use one's veto	*exercer son droit de veto*
to override a veto	*passer outre à un veto*
to overrule a veto	*rejeter un veto*
to vote on	*voter*
to pass	*adopter*
to throw out	*rejeter*
to repeal / to rescind	*abroger*
to pass a vote of confidence	*voter la confiance*

4 DICTATORSHIP — *LA DICTATURE*

1 GENERAL BACKGROUND — *GÉNÉRALITÉS*

a dictator	*un dictateur*
arbitrary	*arbitraire*
a tyrant / tyranny	*un tyran / la tyrannie*
a puppet	*une marionnette*
a pawn	*un pion*
a President-for-life	*un président à vie*
a military junta	*une junte militaire*
totalitarian	*totalitaire*
a one-man rule	*un pouvoir autoritaire*
absolute power	*le pouvoir absolu*
a ruling elite	*une élite dirigeante*

2 OPPRESSION — *L'OPPRESSION*

to oppress / to keep down	*opprimer*
to be downtrodden	*être opprimé*
to impose one's will on a country	*imposer sa volonté à un pays*
the state apparatus	*l'appareil d'État*
a police state	*un État policier*
to be under the sway of	*être sous le joug de*

to hold a country in one's grip	*tenir un pays sous sa botte*
to come under the yoke of	*tomber sous le joug de*
the rule of terror	*le règne de la terreur*
to rule by force	*diriger par la force*
iron rule	*la loi d'airain*
to rule with an iron hand	*diriger d'une main de fer*
ruthless	*impitoyable*
ironclad	*insensible*
bloodthirsty	*sanguinaire*
megalomaniacal	*mégalomane*
to abridge a man of his rights	*priver un homme de ses droits*
to suppress rights	*supprimer les droits*
to snuff out	*réprimer*
to smother	*étouffer*
to stamp down	*écraser, étouffer*
to ride roughshod over	*passer sur le corps de*
heavy-handed tactics	*tactiques répressives*
a yearning for political change	*une aspiration au changement politique*
to cow into submission	*soumettre par l'intimidation*
censorship	*la censure*
to censor	*censurer*
to close down a newspaper	*fermer un journal*
to muzzle the press	*museler la presse*
to jail intellectuals	*mettre les intellectuels en prison*
to shut down a radio station	*fermer une station de radio*
to brainwash	*conditionner*
the trappings of power	*les fastes du pouvoir*
a henchman	*un suppôt*
abuse of power	*abus de pouvoir*
to concentrate authority in one's hands	*concentrer tous les pouvoirs dans ses mains*
to tailor a constitution to one's needs	*tailler une constitution à sa mesure*
to win special powers	*obtenir des pouvoirs spéciaux*
to be granted broad decree-making powers	*s'arroger de larges pouvoirs de décision*
a Big Brother regime	*un régime à la Big Brother (tiré du roman de G. Orwell 1984 décrivant un État totalitaire)*
to monitor mail	*surveiller le courrier*
to tail foreigners	*faire suivre les étrangers*
to spy on citizens	*espionner les citoyens*
to repress civil liberties	*réprimer les libertés civiques*
to mute opponents	*réduire les opposants au silence*
nepotism	*le népotisme*
to fawn to	*flatter servilement*

3 FREEDOM — *LA LIBERTÉ*

to chafe under the yoke of tyranny	*ronger son frein*
to pull down a government	*renverser un gouvernement*
to throw off the shackles (of)	*briser les chaînes (de)*
to rid the world of a dictator	*débarrasser le monde d'un dictateur*
to throw off the yoke	*briser le joug*
to cast off the yoke	*s'affranchir du joug*
a fallen tyrant	*un tyran déchu*
to free a country from tyranny	*libérer un pays de la tyrannie*
to be released from oppression	*être libéré de l'oppression*
the democratisation process	*le processus de démocratisation*
to open up to the democratic process	*s'ouvrir au processus démocratique*
people's power	*le pouvoir populaire*
to meet the demands of the people	*satisfaire les revendications populaires*
to give in to	*céder à*
to bow to the people's demands	*s'incliner devant les revendications populaires*
to repeal the constitution	*abroger la constitution*
to recover one's rights	*retrouver ses droits*
to return to civilian rule	*retrouver un régime civil*
to disband the secret police	*démanteler la police secrète*
to release political prisoners	*libérer les prisonniers politiques*
to root out corruption	*éliminer la corruption*
a provisional government	*un gouvernement provisoire*
a fledgling government	*un gouvernement fragile*
a caretaker government	*un gouvernement intérimaire*
a national salvation front	*un front de salut national*

5 HUMAN RIGHTS — *LES DROITS DE L'HOMME*

1 RIGHTS — *LES DROITS*

the rights of man	*les droits de l'homme*
civil rights	*droits civiques*
the Universal Declaration of Human Rights	*la Déclaration universelle des droits de l'homme*
the Declaration of the Rights of Man and of the Citizen	*la Déclaration des droits de l'homme et du citoyen*
observance of human rights	*le respect des droits de l'homme*

a human rights activist	*un militant des droits de l'homme*
the right to earn equal pay for equal work	*le droit au salaire égal à travail égal*
the right to self-determination	*le droit à l'auto-détermination*
the right to practise one's religion	*le droit de pratiquer sa religion*
freedom of speech	*la liberté de parole*
freedom of worship	*la liberté de culte*
freedom of the press	*la liberté de la presse*
freedom of expression	*la liberté d'expression*
freedom of thought	*la liberté de pensée*
freedom of conscience	*la liberté de conscience*
freedom of peaceful assembly	*le droit de réunion pacifique*
freedom of opinion	*la liberté de jugement*

2 HUMAN RIGHTS ABUSES — *LES VIOLATIONS DES DROITS DE L'HOMME*

to commit rights abuses	*commettre des atteintes aux droits*
to trample on rights	*bafouer les droits*
to deny a right	*refuser un droit*
to abridge a freedom	*restreindre une liberté*
to violate human rights	*violer les droits de l'homme*
to harass / harassment	*harceler / le harcèlement*
to intimidate	*intimider*
to terrorize	*terroriser*
to be arrested on charges of	*être arrêté pour (des motifs d'accusation)*
to mete justice	*rendre la justice*
summary	*sommaire*
a kangoroo court	*un tribunal irrégulier*
a sham trial	*une parodie de procès*
to imprison	*emprisonner*
to silence	*réduire au silence*
to send into exile	*envoyer en exil*
a prisoner of conscience	*un prisonnier politique*
a concentration camp	*un camp de concentration*
a gulag	*un goulag*
a labour camp	*un camp de travail*
a psychiatric hospital	*un asile d'aliénés*
to be missing	*être porté disparu*
to vanish	*disparaître*
a disappearance	*une disparition*
to abduct	*enlever*
an interrogation	*un interrogatoire*
to confess	*avouer*
to practice torture	*pratiquer la torture*
a torturer	*un tortionnaire*
a torture victim	*un martyr*
to be unbowed by torture	*ne pas céder sous la torture*
an executioner	*un bourreau*
to commit atrocities	*commettre des atrocités*
a barbarous regime	*un régime barbare*
to beat up	*tabasser*
to disfigure	*défigurer*
to treat with electric shocks	*soumettre à des électrochocs*
an ordeal	*une épreuve*
slavery	*l'esclavage*
to hold in bondage	*tenir en esclavage*
a slave	*un esclave*
child slavery	*l'esclavage des enfants*
to be enslaved by	*être asservi par*
to reduce to slavery	*réduire en esclavage*
enslavement	*l'asservissement*
to traffic in slaves	*faire la traite des esclaves*
a slave-trader	*un trafiquant d'esclaves*
to be in shackles	*être enchaîné*
in fetters	*dans les fers*
to be manacled	*avoir les chaînes aux poignets*
to work for a pittance	*travailler pour une bouchée de pain*
to be subservient	*être asservi*
to be exploited	*être exploité*
genocide	*le génocide*
to commit a genocide / to exterminate	*exterminer*
a gas chamber	*une chambre à gaz*
to eradicate	*éliminer*
to liquidate / to wipe out	*liquider*
to blot out	*exterminer, rayer de la carte*
mass killing	*extermination*
a pogrom	*un pogrom*
to hunt down	*pourchasser*
to deport	*déporter*
mass deportation	*déportations massives*
a mass grave	*un charnier*
butchery	*une boucherie*
to slaughter / to slay	*massacrer*
to put to death	*mettre à mort*
to ignore appeals for clemency	*être sourd aux appels à la clémence*
to enforce human rights	*faire respecter les droits de l'homme*
a human rights record	*un bilan en matière de droits de l'homme*
an offending state	*un État incriminé*
to comply with	*observer*
to safeguard the rights	*sauvegarder les droits*
a crime against humanity	*un crime contre l'humanité*
to recall an ambassador	*rappeler un ambassadeur*
a diplomatic break	*une rupture diplomatique*
to break ties with	*rompre les liens avec*
to secure the release of	*obtenir la libération de*
to denounce	*dénoncer*
a denunciation	*une dénonciation*

6 POLITICAL VIOLENCE — *LA VIOLENCE POLITIQUE*

I ANARCHY — *L'ANARCHIE*

1 VIOLENCE — *LA VIOLENCE*

to spark	*provoquer*
to trigger off	*déclencher*
to touch off	*soulever, provoquer*
a volatile situation	*une situation explosive*
the scale of violence	*l'ampleur des violences*
an outbreak of violence	*un accès de violence*
an upsurge of violence	*une vague de violence, une recrudescence de la violence*
an outburst of violence	*une explosion de violence*
to flare up in violence	*dégénérer en violence*
a flare-up	*une explosion soudaine*
to spin out of control	*échapper au contrôle*
to check violence	*contenir la violence*
a disturbance	*les troubles, une émeute*
public disorder	*désordres sur la voie publique*
a breach of peace	*un trouble de l'ordre public*
unrest	*agitation, troubles, remous*
to fuel the unrest	*jeter de l'huile sur le feu*
trouble	*incidents*
to brew	*couver*
to be in a turmoil	*être la proie de l'agitation*
a protest	*un mouvement de protestation*
a hotbed of protest	*un foyer de protestation*
a spate of incidents	*une série d'incidents*
to riot / a riot	*se révolter / une émeute*
a rioter	*un émeutier*
to spearhead a riot	*être le meneur d'une émeute*
to break out	*éclater*
an upheaval / an uprising	*un soulèvement*

2 A DEMONSTRATION — *UNE MANIFESTATION*

a demo	*une manif (fam.)*
to demonstrate	*manifester*
a demonstrator	*un manifestant*
a protester	*un contestataire*
to stage a demonstration	*organiser une manifestation*
to call a demonstration	*appeler à manifester*
to break up a demonstration	*dissoudre une manifestation*
to march / a march	*défiler / un défilé*
a marcher	*un participant (à un défilé)*
a mob	*une foule*
to take to the streets	*descendre dans la rue*
to pour out / to spill out	*se déverser*
to stream into the streets	*se déverser dans les rues*
to surge on to the streets	*déferler dans les rues*
to throng the streets	*se presser dans les rues*
to flood the streets	*envahir les rues*
to swarm	*envahir*
to bring traffic to a standstill	*paralyser la circulation*
to carry posters	*brandir des affiches*
to bear placards	*porter des pancartes*
to deploy banners	*agiter des banderoles*
to wave fists	*brandir le poing*
to chant slogans	*scander des slogans*

3 MOB VIOLENCE — *LA VIOLENCE POPULAIRE*

mob rule / mobocracy	*la loi de la rue*
a troublemaker	*un fauteur de troubles*
a hothead	*une tête brûlée*
a hooligan	*un voyou*
hooliganism	*le vandalisme*
rowdiness	*bagarres*
armed with a crowbar	*muni d'une barre de fer*
a stick	*un bâton*
gun toting	*armé de fusils*
mayhem	*la violence*
to mob	*assiéger*
to loot / to plunder	*piller*
looting / a looter	*le pillage / un pillard*
to wreck / to trash	*saccager*
to tear up	*arracher*
to tear down	*démolir*
to go on a rampage / to run amuck / amok	*se déchaîner*
to overturn cars	*renverser les voitures*
a bonfire	*un feu de joie*
to set on fire / to set ablaze	*mettre le feu à*
to ignite	*allumer*
to torch	*incendier*
to burn down	*détruire par le feu*
scorched	*roussi*
a firebomb / a petrol bomb	*un cocktail Molotov*
to set up barricades	*construire des barricades*
to tear down a barricade	*démolir une barricade*
to pelt	*bombarder*
a hail of stones / a volley of rocks	*une pluie de pierres*
to storm	*envahir*
to take by storm	*prendre d'assaut*
a sniper	*un tireur isolé, un franc-tireur*
pock-marked	*criblé de balles*
to set light to	*mettre le feu à*
a civil war	*une guerre civile*
strife-ridden / strife torn	*déchiré par des luttes*
a student revolt	*une révolte estudiantine*
armed rebellion	*la rébellion armée*
an armed struggle	*un conflit armé*
to tear apart a country	*déchirer un pays*
a revolution	*une révolution*
an insurgency	*une insurrection*
an insurgent	*un insurgé*
a bloodless revolution	*une révolution sans effusion de sang*
to rise up against	*se soulever contre*
to put down a revolution	*réprimer une révolution*

II A COUP — *UN COUP D'ÉTAT*

a mutiny	*une mutinerie*
coup planners	*les organisateurs d'un coup d'État*
a coup leader	*un meneur*
a coupster	*un participant au coup d'État*
a plot	*un complot*
a coup-plotter	*le fomenteur d'un coup d'État*
a conspirator	*un conspirateur*
to attempt a coup	*faire une tentative de coup d'État*
to foment a coup	*fomenter un coup d'État*
a coup scheme	*un complot de coup d'État*
a coup palace	*une révolution de palais*
a banana republic	*une république bananière*
to oust	*évincer*
to seize power	*s'emparer du pouvoir*
to overthrow a government	*renverser un gouvernement*
to topple a regime	*renverser un régime*
to sweep sb from power	*écarter qn. du pouvoir*
a strongman	*un homme fort*
the collapse of a government	*l'effondrement d'un gouvernement*
to depose a leader	*déposer un dirigeant*
to go into exile	*partir en exil*
to defeat a coup	*faire échec à un coup d'État*
to put down a coup	*réprimer un coup d'État*
to quash / to quell	*réprimer*
to squelch	*écraser*
to thwart	*contrecarrer*
to abort a coup	*faire avorter un coup d'État*
an abortive coup	*un coup d'État avorté*
to expose the plotters	*dénoncer les comploteurs*
to impose a state of siege	*imposer un état de siège*
to lift a state of siege	*lever un état de siège*
to prop up a regime	*consolider un régime*

III LAW AND ORDER — *LE MAINTIEN DE L'ORDRE*

police forces	*les forces de l'ordre*
a police squad	*un escadron de police*
the riot police	*la police anti-émeute, les CRS*
a police setup	*un dispositif policier*
to muster troops	*rassembler les troupes*
to deploy forces	*déployer les forces*
to beef up the police	*renforcer les effectifs de police*
to tighten security	*renforcer la sécurité*
a clash with police and troops	*un heurt avec la police et l'armée*
to charge on horseback	*charger à cheval*
a scuffle	*une échauffourée*
a skirmish	*un accrochage*
a show of force	*une démonstration de force*
to use strong armed methods	*utiliser la méthode forte*
to fight a pitched battle	*livrer une bataille rangée*
to battle with police	*se battre contre les forces de l'ordre*
gunplay	*échanges de coups de feu*
a gunfight	*un échange de coups de feu*
a warning shot	*un coup de semonce*
to open fire on	*ouvrir le feu sur*
to fire into the crowd	*tirer dans la foule*
to shoot at	*tirer sur*
a shoot-to-kill order	*un ordre de tirer sans discrimination*
to shoot on sight	*tirer à vue*
to spray with bullets	*arroser de balles*
point blank / at point range	*à bout portant / tendu*
to wrest a city from	*arracher une ville des mains de*
to secure a city	*reprendre le contrôle d'une ville*
to push back / to drive back	*repousser*
to hold fast	*tenir bon*
to hold off	*maintenir à distance*
to control	*avoir la situation en main*
to restrain	*maîtriser*
to cordon off an area	*boucler une zone*
to seal off	*encercler*
to be outnumbered	*être dépassé en nombre*
to be outequipped	*être sous équipé*
to be outmaneuvered	*être encerclé*
to clear the streets	*dégager les rues*
to comb through an area	*passer une zone au peigne fin*
to retreat	*faire retraite*
to fall back	*battre en retraite*
to withdraw	*se retirer*
to flee for cover	*courir se mettre à l'abri*
to seek sanctuary	*chercher refuge*
a stampede	*une débandade*
to surrender / to turn oneself in	*se rendre*
police crackdown	*la répression policière*
to manhandle / to brutalize	*brutaliser*
to bully	*malmener*
to club	*matraquer*
to rough up	*passer à tabac*
to round up	*effectuer une rafle*
to be hauled in	*être arrêté*
to handcuff	*passer les menottes*
to detain	*placer en garde à vue*
to be held by the police	*être placé en garde à vue*
to quash / to suppress a demonstration	*réprimer une manifestation*
to put down the unrest	*réprimer les troubles*
a state of emergency	*un état d'urgence*
a curfew	*un couvre-feu*
to enforce a curfew	*appliquer un couvre-feu*
martial law	*la loi martiale*
to restore order	*ramener l'ordre*
to lift martial law	*lever la loi martiale*
to call off the troops	*rappeler l'armée*

VIII INTERNATIONAL RELATIONS — *LES RELATIONS INTERNATIONALES*

1 DIPLOMACY — *LA DIPLOMATIE*

1 THE DIPLOMATIC CORPS — *LE CORPS DIPLOMATIQUE*

diplomacy	*la diplomatie*
a diplomat	*un diplomate*
diplomatic circles	*les milieux diplomatiques*
diplomatic immunity	*immunité diplomatique*
the international stage	*la scène internationale*
foreign affairs	*les affaires étrangères*
the Foreign Office (UK)	*le ministère des Affaires étrangères*
the State Department (USA)	*le département d'État*
the Foreign Secretary	*le ministre des Affaires étrangères*
the State Secretary (USA)	*le Secrétaire d'État*
foreign policy	*la politique étrangère*
an ambassador	*un ambassadeur*
an embassy	*une ambassade*
a consul / a consulate	*a consul / un consulat*
a chancery (UK) / a chancellery (USA)	*une chancellerie*
an envoy	*un émissaire*
a counterpart	*un homologue*
to be sent on a mission	*être envoyé en mission*
to accredit sb to / at	*accréditer qn. auprès de*
to present one's credentials	*présenter ses lettres de créance*
an international body	*un organisme international*
the United Nations Organisation (UNO)	*l'Organisation des Nations Unies (ONU)*
the Security Council	*le Conseil de sécurité*
a rapprochement	*un rapprochement*
an alignment	*un alignement*
a realignment	*un réalignement*
an axis	*un axe*
to conclude a treaty	*conclure un traité*
to ratify a treaty	*ratifier un traité*
peaceful coexistence	*la coexistence pacifique*
an alliance	*une alliance*
an ally	*un allié*
to strike an alliance	*s'allier*

2 A SUMMIT — *UN SOMMET*

a summit conference	*une conférence au sommet, un sommet*
to attend a summit	*participer à un sommet*
to cancel a summit	*annuler un sommet*
a summiteer	*un participant à un sommet*
to hold a summit	*organiser un sommet*
to convene	*se réunir*
to play host to	*accueillir*
pomp and circumstance	*les fastes*
a First Lady	*une première dame*
to set off on a tour (of)	*partir pour une tournée (de)*
to tour	*faire une tournée (en, de)*
a state visit	*une visite officielle*
a stopover	*une escale*
a stay	*un séjour*
a motorcade	*un cortège officiel*
a walkabout	*un bain de foule*
to press the flesh	*serrer des mains*
a bash	*une grande fête*
to spend a week end ensconced (in)	*passer un week end retiré (à)*
to huddle with	*se réunir en petit comité*
a televised address	*un discours télévisé*
to deepen understanding	*mieux se connaître*
to be on the same wavelength	*être sur la même longueur d'ondes*
to see eye to eye on	*partager les mêmes vues sur*
mutual understanding	*la compréhension réciproque*
to hit it off (with)	*s'entendre bien (avec)*
to cement relations	*consolider les liens avec*
to forge a bond with	*forger des liens avec*
to get down to business	*se mettre au travail*
to bear fruit	*porter ses fruits*
to yield	*déboucher sur*
to produce a political breakthrough	*faire un pas décisif*
format	*le cadre*
a get-together	*une rencontre*
top level	*au sommet*
a one on one meeting	*une réunion en tête à tête*
a formal meeting	*une rencontre protocolaire*
a roundtable	*une table ronde*
a conference table	*une table de conférence*
a round of talks	*un tour de table*
a working session	*une réunion de travail*
the negotiating table	*la table des négociations*
across the board exchanges	*un échange de vues*
to work behind the scenes	*travailler en coulisse*
exploratory talks	*discussions préliminaires*
to dispatch for consultation	*envoyer pour consultations*
to lay the groundwork	*préparer le terrain*
to spell conditions	*définir les conditions*
to settle the terms	*mettre les termes au point*
to set the stage for	*préparer le décor pour*
talks	*discussions, entretiens*
low level talks	*discussions entre collaborateurs subalternes*

to confer	*s'entretenir*
a backdrop	*une toile de fond*
an unstructured discussion	*une discussion à bâtons rompus*
to draft a response	*mettre au point une réponse*
to hammer out a communiqué	*mettre un communiqué au point*

3 NEGOTIATION *LES NÉGOCIATIONS*

to negotiate (over)	*négocier (à propos de)*
a negotiator	*un négociateur*
preconditions for negotiations	*conditions préalables aux négociations*
a negotiating process	*un processus de négociations*
to give a free hand	*donner carte blanche*
to wrestle with problems	*se débattre avec les problèmes*
arrangements	*dispositions*
to arrange	*organiser, prévoir*
the agenda	*l'ordre du jour*
a set agenda	*un ordre du jour fixe*
an item on the agenda	*un point à l'ordre du jour*
to put together an agenda	*mettre au point un ordre du jour*
to top the agenda	*venir en tête des préoccupations*
to float an idea	*lancer une idée*
a bargaining chip	*un point de discussion*
a talking point	*un point du débat*
the terms of an offer	*les termes d'une proposition*
to put forward a proposal	*avancer une proposition*

4 STANCES *LES POSITIONS*

a posture	*une position*
a bargaining position	*une position de négociation*
a fallback position	*une position de repli*
bargaining power	*une position de force*
to stake out a position	*adopter une position*
give and take	*concessions mutuelles*
a course of action	*une ligne de conduite*
to clarify one's views	*clarifier son attitude*
to undermine a position	*saper une position*
to take a tough line on	*adopter une ligne dure*
to strengthen a position / to shore up a position	*renforcer une position*
to be backed into a corner	*être acculé*
to carry weight	*porter, avoir de l'influence*
to ponder an option	*réfléchir à une option*
to rehash a position	*modifier une position*
to make a position amenable	*assouplir une position*
to switch course / to change course	*changer de cap*
a shift in policy	*un changement de politique*
a turnaround in policy	*un renversement de politique*
to softpedal one's support	*tiédir dans son soutien*
to bicker about	*se disputer*
to haggle (over)	*chicaner (sur)*
to probe a possibility	*explorer une possibilité*
to forestall	*anticiper*
to set conditions	*imposer des conditions*
to list one's demands	*dresser une liste de ses revendications*
to meet one's demands half-way	*couper la poire en deux*
to raise the stakes	*faire monter les enjeux*
a gambit	*une ruse, une manœuvre*
resilience	*la souplesse*
to settle through diplomatic means	*régler par la voie diplomatique*
to submit to an arbitration court	*soumettre à un tribunal arbitral*

5 DISAGREEMENT *LE DÉSACCORD*

a snag	*un obstacle imprévisible*
a stumbling block	*une pierre d'achoppement*
to hold up negotiations	*entraver les négociations*
to carp at	*trouver à redire*
to differ with	*être en désaccord avec*
to raise an objection (to)	*soulever une objection (à)*
a cleavage	*une division*
to exhaust all diplomatic options	*épuiser les options diplomatiques*
to reach (a) deadlock	*atteindre une impasse*
to deadlock	*se trouver dans l'impasse*
to reach stalemate	*aboutir à une impasse*
to bog down	*s'enliser*
to make no headway	*être en panne*
to stonewall	*faire de l'obstruction*
stalled	*en panne*
to have few options left	*être au pied du mur*
unbridgeable views	*points de vue inconciliables*
to drive a wedge between	*brouiller (deux pays / personnes)*
to shatter unity	*briser l'unité*
to breach unity	*entamer l'unité*
to set an ultimatum	*poser un ultimatum*
to draw the line (at)	*se fixer une limite (à)*
a bottom line	*une position ultime*
maneuvering room	*la marge de manœuvre*
to win a respite	*obtenir un répit*
to balk (at)	*hésiter (devant)*
to put a damper on	*jeter un froid sur*
to go from bad to worse / to worsen	*s'aggraver*
a sticking point	*un point délicat*
to strain relations	*tendre les relations*
to put a strain on	*mettre à rude épreuve*
to doom hopes	*anéantir les espoirs*
to break off talks	*rompre les discussions*

to derail talks / a meeting	*faire échouer les discussions / une réunion*
to walk out (of the talks)	*quitter les négociations*
to withdraw	*se retirer*
a withdrawal	*un retrait*

6 RESUMPTION — *LA REPRISE*

appeasement	*l'apaisement*
to appease / to placate	*apaiser*
to resume negotiations	*reprendre les négociations*
to reactivate	*relancer*
to keep channels open	*garder le contact*
to build bridges	*établir des contacts*
conciliation / fence mending	*la conciliation*
to override objections	*écarter des objections*
to tone down the rhetoric	*mettre une sourdine à ses discours*
to show goodwill	*montrer de la bonne volonté*
to heal wounds	*panser les blessures*
to downplay the crisis	*minimiser la crise*
to break a deadlock	*sortir d'une impasse*
to set conditions	*fixer des conditions*
to wring out concessions	*extorquer des concessions*
to talk sb round	*amener qn. à changer d'avis*
to talk sb into	*convaincre qn. de*
to clear the hurdles	*déblayer les obstacles*
to propitiate (sb)	*se concilier les bonnes grâces (de qn.)*
to sweeten relations	*assainir les rapports*
to drag one's feet	*faire traîner les choses en longueur*
to iron out obstacles	*aplanir les obstacles*
to make overtures to	*faire des ouvertures à*
to reconvene a conference	*reprendre une conférence*
to settle one's differences	*trouver un compromis*
to make up (with)	*se réconcilier avec*
a trade-off	*une contrepartie*
to achieve consensus	*parvenir à un consensus*

7 AGREEMENT — *L'ACCORD*

to outline a settlement	*exposer les grands traits d'un règlement*
a framework for an agreement	*le cadre d'un accord*
to broker an agreement	*négocier un accord*
to fashion an accord	*élaborer un accord*
to seal an agreement	*sceller un accord*
to implement an agreement	*mettre un accord en œuvre*
to comply with an agreement	*respecter un accord*
to hatch a deal	*produire un accord*
to strike a deal / to close a deal / to clinch a deal	*conclure un accord*
to side-step an issue	*éviter un problème*
a joint statement	*un communiqué commun*
an 8-point proposal	*une proposition en huit points*
a half-measure	*une demi-mesure*
a stopgap measure	*une mesure intérimaire*
a half-a-loaf compromise	*un compromis à moitié satisfaisant*
to strike a compromise	*parvenir à un compromis*
to force a country's hand	*forcer la main d'un pays*
to commit one's country to	*engager son pays à*

8 SUCCESS AND FAILURE — *LE SUCCÈS ET L'ÉCHEC*

a milestone	*une date historique*
to chart the future	*décider de l'avenir*
to bode well for the future	*être de bon augure pour l'avenir*
a bold stroke	*un coup d'audace*
a masterstroke	*un coup de maître*
a diplomatic achievement	*un tour de force diplomatique*
to bring off a master coup	*réussir un coup de maître*
to reap the rewards	*récolter les fruits*
to cash in on	*tirer profit de*
to pave the way / to open the way	*ouvrir la voie*
the collapse of diplomacy	*l'effondrement de la diplomatie*
to cut off relations with	*rompre les relations avec*
to fall through	*échouer*
to rescind an agreement	*annuler un accord*
to scrap	*mettre au rebut*
to scupper	*saboter*
to fall apart	*s'effondrer*
to unravel	*se défaire*
to heighten tensions	*accroître les tensions*
to block diplomatic overtures	*bloquer les ouvertures diplomatiques*
to dash expectations	*ruiner les espoirs*
to be back to square one	*être de retour à la case départ*
strained relations	*relations tendues*
a chill (in)	*un refroidissement (dans)*
the cold war	*la guerre froide*
the Iron Curtain	*le rideau de fer*
to normalize diplomatic ties	*normaliser les relations diplomatiques*
to return to speaking terms	*reprendre les contacts*
a relaxation of tensions	*une détente*
thaw	*le dégel*
a hot line	*un téléphone rouge*
a new world order	*un nouvel ordre mondial*

2 SPYING — *L'ESPIONNAGE*

a spy / an operative	*un espion*
a secret agent / an undercover agent	*un agent secret*
a mole	*une taupe*
a defector	*un transfuge*
the cloak and dagger	*les membres des services secrets*
an espionage ring	*un réseau d'espionnage*
to defect to the West	*passer à l'Ouest*
to go to the other side	*passer à l'ennemi*
a secret agency	*les services secrets*
counterintelligence	*le contre-espionnage*
an intelligence agency	*les services de renseignement*
to gather intelligence	*recueillir des renseignements*
to turn over information	*livrer des renseignements*
a covert operation	*une opération clandestine*
to spy on	*espionner*
the diplomatic pouch	*la valise diplomatique*
a cover-up	*une couverture*
to eavesdrop on	*écouter*
a listening device	*une écoute*
a monitoring station	*un poste de surveillance*
a bug	*un micro*
to have access to	*avoir accès à*
classified documents	*documents secrets*
sensitive	*sensible*
"for eyes only"	*top secret*
to snoop	*fureter*
to ferret out secrets	*dénicher des secrets*
to unearth	*déterrer*
to uncover	*découvrir*
to leak information (to)	*divulguer des renseignements (à)*
to betray one's country	*trahir son pays*
a clearance	*un accréditif*
a cipher	*un chiffre, un code secret*
to cipher / a cipherer	*déchiffrer / un chiffreur*
encrypted	*encodé*
the vault	*la salle du chiffre*
a shredder	*une broyeuse (pour documents)*
industrial espionage	*l'espionnage industriel*
to tap a conversation	*enregistrer une conversation*
to unmask	*démasquer*
to blow a cover	*révéler l'identité*
to turn in a spy	*livrer un espion*
to expose a spy	*démasquer un espion*
to seek political asylum	*chercher l'asile politique*

3 TERRORISM — *LE TERRORISME*

1 GENERAL BACKGROUND — *GÉNÉRALITÉS*

to be faced with terrorism	*être confronté au terrorisme*
to give in to terrorism	*céder au terrorisme*
the Baader Gang	*la bande à Baader*
the Irish Republican Army (I.R.A.)	*l'Armée républicaine irlandaise (IRA)*
the separatists	*les séparatistes*
a terrorist / an operative	*un terroriste*
a suspected terrorist	*un terroriste présumé*
a hit man	*un homme de main*
a hijacker	*un pirate de l'air*
to arm terrorists	*armer des terroristes*
a terrorist movement	*une organisation terroriste*
a terrorist attempt	*un attentat terroriste*
to plan a terrorist attack	*projeter une action terroriste*
to carry out a terrorist act	*exécuter un attentat terroriste*
a civilian target	*une cible civile*
to be involved (in)	*être impliqué (dans)*
to be the work of	*être l'œuvre de*

2 BOMBINGS — *LES ATTENTATS À LA BOMBE*

an outrage	*un attentat*
the bomb maker	*l'auteur de la bombe*
a bomb scare	*une alerte à la bombe*
a hoax	*un canular*
a bombing attempt	*un attentat à la bombe*
the blast of an explosion	*la déflagration*
a plastic explosive	*un engin au plastic*
radio-detonated explosives	*explosifs télécommandés*
a land-mine	*une mine terrestre*
an incendiary device	*un engin incendiaire*
a letter bomb	*une lettre piégée*
a parcel bomb	*un paquet piégé*
to explode a car bomb	*faire exploser une voiture*
the bomber	*le poseur de bombes*
to plant a bomb	*poser une bombe*
to detonate a bomb / to set off a bomb	*faire sauter une bombe*
to defuse	*désamorcer*
to blow up an airliner	*faire sauter un avion*
an in-flight explosion	*une explosion en vol*
a fateful flight	*un vol fatidique*

3 HOSTAGE TAKING — *LA PRISE D'OTAGES*

to take sb hostage	*prendre qn. en otage*
a hostage taker	*un preneur d'otages*
a captive	*un prisonnier*
to be blindfolded	*avoir les yeux bandés*
to issue an ultimatum	*fixer un ultimatum*
to negotiate a stay of execution	*négocier un délai d'exécution*
a last-minute reprieve	*un sursis de dernière minute*
a rescue operation	*une opération de sauvetage*
to carry out a rescue mission	*exécuter une opération de sauvetage*
to go in for the hostages	*intervenir pour libérer les otages*
to recover / to retrieve a hostage	*récupérer un otage*
to free hostages	*libérer les otages*
to swap	*échanger*
a hostage trade	*un échange d'otages*
a bargaining chip	*une monnaie d'échange*
to let a hostage go	*libérer un otage*
to release a hostage	*relâcher un otage*

4 DEALING WITH TERRORISM — *LA LUTTE ANTI-TERRORISTE*

to tighten security	*renforcer la sécurité*
a security hazard	*un risque pour la sécurité*
to institute a visa	*exiger un visa*
to tighten entry requirements	*renforcer les conditions d'entrée*
to wave through	*laisser passer d'un geste de la main*
to carry a fake passport	*être porteur d'un faux passeport*
to bolster border controls	*accroître les contrôles aux frontières*
to scrutinize cars	*fouiller les véhicules*
to screen passengers	*inspecter avec soin les passagers*
intensive parcel searches	*fouilles méthodiques des paquets*
to undergo a check	*être soumis à une vérification*
to search hand luggage	*fouiller les bagages à main*
to step through a metal detector	*franchir un portique détecteur de métaux*
to X-ray luggage	*passer les bagages aux rayons X*
to spot plastic explosives	*déceler les explosifs au plastic*
to elude an inspection	*échapper à l'inspection*
to undergo questioning	*être interrogé*
airtight security	*mesures de sécurité draconiennes*
a sniffer dog	*un chien renifleur*
to draw up a list of terrorists	*dresser une liste des terroristes*
a manhunt	*une chasse à l'homme*
to track down terrorists	*traquer les terroristes*
to uncover a network	*démasquer un réseau*
to eradicate terrorism	*éliminer le terrorisme*

4 THE ARMY — *L'ARMÉE*

I PERSONNEL — *LES PERSONNELS*

1 ARMY FORCES — *LES FORCES ARMÉES*

the army	*l'armée de terre*
the Navy	*la marine*
the Air Force	*l'armée de l'air*
the Engineers	*le Génie*
the Infantry	*l'Infanterie*
the Armoured Corps	*les Blindés*
a standing army	*une armée régulière*
a regular army	*une armée d'active*
an all-volunteer army	*une armée de volontaires*
a professional army	*une armée de métier*
the naval forces	*les forces navales*
the air forces	*les forces aériennes*
the US forces	*l'armée américaine*
the allied forces	*les troupes alliées*
a task force	*un corps expéditionnaire*
troops	*les troupes*
seasoned troops	*troupes chevronnées*
a squadron	*un escadron*
a battalion	*un bataillon*
a squad	*un peloton*
a platoon	*un peloton, une section*

2 ARMY PERSONNEL — *LE PERSONNEL MILITAIRE*

a military career	*une carrière dans l'armée*
to reach the rank of	*atteindre le grade de*
a military college / academy	*une école militaire*
to serve in the ranks	*servir dans les rangs*
the commissioned officers	*les officiers*
a high ranking officer	*un officier haut placé*
a commander-in-chief	*un commandant en chef*
a non-commissioned officer (NCO)	*un sous-officier*
a noncom	*un sous-off*
a commission	*un brevet d'officier*
headquarters	*le quartier général*
the staff	*l'état-major*
the chief-of-staff	*le chef d'état-major*
an infantryman	*un soldat de l'infanterie*
a gunner	*un artilleur*

an engineer	*un soldat du génie*
an orderly	*un planton, une ordonnance*
a sentry	*une sentinelle*
a chaplain	*un aumônier*
a medic	*un toubib*

3 RANKS — *LES GRADES*

the ground forces	*l'armée de terre*
field marshal	*maréchal*
general	*général de corps d'armée*
lieutenant general	*général de division*
major general / brigadier general	*général de brigade*
colonel	*colonel*
lieutenant colonel	*lieutenant-colonel*
major	*commandant, chef d'escadron, chef de bataillon*
captain	*capitaine*
first lieutenant	*lieutenant*
chief warrant officer	*adjudant-chef*
warrant officer (WO)	*adjudant*
sergeant first class	*caporal-chef, brigadier-chef*
corporal	*caporal*
private first class	*soldat de première classe*
private	*simple soldat*
the Navy / the Marines	*la marine / les Marines*
fleet admiral	*amiral de la flotte*
a squadron	*une escadre*
admiral	*amiral*
rear admiral	*contre-amiral*
commodore	*capitaine de vaisseau*
commander	*capitaine de frégate*
lieutenant commander	*capitaine de corvette*
ensign	*enseigne de vaisseau*
master chief	*capitaine, commandant*
petty officer (of the navy)	*second maître*
seaman	*quartier-maître*
a midshipman	*un aspirant*
the crew	*l'équipage*
the hands	*les hommes*
a cadet	*un élève officier de la marine*
the Air Force	*l'armée de l'air*
wing commander	*chef d'escadre*
group captain	*colonel*
flying officer	*lieutenant*
chief master sergeant	*sergent-chef, adjudant-chef*
staff sergeant	*sergent-chef*
airman first class	*première classe*
airman	*deuxième classe*
a paratrooper	*un parachutiste*
the uniform	*l'uniforme*
the kit / the outfit	*l'équipement*
to be in field dress	*être en tenue de campagne*
to be in battle dress	*être en tenue de combat*
a fatigue dress	*un treillis*
to be in civilian clothes	*être en civil*
a helmet	*un casque*
an order	*une décoration*
a medal	*une médaille*

II SERVING — *LE SERVICE ARMÉ*

1 THE MILITARY SERVICE — *LE SERVICE MILITAIRE*

to join the army / to join up	*s'enrôler*
to be in the army	*être militaire*
to go into the army	*devenir militaire de carrière, partir au service*
to be under arms	*être sous les drapeaux*
mandatory military service	*le service militaire obligatoire*
to perform one's military service	*accomplir son service militaire*
to be fit / unfit for service	*être apte / exempté*
to invalid sb out of the army	*réformer qn. (pour raisons médicales)*
to enlist	*s'engager*
an enlisted man	*un simple soldat*
the draft	*la conscription*
a draftee	*un appelé du contingent*
a recruiting station / office	*un bureau de recrutement*
a regular	*un soldat d'active*
a serviceman	*un militaire*
a mercenary soldier / a soldier of fortune	*un mercenaire*
to dodge the draft	*se dérober au service militaire*
a draft dodger / a draft evader	*un insoumis*
a conscientious objector	*un objecteur de conscience*

2 A SOLDIER'S LIFE — *LA VIE DE SOLDAT*

to station	*stationner*
to billet	*cantonner*
to be garrisoned	*être en garnison*
a garrison town	*une ville de garnison*
a barracks	*une caserne*
to go through training	*subir une instruction*
a boot camp	*un camp d'entraînement*
drill / drilling	*exercices, manœuvres*
a detail	*une corvée, un détachement de corvée*
to be on fatigue duty	*être de corvée*
to stand at attention	*être au garde-à-vous*
to review	*passer en revue*
to keep step	*marcher au pas*
to parade troops	*faire défiler des troupes*
to march	*marcher au pas*
weapon training	*le maniement des armes*
to do rifle practice	*s'entraîner au maniement des armes*
the national anthem	*l'hymne national*
to be on leave / on furlough	*être en permission*
to desert	*déserter*
a deserter	*un déserteur*
insubordination	*l'insoumission*
to go AWOL (Absent Without Leave)	*partir sans permission*

a Court-Martial	*un tribunal permanent des forces armées (en temps de guerre), une cour de sûreté de l'État (en temps de paix)*
to be court-martialled	*passer en cour martiale*
a veteran / an ex-soldier / an ex-serviceman	*un ancien combattant*

III MILITARY HARDWARE — *LE MATÉRIEL MILITAIRE*

weaponry	*l'armement*
equipment	*le matériel*
an arsenal	*un arsenal*
ammunition	*munitions*
a firearm	*une arme à feu*
a rifle	*un fusil*
a machine gun	*une mitrailleuse, un fusil-mitrailleur*
a spear gun	*un fusil sous-marin*
a submachine gun / a tommy gun	*une mitraillette*
a Bren gun	*un fusil mitrailleur*
a stun gun	*un fusil incapacitant*
a grenade	*une grenade*
a flame thrower	*un lance-flammes*
a howitzer	*un obusier*
a mortar	*un mortier*
to shell	*bombarder, pilonner*
a shell	*un obus*
a rocket	*une roquette*
a rocket launcher	*un lance-roquettes*
a missile battery	*une batterie de missiles*
an armoured car	*un blindé*
an armoured vehicle	*un véhicule blindé*
an armoured personnel carrier	*un véhicule blindé pour le transport de troupes*
a tank	*un tank*
a half-track	*un véhicule à chenilles*
a fleet	*une flotte*
to commission	*armer*
a shipyard	*un chantier naval*
to fit out	*armer un navire*
a man-of-war	*un bateau de guerre*
a warship	*un navire de guerre*
a flagship	*un vaisseau amiral*
a dreadnought	*un cuirassé (d'escadre)*
a battleship	*un cuirassé*
a cruiser	*un croiseur*
a battle cruiser	*un croiseur cuirassé*
a torpedo boat	*un torpilleur*
a destroyer	*un contre-torpilleur*
a frigate	*une frégate*
a launch	*une vedette*
a patrol ship	*un patrouilleur*
a seaplane	*un hydravion*
a landing craft	*une péniche de débarquement*
an aircraft carrier	*un porte-avions*
a minelayer	*un poseur de mines*
a minesweeper	*un dragueur de mines*
a gunboat	*une canonnière*
a submarine	*un sous-marin*
airborne forces	*forces aéroportées*
an air base	*une base aérienne*
the range	*le rayon d'action*
a flight / a squadron	*une escadrille*
a wing	*une escadre aérienne*
an aircraft	*un avion*
a jet fighter	*un chasseur à réaction*
a flying tanker / an airborne tanker	*un avion de ravitaillement*
to refuel	*se ravitailler*
in-flight refuelling	*le ravitaillement en vol*
an AWACS plane	*un avion radar*
a bomber	*un bombardier*
a Stealth bomber	*un bombardier invisible*
a chopper	*un hélico*
a drone	*un avion téléguidé*
a decoy	*un leurre*
a bomb bay	*une soute à bombes*
to jettison	*larguer*
a drop	*un parachutage*

5 WAR — *LA GUERRE*

I TYPES OF WAR — *LES TYPES DE GUERRE*

the Secession War (USA) / the American Civil War (USA)	*la guerre de Sécession*
World War I	*la Première Guerre mondiale*
the Great War	*la Grande Guerre*
World War II	*la Seconde Guerre mondiale*
a civil war	*une guerre civile*
an independence war	*une guerre d'indépendance*
a war of attrition	*une guerre d'usure*
a holy war	*une guerre sainte*
star wars (SDI)	*la guerre des étoiles, l'IDS (initiative de défense stratégique)*
an all-out war	*une guerre totale*
a protracted war / a prolonged war	*une guerre prolongée*
warfare	*la guerre*
guerilla warfare	*la guérilla*
chemical warfare	*la guerre chimique*
hostilities	*hostilités*
a military conflict	*un conflit militaire*
a military campaign	*une campagne militaire*
a battle	*une bataille*
to fight a battle	*livrer bataille*

a shelling attack	*une attaque à la roquette*
a counterattack	*une contre-attaque*
a full scale offensive	*une offensive de grande envergure*
a skirmish	*une escarmouche*
a shoot-out	*une fusillade*
to ambush	*attirer / faire tomber dans une embuscade, tendre une embuscade*
an ambush	*une embuscade*
a hit and run raid	*un coup de main éclair*
to raid	*exécuter un coup de main*
a strike	*un coup de main*
an air strike	*une attaque aérienne*
a pre-emptive strike	*une attaque préventive*
a surgical strike	*un bombardement chirurgical*
to launch a strike	*déclencher une attaque*

II THE THREAT OF WAR — *LA MENACE DE GUERRE*

a warmonger	*un belliciste*
a war machine	*une machine de guerre*
to parry a threat	*parer une menace*
to make good a threat / to carry out a threat	*mettre une menace à exécution*
belligerence	*la belligérance*
bellicose	*belliqueux*
to be poised on the brink of war	*être au bord de la guerre*
to eschew the use of firearms	*éviter le recours aux armes*
to give diplomacy short shrift	*faire fi de la diplomatie*
to put troops on the alert	*mettre les troupes en état d'alerte*
to strain peace	*mettre la paix à rude épreuve*
to spoil for a fight	*brûler de se battre*
to slip into war	*glisser vers la guerre*
to spark a conflict	*mettre le feu aux poudres*
to be on the war-footing	*être sur le pied de guerre*
mobilisation	*la mobilisation*
to raise an army	*lever une armée*
to have 1 million men under arms	*avoir un million de soldats mobilisés*
to call up	*mobiliser*
to stand by	*se tenir prêt, être en état d'alerte*
to show one's muscle	*montrer sa force*
to build up	*accumuler*
a build-up	*les préparatifs*
to despatch troops	*envoyer des troupes*
to mass troops	*masser des troupes*
in battle array	*en ordre de bataille*
a buffer force	*une force d'interposition*
a face off	*un engagement*
to draw up contingency plans	*élaborer des plans d'urgence*
a line of attack	*un plan d'attaque*
a ploy	*un stratagème*
a two-pronged strategy	*une double stratégie*
to apply a strategy	*appliquer une stratégie*
a joint military action	*une opération militaire conjointe*
to muster the international effort	*mobiliser les forces internationales*
to weld together a coalition	*cimenter une coalition*
to enlist the support (of)	*s'assurer le concours (de)*
to close ranks	*resserrer les rangs*
neutrality	*la neutralité*
covert aid	*aide déguisée*
to stray from the pack	*faire cavalier seul*
to break ranks (with)	*se désolidariser (de)*
to sever ties with	*rompre les relations avec*
to exert pressure	*exercer une pression*
to shore up one's support	*renforcer son appui*

III AT WAR — *EN GUERRE*

to declare war (on)	*déclarer la guerre (à)*
to take up arms	*prendre les armes*
to make war (on)	*faire la guerre (à)*
to wage war	*faire la guerre*
to go to war	*partir à la guerre*
to break out	*éclater*
an outbreak of a war	*le déclenchement d'une guerre*
to deploy an army	*déployer une armée*
to array one's troops	*déployer ses troupes*
the battleground	*le champ de bataille*
a conflict zone / a trouble zone	*une zone de conflit*
a war zone	*une zone de guerre*
a strife-torn country	*un pays déchiré par les conflits*
to be in the grip of war	*être en proie à la guerre*
the front	*le front*
the back lines	*les lignes arrières*
to set up a base	*installer une base*
to be entrenched / to be dug in	*être retranché*
to entrench oneself	*se retrancher*
a sandbag	*un sac de sable*
barbed wire	*le fil de fer barbelé*
an outpost	*un avant-poste*
to man the guns	*servir les canons*
to train one's guns on	*diriger ses canons sur*
to invade	*envahir*
an invader	*un envahisseur*
an aggressor state	*un État agresseur*
a military thrust	*une percée militaire*
to infiltrate the enemy lines	*s'infiltrer à travers les lignes ennemies*
to order an army forward	*donner l'ordre à une armée d'avancer*
to seize territory	*s'emparer d'un territoire*
to guard a flank	*préserver un flanc*
to come ashore	*débarquer*
to land forces	*faire débarquer des troupes*
a landing	*un débarquement*
a beachhead	*une tête de pont*
to make a breach in the lines	*faire une percée dans les lignes*

to contain an invasion	*contenir une invasion*
to repel an invasion / to push back an invasion	*repousser une invasion*
to resist	*résister à*
a resistance fighter	*un résistant*
the Resistance movement	*la Résistance*
to hold one's own	*résister*
to dislodge the enemy	*déloger l'ennemi*
to bog down	*s'enliser*
to scuttle a fleet	*saborder une flotte*

IV FIGHTING — *LE COMBAT*

1 THE OFFENSIVE — *L'OFFENSIVE*

to fight it out	*lutter jusqu'au bout*
to give no quarter	*ne pas faire de quartier*
to spare	*épargner*
a lull in the fighting	*une accalmie dans les combats*
to take the offensive	*passer à l'offensive*
to go into action	*aller au front*
a lightning strike across the border	*un raid éclair de l'autre côté de la frontière*
to strike the enemy	*frapper l'ennemi*
to launch an attack (on)	*lancer une attaque (sur)*
to beat back an assault	*repousser un assaut*
to punch through enemy lines	*enfoncer les lignes ennemies*
to push through (to)	*s'ouvrir un chemin (jusqu'à)*
to break through a defense line	*percer une ligne défensive*
to outflank	*déborder*
to overlap	*envelopper*
to take by storm	*prendre d'assaut*
to overrun a country	*envahir un pays*
to overrun a position	*se rendre maître d'une position, occuper une position*
to have a hold on	*être maître de*
a stronghold	*une place forte*
to seize territory	*s'emparer d'un territoire*
to gain ground	*gagner du terrain*
a retaliatory raid (on)	*un raid de représailles (sur)*
a reprisal attack	*une attaque de représailles*
to put up a defense (against)	*opposer une défense (à)*
to stand up to the enemy	*résister à l'ennemi*
to check an advance	*enrayer une avance*
to hamper an advance	*entraver une avance*
to hold steady / to hold fast	*tenir bon*
to hold back	*contenir*
to check	*enrayer*

2 AIR WARFARE — *LA BATAILLE AÉRIENNE*

a dogfight	*un combat aérien*
a flying ace	*un as de l'aviation*
air support	*le soutien de l'aviation*
an air raid shelter	*un abri*
to fly over	*survoler*
to bomb out	*détruire par bombardement*
an aerial blitzkrieg	*une guerre éclair aérienne*
to drop a bomb	*larguer une bombe*
to dive-bomb	*bombarder en piqué*
a ground target	*une cible au sol*
to lock onto one's target	*avoir la cible dans son objectif*
to strike a target	*frapper une cible*
to be on target	*suivre la trajectoire prévue*
to hit the mark	*faire mouche*
dead on target	*en plein dans le mille*
to miss one's mark	*rater sa cible*
to shell	*bombarder*
shellfire	*le pilonnage d'artillerie*
to strafe	*bombarder, mitrailler*
to pound	*marteler, pilonner*
AA fire / the flak	*la DCA*
to foil radar	*échapper aux radars*
to jam enemy search	*brouiller les recherches de l'ennemi*
to down a plane	*abattre un avion*
to crash land	*atterrir en catastrophe*
a belly landing	*un atterrissage sur le ventre*
to bail out / to bale out	*sauter en parachute*

3 THE BLOCKADE — *LE BLOCUS*

to mine	*miner*
a mine	*une mine*
a minefield	*un champ de mines*
a booby trap	*une mine antipersonnel*
to deploy a mine	*mouiller une mine*
to lay a mine	*poser une mine*
to hit a mine / to strike a mine	*heurter une mine*
to disable a ship	*avarier un bâtiment, mettre un bâtiment hors de combat*
mine disposal	*le déminage*
minesweeping	*le dragage de mines*
an air blockade	*un blocus aérien*
to blockade	*faire le blocus*
to strangle a country	*asphyxier un pays*
to tighten one's hold on	*renforcer son emprise sur*
a stranglehold	*un étau*
an airlift	*un pont aérien*
to besiege / to lay siege to	*assiéger*
to seal off a country	*encercler un pays*
to starve out	*réduire par la famine*
to raise a siege / to lift a siege	*lever un siège*
to supply	*ravitailler*
supplies	*le ravitaillement*
a supply convoy	*un convoi de ravitaillement*
to cut supply lines	*couper les voies de ravitaillement*

4 CHEMICAL WARFARE — *LA GUERRE CHIMIQUE*

a chemical weapon	*une arme chimique*
a biological weapon	*une arme d'origine biologique*
a chemical arsenal	*un arsenal chimique*
mustard gas	*le gaz moutarde, l'ypérite*

poison gas	*le gaz toxique, asphyxiant*
nerve gas / sarin / tabun	*le gaz paralysant*
the Orange agent	*l'agent Orange*
a defoliant	*un défoliant*
bacteriological warfare	*la guerre bactériologique*
an antichemical suit / a chemical warfare suit	*une combinaison NBC (nucléaire, biologique et chimique)*
a gas mask	*un masque à gaz*
to incapacitate	*paralyser*

5 ESCALATION — *L'ESCALADE*

to escalate a conflict	*intensifier un conflit*
to step up attacks (on)	*intensifier les attaques (contre)*
to flare anew	*s'embraser à nouveau*
to expand a conflict	*étendre un conflit*
to send reinforcements	*envoyer des renforts*
to drag on	*traîner en longueur*
to sink into war	*s'enfoncer dans la guerre*
a quagmire	*un bourbier*
a build-down	*une désescalade, un désengagement*
to de-escalate	*(se) désengager*
to reach a stalemate	*être dans une impasse*
to break a stalemate	*sortir d'une impasse*
a standoff	*une impasse*
an occupied territory	*un territoire occupé*
to annex	*annexer*
an annexation	*une annexion*
an occupier	*un occupant*
a collaborator	*un collaborateur*

V DEFEAT — *LA DÉFAITE*

to defeat an army / a country	*vaincre une armée / un pays*
to suffer a defeat	*subir une défaite*
to gain the upper hand	*avoir le dessus*
to roll back an army	*repousser une armée*
to knock out an army	*mettre une armée hors d'état de nuire*
to crush forces	*écraser les forces armées*
in disarray	*en déroute*
a no-win situation	*une situation désespérée*
to cut one's losses	*sauver les meubles*
to sound the retreat	*battre la retraite*
to pull one's forces back	*retirer ses troupes*
to surrender	*se rendre*
unconditional surrender	*une capitulation sans condition*
to capitulate	*capituler*
to lay down one's weapons	*déposer les armes*
to disarm	*désarmer*
to withdraw / to pull out	*se retirer*
unconditional withdrawal	*le retrait inconditionnel*

VI AFTERMATH — *LES CONSÉQUENCES*

the human toll	*le bilan des victimes*
human losses	*pertes en vies humaines*
cannon fodder	*la chair à canon*
to suffer heavy losses	*subir des pertes importantes*
to sustain losses	*subir des pertes*
a war casualty	*une victime de guerre*
to claim lives	*faire de nombreuses victimes*
the body count	*le nombre des tués*
a body bag	*un cercueil*
missing in action (MIA)	*porté disparu*
to be killed in action	*être tué au front / au combat*
the war-disabled	*les infirmes de guerre*
the war-wounded	*les blessés de guerre*
a veteran hospital	*un hôpital militaire*
a war grave	*un cimetière militaire*
a war memorial / a cenotaph	*un monument aux morts*
a prisoner of war (POW)	*un prisonnier de guerre*
a war criminal	*un criminel de guerre*
a bombed-out city	*une ville bombardée*
to leave a country in a shambles	*dévaster un pays*
to lay waste a country	*ravager un pays*
a scorched earth policy	*une politique de la terre brûlée*
rationing	*le rationnement*
to ask for peace	*demander la paix*
suspension of hostilities	*l'arrêt des combats*
a truce	*un armistice*
to sign an armistice	*signer un armistice*
a cease fire	*un cessez-le-feu*
a peace-keeping force	*une force de maintien de la paix*
to make peace with	*conclure la paix (avec)*
a peacemaker	*un artisan de la paix*
a peace process	*un processus de paix*
a peace treaty	*un traité de paix*
to dictate one's terms	*imposer ses conditions*
peace broke out	*la paix a été déclarée*
to endorse a peace settlement	*approuver un règlement de paix*
war reparations	*réparations de guerre*

6 NUCLEAR WAR — *LE CONFLIT NUCLÉAIRE*

1 THE NUCLEAR ARSENAL — *L'ARSENAL NUCLÉAIRE*

a conventional weapon	*une arme classique*
a nuclear weapon	*une arme nucléaire*
a nuclear device	*un engin nucléaire*
a nuclear warhead	*une tête nucléaire*
a nuclear missile	*un missile nucléaire*
a nuclear bomb	*une bombe atomique*
an A-bomb	*une bombe A*
an H-bomb	*une bombe H*
a neutron bomb	*une bombe à neutrons*
to wield nuclear weapons	*disposer d'armes atomiques*
a strike force	*une force de frappe*
a nuclear power	*une puissance nucléaire*
to pull the nuclear trigger	*appuyer sur le bouton atomique*
the nuclear yield	*la charge nucléaire*
a mushroom cloud	*un champignon atomique*
the fallout	*les retombées*
a blast wave	*une onde de choc*
a blast effect	*un effet de souffle*
a missile launcher	*un lance-missiles*
a homing missile	*un missile à tête chercheuse*
a heat-seeking missile	*un missile à tête thermique*
a cruise missile	*un missile de croisière*
a missile range	*la portée d'un missile*
intermediate range	*de portée intermédiaire*
to deactivate a warhead	*désamorcer une tête de missile*
to launch a missile	*lancer un missile*
to fire a missile	*tirer un missile*
to lob	*lancer*
to train on	*diriger sur*
to home in	*se diriger sur*
a silo	*un silo*
to station a missile	*installer un missile*
nuclear deterrence	*la dissuasion nucléaire*
a deterrent	*une force de dissuasion*
a flexible response	*une riposte graduée*
a first-strike capability	*une capacité de première frappe*
a pre-emptive strike	*une attaque préventive*

2 NUCLEAR WARFARE — *LA GUERRE ATOMIQUE*

to push the nuclear button	*appuyer sur le bouton rouge*
a limited war	*une guerre limitée*
to resort to	*avoir recours à*
to be at stake	*être en jeu*
a nuclear shield	*un bouclier nucléaire*
ground zero	*le point zéro*
to touch off a holocaust	*provoquer un holocauste*
destructiveness	*la capacité à détruire*
to overkill	*sur-détruire*
overkilling capacity	*la capacité de surextermination*
to survive a nuclear war	*réchapper à une guerre atomique*
to withstand a blast	*résister à une onde de choc*
to wipe out	*décimer*
to annihilate	*anéantir*
massive annihilation	*la destruction massive*
to flatten a town	*anéantir une ville*
ecological collapse	*la destruction de l'environnement*
to deplete the ozone shield	*détruire le bouclier d'ozone*
to break down man made and natural systems	*détruire les systèmes artificiels et naturels*
to scorch	*rôtir*
radioactivity	*la radioactivité*
radioactive debris	*débris radioactifs*
to contaminate	*contaminer*
contamination	*la contamination*
to release radiations	*dégager des radiations*
to be irradiated	*être irradié*
a lethal dose	*une dose mortelle*
a fall-out shelter	*un abri anti-atomique*
star wars	*la guerre des étoiles*
a laser beam	*un rayon laser*
to lase	*émettre des rayons laser*
a laser guidance unit	*un système de guidage laser*
a laser-guided bomb	*une bombe au laser*
to burn a hole (into)	*percer un trou par échauffement*
the skin of a missile	*l'enveloppe d'un missile*
a space weapon	*une arme spatiale*
to destroy incoming warheads	*détruire des ogives assaillantes*

7 DISARMAMENT — *LE DÉSARMEMENT*

the arms bazaar	*le marché aux armes*
military power	*la puissance militaire*
a military power	*une puissance militaire*
arms sales	*ventes d'armes*
an arms dealer	*un marchand d'armes*
the defense sector	*le secteur de la défense*
a military industrial complex	*un complexe militaro-industriel*
gun boat diplomacy	*la diplomatie de la canonnière*
the armament race	*la course aux armements*
an armament buildup	*une accumulation d'armes*

to ban the arms trade	*interdire le commerce des armes*
to enhance safety	*accroître la sécurité*
the balance of terror	*l'équilibre de la terreur*
the balance of power	*l'équilibre des forces*
arms control / arms limitation	*la limitation des armements*
a disarmament treaty	*un traité sur le désarmement*
a non-proliferation treaty	*un traité de non-prolifération*
to lessen the arms race	*réduire la course aux armements*
a lessening of tension	*une détente*
to fold up a doctrine	*abandonner une doctrine*
to trim defense spending	*comprimer les dépenses militaires*
to defuse a confrontation	*désamorcer un conflit*
to reap a peace dividend	*récolter les dividendes de la paix*
a reduction in forces	*une réduction des troupes*
to put a ceiling (on)	*fixer un plafond (à)*
a nuclear freeze	*un gel nucléaire*
a zero option	*une option zéro*
disentanglement	*le désengagement*
to scale down	*réduire*
a build down	*une réduction*
to disarm	*désarmer*
to demilitarize	*démilitariser*
to denuclearize	*dénucléariser*
a nuclear free zone	*une zone dénucléarisée*
defense cuts	*coupes dans les progammes militaires*
to slash a program	*supprimer un programme*
to cancel a program	*annuler un programme*
to put a program on hold	*suspendre un programme*
a procurement	*un service des fournitures*
to retire missiles	*retirer des missiles de la circulation*
to decommission a battleship	*désarmer un navire de guerre*
to phase out aircraft	*supprimer / retirer graduellement des avions*
to scrap a stockpile	*détruire un stock*
to remove troops	*retirer des troupes*
the removal of troops	*le retrait des troupes*
a troop cut	*une réduction des forces*
to run down one's armed forces	*réduire ses forces armées*
a draw down in the number of	*une baisse dans le nombre de*
to cap the size	*limiter la taille*
to deactivate an army division	*retirer une division*
to discharge	*rendre à la vie civile*
to reassign	*réaffecter*
a token force	*une force d'appoint symbolique*
arms treaty compliance	*la conformité au traité sur les armements*
to police a site	*inspecter un site*
to monitor a ban	*veiller à faire respecter l'interdiction*
the defense industry	*l'industrie militaire*
to convert	*convertir*
civilian industry	*l'industrie civile*

III ECONOMY de 163 à 202

IX FACTORS OF PRODUCTION — *LES FACTEURS DE PRODUCTION*

1 AGRICULTURE — *L'AGRICULTURE*

I THE RURAL BELT — *LA ZONE RURALE*

a breadbasket	*un grenier à blé*
the heartland	*le terroir*
crown lands (UK)	*terres domaniales*
the country	*la campagne*
country life	*la vie à la campagne*
a countryman / a countrywoman	*un paysan / une paysanne*
a country road	*une route de campagne*
a lane / a path	*un chemin / un sentier*
a village	*un village*
a villager	*un villageois*
a hamlet	*un hameau*
a market town	*un bourg*
a farmer / an agriculturist (USA)	*un agriculteur*
a landholder / a landowner	*un propriétaire terrien*
an agri-business operator	*un gros exploitant agricole*
a peasant farmer / a small farmer	*un petit exploitant agricole*
a smallholder	*un petit cultivateur*
a day labourer	*un journalier*
a farm worker	*un ouvrier agricole*
a tenant / a sharecropper	*un métayer*
a farmstead	*une exploitation agricole*
a farm / a farmhouse	*une ferme*
to farm	*être agriculteur*
to run / keep a farm	*diriger une ferme*
to work on a farm	*travailler dans une ferme*
owner occupation	*le faire-valoir direct*

II WORKING THE LAND — *LE TRAVAIL DE LA TERRE*

farming	*l'affermage, exploitation des terres*
to farm land	*cultiver la terre*
cereal growing	*cultures céréalières*
organic farming	*cultures biologiques*
poultry farming	*aviculture*
stock farming	*élevage de bétail*
dairy farming	*industrie laitière*
seafarming / mariculture	*aquiculture*
factory farming	*élevage industriel*
mixed farming	*la polyculture-élevage*
hobby farming	*agriculture de loisir*
dairy produce	*produits laitiers*
market gardening	*cultures maraîchères*
farm output	*la production agricole*
farm equipment	*le matériel agricole*
an agricultural show	*un salon de l'agriculture*
an agricultural implement	*un outil agricole*
fieldwork	*les travaux des champs*
to clear the land / to reclaim land	*défricher la terre*
to plough / plow the land	*labourer la terre*
a share	*un soc*
to cut furrows	*tracer des sillons*
to cultivate	*cultiver*
to manure a field	*fumer un champ*
to sow	*emblaver*
a seed	*une graine*
to plant	*planter*
to harrow	*herser*
to till	*labourer*
hay	*le foin*
a sheaf	*une gerbe*
a rick / a haystack	*une meule*
straw	*la paille*
stubble	*le chaume*
to mow	*faucher*
to reap	*moissonner*
to harvest	*moissonner, vendanger, récolter*
hoppicking	*la cueillette de houblon*
fruit picking / fruit gathering	*le ramassage des fruits*
to gather in	*rentrer (les récoltes)*

III CROPS — *LES CULTURES*

1 THE LAND — *LA TERRE*

an acre	*une acre (0,4 ha) (un arpent)*
acreage	*la superficie (en acres)*
the soil	*la terre*
fertile / fat land	*terres fertiles*
to live off the land	*vivre du produit de la terre*
arable	*cultivable*
scrubland	*la terre broussailleuse*
arid land	*la terre aride*
barren land	*la terre inculte*
idle land	*terres inutilisées*
to overuse	*surexploiter*
to collectivise	*collectiviser*
land redistribution	*la redistribution agraire*
to reallocate	*remembrer*
regrouping / land-reshaping	*le remembrement*

2 CROPPING SYSTEMS — *LES SYSTÈMES D'ASSOLEMENT*

topsoil	*la terre végétale*
a crop	*une récolte*
a standing crop	*une récolte sur pied*
a bumper crop	*une récolte exceptionnelle*
a fodder crop / a feedcrop	*une culture fourragère*
a food crop	*une culture vivrière*
a staple crop / a subsistence crop	*une culture de rente*
to rotate a crop	*alterner les cultures*
to raise crops	*faire pousser des cultures*
to spray crops	*pulvériser les cultures*
to get the crop in	*rentrer la récolte*
weeds	*mauvaises herbes*
pest control	*la lutte antiparasitaire*
a pesticide	*un pesticide*
an insecticide	*un insecticide*
a herbicide / a weed killer	*un herbicide*
agricultural pollution	*la pollution agricole*
to water	*arroser*
drainage	*irrigation, assèchement*
runoff	*eaux d'écoulement*
to yield	*produire*
to lie fallow	*être en jachère*
a nutrient	*un élément nutritif*
soil amendment	*amendement des sols*
to lime	*chauler*
to apply chemicals	*déverser des produits chimiques*
manure	*engrais naturel, le lisier*
fertilizer	*engrais*
compost	*le compost*
nitrogen	*azote*
to grow	*faire pousser*
alfalfa	*la luzerne*
corn	*le blé (UK), le maïs (USA)*
cotton	*le coton*
grain	*les céréales, le blé (USA)*
maize / Indian corn	*le maïs*
rice	*le riz*
rye	*le seigle*
soybean	*le soja*
sugar cane	*la canne à sucre*
tobacco	*le tabac*
wheat	*le blé, le froment*

3 FARM PRODUCES — *LES PRODUITS FERMIERS*

a greenhouse	*une serre*
an artichoke	*un artichaut*
an avocado pear	*un avocat*
green beans	*haricots verts*
a cabbage	*un chou*
a cucumber	*un concombre*
a leek	*un poireau*
a lettuce	*une laitue*
a nut	*une noix*
onion	*oignon*
a potato	*une pomme de terre*
a pumpkin	*une citrouille, un potiron, une courge*
spinach	*épinard*
a tomato	*une tomate*
edible fungi	*champignons comestibles*
poisonous fungi	*champignons vénéneux*
deadly poisonous fungi	*champignons mortels*
mushrooms	*champignons*
to pick / collect mushrooms	*ramasser des champignons*
cep / penny-bun fungus	*cèpe*
an orchard	*un verger*
an apple	*une pomme*
an apricot	*un abricot*
a cherry	*une cerise*
a peach	*une pêche*
a pear	*une poire*
a plum	*une prune*
a raspberry	*une framboise*
a strawberry	*une fraise*
a watermelon	*une pastèque*
tropical crops	*les cultures tropicales*
a banana	*une banane*
cassava	*le tapioca*
cocoa	*le cacao*
a coconut	*une noix de coco*
a grapefruit	*un pamplemousse*
a lemon	*un citron*
peanut	*arachide*
pepper	*le poivre*
a pineapple	*un ananas*
rubber	*le caoutchouc*
sorghum	*le sorgho*
a tangerine	*une mandarine*

IV THE LIVESTOCK — *LE CHEPTEL*

animal husbandry	*l'élevage*
stock	*le cheptel*
grazing stock	*le bétail sur pied*
cattle	*le gros bétail*
a head of cattle / 20 head of cattle	*une tête de bétail / 20 têtes de bétail*
cattle breeding / cattle raising	*l'élevage du bétail*
a cattle market	*une foire à bestiaux*
a cattlerancher / a cattle breeder	*un éleveur*
a feedlot operator	*un gros éleveur*
a shepherd / a sheepman	*un berger*
a herd	*un troupeau (bovin)*
a flock	*un troupeau (ovin, caprin)*
to breed / to rear / to raise	*élever*
to fatten / to feed up	*engraisser*
fodder	*le fourrage*
the pasture	*le pâturage*
a meadow	*un pré*
open range (USA)	*grands pâturages*
an enclosure	*une clôture*
to fence	*clôturer*
to graze	*paître*
to crop	*brouter*
a veterinarian	*un vétérinaire*
an infected animal	*un animal contagieux*
to slaughter	*abattre*
a slaughterhouse	*un abattoir*
an epidemic disease	*une maladie infectieuse*

V AGRICULTURAL POLICY — *LA POLITIQUE AGRICOLE*

the Department of Agriculture	*le ministère de l'Agriculture*
the Secretary of Agriculture	*le ministre de l'Agriculture*
food production	*la production alimentaire*
a producer	*un producteur*
crop yield	*le rendement des cultures*
a dairy state (USA)	*un État laitier*
a sugar state (USA)	*un État sucrier*
farm exports	*exportations fermières*
agribusiness / agrobusiness	*l'agro-alimentaire*
food-processing industries	*industries alimentaires*
bioresearch	*la recherche biologique*
an agricultural college	*un lycée agricole*
food and science nutrition	*études agro-alimentaires*
an agronomist	*un agronome*
bioengineering	*bio-ingénierie*
biogenetics	*la biogénétique*
biotechnology	*la biotechnologie*
a growth-promoter gene	*un gène de croissance*
crossbreeding	*le croisement de races*
a crossbreed	*un animal hybride*
test-tube food	*la nourriture expérimentale*
hydroponics	*la culture hydroponique*
the farmer's plight	*la crise agricole*
to be land-poor	*exploiter des terres non rentables*
to farm out	*épuiser les sols (par surexploitation)*
farm income	*le revenu agricole*
a farm slump	*une crise agricole*
farming subsidies	*subventions agricoles*
a farm gate price	*un prix à la production*
food prices	*les prix alimentaires*
to hold down the supply of crops	*limiter les récoltes*
a soil bank / land retirement program	*un programme de subventions à la mise en jachère*
to stockpile	*stocker*
a glut	*un surplus*
set-aside policy	*la politique de gel des terres*
land value	*la valeur des terres*
a crop failure	*la faillite d'une récolte*
a farm foreclosure	*une saisie de ferme*
to auction off	*vendre aux enchères*
a public auction	*une vente publique*
to be evicted	*être expulsé*
an eviction	*une expulsion*
to be driven from the land	*être chassé de ses terres*

2 ENERGY — *L'ÉNERGIE*

1 GENERAL BACKGROUND — *GÉNÉRALITÉS*

power	*l'énergie*
to yield power	*produire de l'énergie*
to harness energy	*exploiter / domestiquer l'énergie*
to recover energy	*récupérer l'énergie*
to consume energy	*utiliser de l'énergie*
energy consumption	*la consommation d'énergie*
an energy source	*une source d'énergie*
to tap a source	*exploiter une source*
renewable	*renouvelable*
plentiful	*abondant*
inexhaustible	*inépuisable*
to fuel	*alimenter / ravitailler en combustible*
fuel	*le carburant, le combustible*
fossil fuels	*carburants fossiles*
energy supplies	*approvisionnements en énergie*

2 SOURCES OF ENERGY — *LES SOURCES D'ÉNERGIE*

hydroelectric power / hydropower	*la houille blanche*
to electrify	*électrifier*
a hydroelectric plant	*une centrale hydroélectrique*
water power	*énergie électrique*
a utility company	*une société de service public*
a power station	*une centrale électrique*
a thermal power station	*une centrale thermique*
to dam a river	*construire des barrages sur un fleuve*
a nuclear power plant	*une centrale nucléaire*
to generate electricity	*produire de l'électricité*
a power grid	*un réseau de distribution*
a power failure	*une panne de courant*
to be overloaded	*être en surtension*
a shutdown	*un arrêt, une coupure*
natural gas	*le gaz naturel*
a gas pipeline	*un gazoduc*
solar energy	*énergie solaire*
sunlight	*la lumière solaire*
to harness the sun	*exploiter le soleil*
a photovoltaic cell	*une cellule photovoltaïque*
a photovoltaic collector	*un capteur photovoltaïque*
a solar panel	*un panneau solaire*
a solar oven / a solar furnace	*un four solaire*
solar heating	*le chauffage à l'énergie solaire*

wind power	*énergie éolienne*	tidal energy	*énergie des marées*
a windmill	*une éolienne*	geothermal energy	*énergie géothermique*
a wind farm	*turbines éoliennes*	a hot spring	*une source thermale chaude*
a tidal station	*une centrale marémotrice*	a geothermal well	*un puits géothermique*
biomass	*la biomasse*	oceanothermic energy	*énergie océanothermique*
synfuel / synthetic fuel	*le combustible de synthèse*		

3 THE ENERGY CRISIS — *LA CRISE DE L'ÉNERGIE*

the energy crunch	*la crise de l'énergie*	depletable	*non renouvelable*
a squeeze	*une crise*	to run out of	*manquer de*
to meet energy costs	*payer la facture énergétique*	to meet energy needs	*faire face aux besoins énergétiques*
energy dependency	*la dépendance énergétique*	to be dependent on	*dépendre de*
		to be self-sufficient	*être autonome*
to deplete	*diminuer, (se) réduire*	to conserve / save energy	*économiser l'énergie*
depletion	*épuisement*	to conserve fuel	*économiser le carburant*
a shortage	*une pénurie*	to waste energy	*gaspiller l'énergie*
a glut	*un surplus*	energy conservation	*économies d'énergie*

4 THE OIL INDUSTRY — *L'INDUSTRIE PÉTROLIÈRE*

a layer of oil	*une nappe de pétrole*
an oil field	*un gisement de pétrole*
to strike oil	*découvrir du pétrole, atteindre une nappe de pétrole*
an oil well	*un puits de pétrole*
an oil-rig	*une plate-forme de forage en mer*
to drill	*forer*
onshore exploration	*exploration intérieure*
offshore exploitation	*exploitation en mer*
oil production	*la production pétrolière*
a shortage of oil	*une pénurie de pétrole*
an oil terminal	*un terminal pétrolier*
an oil drum	*un fût de pétrole*
a barrel	*un baril (récipient)*
a barrel (bbl)	*un baril (unité = 159 l)*
2.8m b/d (barrels a day)	*2,8 millions de barils par jour*
a tanker / an oiler	*un pétrolier*
an oil shipment	*une livraison de pétrole*
the petroleum industry	*l'industrie pétrolière*
an oil company	*une compagnie pétrolière*
an oil man	*un pétrolier*
to refine	*raffiner*
a refinery	*une raffinerie*
the oil market	*le marché pétrolier*
hydrocarbons	*hydrocarbures*
oil	*le pétrole*
tar	*le goudron*
crude oil / petroleum	*le pétrole brut*
lighting-oil / kerosene	*le pétrole lampant*
kerosene / jet fuel	*le kérosène (avion)*
fuel oil / heating oil	*le mazout, le fioul domestique*
diesel oil / gas-oil	*le gazole (pour camions)*
petrol / gas / gasoline (USA)	*l'essence*
four-star / premium	*le super*
regular	*l'ordinaire*
unleaded / lead-free	*sans plomb*
a tank of gas	*un plein de carburant*
to fill up / to gas up	*faire le plein d'essence*
a filling-station	*une station service*
an oil-producing country	*un pays producteur de pétrole*
oil resources	*ressources en pétrole*
oil riches	*richesses pétrolières*
an emirate	*un émirat*
an oildom	*un royaume du pétrole*
the Organization of Petroleum Exporting Countries (OPEC)	*l'Organisation des pays exportateurs de pétrole (OPEP)*
proven reserves	*réserves confirmées / assurées*
an oil shock	*un choc pétrolier*
to withstand an oil shock	*résister à un choc pétrolier*
to rock the world	*ébranler le monde*
to cripple a market	*paralyser un marché*
a petropanic	*une panique pétrolière*
a petro-pinch	*une crise pétrolière*
to cut off oil shipments	*interrompre les livraisons de pétrole*
oil needs	*besoins énergétiques*
a disruption in energy supplies	*une interruption des approvisionnements en pétrole*
an energy bill	*une facture énergétique*
to cut energy consumption	*réduire sa consommation d'énergie*
to spawn conservation efforts	*inciter aux économies d'énergie*
to be gouged by the oil companies	*être victime des prix exhorbitants pratiqués par les companies pétrolières*
a petrol tax	*une taxe sur les carburants*

5 NUCLEAR ENERGY *L'ÉNERGIE NUCLÉAIRE*

nuclear power	*énergie nucléaire*
nuclear research	*la recherche nucléaire*
a nuclear test	*un essai nucléaire*
nuclear fission / splitting	*la fission nucléaire*
fissionable materials	*matières fissiles*
a chain reaction	*une réaction en chaîne*
an atom	*un atome*
a nucleus / nuclei	*un noyau / noyaux*
gamma rays	*rayons gamma*
an atom smasher / an electron collider	*un collisionneur*
a superconducting collider	*un synchrotron*
a magnetic field	*un champ magnétique*
to split the atom	*fissurer l'atome*
to release energy	*libérer de l'énergie*
to go nuclear	*se convertir au nucléaire*
a nuclear-fuelled country	*un pays qui a adopté l'énergie nucléaire*
a peaceful application	*une application pacifique*
a fail-safe technology	*une technologie éprouvée*
to be pollution-free	*être sans danger pour l'environnement*
a deposit	*un gisement*
a burnup time	*un temps de combustion*
a fuel cycle	*un cycle de combustion*
a uranium ore	*un minerai d'uranium*
to enrich	*enrichir*
an enrichment process	*un procédé d'enrichissement*
spent fuel	*le combustible irradié*
the nuclear industry	*l'industrie nucléaire*
nuclear facilities	*installations atomiques*
a "nuke"	*une centrale nucléaire*
a breeder	*un générateur*
a fastbreeder reactor / a fastbreeder	*un réacteur surgénérateur, un surrégénérateur*
a thermal / fast reactor	*un réacteur thermique*
a pressurized water reactor (PWR)	*un réacteur à eau pressurisée*
a heavy water reactor	*un réacteur d'eau lourde*
a cooling tower	*une tour de refroidissement*
a nuclear reprocessing plant	*une usine de retraitement*
the core of a reactor	*le cœur d'un réacteur*
the shielding of a reactor	*le bouclier d'un réacteur*
a containment wall	*un mur de protection*
a steel shell	*une gangue d'acier*
a concrete shell	*une coquille de béton*
lead	*le plomb*
nuclear hazards	*dangers du nucléaire*
the International Atomic Energy Agency (IAEA)	*l'Agence internationale de l'énergie atomique*
a safety standard	*une norme de sécurité*
a mechanical failure	*une panne mécanique*
a nuclear excursion	*un accident de surcriticité*
a fault / faulty	*un défaut / défectueux*
to malfunction	*mal fonctionner*
a stricken power station	*une centrale endommagée*
to shut down a reactor	*fermer un réacteur*
to release radioactivity	*libérer de la radioactivité*
to overheat	*surchauffer*
to melt	*fondre*
a meltdown	*une fusion du cœur du réacteur*
to release a radioactive cloud	*libérer un nuage radioactif*
to spew radioactive debris	*libérer des débris radioactifs*
nuclear fallout	*retombées radioactives*
a radioactive zone	*une zone radioactive*
to irradiate	*irradier*
radioactivity	*la radioactivité*
a dose of radiation	*une dose de radiation*
a Geiger counter	*un compteur Geiger*
radiation sickness	*la maladie des rayons*
to contaminate	*contaminer*
the food chain	*la chaîne alimentaire*
nuclear waste disposal	*le traitement des déchets*
radioactive wastes / radioactive contaminants	*déchets radioactifs*
a radiation-resistant container	*un conteneur étanche*
radioactive decay	*la diminution de la radioactivité*
to deactivate nuclear waste	*décontaminer les déchets nucléaires*
a permanent repository	*une zone de stockage permanent*
to store	*stocker*
a vitrification plant	*une usine de vitrification*
to seal	*sceller*
to bury underground	*enterrer*
to leak / leakage	*s'infiltrer / fuites*
dumping at sea	*le rejet en mer*
fuel reprocessing	*le retraitement des combustibles*
to reprocess	*retraiter*
an antinuclear movement	*un mouvement antinucléaire*
antinuclear activism	*le militantisme antinucléaire*
to be antinuke	*être contre le nucléaire*
an antinuclear rally	*un rassemblement antinucléaire*
a die-in	*une manifestation anti-nucléaire*
to challenge nuclear strategy	*mettre en question la stratégie nucléaire*
a climbdown	*une réduction*
to stall a construction plant	*ajourner un projet de construction*
to pull the nuclear plug	*interrompre un programme nucléaire*

X MEANS OF PRODUCTION — *LES MOYENS DE PRODUCTION*

1 INDUSTRY — *L'INDUSTRIE*

1 THE INDUSTRIAL LANDSCAPE — *LE PAYSAGE INDUSTRIEL*

the Department of Industry	*le ministère de l'Industrie*
basic / heavy industry	*l'industrie lourde*
the primary / secondary / tertiary sector	*le secteur primaire / secondaire / tertiaire*
the light industry	*les industries légères*
the steel industry	*les aciéries*
the textile industry	*l'industrie textile*
the chemical industry	*l'industrie chimique*
the manufacturing industries	*les industries de transformation*
the service industries	*les sociétés de service*
a plant / a works	*une usine*
an iron works	*une usine sidérurgique*
a steel works / a steel mill	*une aciérie*
a mill	*une usine (utilisant la force de l'eau, du vent)*
a rolling-mill	*un laminoir*
a spinning mill / a weaving mill	*une usine de tissage*
a paper mill	*une papeterie*
a saw mill	*une scierie*
to manufacture	*fabriquer*
manufacturing	*la fabrication*
a manufacturer / a vendor / a maker	*un fabricant, un constructeur*
a car factory	*une usine automobile*
a textile factory	*une usine textile*
a manufacturing facility / a manufacturing plant	*une unité de production*
an assembly plant	*une unité d'assemblage*
heavy plant	*équipements lourds*
a smelting furnace	*un haut-fourneau*
an operation	*une unité de production / fabrication / une installation*
the floor	*les ateliers, le personnel (de base)*
the shop floor	*la base, les ateliers*
the work force	*la main d'œuvre*
the working class	*la classe ouvrière*
skilled labour	*la main d'œuvre qualifiée*
unskilled labour	*la main d'œuvre non qualifiée*
casual labour	*la main d'œuvre temporaire*
a blue collar worker	*un travailleur manuel*
a white collar worker	*un employé*
a factory worker	*un ouvrier d'usine*
a foreman	*un contremaître*
a supervisor	*un agent de maîtrise*
a semi-skilled worker	*un ouvrier spécialisé (OS)*
an apprentice	*un apprenti*
a shift / a gang	*une équipe*
to work in shifts	*travailler par équipes*
shift work	*les trois huit, le travail posté*
the workshop	*l'atelier*
plant	*installations, outillage (d'une usine)*
machinery	*les machines, la mécanique*
a machine tool	*une machine-outil*
a work station	*un poste de travail*
to operate a machine	*faire fonctionner une machine*

2 THE PLIGHT OF INDUSTRY — *LES DIFFICULTÉS DE L'INDUSTRIE*

the heydays of industry	*les beaux jours de l'industrie*
the ups and downs	*les hauts et les bas, les vicissitudes*
to be plagued by problems	*être assailli de problèmes*
a struggling industry	*une industrie en difficulté*
a setback / a reversal	*un revers*
an ailing industry	*une industrie mal en point, en déclin*
a lame duck	*un canard boîteux, une affaire non rentable*
a sunset industry	*une industrie en déclin*
smokestack industries	*industries lourdes / traditionnelles*
to be state-supported	*être subventionné*
to fall into the doldrums	*tomber dans le marasme*
aging	*vieillissant*
obsolete	*obsolète*
out of date	*dépassé*
obsolescent	*désuet*
to go to rack and ruin	*aller à vau l'eau*
to shift production to another country	*délocaliser sa production à l'étranger*
retrenchments	*la réduction des activités*
to relocate	*transplanter*
to merge	*fusionner*
to shut down / to close down	*fermer ses portes*
a plant closure	*une fermeture d'usine*
to dismantle	*démanteler*
to mothball	*mettre en sommeil*
to tear down	*démolir*
the technological gap	*le retard technologique*
to lag behind	*être à la traîne*
to be left behind	*être distancé*

to miss the boat / bus	*rater le coche*
to go the way of the horse	*disparaître*
to keep pace with technological progress	*suivre le rythme du progrès technologique*
the turnaround	*le redressement*
to turn things around	*redresser la situation*
a turnaround expert	*un spécialiste des sauvetages d'entreprise*
an outside rescuer	*un repreneur étranger*
to revive / to rev up a company	*faire redémarrer une entreprise*
to put a company back on the market	*remettre une société en selle*
to upgrade	*améliorer*
sunrise industries	*les industries de demain*
advanced industrialization	*industrialisation poussée*
fast-paced industrialization	*industrialisation rapide*
industrial take-off	*le décollage industriel*
industrial boom	*l'expansion industrielle*
to revamp / to streamline	*moderniser, rénover*
to re-equip / to retool	*rééquiper*

3 PRODUCTION — *LA PRODUCTION*

a producer	*un producteur, un fabricant*
mass production	*la fabrication en série*
an assembly line	*une chaîne de montage*
to work on an assembly line	*travailler sur une chaîne de montage*
a conveyor	*une chaîne*
job enrichment	*l'enrichissement des tâches*
to mass produce	*produire en grandes quantités*
mechanization	*la mécanisation*
division of labour	*la division du travail*
to standardize	*standardiser*
standardization	*la standardisation*
automation	*l'automatisation*
to automate	*automatiser*
robotics	*la robotique*
robotisation	*la robotisation*
to improve efficiency	*améliorer le rendement*
to eliminate physical drudgery	*supprimer les efforts physiques*
time consuming	*qui prend du temps*
time wasting	*qui fait perdre du temps*
time saving	*qui fait gagner du temps*
to upgrade the education	*relever le niveau des études*
flexible work practices	*la flexibilité dans les méthodes de travail*
productivity	*la productivité*
a production line	*une chaîne de production*
output	*la production*
the turnover	*le roulement*
to boost productivity	*stimuler la productivité*
to enhance productivity	*améliorer la productivité*
to streamline operations	*rationaliser les opérations*
manufacturing costs	*coûts de fabrication*
to run a plant at full capacity	*faire tourner une usine à pleine capacité*
an incentive	*un stimulant*
a supplier	*un fournisseur*
a contractor	*un entrepreneur*
a distributor	*un distributeur*
an authorised distributor	*un distributeur agréé*
a dealer	*un distributeur / revendeur / concessionnaire*

2 HIGH TECHNOLOGY — *LES TECHNOLOGIES DE POINTE*

1 A WORLD OF TECHNOLOGY — *UN MONDE TECHNOLOGIQUE*

technique	*la technique*
a technique	*une technique, une méthode*
technical	*technique*
a technician	*un technicien*
technics (USA)	*la technique, la technologie*
high tech / advanced technology	*les technologies de pointe*
low tech	*de faible technicité*
a high technology industry	*une industrie de pointe*
the new technology	*la novotique*
a technopolis	*une technopole*
a science park	*un pôle technologique, une technopole*
to technologize	*transformer par l'introduction de nouvelles technologies*
the advent of technology	*l'avènement de la technologie*
technology transfer	*le transfert de technologie*
a technology-driven society	*une société mue par la technologie*
to overtechnologize	*dépendre excessivement de la technologie*
computer technology	*la technologie informatique*
medical technology	*la technologie médicale*
space age technology	*la technologie de l'espace*

information processing technology	*le traitement technologique de l'information*
biogenetics	*la biogénétique*
electronics	*l'électronique*
microelectronics	*la microélectronique*
fibre optics	*les fibres optiques*
avionics	*l'avionique*
genetic engineering	*le génie génétique*
mechatronics	*la mécatronique*
bionics	*la bionique*
connectics	*la connectique*
domotics	*la domotique*
optronics	*l'optronique*
production science / productics	*la productique*
machine vision	*la visionique*

2 OFFICE AUTOMATION — *LA BUREAUTIQUE*

office work	*le travail de bureau*
an office	*un bureau*
a desk	*un bureau (meuble)*
a typewriter	*une machine à écrire*
a keyboard	*un clavier*
to type	*taper à la machine*
a box-file	*une boîte classeur*
a workstation	*un poste de travail*
a teleconference	*une téléconférence*
a telex	*un message télex*
to teleprint	*télexer*
a teleprinter	*un téléscripteur*
videotex	*le minitel*
electronic mail	*le courrier électronique*
a copier / a photocopier	*une photocopieuse*
to photocopy / to xerox	*photocopier*
a laser beam printer	*une imprimante à laser*
a facsimile machine	*une machine FAX*
a fax line	*une ligne FAX*
a facsimile transmitter	*un téléfax*
a dictaphone	*un dictaphone*
a picturephone	*un visiophone*
a word processor	*une machine à traitement de texte*

3 INNOVATION — *L'INNOVATION*

to innovate / to break ground	*innover*
an innovative spirit	*un esprit d'innovation*
newness	*la nouveauté*
to revolutionize	*révolutionner*
to dream up	*imaginer*
to create	*créer*
creativity	*la créativité*
a creator	*un créateur*
a creative drive	*un mouvement créateur, une énergie créatrice*
an imaginative approach (to)	*une approche originale (de)*
to invent / invention	*inventer / l'invention*
an inventor	*un inventeur*
inventiveness	*l'esprit d'invention*
to devise	*inventer*
genius / a genius	*le génie / un génie*
to design / design	*concevoir / la conception*
to develop	*mettre au point*
development	*la mise au point*
to carry out research	*faire de la recherche*
to toy with ideas	*agiter des idées*
to tinker	*bricoler*
to pioneer a technique	*explorer une technique*
to perfect	*perfectionner*
refinement	*le perfectionnement*
to improve	*améliorer*
an improvement	*une amélioration*

4 PROGRESS — *LE PROGRÈS*

to make progress	*faire des progrès*
an advance	*un progrès*
a technical advance	*un progrès technique*
a breakthrough	*une percée*
an inroad into	*une avancée dans*
to make a breakthrough	*faire une percée*
to have an edge (in)	*avoir une longueur d'avance (en)*
to have a headstart (on)	*avoir une longueur d'avance (sur)*
to achieve a lead	*prendre la tête*
to be ahead of	*être en avance sur*
to build a lead	*prendre de l'avance*
to catch up with	*rattraper son retard*
to fill the gap	*combler le retard*
to close a gap	*combler un retard*
to be in the vanguard	*être en tête*
to spearhead	*être le fer de lance de*
to pave the way for	*ouvrir la voie à*
a quantum leap	*un bond prodigieux*
to take out a patent	*prendre un brevet*
to secure a patent	*obtenir un brevet*
a patent infringement	*une contrefaçon*

5 RESEARCH — *LA RECHERCHE*

technological know-how	*le savoir-faire technologique*
the drawing board	*la planche à dessin*
research	*la recherche*
a researcher / a research worker	*un chercheur*
a scientist	*un savant*
to discover	*découvrir*
a discovery / discovery	*une découverte / les découvertes*
a research facility / a research lab	*un laboratoire de recherches*
research and development (R & D)	*recherche et développement*
to do research	*faire de la recherche*
a field of research	*un secteur de la recherche*
a knowledge intensive industry	*une industrie de recherche*
to propel an industry into the 21st century	*propulser une industrie dans le 21ème siècle*
to carry out a revolution	*effectuer une révolution*
far reaching	*d'une portée considérable*
a giant step forward	*un pas gigantesque en avant*
to spawn boundless opportunities	*offrir des occasions illimitées*
to free man from	*libérer l'homme de*

6 EMPLOYMENT AND THE HIGH TECH REVOLUTION — *L'EMPLOI ET LA RÉVOLUTION TECHNOLOGIQUE*

to upgrade a level of technology	*améliorer le niveau technologique*
a job creator	*un créateur d'emplois*
a job destroyer	*qui supprime les emplois*
to generate greater employment	*produire davantage d'emplois*
to be highly trained (in)	*être hautement qualifié (pour)*
to require higher levels of qualification	*exiger de plus hauts niveaux de qualification*
to channel workers into new fields	*diriger les travailleurs vers de nouveaux secteurs*
to learn new skills	*apprendre de nouvelles compétences*
a technically-oriented education	*une éducation à dominante technique*
a mobile workforce	*une main d'œuvre mobile*
to displace	*muter, affecter*
to adjust to new jobs	*s'adapter à des emplois nouveaux*
to resist technology	*être réfractaire à la technologie*
to play the sorcerer's apprentice	*jouer les apprentis sorciers*
an anti technology trend	*un mouvement anti-technologie*
a technophobe	*un technophobe*
to recoil (from)	*reculer (devant)*
to deprive man of his job	*priver l'homme de son travail*
to take man's job away	*enlever le pain de la bouche*
to become alienated	*s'aliéner*
alienation from work	*l'aliénation au travail*
man's servant	*l'esclave de l'homme*

3 THE COMPUTER — *L'ORDINATEUR*

1 THE ADVENT OF THE COMPUTER — *L'AVÈNEMENT DE L'ORDINATEUR*

a computer	*un ordinateur*
computer science	*l'informatique*
data processing (DP)	*le traitement des données*
computer research	*la recherche en informatique*
a computer scientist	*un informaticien*
a computer operator	*un programmeur*
a user-oriented computer	*un ordinateur grand public*
to computerize	*informatiser*
computerization	*l'informatisation*
to be computer literate / fluent	*savoir se servir d'un ordinateur*
to be computer smart	*s'y connaître en ordinateurs*
a chip / a die	*une puce, un circuit intégré*
a personal computer (PC)	*un ordinateur individuel*
a desktop computer	*un ordinateur de bureau*
a mainframe	*un gros système*
a portable	*un portable*
a laptop	*un compact*
the computer revolution	*la révolution informatique*
a computer addict	*un passionné d'ordinateurs*
computer environment / peripheral equipment	*la péri-informatique*
liveware	*ressources vives*
manware	*ressources humaines*

2 HARD AND SOFT — *LOGICIEL ET MATÉRIEL*

software analysis	*la programmatique*
software	*le software (le logiciel)*
a byte	*un octet*
a programming language (PL)	*un langage de programmation*
a language machine	*un langage machine*
data processing	*le traitement des données*
a data bank	*une banque de données*
garbage	*données incohérentes*
to design a program	*concevoir un programme*
to run a program	*faire tourner un programme*
to load a program	*charger un programme*
to perform an operation	*exécuter une opération*
to retrieve	*rechercher*
to save	*sauver*
to delete	*effacer*
to enter . . .	*enregistrer... sur un ordinateur*
to debug	*corriger, mettre au point*
hardware	*le hardware (le matériel)*
peripherals	*les périphériques*
a terminal	*un terminal*
a video display unit (VDU)	*un écran de visualisation*
a word processor	*un traitement de texte*
a printer	*une imprimante*
a minitel videotex terminal	*un minitel*
a console	*un pupitre de commande*
a keyboard	*un clavier*
a screen	*un écran*
a joystick	*une manette de jeu*
a mouse	*une souris*
a memory	*une mémoire*
a read only memory	*une mémoire fixe*
random access from	*accès direct / aléatoire à*
a disk drive	*un lecteur de disquettes, un tourne-disque*
a floppy disk	*une disquette souple*
a computer failure	*une panne d'ordinateur*
a glitch	*une panne*
to overload	*saturer*
to crash	*tomber en panne*
a crash	*une panne*
an abend	*un arrêt sur incident*
to jam	*se bloquer*
to troubleshoot	*rechercher la cause d'une panne*
fault tracing	*le dépistage des pannes*

3 COMPUTER FRIENDLINESS — *L'ORDINATEUR CONVIVIAL*

information technology (IT)	*la télématique*
computer monitoring technology	*la technologie assistée par ordinateur*
a guided missile defense system	*un système de défense par missile téléguidé*
to help the physically disabled	*aider les handicapés*
banking operations	*opérations bancaires*
office automation	*la bureautique*
computer-aided manufacturing (CAM)	*la fabrication assistée par ordinateur*
computer-aided design (CAD)	*la conception assistée par ordinateur*
desk top publishing (DTP)	*l'édition assistée par ordinateur*
to be user friendly	*être d'utilisation facile*
the electronic cottage	*la chaumière électronique*
a cottage industry	*une industrie à domicile*
to run a business from home	*diriger une affaire depuis son domicile*
a home run business	*une affaire dirigée depuis son domicile*
Computer Aided Instruction (CAI)	*enseignement assisté par ordinateur (EAO)*
text editing	*le traitement de texte*
the electronic hearthside	*l'âtre électronique*

4 COMPUTER CRIME — *LES DÉLITS INFORMATIQUES*

hacking	*la piraterie*
pirating	*le piratage*
a hacker	*un pirate de disquettes*
to hack into a computer	*pénétrer un système par effraction*
to crack a code	*trouver la clé d'un code*
to break in	*entrer par effraction*
computer theft	*le vol à l'ordinateur*
hacker bashing	*la chasse aux pirates*
a back door	*une porte de sécurité secrète*
to bomb	*foirer (fam.)*
a bomb	*une bombe (un programme destructeur)*
a worm	*un ver (un programme de destruction)*
to be stricken by a virus	*être atteint d'un virus*
to lurk in the recess of a computer	*se tapir au cœur d'un ordinateur*
a rogue program	*un programme clandestin*
to scramble records	*brouiller les archives*
to tamper with computer data	*toucher aux données informatiques*

5 THE SPACE ODYSSEY — *L'ODYSSÉE DE L'ESPACE*

1 SPACE — *L'ESPACE*

a space agency	*une agence spatiale*
cosmic rays	*rayons cosmiques*
an extraterrestrial	*un extraterrestre*
a celestial body	*un corps céleste*
the solar system	*le système solaire*
the cosmos / the outer space	*le cosmos*
the universe	*l'univers*
a planet	*une planète*
the earth	*la terre*
the sun	*le soleil*
sunrise	*le lever du soleil*
sunset	*le coucher du soleil*
sunlight	*la lumière du soleil*
a sun spot	*une tache solaire*
solar radiations	*radiations solaires*
to shine	*briller*
to brighten	*s'éclairer*
to light	*éclairer*
the far side of the moon / the dark side of the moon	*la face cachée de la lune*
the near side	*la face visible*
a moon eclipse	*une éclipse de lune*
the pole star	*l'étoile polaire*
a shooting star	*une étoile filante*
star-spangled	*étoilé*
the core of a star	*le noyau d'une étoile*
a cluster of stars	*un amas d'étoiles*
to die	*s'éteindre*
the Milky Way galaxy	*la voie lactée*
a meteoroid	*une météorite*
to collide with	*entrer en collision avec*
the nucleus of a comet	*le noyau d'une comète*
the coma of a comet	*la chevelure d'une comète*
the path of a comet	*la trajectoire d'une comète*
to herald	*annoncer*
a black hole	*un trou noir*
the speed of light	*la vitesse de la lumière*
a light year	*une année-lumière*
an astronomical unit (AU)	*une unité astronomique (150 millions de km)*
a blackbody	*un corps noir*
astronomy	*l'astronomie*
an astronomer	*un astronome*
an astrophysicist	*un astrophysicien*
an observatory	*un observatoire*
to spot a star	*apercevoir une étoile*
visible to the naked eye	*visible à l'œil nu*
to peer deep into space	*fouiller l'espace*

2 THE SPACE PROGRAM — *LE PROGRAMME SPATIAL*

space age	*l'ère spatiale*
a new frontier	*une nouvelle frontière*
the European Space Agency (ESA)	*l'Agence Spatiale Européenne (ASE)*
the NASA (National Aeronautics and Space Administration) (USA)	*la NASA (l'Administration Nationale de l'Aéronautique et de l'Espace)*
to conquer space	*conquérir l'espace*
space probing	*exploration spatiale*
a journey into space	*un voyage dans l'espace*
a flight into space	*un vol spatial*
a space venture	*une aventure spatiale*
space conquest	*la conquête de l'espace*
to probe space	*sonder l'espace*
a space probe	*une sonde spatiale*
a spacecraft	*un engin spatial*
a spaceship	*un vaisseau spatial*
a rocket	*une fusée*
a launch vehicle	*un lanceur spatial*
a launcher	*un lanceur, une fusée porteuse*
a satellite	*un satellite*
a booster	*un propulseur auxiliaire, un pousseur, un booster*
a satellite for geodesy	*un satellite géodésique*
a television satellite	*un satellite de télévision*
a spy satellite	*un satellite espion*
a communications satellite	*un satellite-relais / de télécommunications*
an earth survey satellite	*un satellite d'observation de la terre*
a meteorological satellite (metsat)	*un satellite météorologique*
an earth resource satellite (landsat)	*un satellite d'observation des ressources terrestres*
a space shuttle	*une navette spatiale*
a space station	*une station orbitale*
a manned station	*une station habitée*
a space laboratory / a skylab	*un laboratoire spatial*
a space telescope	*un télescope spatial*
a sensor	*un capteur*
cargo	*la cargaison*
a payload	*une charge utile*
thrust	*la poussée*
a stage	*un étage*
propellant	*le propergol*
a guidance system	*un système de guidage*
a solar panel	*un panneau solaire*
a tile	*une tuile*
an antenna / antennas / antennae	*une antenne / antennes*

3 THE SPACE FLIGHT *LE VOL SPATIAL*

to schedule a mission	*prévoir une mission*
space crewmen	*membres de l'équipage spatial*
a spacewoman / a spaceman	*une spationaute / un spationaute*
an astronaut	*un astronaute*
a cosmonaut	*un cosmonaute*
a spacesuit	*un scaphandre*
to fly a mission	*faire partie d'une mission*
to ride a shuttle mission	*faire partie d'une mission de la navette*
a space base	*une base spatiale*
a launch pad	*un pas de tir*
a launch window / a launch opportunity	*une fenêtre de tir*
a service tower	*une tour de service*
a fueling pipe	*un tuyau d'alimentation*
a gantry	*un portique*
a flight center	*un centre de vol*
mission control	*le centre de contrôle*
launch facilities	*installations de tir*
to launch into space	*lancer dans l'espace*
a launch	*un lancement*
a space shot	*un lancement spatial*
to abort a launch	*interrompre un lancement*
to go ahead with a launch	*donner le signal d'un lancement*
a countdown	*un compte à rebours*
a delay	*un retard*
to postpone	*ajourner*
to ignite	*allumer*
ignition	*la mise à feu*
an ignition system	*un système de mise à feu*
the blast	*le souffle, le déflagration*
to blast off	*être mis à feu*
a blast off	*une mise à feu*
to propel	*propulser*
to boost	*pousser, impulser*
to take-off / to lift off	*décoller*
burnout	*la fin de combustion*
an exhaust nozzle	*une tuyère d'éjection*
to fly men in space	*faire voler des hommes dans l'espace*
to soar into space	*s'élever dans l'espace*
to jettison	*se séparer de*
staging	*la séparation du premier étage*
the gravitational pull	*la force d'attraction*
a flightpath	*une trajectoire de vol*
to go into orbit	*se mettre en orbite*
to orbit a satellite	*placer un satellite en orbite*
to orbit the earth	*faire le tour de la terre*
to monitor a satellite	*suivre un satellite*
in-flights operations	*opérations en vol*
to correct a trajectory	*corriger une trajectoire*
to dock (with)	*s'arrimer (à)*
an emergency rescue mission	*une mission de secours*
to link up	*s'arrimer*
an airlock	*un sas*
a spacewalk	*une sortie dans l'espace*
a sky walker	*un piéton du ciel*
a tether line	*un filin de rattachement*
a space stay	*un séjour dans l'espace*
a stranded astronaut	*un astronaute égaré*
marooned	*en perdition*
a stray satellite	*un satellite en perdition*
a disabled satellite	*un satellite désemparé*
a rescue effort	*une tentative de sauvetage*
to salvage	*sauver*
to recover	*récupérer*
a retrieval	*une récupération*
to re-enter the Earth's atmosphere	*rentrer dans l'atmosphère terrestre*
a descent	*une descente*
a drag parachute	*un parachute de freinage*
powered braking	*le rétro-freinage*
a heat shield	*un bouclier thermique*
a protective coating	*une couche de protection*
to splash down	*amerrir*
a touchdown	*un atterrissage*
a rescue ship	*un navire de récupération*
the moon program	*le programme Apollo*
a moon race	*une course à la lune*
a moonshot	*un voyage vers la lune*
a lunar mission	*une expédition sur la lune*
the command module (CM)	*le module de commande*
a lunar module vehicle ("lem") (LMV)	*un module lunaire*
a lunar rover / a moon rover	*un véhicule lunaire*
a moon walk	*une sortie sur la lune*
the lunar soil	*le sol lunaire*

XI THE BUSINESS WORLD — *LE MONDE DES AFFAIRES*

1 HUMAN RESOURCES — *LES RESSOURCES HUMAINES*

I MAN AND WORK — *L'HOMME ET LE TRAVAIL*

to work	*travailler*
to work for	*travailler pour*
to work with	*être employé chez*
to be employed in	*travailler chez / pour*
to work full time	*travailler à plein temps*
to work part time	*travailler à temps partiel*
the working conditions	*les conditions de travail*
a work day	*un jour ouvrable*
the working week	*la semaine de travail*
a 39-hour week	*une semaine de 39 heures*
office hours	*heures de bureau*
to be at work	*être au travail*
a work ethic	*une éthique du travail*
manpower	*la main d'œuvre*
the labour force / the workforce	*la population active, les effectifs salariés*
the payroll	*les salariés*
turnover	*le renouvellement de personnel*
a career	*une carrière*
an occupation	*une profession*
a worker / a workman	*un ouvrier, un travailleur*
a working man	*un membre de la classe ouvrière*
a manual worker	*un travailleur manuel*
a full time worker	*un travailleur à plein temps*
a part time worker	*un travailleur à temps partiel*
a seasonal worker	*un travailleur saisonnier*
a temporary worker	*un travailleur intérimaire*
a professional	*un membre d'une profession libérale*
an employer	*un employeur*
an employee	*un employé*
the self-employed	*les travailleurs indépendants*
a technician	*un technicien*
a shopkeeper	*un commerçant*
an executive	*un cadre*
a craftsman	*un ouvrier professionnel, un artisan*
an operative	*un ouvrier sur machine*
a labourer	*un manœuvre*
a clerk	*un employé de bureau*
to have a job / to be in a job	*avoir un emploi*
a position / a post	*un poste*
job definition	*le profil de poste*
a job description	*un profil d'emploi*
a menial job	*un emploi subalterne*
an odd job	*un petit boulot*
a rat race	*une course à l'argent*
the labour market / the job market	*le marché de l'emploi*
the working population	*la population active*
a labour shortage	*une pénurie de main d'œuvre*
a labour exchange	*une bourse du travail*
employment	*l'emploi*
underemployment	*le sous-emploi*
the employment agency	*l'Agence nationale pour l'emploi (ANPE)*
a public employment office	*une agence de l'ANPE*
an employment scheme	*un plan pour l'emploi*

II MAN AT WORK — *L'HOMME AU TRAVAIL*

1 GENERAL BACKGROUND — *GÉNÉRALITÉS*

to work long hours	*avoir une longue journée de travail*
to work overtime / to do overtime	*faire des heures supplémentaires*
to clock in / to check in	*pointer à l'entrée*
piecework	*le travail à la pièce*
workload	*la charge de travail*
to take a break	*faire une pause*
to knock off work	*cesser le travail*
to take a day off	*prendre un jour de congé*
flextime	*horaires à la carte*

2 RECRUITING — *LE RECRUTEMENT*

to recruit / to take on	*recruter, embaucher*
to hire / to engage	*engager*
to turn down	*refuser*
to apply for a job	*postuler un emploi*
an application	*une candidature*
to fill in an application form	*remplir un dossier de candidature*
an applicant	*un postulant*
to screen applicants	*sélectionner les candidats*
a vacancy / a vacant position / a job opening	*un poste vacant*
to fill a vacancy	*occuper un poste laissé vacant*
to have an interview	*passer un entretien*
a corporate recruiter / a headhunter	*un chasseur de têtes*
a search firm	*un cabinet de recrutement*
job sharing	*le partage des tâches*
job-hopping	*le changement d'emploi*

to be on trial / to be on probation	*être à l'essai*
to transfer	*muter*
employment training	*la formation professionnelle*
a trainee	*un stagiaire*
to retrain	*(se) reconvertir*
to attend a crash course	*suivre un stage intensif*
on-the-job training	*la formation permanente*
adult classes	*cours pour adultes*
night classes	*cours du soir*
mobility	*la mobilité*
to redeploy	*réaffecter*

3 WAGES — *LES SALAIRES*

to make a living / to earn one's living	*gagner sa vie*
to earn money / to make money	*gagner de l'argent*
salary	*le salaire, le traitement*
wages / wage	*le salaire, la paye (d'un ouvrier)*
a wage earner	*un salarié*
to earn / draw a salary	*toucher un salaire*
a breadwinner	*un soutien de famille*
to be well paid	*être bien payé*
to be ill paid	*être mal payé*
to be underpaid	*être sous-payé*
to moonlight	*travailler au noir*
moonlighting	*le travail au noir*
pay	*la paye, le salaire, le traitement*
a pay dispute	*un conflit salarial*
a pay claim	*une revendication salariale*
a pay rise / a pay hike	*une augmentation de salaire*
catch up wages	*le salaire de rattrapage*
a retention on wages	*une retenue sur salaire*
a wage differential / a wage gap	*un écart des salaires*
an incentive bonus (USA)	*une prime de rendement*
wage guidelines	*directives salariales*
minimum wages	*le SMIC*
a wage freeze / a pay freeze	*un blocage des salaires*
to hold down wages	*limiter les salaires*
a growth pact	*un pacte de croissance*

4 AT WORK — *AU TRAVAIL*

a loafer	*un paresseux*
to be lazy / workshy	*être paresseux*
to loaf on the job / to shirk	*tirer au flanc*
a shirker	*un tire-au-flanc*
to shy away from work	*être peu courageux à la tâche*
ability	*aptitude*
qualifications	*qualifications*
able	*capable*
skillful	*adroit*
hard working	*travailleur*
a workaholic	*un bourreau de travail*
the know-how	*le savoir-faire*
well trained	*bien formé*
efficiency	*efficacité*
experienced	*expérimenté*
to be an expert at . . .	*s'y connaître bien en...*
the job environment	*l'atmosphère de travail*
relaxed	*détendu*
employer-employee relations / industrial relations	*les rapports humains dans l'entreprise*
a task	*une tâche*
a chore	*une corvée*
drudgery	*le travail pénible*
worker motivation	*la stimulation du travail*
to offer prospects	*offrir des débouchés*
job enrichment	*l'enrichissement des tâches*
job satisfaction	*la satisfaction professionnelle*
engrossing	*captivant*
rewarding	*enrichissant*
stress	*la tension, la pression*
tedious / boring / unexciting	*ennuyeux*
tedium / boredom	*ennui*
dull	*monotone*
unrewarding	*ingrat*
exhausting / strenuous	*épuisant*

III UNIONS — *LES SYNDICATS*

a trade union (UK) / a labor union (USA)	*un syndicat*
organized labor	*la main d'œuvre syndiquée, les syndicats*
the union movement	*le mouvement syndical*
unionism	*le syndicalisme*
to unionize	*syndiquer, affilier à un syndicat*
the Trades Union Congress (TUC)	*la direction confédérale des syndicats britanniques*
the American Federation of Labor / the Congress of Industrial Organizations (AFL-CIO)	*la principale centrale syndicale américaine*
an employers' association	*un syndicat patronal*
to join a union	*se syndiquer*
to organize a union	*organiser un syndicat*
a union shop	*le monopole de l'embauche*
a closed shop	*qui n'embauche que du personnel syndiqué*
an open shop	*qui embauche du personnel, syndiqué ou non syndiqué*
the rank and file	*la base*
the shop floor	*la base (dans une usine)*
a union branch / a local (USA)	*une section locale*
a union member	*un syndiqué*
a non-union man	*un ouvrier non syndiqué*

a union official	*un responsable syndical*
a union representative	*un délégué syndical*
a shop steward	*un délégué d'atelier / du personnel*
union fees	*cotisations syndicales*

IV STRIKE *LA GRÈVE*

labour unrest	*le malaise social*
labour strife	*conflits du travail*
social discontent	*le mécontentement social*
industrial upheavals	*conflits sociaux*
a grievance	*une doléance·*
a demand / a claim	*une revendication*
a works council	*un comité d'entreprise*
a joint committee	*une commission paritaire*
a labour law	*la législation du travail, le droit du travail*
to take industrial action	*entamer une action revendicative*
to strike	*faire grève*
to go on strike	*se mettre en grève*
to be (out) on strike	*être en grève*
a striker	*un gréviste*
a wildcat strike	*une grève sauvage*
a work-to-rule strike	*une grève du zèle*
a ca'canny strike / a go-slow strike / a slow down strike	*une grève perlée*
a widespread strike	*une grève largement suivie*
a rolling strike	*une grève tournante*
an all-out strike	*une grève totale*
a token strike	*une grève d'avertissement*
a lightning strike	*une grève surprise*
an unofficial strike	*une grève spontanée*
a sympathy strike	*une grève de solidarité*
an indefinite strike	*une grève illimitée*
a sit-down strike	*une grève sur le tas*
a stay-in strike / a sit-in	*une grève avec occupation des locaux*
a lock out	*une fermeture d'usine (par mesure de rétorsion patronale)*
to walk out	*débrayer*
a work stoppage	*un arrêt de travail*
to call a strike	*lancer un mot d'ordre de grève, décréter une grève*
to be strikebound	*être paralysé par une grève*
an advance notice	*un préavis de grève*
without advance warning	*sans préavis*
a scab / a blackleg	*un jaune*
a strike breaker	*un briseur de grève*
to idle a plant	*mettre une usine en chômage*
to picket	*organiser un piquet de grève*
a strike fund	*une caisse syndicale de grève*
strike pay	*une allocation de grève*
a union contract	*un contrat syndical*
to work behind the scenes	*travailler en coulisse*
a round of talks	*une série de négociations*
round table discussion	*une table ronde*
an offer / a proposal	*une proposition*
contract bargaining	*négociations salariales*
a collective agreement	*une convention collective*
a wage agreement	*un accord salarial*
to crush a strike	*réprimer une grève*
to drift back to work	*reprendre progressivement le travail*
to resume work	*reprendre le travail*
to go to arbitration	*recourir à l'arbitrage*
a conciliation board	*une commission d'arbitrage*
a labor inspector	*un inspecteur du travail*
an industrial tribunal	*un conseil de prud'hommes*

V UNEMPLOYMENT *LE CHÔMAGE*

the unemployment rate	*le taux de chômage*
job security	*la sécurité de l'emploi*
joblessness / idleness / redundancy	*le chômage*
cyclical unemployment	*le chômage conjoncturel*
structural unemployment	*le chômage structurel*
youth unemployment	*le chômage des jeunes*
short-time working	*le chômage partiel*
redundancies	*les licenciements*
a layoff	*un licenciement (pour raisons économiques)*
a dismissal	*un licenciement, un renvoi*
the unemployed	*les chômeurs*
the jobless	*les sans emplois*
the short-term unemployed	*les chômeurs de courte durée*
the long-term jobless	*les chômeurs de longue durée*
to be unemployed	*être au chômage*
to be jobless / to be out of work	*être sans emploi*
to be on temporary layoff	*être au chômage technique*
demanning / labour shed	*le dégraissage d'effectifs*
to trim one's payroll / to slash one's payroll	*réduire ses effectifs*
attrition	*départs à la retraite*
a job squeeze / a job crunch	*une crise de l'emploi*
job cuts / job cutbacks	*suppressions d'emplois*
a job loss	*une suppression d'emploi*
to be displaced	*perdre son emploi (par suite de modernisation)*
a redundancy letter / a pink slip	*une lettre de licenciement*
to be redundant	*être licencié*
to lay off	*licencier, mettre au chômage technique*
to fire	*mettre à la porte*
to dismiss	*licencier*

to be thrown out of work / to be let go	*être mis au chômage*
to be on the dole	*toucher le chômage*
to go on the dole	*s'inscrire au chômage*
unemployment insurance	*assurance chômage*
an unemployment fund	*une caisse d'assurance contre le chômage*
to collect unemployment benefits	*toucher le chômage*
severance pay	*une indemnité de licenciement*
to compensate workers	*indemniser les travailleurs*
unemployment compensation	*une indemnité de licenciement*
job hunting	*à la recherche d'un emploi*
situations wanted	*annonces classées*
to look for a job	*chercher un emploi*
to hunt for a job	*être à la recherche d'un emploi*
a job seeker	*un demandeur d'emploi*
to send a résumé	*envoyer un curriculum vitae (cv)*
the national employment agency	*l'ANPE*
to find a job / to land a job	*trouver un emploi*

2 COMPANIES — *LES SOCIÉTÉS*

I BUSINESS ORGANIZATIONS — *LES MODÈLES DE SOCIÉTÉS*

the public sector	*le secteur public*
state-owned	*nationalisé*
the private sector	*le secteur privé*
to be privatised	*être privatisé*
incorporation	*la constitution de société*
a society	*une association (à but non lucratif)*
an enterprise	*une entreprise commerciale*
a company	*une compagnie, une société de capitaux*
a joint-stock company	*une société par actions*
a public utility (company)	*une société de service public*
a public limited company (UK) / a business corporation (USA)	*une société anonyme*
a partnership	*une société de personnes*
a joint venture	*une société mixte*
a firm	*une entreprise, une firme, une maison, une société*
a corporation	*une corporation, un organisme, une société par actions, une SA*
a public corporation	*un organisme public*
a multinational	*une multinationale*
a concern	*une affaire, une entreprise*
a trust	*un trust, un cartel*
a branch	*une succursale*
a subsidiary / an affiliate	*une filiale*
a business	*une affaire*
a middle sized business	*une PME*
a parent company	*une société-mère*

II THE ORGANIZATION CHART — *L'ORGANIGRAMME*

1 PERSONNEL — *LE PERSONNEL*

the payroll	*l'ensemble des salariés*
to be on the payroll	*être salarié d'une entreprise*
the staff	*le personnel*
the rank and file	*la base*
management	*l'encadrement*
the top management	*les cadres supérieurs*
the chairman	*le président*
the chief-executive officer (CEO) / the chairman and general director	*le président-directeur général (PDG)*
the general manager (GM)	*le directeur général, le gérant (SARL)*
a manager	*un directeur, un gérant, un administrateur*
an assistant	*un adjoint*
an executive	*un cadre*
a senior executive	*un cadre supérieur*
a junior executive	*un cadre moyen*
the employers	*le patronat*
the head office	*le siège principal*
the headquarters	*le siège*
a department	*un service*
the office	*le bureau*
a clerk	*un employé de bureau*
clerical work	*le travail de bureau*
an engineer	*un ingénieur*

2 THE ACCOUNTING DEPARTMENT — *LE SERVICE COMPTABLE*

the accounts department	*le service comptable*
accountancy / accounting / book keeping	*la comptabilité*
a chartered accountant (CA) (UK) / a certified public accountant (CPA) (USA)	*un expert-comptable*
an accountant	*un comptable*
an auditor	*un commissaire aux comptes*
to audit	*vérifier (les comptes)*
a fiscal year / a financial year	*un exercice fiscal / comptable*
the balance sheet	*le bilan*
assets	*l'avoir, l'actif*

inventory, stock	*le stock*
to take stock	*faire l'inventaire*
liabilities	*le passif, les dettes*
a trading account (UK) / an operating account (USA)	*un compte de résultats*
the turnover / the gross (USA)	*le chiffre d'affaires (CA)*
overheads	*frais généraux*

3 THE LEGAL DEPARTMENT — ***LE CONTENTIEUX***

to contract with sb to	*passer un contrat avec qn. pour*
a covenant	*une obligation contractuelle*
a contracting party	*une partie contractante*
to draw up a contract	*rédiger un contrat*
the terms of a contract	*les termes d'un contrat*
to break a contract	*rompre un contrat*
a breach of contract	*une inexécution de contrat*
to sue on a contract	*porter plainte en se prévalant d'un contrat*
to suffer a loss	*subir une perte*
to claim damages	*réclamer des dommages-intérêts*

III MANAGING A COMPANY — *LA GESTION D'UNE SOCIÉTÉ*

an entrepreneur	*un entrepreneur*
entrepreneurship	*l'esprit d'entreprise*
an enterprising spirit	*un esprit d'entreprise*
to be business-minded	*avoir l'esprit d'entreprise*
a founder	*un fondateur*
to launch	*lancer*
to float	*démarrer*
to set up	*établir*
a start-up	*un démarrage, une création*
to incorporate	*constituer*
to set up in business	*s'établir en affaires*
to organize a company	*monter une société*
to dissolve a company	*dissoudre une société*
to manage a firm	*gérer une entreprise*
to run a company	*diriger une société*
to be at the head of a company	*être à la tête d'une entreprise*
a decision-maker	*un décideur*
worker participation	*la participation des travailleurs*
a quality circle	*un cercle de qualité*
the board of directors	*le conseil d'administration (CA)*
a board meeting	*une réunion du CA*
the chairman of the board	*le président du conseil d'administration*
a shareholder / a stockholder	*un actionnaire*
a majority owner	*un actionnaire majoritaire*

IV TAKEOVERS — *LES PRISES DE CONTRÔLE*

mergers and acquisitions (M & A's)	*fusions et acquisitions d'entreprises*
to merge	*fusionner*
a leveraged buyout (LBO)	*une prise de contrôle par recours à l'emprunt*
a leveraged management buyout (LMBO)	*un rachat d'entreprise par les cadres avec effet de levier (RECEL)*
a management buyout (MBO)	*un rachat d'entreprise par les cadres*
an employees' buy-out	*un rachat d'entreprise par les salariés (RES)*
to mount an LBO	*organiser une opération de rachat*
to initiate a raid on a company	*partir à l'assaut d'une entreprise*
a takeover	*une prise de contrôle / de pouvoir*
a takeover bid / a tender offer (USA)	*une offre publique d'achat (OPA)*
to take over a company	*prendre le contrôle d'une société*
a takeover target	*la cible d'une OPA*
a target company	*une opéable, une société-cible*
a hostile takeover	*une reprise inamicale*
a friendly takeover	*une reprise à l'amiable*
a raid	*un raid*
to launch a raid (on)	*lancer un raid (sur)*
a raider	*un prédateur, un repreneur, un raider*
a wheeler dealer	*un brasseur d'affaires*
wheeling and dealing	*l'affairisme*
to stalk a company	*être à l'affût d'une société*
risk-taking	*audacieux*
dare devil	*intrépide*
smug	*suffisant*
brash	*impétueux*
hyperconfident	*très sûr de soi*
swaggering	*hâbleur*
bravado	*la bravade*
greediness	*la cupidité*
a killer instinct	*un gagneur*
to rake billions in revenues	*faire des milliards de profits*
a billionaire	*un milliardaire*
a centimillionaire	*un multi-milliardaire*
to sell for huge profits	*revendre avec d'énormes bénéfices*

V RESTRUCTURING *LES RESTRUCTURATIONS*

to downsize	*réduire, amputer*
downsizing	*la réduction des capacités de production*
to restructure / to reshape / to overhaul / to shake up	*restructurer*
to retool	*moderniser la production, rééquiper*
an overhaul / a shakeup	*une restructuration*
to break up	*démanteler*
a break-up	*un démantèlement*
overmanning	*sureffectifs*
a swollen payroll	*un sureffectif*
to be overstaffed	*être en sureffectif*
to upgrade / modernise	*moderniser*
refurbishment	*la remise à neuf*
to refurbish	*remettre à neuf*
to revamp	*rénover*
a slimming down program	*un programme de compressions de personnel*
to eliminate jobs / to axe jobs	*supprimer des emplois*
to phase out jobs	*éliminer progressivement des emplois*
to shed workers	*éliminer des emplois*
early retirement	*la retraite anticipée, la préretraite*
to streamline / to slim down a company	*dégraisser, rationaliser*
to diversify one's operations	*diversifier ses activités*
industrial conversion	*la reconversion industrielle*
a merger	*une fusion*

VI BANKRUPTCY *LA FAILLITE*

solvency / insolvency	*la solvabilité / l'insolvabilité*
a bankruptcy / a failure	*une faillite*
a bankrupt company / a bust firm	*une société en faillite*
to go bankrupt / to go bust / to fail	*faire faillite*
to bankrupt a firm / to put a company into bankruptcy	*mettre une société en faillite*
a bankrupt	*un failli, un banqueroutier*
to be bankrupt	*être en faillite*
to file for bankruptcy	*déposer son bilan, mettre en faillite*
a creditor	*un créancier*
reorganization	*l'assainissement*
to put a firm into administration	*mettre une société sous administration judiciaire*
an administrator	*un administrateur judiciaire*
a reorganisation plan	*un plan de redressement*
to wind up	*liquider*
a winding up	*une liquidation*
a statement of affairs	*un bilan de faillite*
breakup value	*valeur de liquidation*
in receivership	*en faillite*
an auction	*une vente aux enchères*
to bail out a company / to refloat	*renflouer une entreprise*
a bailout	*un renflouage*

3 TRADE *LE COMMERCE*

I THE PRODUCT *LE PRODUIT*

a product	*un produit*
a range of products / a product line	*une gamme de produits*
to produce	*produire*
produce	*produits, denrées (d'origine agricole)*
a producer	*un producteur*
to develop a product	*mettre au point un produit*
to launch a product	*lancer un produit*
to brand a product	*donner un nom à un produit*
fashion	*la mode*
fashionable	*à la mode*
a quality product	*un produit de qualité*
workmanship	*la qualité dans le travail*
a product fault / a product defect	*un défaut de fabrication, une défectuosité*
faulty	*défectueux*
a flaw	*une paille, un défaut, une faille*
flawless	*sans défaut*
sloppiness	*le manque de soin*
sloppy	*bâclé*
shoddy	*de mauvaise qualité*
shoddiness	*la camelote*
to throw away / to discard / to dispose of	*jeter, se défaire de*
a throw away product	*un produit jetable*
a throw away society	*une société de gaspillage*
disposable	*jetable*
to waste	*gaspiller*
a waste maker	*un gaspilleur*

II MARKETING *LE MARKETING*

a marketplace	*un marché*
the world market	*le marché mondial*
a domestic market	*un marché intérieur*
the European market	*le marché européen*
the Single European Market	*le marché unique européen*
a marketing policy	*une politique commerciale*
to court customers / to woo customers	*rechercher les clients*
to merchandise	*commercialiser*
a market survey	*une étude de marché*
to carry out a survey	*mener une enquête*
market research	*une recherche de marché*
to target a market	*cibler un marché*
to aim at a market	*viser un marché*
to hit a market	*atteindre un marché*
to find a niche	*trouver un créneau*
a market opportunity	*un créneau*
to covet a market	*convoiter un marché*
to probe a market	*sonder un marché*
to tap a market	*exploiter un marché*
to market a product	*commercialiser, lancer un produit*
an opening / an outlet	*un débouché*
a market share	*une part de marché*
the market thrust	*la percée commerciale*
to break into a market / to make an inroad into a market	*pénétrer un marché*
to spearhead a campaign	*mener une campagne*
to make a foray (into)	*faire une incursion (dans)*
to pry open a market / to prise open a market	*pénétrer de force sur un marché*
to conquer a market	*conquérir un marché*
to have a lock on a market	*avoir une mainmise sur un marché*
to corner a market	*monopoliser un marché*

III ADVERTISING *LA PUBLICITÉ*

an advertisement	*une annonce, une réclame, une publicité*
an ad	*une annonce publicitaire*
an advert	*une pub*
the ads / the small ads	*les petites annonces*
the classified ads	*les annonces classées*
to place an ad	*mettre une annonce*
to run an ad	*faire passer une annonce*
a commercial	*un message publicitaire à la TV ou à la radio*
to advertise	*faire de la réclame*
publicity	*la publicité (donnée à un événement)*
to broadcast a message	*diffuser un message*
an advertising agency / an ad factory	*une agence de publicité*
a publicist / an adman	*un publicitaire*
an advertiser	*un annonceur, un publicitaire*
to sponsor	*sponsoriser, commanditer*
a sponsor	*un annonceur*
sponsorship	*le parrainage*
advertising media	*supports publicitaires*
a medium	*un support*
the message content	*le contenu du message*
catchy	*facile à retenir*
an electric sign	*une enseigne lumineuse*
a neon sign	*une enseigne au néon*
a billboard	*un panneau d'affichage publicitaire*
a hoarding	*un panneau publicitaire*
a mailing	*un envoi par la poste, un démarchage par correspondance*
direct mail advertising	*la publicité par envoi direct*
a leaflet / a handbill / a flyer	*un prospectus*
a throwaway	*un prospectus distribué dans la rue*
a folder	*un dépliant*
a coupon	*un bon de réduction*
a TV spot	*un spot publicitaire*
a jingle	*un indicatif sonore*
an advertising film	*un film publicitaire*
advertising strategy	*la stratégie publicitaire*
an advertising campaign / an advertising drive	*une campagne de publicité*
to appeal to consumers	*plaire aux consommateurs*
consumer appeal	*l'attrait pour le consommateur*
to play on consumers' tastes	*jouer sur les goûts des consommateurs*
to manipulate consumer behaviour	*manipuler le comportement du consommateur*
to coax people into / to wheedle people into consuming	*choyer le consommateur (pour l'encourager à acheter)*
to entice people into buying	*pousser les gens à acheter*
to build a brand preference	*fidéliser un client à une marque*

IV SALE — *LA VENTE*

1 THE DISTRIBUTION NETWORK — *LE RÉSEAU DE DISTRIBUTION*

1.1 STORES — *LES MAGASINS*

a shopping district / precinct	*un quartier commerçant*
a shopping area	*une zone commerciale*
a shopping center / a mart	*un centre commercial*
a shopping mall	*un centre commercial, une galerie marchande*
a department store	*un grand magasin*
a mail order house	*une maison de vente par correspondance*
a general store	*un magasin d'alimentation générale (dans une petite commune)*
a country store	*un magasin général*
a corner store	*une boutique de quartier*
a mom-and-pop store	*un commerce familial*
a five-and-ten	*un bazar*
a dime store	*un prisunic*
a branch	*une succursale*
a wholesaler / a jobber (USA)	*un grossiste*
high street	*le commerce de détail*
retail sales	*les ventes de détail*
to retail	*vendre au détail*
a retailer / a retail dealer	*un détaillant*
to sell wholesale / to sell in bulk / to wholesale	*vendre en gros*
to franchise	*accorder un droit de distribution*
a trade fair	*une foire commerciale*
a show	*un salon*
a motor show	*un salon de l'automobile*

1.2 SETTING UP SHOP — *L'INSTALLATION D'UN MAGASIN*

a merchant / a trader	*un négociant en gros*
a storekeeper / a shopkeeper	*un commerçant*
to set up in business	*s'établir*
to enter into partnership	*s'associer*
a shopping bag	*un sac*
to dress a window	*faire une vitrine*
a window display	*un étalage*
a trolley	*un chariot*
the cash desk	*la caisse*
a cashier	*un caissier, une caissière*
a receipt	*un reçu*
a label	*une étiquette*
a price tag	*un prix*
an invoice	*une facture*
to invoice	*facturer*
to wrap	*emballer*
to order	*commander*
sales on credit	*ventes à crédit*
payment at sight	*paiement à vue*
to deliver	*livrer*
delivery	*la livraison*
a delivery man	*un livreur*
a shipping department	*un service des expéditions*
returns	*rendus, consignes*
window shopping	*le lèche-vitrine*
to go window shopping	*faire du lèche-vitrine*
to browse	*flâner*
a shopper	*un acheteur*
a shopping list	*une liste de courses*
shoplifting	*le vol à l'étalage*
the sales force	*la force de vente*
the staff	*le personnel*
a sales person	*un vendeur, une vendeuse*
a shop assistant	*un(e) employé(e) de magasin*
a clerk	*un employé*
a hawker / a peddler / a pedlar	*un camelot, un colporteur*

2 SHOPKEEPING — *LA TENUE DE BOUTIQUE*

2.1 STOCKS — *LES STOCKS*

inventory	*le stock, l'inventaire*
to inventory	*faire l'inventaire*
to have in stock	*avoir en magasin*
to be out of stock	*être en rupture de stock*
to be out of . . .	*être à court de, manquer de...*
to store	*stocker*
to warehouse	*entreposer*
a warehouse	*un entrepôt*
to supply	*fournir, approvisionner*
supplies	*stocks, fournitures*

2.2 SALE — *LA VENTE*

to sell	*vendre*
to offer for sale / to put up for sale	*mettre en vente*
a price	*un prix*
a current price	*un prix actuel*
a cost price / a prime cost	*un prix coûtant, un prix de revient*
a selling price / a sale price	*un prix de vente*
a purchase price / a buying price	*un prix d'achat*
a margin	*une marge*
a cost / to cost	*un coût / coûter*
the cost	*le prix de revient*
costless	*gratuit*
to buy / to purchase	*acheter*
to keep prices down	*maintenir des prix bas*
salesmanship	*l'art de vendre, le sens du commerce*
to be on sale	*être en vente*
a sales drive	*une campagne de vente*

2.3 SALES — *LES SOLDES*

bargain sales	*soldes*
sales are on	*c'est la saison des soldes*
a clearance sale	*une liquidation*
a red tag sale / a bargain sale	*une vente promotionnelle*

a closing-down sale	*une liquidation totale*
to sell off / to clear off	*solder*
the off-peak season	*la saison morte*
cheap / inexpensive	*bon marché*
dirt cheap	*à vil prix*
a drop in prices	*une baisse des prix*
to mark up	*majorer*
to cut prices	*réduire les prix*
to slash prices	*sacrifier les prix*
to undercut prices	*brader les prix*
a discount / a rebate / a price cut	*un escompte, un rabais*
a price mark-down	*une démarque*
a markup	*un taux de marque*
a knock out price	*un vil prix*
to bargain	*marchander*
a bargain	*une affaire*
to hunt for bargains	*rechercher les bonnes affaires*
to haggle about the price (of)	*discuter le prix (de)*

2.4 BRANDS — *LES MARQUES*

a brand	*une marque*
branded goods	*produits de marque*
a brand name	*une marque, un nom de marque*
an own brand	*une marque de distributeur*
no-name goods	*produits sans marque*
to own label	*distribuer ses propres produits*
brand loyalty	*la fidélité à une marque*
a flagship brand	*une marque pilote*
a best selling brand / a top selling brand	*une marque qui se vend bien*

2.5 CUSTOMERS — *LES CLIENTS*

a customer	*un client*
a patron	*un client fidèle*
a buyer	*un acheteur*
a purchaser	*un acheteur*
to patronize	*être un client fidèle (de / chez)*
to cater to customers' needs	*satisfaire aux besoins des clients*
to pander to the tastes (of)	*flatter les goûts (de)*
purchasing power	*le pouvoir d'achat*
customer service	*le service de la clientèle*
after-sales service	*le service après-vente (SAV)*

2.6 CONSUMERISM — *LE CONSUMÉRISME*

to consume	*consommer*
a consumer	*un consommateur*
a consumer society	*une société de consommation*
consumption / consumer activity	*la consommation*
consumer consciousness	*la prise de conscience du consommateur*
consumer goods / consumer durables	*les biens de consommation*
a consumer survey	*une étude de marché*
consumer research	*études de marché*
a consumer trend	*une tendance des consommateurs*
the Minister of Consumer Protection	*le secrétariat d'État à la consommation*
consumers' rights	*les droits des consommateurs*
a consumer organization	*une association de consommateurs*
a consumer union	*un mouvement de consommateurs*
a hazardous product	*un produit dangereux*
offensive TV programming	*programmes de télévision agressifs*
to take a corporation to task	*prendre à partie une société commerciale*

V COMMERCE — *LE COMMERCE*

1 TRADE — *LES ÉCHANGES COMMERCIAUX*

commerce	*le commerce (en gros)*
to do trade (with)	*commercer (avec)*
to trade (in sth)	*faire le commerce (de qch.), commercer*
to do business (with)	*faire des affaires (avec), entretenir des relations commerciales (avec)*
terms of trade	*termes de l'échange*
to dump (in a market)	*écouler à perte (sur un marché)*
a trading partner	*un partenaire commercial*
a trade mark	*une marque de fabrication*
the world trade / worldwide trade	*le commerce mondial*
home trade / domestic trade	*le commerce intérieur*
foreign trade / external trade	*le commerce extérieur*
a trader	*un négociant*
a tradesman	*un marchand, un fournisseur*
a trade balance	*un équilibre commercial*
an adverse balance	*une balance déficitaire*
a favourable balance	*une balance excédentaire*
an imbalance	*un déséquilibre*
a trade gap	*un déséquilibre commercial*
a trade deficit	*un déficit commercial*
to export	*exporter*
an exporting country	*un pays exportateur*
to import	*importer*

2 TRADE RELATIONS — *LES RELATIONS COMMERCIALES*

competition	*la concurrence*
to compete (with)	*faire concurrence (à)*
to compete for a market	*lutter pour un marché*
a competitor	*un concurrent*

cutthroat competition / bareknuckle competition	*la concurrence acharnée*
a competitive edge	*un (léger) avantage concurrentiel*
protectionism	*le protectionnisme*
free trade	*le libre-échange*
restrictive practices	*atteintes à la libre concurrence, entraves à la liberté du commerce*
protectionist	*protectionniste*
a protectionist wall	*un mur protectionniste*
to turn protectionist	*devenir protectionniste*
to pursue a protectionist policy	*poursuivre une politique protectionniste*
to coddle an industry by protectionism	*protéger une industrie par le protectionnisme*
to shelter a market (from)	*abriter un marché (de)*
a forwarding agent	*un transitaire*
a bill of lading	*un connaissement*
customs	*la douane*
customs authorities	*autorités douanières*
a customs officer / official	*un douanier*
a customs agent	*un commissionnaire en douane*
a tariff	*un tarif*
a customs tariff	*un tarif douanier*
a customs duty	*un droit de douane*
an excise duty	*un droit d'accise*
a drawback	*un rembours*
a levy / a fee	*un droit*
to be subjected to duties	*être soumis à des droits*
clearance	*une déclaration en douane*
bonded	*sous douane*
a barrier	*une barrière*
a tariff barrier / a tariff wall / a customs barrier / wall	*une barrière douanière*
a quota	*un contingentement*
to erect trade barriers	*ériger des barrières douanières*
a trade restriction	*une atteinte au libre commerce*
to close one's market (to)	*fermer son marché (à)*
to lift controls (on)	*lever les restrictions (sur)*
to relax quotas	*assouplir les quotas*
to lower import barriers	*abaisser les barrières douanières*
to remove trade barriers	*supprimer les barrières commerciales*
a trade war	*une guerre commerciale*
a trade dispute	*un conflit commercial*
a beggar-thy-neighbour war	*une guerre fratricide*
open trade warfare	*la guerre économique déclarée*
a retaliating tariff (against)	*un tarif de rétorsion (contre)*
a trade violation	*une infraction commerciale*
to impose trade sanctions (against)	*imposer des sanctions commerciales (à l'encontre de)*
to put the squeeze on a country	*mettre la pression sur un pays*
to strangle a country	*prendre un pays à la gorge*
to embargo	*mettre l'embargo sur*
a trade embargo	*un embargo commercial*
an arms embargo	*un embargo sur les armes*
to implement an embargo	*mettre un embargo en place*
to put an embargo (on)	*décréter un embargo (sur)*
a ban on trade with	*une interdiction de commercer avec*
a blacklisted product	*un produit interdit*
to breach an embargo	*violer un embargo*
a blockade	*un blocus*
to blockade	*faire le blocus de, bloquer*
a commercial agreement	*un accord commercial*
the most-favoured nation clause (MFN)	*la clause de la nation la plus favorisée*
free trade	*le libre-échange*
a free trade zone / a free trade area	*une zone de libre-échange*
to deregulate	*déréglementer, libérer*
deregulation	*la déréglementation*
two-way trade / mutual trade	*le commerce réciproque*

XII FINANCE — *LES FINANCES*

1 CURRENCY — *LA MONNAIE*

1 GENERAL BACKGROUND — *GÉNÉRALITÉS*

bank money	*la monnaie scripturale*
credit money	*la monnaie fiduciaire*
a moneyman	*un financier*
a monetary system	*un système monétaire*
to barter (for)	*troquer (contre)*
barter	*le troc*
cash	*argent liquide*
hard cash	*espèces sonnantes*
to pay cash	*payer comptant*
to pay in cash	*payer en espèces*
a coin	*une pièce*
tail / heads	*pile / face*
a bill / a banknote	*un billet*
change	*la monnaie*
small change	*la menue monnaie*
the Mint	*l'Hôtel des Monnaies*
to mint	*frapper de la monnaie*
to be legal tender	*avoir cours légal*
convertibility	*la convertibilité*
parity	*la parité*
a currency	*une monnaie, une devise*
a hard currency	*une monnaie forte*
a soft currency	*une monnaie faible*
a financial market	*un marché financier*
the capital market	*le marché des capitaux*
the prime rate	*le taux de base*
foreign exchange	*le change, le marché du change*
a foreign currency	*une devise étrangère*
a rate	*un cours*
the rate of exchange	*le taux de change*
to peg a currency to	*indexer une monnaie sur*
pegged exchange rate	*la parité fixe*
a US dollar ($ / USD)	*un dollar américain*
a buck	*un dollar (fam.)*
a greenback	*un billet vert ($)*
a cent / a penny	*un cent*
a nickel	*5 cents*
a dime	*10 cents*
a quarter	*25 cents*
a 20-dollar bill	*un billet de 20 dollars*
a pound sterling (£)	*une livre sterling*
a pound	*une livre*
a penny	*un penny*
2 pence	*2 pennies*
exchange	*devise*

2 THE HEALTH OF A CURRENCY — *LA SANTÉ D'UNE MONNAIE*

to be firm	*être ferme*
to firm up	*se raffermir*
sturdy	*robuste*
buoyant	*ferme*
to go up / to rise	*augmenter*
to surge	*s'envoler*
to bolster	*soutenir*
to peak	*culminer*
to go through the ceiling	*crever le plafond*
to appreciate	*s'apprécier*
to revalue	*réévaluer*
a revaluation	*une réévaluation*
to depreciate	*se déprécier, dévaloriser*
a currency depreciation	*une dévalorisation de la monnaie*
to slump / to plummet / to collapse	*s'effondrer*
to take a plunge	*faire un plongeon*
monetary upheaval	*la tempête monétaire*
a currency crisis	*une crise monétaire*
financial turmoil	*le désordre financier*
to disrupt a market	*perturber un marché*
to float a currency	*faire flotter une monnaie, flotter*
to cause a run on the banks	*provoquer une panique bancaire*
a money panic	*une panique monétaire*
a flight of capital (from)	*une fuite de capitaux (de)*
to devaluate / to devalue	*dévaluer*
to devaluate a currency	*dévaluer une monnaie*
a devaluation	*une dévaluation*
a currency alignment	*un aménagement monétaire*
a money policy	*une politique monétaire*
the gold standard	*l'étalon-or*
a monetary squeeze	*un resserrement monétaire*
to hoard	*thésauriser*

2 BANKING — *LA BANQUE*

1 BANKING INSTITUTIONS — *LES INSTITUTIONS BANCAIRES*

a commercial bank	*une banque commerciale*
a merchant bank / a trading bank	*une banque d'affaires*
a deposit bank / a retail bank / a clearer / a clearing bank / a high street bank	*une banque de dépôts*

a savings bank	*une caisse d'épargne*
the GIRO (UK)	*les chèques postaux*
a savings and loan association / a thrift (USA)	*un organisme d'épargne-logement*
an off-shore place	*une place extraterritoriale*
a bank outlet	*une succursale de banque*
the International Monetary Fund (IMF)	*le Fonds Monétaire International (FMI)*
the World Bank	*la Banque mondiale*
the Federal Reserve / the Fed (USA)	*la banque fédérale de réserve*
a banker / a bank manager	*un banquier*
a bank officer	*un directeur de banque*
a trustee	*un fiduciaire*
a teller (USA) / a cashier (UK)	*un caissier*
a vault / a strong room	*une salle des coffres*
a safe	*un coffre*
a window (USA) / a wicket (UK)	*un guichet*

2 MEANS OF PAYMENT — *LES INSTRUMENTS DE PAIEMENT*

a payment	*un paiement*
to pay / to repay	*payer / rembourser*
to pay in	*verser*
to pay out	*débourser*
a cheque / a check (USA)	*un chèque*
a check book	*un carnet de chèques*
a check account / a checking account	*un compte en banque*
to pay by check	*payer par chèque*
to make out a check	*libeller un chèque*
to cash a check	*encaisser un chèque*
a rubber check / a dud check	*un chèque sans provision*
a dishonored check	*un chèque impayé*
a blank check	*un chèque en blanc*
a forged signature	*une signature falsifiée*
attested	*certifié*
to bounce	*être rejeté*
a stub / a counterfoil	*un talon, une souche*
a traveller's check	*un chèque de voyage*
a credit card / a money card	*une carte de crédit*
a Personal Identification Number (PIN)	*un code secret*
plastic money	*la monnaie électronique*
a cash dispensing machine / an automated teller machine (ATM)	*un distributeur automatique de billets (DAB)*

3 BANKING OPERATIONS — *LES OPÉRATIONS BANCAIRES*

an account	*un compte*
a joint account	*un compte joint*
a current account	*un compte courant*
a savings account	*un compte d'épargne (UK), un compte de dépôt (USA)*
a bank statement	*un relevé bancaire*
the balance	*le solde*
to bank with / at	*avoir / ouvrir un compte chez*
to open an account with	*ouvrir un compte auprès de*
to close an account	*fermer un compte*
to have an account with a bank	*avoir un compte en banque*
to withdraw money	*retirer de l'argent*
to overdraw (an account)	*mettre un compte à découvert*
an overdraft	*un découvert*
to be in the red	*être dans le rouge*
to charge interest	*percevoir des intérêts*
to invest	*placer*
credit	*le crédit, la solvabilité*
credit terms	*conditions de crédit*
to purchase on credit	*acheter à crédit*
hire purchase	*l'achat à crédit*
a rating	*une cote de crédit*
a credit crunch	*une crise du crédit*
a loan	*un prêt, un emprunt*
an advance	*une avance de fonds*
a home loan plan	*un prêt d'épargne logement (PEL)*
a mortgage	*une hypothèque*
to mortgage	*hypothéquer*
to loan	*faire un prêt, prêter*
to lend	*prêter*
to borrow (from sb)	*emprunter (à qn.)*
to borrow at interest	*emprunter à intérêt*
to make a loan	*faire un prêt / emprunt*
to secure a loan	*contracter un emprunt, obtenir un prêt*
cover / security	*le cautionnement, la garantie, la couverture*
a collateral	*une garantie, un nantissement*
to service a loan	*payer les intérêts d'un emprunt*
to repay	*rembourser un emprunt*
an interest rate	*un taux d'intérêt*
the bank rate	*le taux officiel d'escompte*
the exchange rate	*le taux de change*
the going rate	*le taux en vigueur*
to ease a rate	*assouplir un taux*
to push up / to raise rates	*augmenter les taux*
to cut rates	*diminuer les taux*
to bear interest	*rapporter des intérêts*
to carry interest	*produire des intérêts*
to save money	*économiser de l'argent*
to save up	*faire des économies*
to put by	*mettre de côté*
savings	*économies*
a savings plan	*un plan d'épargne*
a saver	*un épargnant*
thrift / thrifty	*l'économie / économe*
niggardly	*pingre*

to scrimp and scrape	*économiser sur tout*
to put away for a rainy day	*mettre de l'argent de côté*
a spendthrift	*un panier percé*
to splurge	*dépenser follement*
profligacy	*la prodigalité*
profligate	*dépensier*

4 INVESTMENT AND FINANCING — *INVESTISSEMENT ET FINANCEMENT*

to invest	*investir, placer, faire des investissements*
an investment	*un investissement*
an investor	*un investisseur, un épargnant, un capitaliste*
an individual investor	*un petit porteur*
an institutional investor	*un investisseur institutionnel*
an investment bank	*une banque de placement une banque d'affaires (USA)*
to finance / to bankroll	*financer*
financial standing	*la solvabilité*
to raise finance	*trouver des fonds*
to raise cash	*se procurer de l'argent liquide*
a financial backer	*un commanditaire*
exposure	*le risque*
to venture / to risk capital	*risquer des capitaux*
risk evaluation	*évaluation des risques*
exposure to risk	*la possibilité de risque*
venture capital	*le capital risque*
cost overrun	*le dépassement des coûts*
a price tag	*un coût*
to be over budget	*dépasser le budget*
to drive up the price	*augmenter le prix*
to overrun the price	*dépasser le prix*
to profit	*réaliser des bénéfices*
a profit	*un profit, un gain*
to make a profit (on)	*faire des bénéfices (sur)*

3 THE STOCK EXCHANGE — *LA BOURSE DES VALEURS*

1 THE CAPITAL MARKET — *LE MARCHÉ FINANCIER*

a bourse	*une bourse*
a stock exchange	*une place boursière, un marché des valeurs*
the Stock Exchange	*la bourse*
Wall Street	*le quartier des affaires à New York*
the City	*le quartier des affaires à Londres*
the New York Stock Exchange (NYSE)	*la bourse de New York*
a commodity exchange / a mercantile exchange	*une bourse des marchandises*
a cash market / a spot market	*un marché au comptant*
a financial futures market	*un marché à terme des instruments financiers (MATIF)*
a forward market	*un marché à terme ferme*
a futures market	*un marché de contrats à terme*
the business circles / quarters	*les milieux d'affaires*
a bearer	*un porteur*
an operator	*un boursier, un spéculateur*
a trader	*un opérateur en bourse*
brokerage / broking	*le courtage*
a stockbroker	*un agent de change, une société de bourse, un courtier, un porteur (de titres), un actionnaire (USA)*
a black knight	*un chevalier noir*
a white knight	*un chevalier blanc*
to dabble on the Stock Exchange	*boursicoter*
to play the market	*jouer en bourse*
paper	*titres, papier*
a dividend	*un dividende*
a Treasury bill (T-bill)	*un bon du Trésor à court terme*
a Treasury bond (USA)	*un bon du Trésor à long terme*
a mutual fund	*une SICAV*
go-go funds	*fonds hautement spéculatifs*
a share	*une action*
stock	*valeur(s) titre(s), valeurs mobilières, une action en bourse (USA)*
industrials	*actions des grandes sociétés industrielles*
golds	*valeurs aurifères*
listed stock	*une valeur cotée*
equities	*actions*
a security	*une valeur, un titre*
gilt-edged securities / gilts (UK)	*placements de père de famille (obligations et titres d'État)*
a bond	*une obligation (avec garantie), une obligation émise par l'État*

glamour stock	*valeur vedette*
blue chip	*valeur de premier ordre*
a eurobond	*une euro-obligation*
a debenture	*une obligation (sans garantie)*
a junk bond	*une obligation pourrie*

2 OPERATIONS — *LES OPÉRATIONS*

an average / an index	*un indice*
the Dow Jones industrial average (DOW)	*l'indice Dow Jones (USA)*
a point	*un point d'indice*
a ticker	*un téléscripteur*
an economic indicator	*un indice de la conjoncture*
to trade	*échanger*
the trading pit	*la corbeille*
the trading floor	*la salle des marchés, le plancher*
stock trading	*opérations en bourse*
the trading volume	*le volume des transactions*
a share issue / a flotation	*une émission d'actions*
the price of a share	*la valeur d'une action*
the opening price	*le cours d'ouverture*
the closing price	*le cours de clôture*
to quote	*coter*
quotation	*la cotation*
to list	*coter en bourse*
to place an order	*passer un ordre*
to buy / sell at the market	*acheter / vendre au mieux*

3 CRASH — *LE KRACH*

price movements	*fluctuations des cours*
the tone of a market	*la tenue du marché*
the ups and downs of a market	*les hauts et les bas d'un marché*
a turn	*un changement de tendance, un revirement*
to gyrate	*fluctuer sensiblement*
a swing	*une fluctuation*
to yoyo	*fluctuer sensiblement*
to clip . . . points	*perdre... points*
to fall by . . . points	*chuter de... points*
to shed . . . points	*abandonner... points*
a downward trend	*une tendance à la baisse*
a buyer's market	*un marché offert*
a seller's market	*un marché vendeur*
a bear market	*un marché baissier*
to bear	*spéculer à la baisse, vendre à découvert, faire baisser le marché*
bearish	*à la baisse (tendance)*
an ailing market	*un marché mal en point*
a sagging market	*un marché atone*
a depressed market	*un marché déprimé*
a buoyant market	*un marché soutenu, un marché porteur*
to bull	*spéculer à la hausse*
a bull market	*un marché haussier*
to bull the market	*chercher à hausser les cours*
bullish	*à la hausse (tendance)*
a hot market	*un marché fébrile*
volatility	*l'effervescence*
jittery	*nerveux*
a drop / a shakeout	*une chute*
a free fall	*une chute libre*
to nose dive	*faire un plongeon*
to crash	*s'effondrer*
a stampede	*une panique*
panic selling	*ventes dues à la panique*
to dump stocks	*se débarrasser d'actions*
to bail out of the market	*se retirer du marché (en vendant tout)*
to sell at knockdown prices	*vendre à perte*
to touch off a panic	*déclencher une panique*
to trigger a crash	*provoquer un effondrement*
to lose one's shirt	*y laisser sa chemise*
to post a loss	*afficher une perte*
black Monday	*un lundi noir*
to ride out the crisis	*survivre à la crise*
to turn the market round	*redresser le marché*
to rally	*se reprendre*
an upswing / an uptrend	*un mouvement à la hausse*
to hold well	*bien se défendre*
to soar	*grimper en flèche*
to peak	*atteindre un sommet*
to kite upward	*monter en flèche*
an all-time high	*un record absolu*
to reach a new high	*atteindre un nouveau record*
the Securities and Exchange Commission (SEC) (USA)	*la Commission des Opérations en Bourse (COB)*
a regulator	*un organisme de contrôle*
inside information	*information privilégiée*
insider trading	*le délit d'initié*

4 BUDGET AND TAXES — *LE BUDGET ET LES IMPÔTS*

a budget package	*un train de mesures budgétaires*
a fiscal year	*une année budgétaire*
a draft budget	*un avant-projet de budget*
to balance a budget	*équilibrer un budget*
to balance the books	*dresser le bilan*
a budget imbalance	*un déséquilibre budgétaire*
a deficit	*un déficit*
to make up a deficit	*combler un déficit*
to cut expenditures	*réduire les dépenses*

a tax / a rate	*un impôt*
a charge	*une redevance*
a fee	*un droit*
a levy	*une contribution, un prélèvement*
excise	*contributions indirectes*
tax revenue	*recettes fiscales*
a tax payer / a rate payer	*un contribuable*
to pay taxes	*payer des impôts*
to levy a tax (on)	*prélever un impôt (sur)*
to collect a tax	*percevoir un impôt*
tax collection	*le prélèvement de l'impôt*
to be subject to taxation / to be liable for tax	*être assujetti à l'impôt*
the tax administration	*l'administration fiscale*
the Internal Revenue Service (IRS) (USA) / Inland Revenue (UK)	*la recette des finances, les services du fisc*
a tax collector	*un percepteur des impôts*
a tax accountant	*un conseiller fiscal*
a personal income tax	*un impôt sur le revenu (IR)*
assessed taxes / direct taxes	*impôts directs*
taxable income	*le revenu imposable*
indirect taxes	*impôts indirects*
a value added tax (VAT)	*une taxe à la valeur ajoutée (TVA)*
a fortune tax / a wealth tax	*un impôt sur la fortune*
a corporation tax	*un impôt sur les sociétés*
a profits tax	*un impôt sur les bénéfices*
rates	*impôts locaux*
tax relief / rebate	*le dégrèvement*
tax exemption / an allowance / an exemption	*exonération fiscale une exonération*
tax deductible	*déductible des impôts*
a tax write-off	*une déduction fiscale*
a tax break	*une réduction d'impôts*
to fill out one's income tax return / tax form	*remplir sa déclaration d'impôts*
tax credit	*avoir fiscal*
tax bite	*la ponction fiscale*
a tax hike	*une augmentation d'impôts*
tax avoidance / tax evasion	*la fraude fiscale*
to evade taxation / to skim	*frauder le fisc*
a tax evader / a tax dodger	*un fraudeur du fisc*
for tax purposes	*pour des raisons fiscales*
a loophole	*une faille dans la législation*
black money / grey money	*argent non déclaré*
unreported	*non déclaré*
untaxed money	*argent qui échappe à l'imposition*
to launder money	*blanchir l'argent*
a tax shelter / a tax haven	*un paradis fiscal*
a blind corporation	*une société bidon*
a dummy company	*une société fictive*
a shell corporation	*une société écran*
an adjustment	*un redressement*
a settlement of tax arrears	*un redressement fiscal*

XIII MEANS OF TRANSPORTATION — *LES MOYENS DE TRANSPORT*

1 THE AUTOMOBILE — *L'AUTOMOBILE*

1 VEHICLES — *LES VÉHICULES*

a sportscar	*une voiture de sport*
a convertible	*une voiture décapotable*
a station wagon (USA) / an estate car (UK)	*un break*
a sedan / a saloon car	*une berline*
a roadster	*une décapotable*
a limousine / a limo	*une limousine*
a car driver / a motorist	*un automobiliste*
a motorcycle / a motorbike / a bike	*une motocyclette, une moto*
a moped	*un vélomoteur*
a biker	*un motard*
to ride a bike	*monter en croupe*
a bicycle	*une bicyclette*
a car make	*une marque de voiture*
a compact	*une petite cylindrée*
a subcompact car	*une voiture de faible cylindrée*
a used car / a second-hand car	*une voiture d'occasion*
a junker / a jalopy / a rattletrap / a clunker	*une guimbarde*
a car dealer	*un concessionnaire*
car registration	*immatriculation*
a number plate / a license plate (USA)	*une plaque minéralogique*
a car license	*une carte grise*
a sticker	*un papillon*
a driving license / a driver's license (USA)	*un permis de conduire*

2 CAR MANUFACTURING — *L'INDUSTRIE AUTOMOBILE*

the auto industry / the motor industry / the automotive industry	*l'industrie automobile*
a carmaker / an automaker / a car manufacturer	*un fabricant automobile*
to launch a car / to release a car	*lancer un modèle*
a car designer	*un dessinateur de voitures*
a wind tunnel test	*un essai en soufflerie*
to streamline	*caréner, rendre aérodynamique*
a horn	*un klaxon*
the body	*la carrosserie*
a sunroof / a sliding top	*un toit ouvrant*
a roof rack / a grid	*une galerie*
a bonnet (UK) / a hood (USA)	*un capot*
a boot (UK) / a trunk (USA)	*un coffre*
a wing	*une aile*
a fender / a bumper	*un pare-chocs*
a front / back door	*une porte avant / arrière*
a front / back seat	*un siège avant / arrière*
a door handle	*une poignée de porte*
a windscreen (UK) / a windshield (USA)	*un pare-brise*
windscreen wipers	*essuie-glace*
steering	*la direction*
power steering	*la direction assistée*
the wheel	*le volant*
a wheel	*une roue*
a spare wheel	*une roue de secours*
a tyre / tire	*un pneu*
headlamps	*phares*
a blinker / an indicator	*un clignotant*
a dashboard	*un tableau de bord*
a speedometer	*un compteur de vitesse*
a headrest / a head restraint	*un appui-tête*
upholstery	*garnitures*
the car engine	*le moteur d'une voiture*
to idle	*tourner au ralenti*
to gun an engine	*faire ronfler un moteur*
to stall	*caler*
a cylinder	*un cylindre*
a valve	*un piston*
a carburettor	*un carburateur*
a fan	*un ventilateur*
a radiator	*un radiateur*
a water pump	*une pompe à eau*
power	*la puissance*
gas consumption	*la consommation d'essence*
mileage per gallon / fuel consumption / gas mileage	*la consommation de carburant*
petrol (UK) / gasoline / gas (USA)	*l'essence*
2-star (UK) / regular (USA)	*l'ordinaire*
4-star (UK) / premium (USA)	*le super*
a petrol station / a gas station	*une station d'essence*
a service station / a filling station	*une station service*
to gas up / to tank up	*faire le plein*
to be good on gas	*être économe en carburant*
to get / to do . . . miles a gallon	*consommer ... litres au cent*
a gallon	*un gallon (4,54 litres UK) (3,78 litres USA)*
a gas guzzler	*une voiture vorace en carburant*

an exhaust pipe	*un pot d'échappement*
a muffler / a silencer	*un silencieux*
braking	*le freinage*
a gear	*une vitesse*
a gear box	*une boîte de vitesses*
a clutch (lever) / a gear lever	*un levier de vitesse*
to shift gears	*changer de vitesse*
to declutch	*débrayer*
to let in the clutch	*embrayer*
reverse	*la marche arrière*
to back up / to reverse	*faire marche arrière*
a spark plug	*une bougie*
a battery	*une batterie*
the green car	*la voiture écologique*
the environmentally friendly auto	*la voiture non polluante, l'éco-voiture*
lead free gas	*essence sans plomb*
unleaded	*sans plomb*
a catalytic converter	*un pot catalytique*
exhaust emissions	*gaz d'échappement*
carbon dioxide	*le dioxyde de carbone*
to cut fuel consumption	*réduire la consommation de carburant*
a methanol-powered car	*une voiture qui roule au méthane*
an electric car / a plug-in car	*une voiture électrique*
a spare part	*une pièce de rechange*
vehicle recycling	*le recyclage des véhicules*
to recondition parts	*remettre en état les pièces*
maintenance costs	*les coûts d'entretien*
maintenance expenses	*les dépenses d'entretien*
to service a car	*faire réviser une voiture*
to overhaul	*réviser*
to tune up an engine	*régler un moteur*
to check the oil	*vérifier le niveau d'huile*
to change the oil	*vidanger*
an oil change	*une vidange*
a flat tire / a flat / a puncture	*une crevaison*
to break down	*tomber en panne*
a breakdown	*une panne*
to run out of gas	*tomber en panne sèche*
to tow a car for service	*remorquer une voiture à un garage*

3 ROAD TRANSPORT — *LES TRANSPORTS ROUTIERS*

road transport	*le transport par route*
by road	*par route*
to freight	*affréter, transporter des marchandises*
a van / a pick up truck / a pickup	*une camionnette, un fourgon*
to van	*transporter (en camionnette)*
a truck / a lorry	*un poids lourd, un camion*
a tow / a trailer	*une remorque*
an articulated lorry / a 16-wheels / a semi-trailer	*un semi-remorque*
a trucker / a teamster	*un routier*
a truck driver	*un chauffeur poids lourd*
road haulage	*le transport routier*
to haul	*transporter*
to truck	*camionner*
a trucker	*un camionneur*

2 ROAD TRAFFIC — *LA CIRCULATION ROUTIÈRE*

I THE HIGHWAY SYSTEM — *LE RÉSEAU ROUTIER*

1 LOCAL TRAFFIC — *LA CIRCULATION LOCALE*

a thoroughfare / an artery	*une artère*
a ringroad	*un boulevard périphérique*
a beltway	*un boulevard de ceinture*
a main street	*une rue principale*
a side street	*une rue secondaire*
a dead end street	*un cul-de-sac*
a one-way street	*une rue à sens unique, un sens interdit*
a lane	*une ruelle*
an alley	*une ruelle, un passage*
a bus lane	*un couloir d'autobus*
a bicycle path	*une piste cyclable*
the roadway	*la chaussée*
the pavement / the sidewalk (USA)	*le trottoir*
the kerb / the curb (USA)	*le bord du trottoir*
a pedestrian / a passer-by	*un passant*
a pedestrian crossing	*un passage pour piétons*
a pedestrian area	*une zone piétonne*
a crossroads / a crossing	*un croisement*
a level crossing	*un passage à niveau*
a roundabout	*un rond-point / un sens giratoire*
a parking ticket	*une contravention*
to impound a car	*mettre une voiture à la fourrière*
the pound	*la fourrière*
traffic lights	*les feux de signalisation*
a traffic sign	*un panneau de signalisation*
a red light	*un feu rouge*
to go through a red light	*brûler un feu*

2 THE NATIONAL NETWORK — *LE RÉSEAU NATIONAL*

a highway	*une route à grande circulation*
a superhighway	*une autoroute*
a trunk road (UK)	*une route nationale*
a motorway (UK)	*une autoroute*
a turnpike (USA)	*une autoroute à péage*
a toll booth	*une cabine de péage*
an expressway / a thruway	*une voie rapide*
a dual carriage road	*une route à quatre voies*
a bend	*un virage*
a curve	*une courbe*
an overpass / a flyover	*un toboggan*
an interchange / a cloverleaf	*un échangeur / un trèfle*
a bridge	*un pont*
a footbridge	*une passerelle*
a tunnel	*un tunnel*
yield	*priorité à droite / gauche*
to yield	*céder la priorité*
the right-of-way	*la priorité à droite*
to keep to the right	*tenir sa droite*

II CAR TRAFFIC — *LA CIRCULATION AUTOMOBILE*

traffic	*la circulation*
heavy traffic	*la circulation chargée*
a busy street	*une rue passante*
crowded	*noir de monde*
congested	*encombré, embouteillé*
a traffic jam / a tie	*un embouteillage*
peak hour / rush hour	*heure de pointe*
a bottleneck	*un goulot d'étranglement*
a hold-up	*une retenue*
a tailback	*un bouchon*
to crawl	*avancer au pas*
at a snail's pace	*à une vitesse d'escargot*
to inch along	*avancer cm par cm*
to obstruct / to clog	*obstruer*
to divert	*dévier*
a gridlock	*une paralysie totale*
an alternative road	*un itinéraire de délestage*
a red route	*un axe rouge*
to ease the traffic problem	*soulager le problème de la circulation*
a park and ride scheme	*un système voiture et métro*
to car pool	*voyager à plusieurs dans une voiture*

III CAR ACCIDENTS — *LES ACCIDENTS DE LA ROUTE*

to have a near miss	*frôler l'accident*
a frontal crash / a head-on collision	*un choc frontal*
to crash head-on into	*rentrer de plein fouet dans*
to total a car	*démolir une voiture*
to wreck a car	*détruire une voiture*
a car wreck	*un accident de voiture*
a wreck	*une épave*
to run over	*écraser*
a pile-up	*un carambolage*
to plough through	*s'encastrer dans*
to be fogbound	*être noyé dans le brouillard*
an icy patch	*une plaque de verglas*
impassable	*impratiquable*
stranded	*bloqué*
to skid / to spin round	*déraper, faire un tête-à-queue*
to swerve into	*rentrer dans*
drunken driving / driving under influence (DUI)	*la conduite en état d'ivresse*
a blood alcohol level	*un taux d'alcoolémie*
a breath test / a breathalyser	*un alcootest*
to be intoxicated	*être en état d'ivresse*
a drunk / drunken driver	*un conducteur ivre*
to take away a driver's license	*retirer un permis de conduire*
an endorsement	*une contravention (sur le permis)*
to endorse a driving license	*porter une contravention au permis de conduire*
a disqualification from driving	*un retrait de permis*
the highway code	*le Code de la Route*
road safety	*la sécurité routière*
a traffic violation	*une contravention*
a seat belt	*une ceinture de sécurité*
to buckle up / to fasten one's seat belt	*attacher sa ceinture*
to exceed the speed limit	*dépasser la limite de vitesse*
to pass	*doubler*
to overtake	*dépasser*
to slow down	*ralentir*
to pull out	*déboîter*
to go like hell / to burn up the road	*foncer*
to speed	*faire de la vitesse*
a radar trap	*un contrôle radar*
a fatality	*une victime*
road mayhem	*le massacre sur les routes*

3 RAILWAYS *LES CHEMINS DE FER*

1 RAIL *LE CHEMIN DE FER*

to travel by train	*voyager en train*
a railroad	*une ligne de chemin de fer*
a railway	*un chemin de fer, une ligne, une voie ferrée*
a commuter train	*un train de banlieue*
a bullet train / a superfast train	*un TGV*
an express train / a fast train	*un express*
a nonstop train	*un rapide*
a car-sleeper train	*un train auto-couchettes*
a freight train / a goods train	*un train de marchandises*
a railway engine	*une locomotive*
a carriage / a coach / a car (USA)	*un wagon*
a sleeping car	*une voiture-couchette*
a dining car / a diner (USA)	*un wagon-restaurant*
a sleeping berth	*une couchette*
a compartment	*un compartiment*
a marshalling yard	*une gare de triage*
a railway station	*une gare de chemin de fer*
a commuter station	*une gare de RER*
a ticket office	*un guichet*
a left luggage room	*une consigne*
a locker	*une consigne automatique*
a waiting room	*une salle d'attente*
a platform	*un quai*
to see sb off	*accompagner qn. à la gare*
to meet sb at the station	*aller chercher qn. à la gare*
to miss a train	*manquer un train*
to catch a train	*attraper un train*
a conductor (USA) / a guard (UK)	*un chef de train*
a one-way ticket (USA) / a single ticket (UK)	*un aller simple*
a round trip ticket (USA) / a return ticket (UK)	*un aller retour*
a ticket seller	*un guichetier*

2 RAIL TRAFFIC *LE TRAFIC FERROVIAIRE*

to ply	*assurer la liaison*
to change trains / to transfer	*changer de train*
a connection	*une correspondance*
to be delayed	*avoir du retard*
to be due	*être attendu*
to be overdue	*être en retard*
to be in time	*arriver à temps*
to be on time	*arriver à l'heure*
to pull into a station / to pull in	*entrer en gare*
to pull out	*partir (train)*
to be off	*partir (voyageur)*
a siding	*une voie de garage*
a track	*une voie*
to derail / to run off the rails	*dérailler*

4 AIR TRAFFIC *LE TRAFIC AÉRIEN*

1 PLANES *LES AVIONS*

the aircraft industry	*l'industrie aéronautique*
the aerospace industry	*l'industrie aérospatiale*
avionics	*l'avionique*
the airline business	*l'industrie aéronautique*
aeronautics	*l'aéronautique*
an airplane / an aircraft / a plane	*un avion, un appareil*
a jet plane	*un avion à réaction*
a jumbo jet	*un avion gros porteur*
a wide-bodied jet	*un gros porteur*
a commercial airliner / a jetliner	*un avion de ligne*
a supersonic transport airplane (SST)	*un avion supersonique*
a glider	*un planeur*
a hang-glider	*un deltaplane*
a seaplane	*un hydravion*
a hovercraft	*un aéroglisseur*
a flying saucer	*une soucoupe volante*
a UFO	*un OVNI*
the body	*le fuselage*
a porthole	*un hublot*
a wing	*une aile*
the tail	*la queue*
the cabin	*la carlingue*
the cockpit	*le poste de pilotage*
the galley	*la cuisine*
a hold	*une soute*
jet fuel / kerosene	*le kérosène*
a propeller	*une hélice*
the range	*le rayon d'action*
a blade	*une pale*
to steer	*gouverner*
the instrument panel	*le tableau de bord*
the landing gear / the undercarriage	*le train d'atterrissage*
a retractable gear	*un train escamotable*

2 FLIGHTS *LES VOLS*

to fly	*voler*
a flight	*un vol*
a transatlantic run	*un vol transatlantique*
a charter(ed) flight	*un vol charter*
to board a plane	*embarquer*
to hop onto a plane / to hop a flight	*attraper un vol*
to check in	*enregistrer*
a gate	*une porte*
a life jacket	*un gilet de sauvetage*
to suffer from jet-lag	*souffrir du décalage horaire*
the flight crew	*l'équipage navigant*
a flight engineer	*un ingénieur navigant*
a navigator	*un navigateur*
a mechanic	*un mécanicien*
a flight attendant	*un membre d'équipage*
to log . . . flying hours	*avoir à son actif ... heures de vol*
a flight plan / a flight pattern	*un plan de vol*
a flight recorder	*une boîte noire*
a cruising altitude	*une altitude de croisière*
a ceiling	*un plafond*
a heading	*un cap*
to take off	*décoller*
to clear a plane for take-off	*donner le feu vert pour le décollage*
a clearance	*une autorisation*
all clear for	*autorisé à*
to taxi	*rouler*
the thrust force	*la force propulsive*
an airway / a skyway	*un couloir aérien*
a radar screen	*un écran radar*
a cruise speed	*une vitesse de croisière*
an airpocket	*une poche d'air*
the sound barrier	*le mur du son*
to land / to touch down	*atterrir*
a landing	*un atterrissage*
to deplane	*descendre d'avion*

3 AIR TRAFFIC *LE TRAFIC AÉRIEN*

an international airport	*un aéroport international*
airspace	*espace aérien*
to serve an area	*desservir une région*
an air terminal	*une aérogare*
airport facilities	*équipements des aéroports*
an airfield	*un terrain d'aviation*
a control tower	*une tour de contrôle*
a runway	*une piste*
a tarmac	*une aire d'envol*
an airline	*une ligne aérienne, une compagnie aérienne*
to operate an airline / to run an airline	*diriger une compagnie d'aviation*
a carrier	*un transporteur*
a stopover	*une escale*
to stop over	*faire escale*
to handle air traffic	*gérer le trafic aérien*
congested skies	*encombrement aérien*
a plane disaster	*une catastrophe aérienne*
a mayday	*un SOS*
an emergency landing	*un atterrissage d'urgence*
a crash landing	*un atterrissage forcé*
to radio a distress signal	*envoyer un signal de détresse*
to explode in midair	*exploser en plein vol*
to come into collision (with)	*entrer en collision (avec)*
a navigational error	*une erreur de navigation*
to stray off course	*s'égarer de sa route*
a stricken aircraft	*un avion en difficulté*
doomed passengers	*passagers d'un vol fatidique*
a fateful flight	*un vol fatidique*
to nose dive	*piquer du nez*
to spin	*partir en vrille*
to be missing	*être porté disparu*
to break up into pieces	*se désintégrer*
to catch fire	*prendre feu*
a plane crash	*un accident d'avion*
a crash site	*le lieu d'un accident*
metal fatigue	*l'usure du métal*
airworthy	*navigable*
air safety	*la sécurité aérienne*
a hijacking	*un détournement*
a hijacker	*un pirate de l'air*
to hijack	*détourner un avion*
to skyjack	*détourner en plein vol*

5 WATER TRANSPORT *LE TRANSPORT MARITIME*

shipbuilding	*la construction navale*
a shipyard / a shipbuilding yard	*un chantier naval*
a fleet operator / a shipowner	*un armateur*
to fly the flag	*battre pavillon*
a flag of convenience	*un pavillon de complaisance*
a maiden voyage	*un voyage inaugural*
the merchant navy	*la marine marchande*
a vessel	*un bâtiment*
a craft	*une embarcation*
a merchant man	*un navire marchand*
a warship	*un navire de guerre*
a liner	*un navire de ligne*
a packet-boat	*un paquebot*
a steamer	*un vapeur*
a raft	*un canot*

a cargo boat / a freighter	*un cargo*
a tanker / an oil tanker	*un pétrolier*
a very large crude carrier (VLCC)	*un pétrolier géant*
a tug / a tow-boat / a towling	*un remorqueur*
a barge	*une péniche, un chaland*
portside	*(à) bâbord*
starboard	*(à) tribord*
the stern	*la poupe*
the stem	*l'étrave*
a hull / a double hull	*une coque / une double coque*
a hold	*une cale, une soute*
the engine room	*la salle des machines*
a gangway	*une passerelle*
a funnel	*une cheminée*
a lifeboat	*un canot de sauvetage*
the helm / the tiller	*la barre*
a rudder	*un gouvernail*
a porthole	*un hublot*
a deck	*un pont*
a bridge	*une passerelle de commandement*
the draught (UK) / draft (USA)	*le tirant d'eau*
a waterline	*une ligne de flottaison*
a sailor / a seaman	*un marin*
the crew	*l'équipage*
a skipper / a first mate / a master	*un capitaine*
a second mate	*un commandant en second*
to sail	*naviguer*
to put to sea / to ship out / to set sail	*prendre la mer*
to sail the seas	*parcourir les mers*
to go ashore	*débarquer*
to land	*toucher terre*
to pitch	*tanguer*
the wake	*le sillage*
the port authority	*les autorités maritimes*
a harbour	*un port*
a port of call	*un port d'escale, un port de relâche*
a naval base	*un port de guerre*
port facilities	*infrastructures portuaires*
a dry dock	*un bassin à sec*
to berth	*mouiller, accoster*
to moor	*accoster*
to lie at anchor	*être à l'ancre*
to weigh anchor	*lever l'ancre*
a pier / a jetty	*une jetée*
a dyke / dike / a breakwater	*une digue*

XIV ECONOMIC TENSIONS

LES TENSIONS ÉCONOMIQUES

1 ECONOMIC SYSTEMS — *LES SYSTÈMES ÉCONOMIQUES*

I ECONOMY — *L'ÉCONOMIE*

economy	*l'économie*
the American economy	*l'économie américaine*
economics	*l'économie (comme science)*
economic	*économique (qui relève de l'économie)*
economical	*économique, économe, rentable*
an economical car	*une voiture économique*
an economist	*un économiste*
economic policy	*la politique économique*
an economic crisis	*une crise économique*
free market economy	*l'économie libérale, l'économie de marché*
mixed economy	*l'économie mixte*
planned economy	*l'économie planifiée, le dirigisme*
controlled economy / state-controlled economy	*l'économie dirigée*
a state-directed economy	*une économie étatisée*
an economic adviser	*un conseiller économique*
the private sector	*le secteur privé*
the public sector	*le secteur public*
a surplus	*un excédent*
an external deficit	*un déficit extérieur*
the Gross National Product (GNP)	*le produit national brut (PNB)*
Gross Domestic Product (GDP)	*le produit intérieur brut (PIB)*
Gross National Income per capita / per inhabitant	*le revenu national brut (RNB) par habitant*
national accounting	*la comptabilité nationale*
the national income	*le revenu national*
seasonally adjusted	*corrigé en fonction des variations saisonnières, désaisonnalisé*
a balance of payments	*une balance des paiements*
the law of supply and demand	*la loi de l'offre et de la demande*
a budget deficit	*un déficit budgétaire*
across the board	*uniforme, uniformément*
aggregate	*total, global, agrégé*
a differential	*un différentiel*
leverage	*endettement*
to deleverage	*se désendetter*
annual income	*le revenu annuel*
gross income	*le revenu brut*
taxable income	*le revenu imposable*
per capita income	*le revenu par habitant*
investment income / unearned income	*revenus du capital*
earned income	*revenus du travail*
capital-intensive	*à forte proportion de capital*
labour-intensive	*à forte proportion de main d'œuvre*
knowledge intensive	*à forte proportion de connaissances*
a tax incentive	*une incitation fiscale*

II ECONOMIC SYSTEMS — *LES SYSTÈMES ÉCONOMIQUES*

1 CAPITALISM — *LE CAPITALISME*

the private enterprise system	*le système capitaliste / libéral*
to go capitalist	*se convertir au capitalisme*
capitalistic	*capitaliste*
private property / ownership	*la propriété privée*
free market economy	*l'économie de marché*
a free enterprise system	*un système de libre entreprise / libéral*
entrepreneurial spirit	*l'esprit d'entreprise*
an industrialist	*un industriel*
a dog-eat-dog system	*un sytème impitoyable*
to profit from	*profiter de*
to take advantage of / to exploit	*exploiter*
exploitation of labour	*l'exploitation de la main d'œuvre*

2 PLANNED ECONOMY — *LE DIRIGISME*

to nationalise	*nationaliser*
to denationalise	*dénationaliser*
state ownership	*la propriété publique*
a state enterprise	*une entreprise étatisée*
state owned / state controlled	*nationalisé*
government aid / state support	*l'aide de l'État*
state-aided	*subventionné par l'État*
to subsidize	*subventionner*
a subsidy	*une subvention*
a support price / a trigger price	*un prix d'intervention*
to privatize	*privatiser*
privatisation	*la privatisation*
to deregulate	*libérer, déréglementer*
deregulation	*la déréglementation*
to end price controls	*lever le contrôle des prix*

to decontrol	*libérer (les prix), lever (des mesures de contrôle)*

3 THE COMMUNIST SYSTEM — ***LE SYSTÈME COMMUNISTE***

a state-run economy	*l'étatisation de l'économie*
an interventionist state	*un État interventionniste*
the state sector	*le secteur nationalisé*
state-owned means of production	*la nationalisation des moyens de production*
to collectivise	*nationaliser*
collectivism	*le collectivisme*
a state farm	*une ferme d'État*
to mismanage	*mal gérer*
inefficient	*incompétent*
an antiquated industrial base	*une base industrielle démodée*
outmoded equipment	*le matériel obsolète*
obsolete skills	*qualifications désuètes*
a stifling system	*un système étouffant*
red tape	*tracasseries administratives*
to kill off incentives	*décourager toute initiative*
economic restructuring	*la restructuration de l'économie*
to introduce a market economy	*introduire une économie de marché*
to decommunize an economy	*libéraliser une économie*
to jump start an economy	*faire démarrer l'économie*
to salvage the economy	*sauver l'économie*

2 THE EUROPEAN COMMUNITY — *LA COMMUNAUTÉ EUROPÉENNE*

1 INSTITUTIONS — *LES INSTITUTIONS*

an institutional framework	*un cadre institutionnel*
the European Economic Community (EEC)	*la Communauté économique européenne (CEE)*
the European Community	*la Communauté européenne*
the Common Market	*le Marché commun*
the Twelve	*les Douze*
the European Coal and Steel Community (ECSC)	*la Communauté du charbon et de l'acier (CECA)*
the European Council	*le Conseil européen*
the European Commission	*la Commission européenne*
the Council of Europe	*le Conseil de l'Europe*
the European Communities Act (UK)	*la loi sur l'adhésion à la CE*
the Single European Act	*l'Acte unique européen*
a member state	*un État membre*
the single market	*le marché unique*
the European Parliament	*le Parlement européen*
an MEP / a Euro MP	*un député européen*
to hold a session	*siéger*
a parliamentary group	*un groupe parlementaire*
to apply for community membership	*déposer une demande d'adhésion*
to join the EC	*adhérer à la CE*
to enter the EC	*entrer dans la CE*
entry to / into the EC	*l'entrée dans la CE*
to achieve Europe	*faire l'Europe*
a multi-tier Europe	*une Europe à géométrie variable*

2 A BORDER-FREE EUROPE — *UNE EUROPE SANS FRONTIÈRES*

free movement / free flow / freedom of movement	*la libre circulation*
goods / capital / people	*marchandises / capitaux / personnes*
an EEC passport holder	*le porteur d'un passeport européen*
to remove frontier controls	*supprimer les contrôles douaniers*
monetary integration	*l'intégration monétaire*
Economic and Monetary Union (EMU)	*l'union économique et monétaire*
the monetary snake	*le serpent monétaire*
the European Monetary System (EMS)	*le système monétaire européen*
the Exchange Rate Mechanism (ERM)	*le mécanisme des taux de change*
to join ERM	*adopter le mécanisme des taux de change*
a currency union	*une union monétaire*
the European currency unit (ECU)	*l'unité de compte européenne (ECU)*
to tie currencies together	*lier les monnaies*
to trade in the ecu	*commercer en écus*
Common Agricultural Policy (CAP)	*la politique agricole commune (PAC)*
Europhobia	*la phobie de l'Europe*
misgivings	*appréhensions*
to harbour fears	*entretenir des craintes*
to get cold feet	*avoir des craintes*
to drag one's feet	*traîner les pieds*
foot-dragging	*réticences*
to sell out sovereignty	*sacrifier sa souveraineté*
to surrender sovereignty (over)	*renoncer à la souveraineté (en faveur de)*
to lose one's identity	*perdre son identité*

3 THE THIRD WORLD — *LE TIERS MONDE*

1 GENERAL BACKGROUND — *GÉNÉRALITÉS*

the haves and the have-nots	*les pays riches et les pays pauvres*
a developing country / a less developed country (LDC)	*un pays en voie de développement (PVD)*
the third world countries	*les pays du Tiers Monde*
the ACP countries (African, Caribbean and Pacific countries)	*l'ACP (l'Afrique, les Caraïbes et le Pacifique)*
the newly industrialized countries (NIC)	*les pays nouvellement industrialisés*
the less advanced countries	*les pays les moins avancés*
the least developed countries	*les pays moins développés*
to be underdeveloped	*être sous-développé*
underdevelopment	*le sous-développement*
a stage of development	*une étape du développement*
rural blight	*la misère des campagnes*
agricultural output	*la production agricole*
to raise the yield per acre	*augmenter la production par acre*
an implement	*un outil*
staple food	*la nourriture de base*
drought	*la sécheresse*
to desertify	*désertifier*
desertification	*la désertification*
to encroach upon	*gagner du terrain sur*
encroachment	*empiètement*
an encroaching desert	*l'empiètement du désert*
deforestation	*le déboisement*
to strip forests	*abattre les forêts*
soil fertility	*la fertilité agricole*
an unproductive soil	*un sol ingrat*
to over-use the land	*surexploiter la terre*
a resource-rich country	*un pays riche en ressources*
non renewable resources	*ressources non renouvelables*
mineral production	*la production de minerais*
to generate export earnings	*créer des revenus à l'exportation*

2 ECONOMIC DEVELOPMENT — *LE DÉVELOPPEMENT ÉCONOMIQUE*

a fossilized economy	*une économie antédiluvienne*
progress	*le progrès*
to lag behind	*être à la traîne*
to fall behind	*prendre du retard*
to be behind	*avoir un retard*
to be handicapped by	*être handicapé par*
a low income country	*un pays à faible revenu*
scarcity of products	*la pénurie de produits*
a shortage in	*une pénurie de*
a chronic lack (of)	*une pénurie chronique (de)*
brittle economic organization	*une organisation économique fragile*
an underdeveloped market system	*un système de marché sous-développé*
swollen public sector payroll	*effectifs pléthoriques de fonctionnaires*
a former colony	*une ancienne colonie*
to shed a colonial past	*se débarrasser d'un passé colonial*
population explosion	*l'explosion démographique*
population control policies	*politiques de maîtrise de la démographie*
to control population growth	*maîtriser la croissance démographique*
to achieve an increase in the living standard	*augmenter le niveau de vie*
to catch up with the rich countries	*rattraper les pays riches*
to close a gap	*combler un fossé*
to bridge a gap	*combler un écart*
to erase hunger / illness / poverty	*faire disparaître la faim / la maladie / la pauvreté*

3 THE STANDARD OF LIVING — *LE NIVEAU DE VIE*

dirt-poor / bone poor	*déshérité*
to scrape a living	*vivre difficilement*
child labour	*la main d'œuvre enfantine*
child exploitation	*l'exploitation des enfants*
a child worker	*un travailleur enfant*
to supplement an income	*arrondir un revenu*
urban sprawl	*la péri-urbanisation*
a magnet	*un aimant*
squalid housing	*le logement sordide*
to be served by a sewage system	*avoir le tout-à-l'égoût*
a shantytown	*un bidonville*
a cardboard shack	*une cabane en carton*
malnutrition	*la malnutrition*
literacy	*alphabétisation*
illiteracy	*analphabétisme*
literate / illiterate	*alphabétisé / analphabète*
numeracy	*la capacité à calculer, la compétence dans le domaine des chiffres*
numerate	*qui sait compter*
health conditions	*conditions sanitaires*

the infant death rate	*le taux de mortalité infantile*
life expectancy	*espérance de vie*
infant mortality	*la mortalité infantile*
poor hygiene	*le manque d'hygiène*
unhealthy	*insalubre*
diarrhea	*la diarrhée*
tetanus	*le tétanos*
measles	*la rougeole*
diphteria	*la diphtérie*
a vaccine	*un vaccin*
a free clinic	*un dispensaire*
a government clinic	*un dispensaire public*
immunization (against / for)	*l'immunisation (contre)*
a preventable disease	*une maladie évitable*
a treatable disease	*une maladie curable*
to eradicate an epidemic	*faire disparaître une épidémie*

4 INTERNATIONAL AID — *L'AIDE INTERNATIONALE*

to assist	*venir en aide à*
cooperation	*la coopération*
to beg for aid	*mendier l'aide*
to increase assistance	*accroître son aide*
to contribute to funds	*verser une contribution*
to bring a huge infusion of aid	*apporter une aide massive*
to shoulder the burden of aid	*partager le poids de l'aide*
to chip in	*verser son obole*
a dollop of aid	*un volume d'aide*
a handout	*une aumône*
to rely on handouts	*vivre d'aumônes*
to misuse aid	*détourner l'aide*
to lift a finger / to lift a hand	*lever le petit doigt*
to withdraw assistance	*retirer son aide*
a cutback in economic aid	*une réduction de l'aide économique*
to suspend aid	*suspendre l'aide*
to cut an assistance program	*réduire un programme d'assistance*

4 THE ECONOMIC CRISIS — *LA CRISE ÉCONOMIQUE*

1 CRISIS — *LA CRISE*

the economic outlook	*la conjoncture économique*
rosy / bleak	*optimiste / pessimiste*
worrisome indicators	*indices inquiétants*
to ring alarms / to sound the alarm	*tirer la sonnette d'alarme*
to overheat	*être en surchauffe*
to ward off	*parer (à)*
to be shaken by a crisis	*être ébranlé par une crise*
an exhausted economy	*une économie à bout de souffle*
a lagging economy	*une économie à la traîne*
an ailing economy / a battered economy	*une économie mal en point*
a sluggish economy	*une économie en stagnation*
economic ills	*maux économiques*
an economic squeeze / a crunch	*une crise économique*
an economic mess	*un gâchis économique*
to be in dire economic straits	*être dans une situation économique désespérée*
a recession	*une récession*
a looming recession	*une récession en vue*
a full-blown recession	*une récession à part entière*
to be on the brink of recession	*être à deux doigts de la récession*
to tip the economy into recession	*faire basculer l'économie dans la récession*
to be in the grip of a recession	*être en proie à la récession*
a recession-gripped country	*un pays en proie à la récession*
a depression	*une dépression*
the onset of a depression	*les symptômes d'une dépression*
a depression-torn country	*un pays victime de la dépression*
to go through a depression	*traverser une dépression*
to be hit by a depression	*être frappé par une dépression*
a crisis / crises	*une crise / crises*
the depth of a crisis	*la gravité d'une crise*
the scope of a crisis	*l'ampleur d'une crise*
the Great Depression	*la Grande Dépression, la Crise de 1929*
a bust	*une baisse brutale de l'activité économique, une crise*
to slump	*s'effondrer, être en crise*
a slump	*un marasme*
economic activity	*l'activité économique*
to lag	*être à la traîne*
laggard	*à la traîne*
a shake-out	*un tassement de l'économie*
to slog along	*se traîner*
to languish	*s'étioler*
to depress	*déprimer*
to contract	*se crisper*
to seize up	*se gripper*
to shrink	*se contracter*

to run out of steam	*s'essouffler*
a slowdown / a slack	*un ralentissement*
a downturn / a downswing	*une baisse d'activité*
to slacken	*ralentir*
a plunge	*un plongeon*
to take a tumble	*faire une chute*
to head downward	*plonger*
to collapse	*s'effondrer*
to come to a standstill	*s'immobiliser*
to grind to a halt	*s'arrêter progressivement*

2 COPING WITH THE CRISIS — *FACE À LA CRISE*

to impose austerity measures	*imposer des mesures d'austérité*
to start an austerity program	*lancer un programme d'austérité*
shock therapy	*un traitement de choc*
bitter medicine	*une pillule amère à avaler*
lean years	*années de vache maigre*
to bring hardships	*apporter des privations*
to struggle through	*venir à bout de ses peines, s'en sortir*
to suffer hard times	*traverser des jours difficiles*
to freeze wages	*bloquer les salaires*
to check consumer spending	*enrayer les dépenses des consommateurs*
to scale down production	*réduire la production*
to dampen down consumer spending	*mettre une sourdine aux dépenses de consommation*
to put out of work	*licencier*
to slash wages	*réduire les salaires*
to tighten one's belt	*se serrer la ceinture*
to ration out food	*rationner la nourriture*
energy shortfalls	*pénuries d'énergie*
a shortage of fuel	*une pénurie de carburants*
a food shortage	*une pénurie alimentaire*
panic buying	*une ruée sur les magasins*
to besiege shops	*assiéger les magasins*
to be in short supply	*être rare*
dearth	*la disette*
scantiness / scantness	*la pénurie*
scanty	*peu abondant, maigre*
a scarce item	*un article rare*
to wait in queues (for) / to stand in line	*faire la queue (pour)*
growing unrest	*la montée du mécontentement*
to rail against	*s'en prendre à*
a scapegoat / a whipping boy	*un bouc émissaire*
a food riot	*une émeute provoquée par la faim*

3 ECONOMIC RECOVERY — *LA REPRISE ÉCONOMIQUE*

to devise remedies	*trouver des remèdes*
to map out a rescue scenario	*mettre sur pied un plan de sauvetage*
to prime the economy's pump	*amorcer la pompe, renflouer*
to issue an emergency plan	*établir un plan d'urgence*
to revive a moribund economy	*ressusciter une économie agonisante*
to shore up a shaky economy	*soutenir une économie chancelante*
to rescue the economy / to bail out an economy	*venir à la rescousse de l'économie*
to reflate an economy	*relancer une économie*
a recovery plan	*un plan de relance*
to come out of intensive care	*sortir de la période critique*
to weather the storm	*surmonter la crise*
to nurse an economy along	*essayer de maintenir l'économie à flot*
to rally	*se redresser*
an upturn / a pick up	*une reprise*
to buoy up economic activity	*soutenir l'activité économique*
to rebound	*repartir*
to turn the economy around	*remettre l'économie sur pied*
to bring a reprieve	*apporter un répit*
to ride out a depression	*surmonter une dépression*
to create prosperity	*installer la prospérité*
abundance / affluence	*l'abondance*
economic health	*la santé économique*
a take-off	*un décollage*
to spur growth	*encourager la croissance*
a spurt of growth	*un démarrage de la croissance*
to sustain growth	*soutenir la croissance*

4 DEBT — *LA DETTE*

a debt	*une dette*
to loan	*prêter*
a loan	*un prêt, un emprunt*
to borrow (from)	*emprunter (à)*
a debtor / a creditor	*un débiteur / un créancier*
a debt level	*un niveau d'endettement*
a debt capacity	*une capacité d'endettement*
a debt ceiling	*le plafond d'une dette*
a bad debt	*une créance douteuse*
to service a debt	*verser l'intérêt d'une dette*

debt service	*le service de la dette*
to be in debt / indebted	*être endetté*
to incur debt	*contracter des dettes*
to go into debt	*s'endetter*
to overextend oneself	*s'endetter exagérément*
to be in arrears (in)	*être en retard (dans)*
a debt buildup	*une accumulation de dettes*
to shoulder a debt	*endosser une dette*
a debt burden	*le poids de la dette*
to be debt ridden	*être criblé de dettes*
to miss an interest payment	*être incapable d'honorer le paiement d'intérêts*
to be behind one's payments (to)	*être en retard dans ses versements*
to suspend payments	*interrompre les versements*
a defaulter	*un créancier défaillant*
to default on a debt	*ne pas honorer ses échéances*
the International Monetary Fund (IMF)	*le Fonds Monétaire International (FMI)*
to police a debt	*contrôler une dette*
to follow IMF strictures	*suivre les restrictions du FMI*
to defuse a payment crisis	*désamorcer une crise des paiements*
to restructure one's finances	*mettre de l'ordre dans ses finances*
a debt-relief plan	*un plan d'allègement de la dette*
to reschedule a debt	*rééchelonner une dette*
debt-rescheduling	*le réaménagement d'une dette*
to restructure a debt	*réaménager une dette*
a debt deferral	*un moratoire*
to recover a debt / to collect a debt	*recouvrer une dette*
to pay a debt / to settle a debt	*régler une dette*
to pay back	*rembourser*
to pay off a debt / to retire a debt	*rembourser une dette*
to compound a debt	*régler une dette à l'amiable*
to be out of debt	*être dégagé de toute dette*
to cancel a debt	*remettre une dette*
to forgive a debt	*éponger une dette*
to write off a debt	*annuler une dette*
the extinction of a debt	*l'extinction d'une dette*

5 INFLATION *L'INFLATION*

built-in inflation	*inflation structurelle*
cost-of-living adjustment (COLA)	*échelle mobile des salaires*
inflation differential	*différentiel d'inflation*
inflationary	*inflationniste*
hyperinflation	*l'hyperinflation*
stagflation	*la stagflation (l'inflation dans la stagnation)*
an inflation rate	*un taux d'inflation*
a double-digit inflation	*une inflation à deux chiffres*
a bout of inflation	*un accès d'inflation*
a burst of inflation / a surge in inflation / an outbreak of inflation	*une poussée inflationniste*
to fuel inflation	*alimenter l'inflation*
to be inflation-prone	*être enclin à l'inflation*
inflation proofing / indexation	*indexation*
index-linked	*indexé*
runaway / uncontrollable inflation	*l'inflation galopante*
to keep inflation at bay	*faire échec à l'inflation*
an anti-inflation plan	*un plan pour combattre l'inflation*
to contain inflation	*contenir l'inflation*
to check inflation	*juguler l'inflation*
to bring inflation under control	*maîtriser l'inflation*
disinflation	*la déflation, la désinflation*
deflationary / deflationist	*déflationniste*
deflation	*la déflation*

IV THE ENVIRONMENT de 203 à 220

IV THE ENVIRONMENT — *L'ENVIRONNEMENT*

1 COUNTRIES OF THE WORLD — *LES PAYS DU MONDE*

I GEOGRAPHY — *LA GÉOGRAPHIE*

1 GENERAL BACKGROUND — *GÉNÉRALITÉS*

a climate	*un climat*
climatic	*climatique*
relief	*le relief*
a map	*une carte*
the northern hemisphere	*l'hémisphère nord*
the southern hemisphere	*l'hémisphère sud*
the equator	*l'équateur*
a time zone	*un fuseau horaire*
to lie north / south	*être au nord / au sud*
east / west	*l'est / l'ouest*
a desert	*un désert*
the wilderness	*la jungle*
a savanna	*une savane*
the bush	*la brousse*

2 MOUNTAINS — *LES MONTAGNES*

a mountain	*une montagne*
mountainous	*montagneux*
a range of mountains	*une chaîne de montagnes*
snow capped	*enneigé*
everlasting snow	*neiges éternelles*
a peak	*un sommet*
a point	*une aiguille*
a ridge	*une crête*
a rock face	*une paroi*
a ledge	*une corniche*
a spur	*un contrefort*
a pass / a saddle	*un col*
a gorge	*un défilé*
a mud slide	*une coulée de boue*
a crack	*une fissure*
to overhang	*surplomber*
a slope	*une pente*
steep	*raide (vu d'en bas)*
sheer	*raide (vu d'en haut)*
precipitous	*à pic*
a bluff	*un à-pic*
rugged	*accidenté*
a volcano	*un volcan*
a plateau	*un plateau*
a hill	*une colline*
hilly	*vallonné*
a valley	*une vallée*
pasture lands	*pâturages*

3 SEAS AND OCEANS — *MERS ET OCÉANS*

the mainland	*la terre ferme*
a landlocked country	*un pays enclavé*
a peninsula	*une péninsule*
the coast	*la côte*
the shore	*le rivage*
the sea-side	*le bord de mer*
a cliff	*une falaise*
an island	*une île*
an islet	*un îlot*
an archipelago	*un archipel*
a gulf	*un golfe*
a bay	*une baie*
an inlet	*une crique, un bras de mer, un bras de rivière*
a cove	*une anse*
a creek	*une crique*
a strait	*un détroit*
a firth / an estuary	*un estuaire*
the sea	*la mer*
the open sea	*le large*
the high seas	*la haute mer*
the sea-bed	*le fond marin*
an ocean	*un océan*
a sandhill / a dune	*une dune*
a ripple	*une ondulation, une ride*
a wave	*une vague*
a billow	*une lame*
a curler / a breaker	*une déferlante*
a groundswell / a tidal wave	*une lame de fond*
a smooth sea	*une mer belle*
a rough sea	*une mer agitée*
the surf	*le ressac*
a swell	*une houle*
choppy / poppling	*agité*
the tide	*la marée*
high tide	*marée haute*
low tide	*marée basse*
the flood tide / the flow	*le flux*
the ebb tide / the ebb	*le reflux*
a current	*un courant*
ice floe	*la banquise*

4 STREAMS — *LES COURS D'EAU*

a river system	*un réseau fluvial*
a source / a spring	*une source*
to spring	*prendre sa source*
a brook / a creek (USA)	*un ruisseau*
a brooklet / a rivulet	*un ruisselet*
a stream / a torrent	*un torrent*
a river	*un fleuve, une rivière*
a tributary	*un affluent*
a waterfall	*une chute d'eau*
an eddy / a whirlpool	*un tourbillon*
a bank	*une rive*
the mouth	*l'embouchure*
a pool	*une mare*
a pond	*un étang*
a lake	*un lac*

II COUNTRIES AND NATIONALITIES — *PAYS ET NATIONALITÉS*

a continent	*un continent*
the East	*l'Orient*
the West	*l'Occident*
a country	*un pays*
a homeland / a fatherland / a mother country	*une patrie*
a region	*une région*
a colony / a dependency	*une colonie*
an occupied territory	*un territoire occupé*

1 EUROPE — *L'EUROPE*

1.1 WESTERN EUROPE — *L'EUROPE OCCIDENTALE*

European	*européen*
continental	*européen (pour un Britannique)*
the British Isles	*les îles Britanniques*
Britain / Great Britain	*la Grande-Bretagne*
the United Kingdom	*le Royaume-Uni*
England	*l'Angleterre*
English	*anglais*
an Englishman	*un Anglais*
British	*britannique*
a Briton / a Britisher	*un Britannique*
Scotland	*l'Écosse*
Scottish	*écossais (nationalité et géographie)*
the Scottish universities	*les universités écossaises*
a Scottish accent	*un accent écossais*
Scotch / Scot / Scots	*écossais*
a Scot / a Scotsman	*un Écossais*
Cornwall	*la Cornouailles*
Cornish	*cornouaillais*
Wales	*le pays de Galles*
Welsh	*gallois*
a Welshman	*un Gallois*
Ulster / Northern Ireland	*l'Ulster / l'Irlande du Nord*
Ireland	*l'Irlande*
Irish	*irlandais*
Eire	*la République d'Irlande*
the (English) Channel	*la Manche*
the North Sea	*la mer du Nord*
the Thames	*la Tamise*
France / French	*la France / français*
a Frenchman	*un Français*
Brittany	*la Bretagne*
Burgundy	*la Bourgogne*
Corsica	*la Corse*
the French Riviera	*la Côte d'Azur*
Scandinavia	*la Scandinavie*
Scandinavian	*scandinave*
Nordic	*nordique*
Denmark	*le Danemark*
Danish / a Dane	*danois / un Danois*
Finland / Finnish	*la Finlande / finlandais*
a Finn	*un Finlandais*
Iceland	*l'Islande*
Icelandic	*islandais*
an Icelander	*un Islandais*
Norway	*la Norvège*
Norwegian	*norvégien*
Sweden	*la Suède*
Swedish	*suédois*
a Swede	*un Suédois*
Andorra	*Andorre*
Austria	*l'Autriche*
Austrian	*autrichien*
Belgium	*la Belgique*
Belgian	*belge*
Germany	*l'Allemagne*
German	*allemand*
East Germany	*l'Allemagne de l'Est*
the German Democratic Republic (the GDR)	*la République démocratique allemande (la RDA)*
West Germany	*l'Allemagne de l'Ouest*
the Federal Republic of Germany (the FRG)	*le République fédérale d'Allemagne (la RFA)*
Luxemburg	*le Luxembourg*
Luxemburger	*luxembourgeois*
the Netherlands	*les Pays-Bas*
Holland	*la Hollande*
Dutch	*hollandais, néerlandais*
a Dutchman	*un Hollandais*
Switzerland	*la Suisse*
Swiss	*suisse*
a Swiss	*un Suisse*
Greece	*la Grèce*
Greek	*grec*
Italy	*l'Italie*
Italian	*italien*
Portugal	*le Portugal*
Portuguese	*portugais*
Spain	*l'Espagne*
Spanish	*espagnol*
a Spaniard	*un Espagnol*

1.2 EASTERN EUROPE — *L'EUROPE DE L'EST*

the Eastern bloc	*les pays de l'Est*
Albania	*l'Albanie*
Albanian	*albanais*
Bulgaria	*la Bulgarie*
Bulgarian	*bulgare*
a Bulgar	*un Bulgare*
Czechoslovakia	*la Tchécoslovaquie*
Czech	*tchèque*
a Czechoslovak(ian)	*un Tchèque*
Hungary	*la Hongrie*
Hungarian	*hongrois*
Poland	*la Pologne*
a Pole	*un Polonais*
Polish	*polonais*
Romania	*la Roumanie*
Romanian	*roumain*
Russia	*la Russie*
Russian	*russe*
the USSR	*l'URSS*
the Commonwealth of Independent States (CIS)	*la Communauté des États Indépendants (CEI)*
the Soviet Union	*l'Union soviétique*
Soviet	*soviétique*
Yugoslavia	*la Yougoslavie*
Yugoslavian	*yougoslave*
a Yougoslav	*un Yougoslave*

Bosnia	*la Bosnie*
Slovenia	*la Slovénie*

2 ASIA — *L'ASIE*

the Near East	*le Proche-Orient*
the Middle East	*le Moyen-Orient*
the Far East	*l'Extrême-Orient*
Asian / Asiatic	*asiatique*

2.1 THE MIDDLE EAST — *LE MOYEN-ORIENT*

Iran	*l'Iran*
Iranian	*iranien*
Iraq	*l'Irak*
Iraqi	*irakien*
Israel	*Israël*
Israeli	*israélien*
Jordan	*la Jordanie*
Jordanian	*jordanien*
Kuwait	*le Koweït*
Kuwaiti	*koweïtien*
Lebanon	*le Liban*
Lebanese	*libanais*
Saudi Arabia	*l'Arabie Saoudite*
Saudi	*saoudien*
Arab	*arabe (terme politique et racial)*
the Arab nations	*les pays arabes*
Arabic	*arabe (pour la langue et la littérature ainsi que dans* Arabic numerals *: les chiffres arabes)*
Arabian	*arabe (terme géographique)*
Syria	*la Syrie*
Syrian	*syrien*

2.2 THE FAR EAST — *L'EXTRÊME-ORIENT*

Afghanistan	*l'Afghanistan*
Afghan	*afghan*
an Afghanistani	*un Afghan*
Burma / Myanmar	*la Birmanie*
Burmese	*birman*
Ceylon	*Ceylan*
Ceylonese	*cingalais*
China	*la Chine*
Chinese	*chinois*
India	*l'Inde*
Indian	*indien*
Indonesia	*l'Indonésie*
Indonesian	*indonésien*
Japan	*le Japon*
Japanese	*japonais*
Cambodia	*le Cambodge*
Cambodian	*cambodgien*
North Korea	*la Corée du Nord*
South Korea	*la Corée du Sud*
Laos	*le Laos*
Laotian	*laotien*
Malaysia	*la Malaisie*
a Malay	*un Malais*
Malaysian	*malaisien*
the Himalayas	*l'Himalaya*
Pakistan	*le Pakistan*
Pakistanese	*pakistanais*
Taiwan	*Taïwan*
Taiwanese	*taïwanais*
Thailand	*la Thaïlande*
Thai	*thaïlandais*
Tibet	*le Tibet*
Tibetan	*tibétain*
Vietnam	*le Viêt-nam*
Vietnamese	*vietnamien*

3 AFRICA — *L'AFRIQUE*

Africa	*l'Afrique*
African	*africain*

3.1 THE MEDITERRANEAN — *LA MÉDITERRANÉE*

the Mediterranean Sea	*la Mer Méditerranée*
North Africa	*l'Afrique du Nord*
the Maghreb	*le Maghreb*
Algeria	*l'Algérie*
Algerian	*algérien*
Crete	*la Crète*
Cyprus	*Chypre*
Egypt	*l'Egypte*
Egyptian	*égyptien*
Libya	*la Libye*
Libyan	*libyen*
Morocco	*le Maroc*
Moroccan	*marocain*
Tunisia	*la Tunisie*
Tunisian	*tunisien*
Turkey	*la Turquie*
Turkish	*turc*
a Turk	*un Turc*

3.2 BLACK AFRICA — *L'AFRIQUE NOIRE*

Angola	*l'Angola*
Angolan	*angolais*
Cameroon	*le Cameroun*
Cameroonian	*camerounais*
Chad	*le Tchad*
Chadian	*tchadien*
the Congo	*le Congo*
Congolese	*congolais*
Ethiopia	*l'Éthiopie*
Ethiopian	*éthiopien*
Gabon	*le Gabon*
Gabonese	*gabonais*
the Gambia	*la Gambie*
Gambian	*gambien*
Ghana	*le Ghana*
Ghanaian	*ghanéen*
Guinea	*la Guinée*
the Ivory Coast	*la Côte d'Ivoire*
Kenya	*le Kenya*
Kenyan	*kényen*
Liberia	*le Libéria*
Liberian	*libérien*
Malawi	*le Malawi*
Mali	*le Mali*
Malian	*malien*
Mauritania	*la Mauritanie*
Mauritanian	*mauritanien*
Namibia	*la Namibie*
Namibian	*namibien*
Niger	*le Niger*
Nigeria	*le Nigéria*
Nigerian	*nigérian*

Senegal	*le Sénégal*
Senegalese	*sénégalais*
Somalia	*la Somalie*
Somalian	*somalien*
a Somali	*un Somalien*
South Africa	*l'Afrique du Sud*
South African	*sud-africain*
(the) Sudan	*le Soudan*
Sudanese	*soudanais*
Uganda	*l'Ouganda*
Ugandan	*ougandais*
Yemen	*le Yémen*
Yemeni / Yemenite	*yéménite*
Zaire	*le Zaïre*
Zairean	*zaïrois*
Zambia	*la Zambie*
Zambian	*zambien*

4 AMERICA — *L'AMÉRIQUE*

4.1 NORTH AMERICA — *L'AMÉRIQUE DU NORD*

Canada	*le Canada*
a Canadian	*un Canadien*
Canadian	*canadien*
French Canadian	*canadien français*
Quebec	*le Québec*
a Quebecer / a Quebecker	*un Québecois*
the United States of America	*les États-Unis d'Amérique*
the USA	*les É.U.*
American	*américain*
the Americans	*les Américains*
the native Americans	*les Indiens*
the Afro-Americans	*les Afro-Américains*
the Blacks	*les Noirs*
the Hispanics	*les Latino-Américains*
the Chicanos	*les Mexicains-Américains*
the East coast	*la Côte est*
the West Coast	*la Côte ouest*
New England	*la Nouvelle-Angleterre*
the Deep South	*le Sud profond*
the sun belt	*les États du soleil, les États méridionaux*
the Bering Strait	*le détroit de Béring*
Washington D.C. (District of Columbia)	*Washington (la ville)*
Washington	*l'État de Washington*
the Rocky Mountains / the Rockies	*les (montagnes) Rocheuses*
the Appalachian Mountains	*les Appalaches*

4.2 CENTRAL AMERICA — *L'AMÉRIQUE CENTRALE*

Costa Rica	*le Costa Rica*
Costa Rican	*costaricien*
Cuba	*Cuba*
Cuban	*cubain*
El Salvador	*le Salvador*
Salvadorian	*salvadorien*
Guatemala	*le Guatemala*
Guatemalan	*guatémaltèque*
Haiti	*Haïti*
Haitian	*haïtien*
Honduras	*le Honduras*
Honduran	*hondurien*
Mexico	*le Mexique*
Mexican	*mexicain*
Mexico City	*Mexico*
Nicaragua	*le Nicaragua*
Nicaraguan	*nicaraguayen*
Panama	*le Panama*
the West Indies	*les Antilles*
West Indian	*antillais*
the Caribbean (Sea)	*les Caraïbes*
Barbadian	*barbadien*
Bermuda	*les Bermudes*
Jamaica	*la Jamaïque*
Jamaican	*jamaïcain*

4.3 SOUTH AMERICA — *L'AMÉRIQUE DU SUD*

Argentina	*l'Argentine*
Argentinian	*argentin*
an Argentine	*un Argentin*
the Falkland Islands	*les îles Malouines*
Bolivia	*la Bolivie*
Bolivian	*bolivien*
Brazil	*le Brésil*
Brazilian	*brésilien*
Chile	*le Chili*
Chilean	*chilien*
Colombia	*la Colombie*
Colombian	*colombien*
Ecuador	*l'Equateur*
Ecuadorian	*équatorien*
Paraguay	*le Paraguay*
Paraguayan	*paraguayen*
Peru	*le Pérou*
Peruvian	*péruvien*
Uruguay	*l'Uruguay*
Uruguayan	*uruguayen*
Venezuela	*le Venezuela*
Venezuelan	*vénézuélien*
Amazonia	*l'Amazonie*
the Amazon	*l'Amazone*
Antarctica	*l'Antarctique*

5 THE PACIFIC OCEAN — *L'OCÉAN PACIFIQUE*

Oceania / the South Sea Islands	*l'Océanie*
Australia	*l'Australie*
Australian	*australien*
the Aborigenes	*les Aborigènes*
New Caledonia	*la Nouvelle-Calédonie*
New Zealand	*la Nouvelle-Zélande*
New Zelander	*néo-zélandais*
the Philippines	*les Philippines*
Philippine	*philippin*
a Filipino	*un Philippin*

6 CITIES — *LES VILLES*

Addis Ababa	*Addis Abeba*
Algiers	*Alger*
Antwerp	*Anvers*
Athens	*Athènes*
Baghdad	*Bagdad*
Barcelona	*Barcelone*
Beijing / Peking	*Pékin*
Beirut	*Beyrouth*
Brussels	*Bruxelles*
Bucharest	*Bucarest*

Cairo	*Le Caire*
Copenhagen	*Copenhague*
Damascus	*Damas*
Dover	*Douvres*
Edinburgh	*Edimbourg*
Frankfurt	*Francfort*
Geneva	*Genève*
Genoa	*Gênes*
Havana	*La Havane*
Kabul	*Kaboul*
Lisbon	*Lisbonne*
London	*Londres*
Lyons	*Lyon*
Mainz	*Mayence*
Marseilles	*Marseille*
Mecca	*la Mecque*
Moscow	*Moscou*
Prague	*Prague*
Rheims	*Reims*
Riyadh	*Riyad*
Rome	*Rome*
Singapore	*Singapour*
Tehran	*Téhéran*
The Hague	*La Haye*
Venice	*Venise*
Vienna	*Vienne*
Warsaw	*Varsovie*

2 THE CLIMATE — *LE CLIMAT*

I GENERAL BACKGROUND — *GÉNÉRALITÉS*

maritime	*maritime*
temperate	*tempéré*
continental	*continental*
an equatorial climate	*un climat équatorial*
a tropical rain climate	*un climat tropical*
a polar climate	*un climat polaire*
a sun spot	*une tache solaire*
an orbit	*une orbite*
the poles	*les pôles*
the equator	*l'équateur*
an ice age	*une période glaciaire*
a temperature	*une température*
an anticyclone	*un anticyclone*
barometric pressure	*la pression barométrique*
a depression	*une dépression*
humidity	*l'humidité*
rainfall	*précipitations*

II WEATHER CONDITIONS — *LES CONDITIONS ATMOSPHÉRIQUES*

1 GENERAL BACKGROUND — *GÉNÉRALITÉS*

a belt	*une zone*
the weather forecast	*les prévisions météorologiques*
the weather report	*le bulletin météorologique*
the weatherman	*M. Météo*
a weather satellite	*un satellite météo*
freakish weather	*un temps capricieux*
unsettled	*incertain*
changeable	*variable*
a spell	*une période*
a sunny period	*une période ensoleillée*
a cold period	*une période de froid*
a prospect	*une perspective*
an outlook	*une prévision*

2 FAIR WEATHER — *LE BEAU TEMPS*

fine	*beau*
clear	*clair*
to break through	*percer*
to clear up	*se dégager*
a (bright) interval	*une éclaircie*
sunshine	*le soleil (clarté)*
glorious	*radieux*
mild	*doux*
warm	*chaud, tiède*
hot	*très chaud*
dogdays	*la canicule*
a scorcher	*une journée de canicule*
scorching	*torride*
stifling	*accablant*
oppressive	*étouffant*
sultry	*suffocant*
close	*lourd*
dry	*sec*
a heat wave	*une vague de chaleur*

3 WIND — *LE VENT*

windy	*venteux*
a gust of wind / a blast	*un coup de vent*
a whirlwind	*un tourbillon*
a blustery wind	*un vent de tempête*
a gale	*un grand vent, un coup de vent*
to arise	*se lever*
to blow	*souffler*
to whirl	*tourbillonner*
to abate	*diminuer*
to die away	*se calmer*
settled	*stable*
brisk	*vif*
to pick up	*se renforcer*
to whip up	*activer*
to veer / to back	*virer*
to turn round	*se renverser*
to ease off	*s'atténuer*

to die down	*tomber*
a lull	*une accalmie*
a let-up	*un répit*
the doldrums	*la zone des calmes, le pot-au-noir*
a thunderstorm	*un orage*
stormy	*orageux*
to brew	*se préparer, couver*
to break out	*éclater*
lightning	*la foudre*
to strike	*tomber*
a flash of lightning	*un éclair*
a lightning rod / a lightning conductor	*un paratonnerre*
a thunderclap / a thunderpeal (USA)	*un coup de tonnerre*
to ride out a storm	*étaler la tempête*

4 FOG — *LE BROUILLARD*

foggy / misty	*brumeux*
smog	*le smog*
mist	*la brume*
a haze	*une brume légère*
to descend upon a city	*s'abattre sur une ville*
to thicken	*s'épaissir*
to hang over	*planer sur*
to linger	*traîner*
to persist	*persister*
to lift	*se dissiper*
a patch	*une nappe*
to clear up	*se dégager*

5 RAIN — *LA PLUIE*

a rain	*une pluie*
a rainfall	*une précipitation*
an outbreak of rain / a shower	*une averse*
a pelting rain / a driving rain	*une pluie battante*
chances of rain	*risques de pluie*
rainy	*pluvieux*
to let up	*cesser*
a cloud	*un nuage*
cloudless	*dégagé*
to scatter	*se disperser*
to clear away	*se dégager*
to cloud over	*se couvrir*
cloudy	*nuageux*
overcast	*couvert*
damp	*humide*
wet	*mouillé*
to be wet through / soaked	*être trempé*
dripping	*ruisselant*
a downpour	*une giboulée*
to pour	*pleuvoir à verse*
to drizzle	*bruiner*
a squall	*une rafale, une bourrasque, un grain (en mer)*
to lash	*cingler*
a rainbow	*un arc-en-ciel*
to hail	*grêler*
a hailstone	*un grelon*

6 COLD WEATHER — *LE FROID*

snow	*la neige*
a snowfall	*une chute de neige*
a flurry	*une rafale de neige*
a layer of snow	*une couche de neige*
a snowflake	*un flocon de neige*
a snowdrift	*une congère*
to be snowbound / to be snowed in / up	*être bloqué par les neiges*
snow capped	*couvert de neige (montagnes)*
icy	*verglacé, glacé*
nasty / foul	*mauvais*
a chill	*un refroidissement*
chilly	*frais*
to freeze	*geler*
to freeze over / to freeze up	*se prendre en glace*
sub-zero temperatures	*températures inférieures à zéro*
a cold snap	*un coup de froid*
a nip	*une morsure*
frost	*la gelée*
an icicle	*un glaçon*
a blizzard	*une tempête de neige*
an avalanche	*une avalanche*
a mudflow / a mudslide	*une coulée de boue*
sleet	*le grésil*
to thaw / a thaw	*dégeler / un dégel*
to melt	*fondre*
slush	*la neige fondante*
wintry	*hivernal*
raw	*rigoureux*
dull	*morne*
bleak	*triste*
appalling	*épouvantable*
a polar region	*une région polaire*
the ice sheet	*la couverture glaciaire*
an iceberg	*un iceberg*
to calve	*se détacher*
a glacier	*un glacier*
to die of exposure	*mourir de froid*
a snowplow	*un chasse-neige*
an ice breaker	*un brise-glace*

3 POLLUTION — *LA POLLUTION*

I ENVIRONMENT AND POLLUTION — *ENVIRONNEMENT ET POLLUTION*

1 THE ENVIRONMENT — *L'ENVIRONNEMENT*

nature	*la nature*
the wilderness	*la nature sauvage*
to tame nature	*dompter la nature*
an ecosystem	*un écosystème*
an ecotone	*un écotone*
a carrying capacity	*une capacité d'accueil*
the fauna / wildlife	*la faune*
the flora	*la flore*
a species	*une espèce*
a human habitat	*un biotope humain*
the environment	*l'environnement*
environmental	*qui concerne l'environnement, écologique*
an environmental policy	*une politique écologique*
environmental protection	*la protection de l'environnement*
an environmentalist / a conservationist	*un défenseur de l'environnement*
the "enviros"	*les "écolos" (fam.)*
ecology / environmental biology	*l'écologie*
an ecologist	*un écologiste*
ecological / ecology-minded	*écologique*
ecology-oriented	*qui se soucie de l'écologie*
the ecological balance	*l'équilibre écologique*
pollution	*la pollution*
to pollute	*polluer*
a polluter	*un pollueur*
a pollutant / a contaminant	*un polluant*
conservation	*la défense de l'environnement*
to preserve	*protéger*
preservation	*la sauvegarde*

2 SOURCES OF POLLUTION — *LES SOURCES DE POLLUTION*

environmental degradation	*la détérioration de l'environnement*
chemical industries	*industries chimiques*
a power plant / a power station	*une centrale électrique*
an oil refinery	*une raffinerie (de pétrole)*
a nuclear power plant	*une centrale nucléaire*
a steel mill / plant	*une aciérie*
a coal-fired plant	*une centrale thermique à charbon*
a smokestack	*une cheminée d'usine*
the coal industry	*l'industrie houillère*
a slag heap	*un terril*
soot	*la suie*
a scrap heap	*un tas de ferraille*
an exhaust pipe	*un pot d'échappement*
toxic	*toxique*
a hazardous substance	*un produit dangereux*
a fuel	*un combustible, un carburant*
coal	*le charbon*
gas / gases	*le gaz / les gaz*
natural gas	*le gaz naturel*
methane	*le méthane*
gas (USA) / petrol (UK)	*essence*
petroleum	*le pétrole*
crude oil	*le pétrole brut*
a chemical	*un produit chimique*
sulphur	*le soufre*
carbonic chloride	*le phosgène*
carbon monoxide (CO)	*le gaz carbonique (CO)*
carbon dioxide (CO_2)	*le dioxyde de carbone (CO_2)*
nitrogen oxide ("nox")	*l'oxyde d'azote*
CFC	*le CFC (chlorofluorocarbone)*
plastics	*le plastique*
polyvinylchloride (PVC)	*le chlorure de polyvinyle*
auto exhausts	*gaz d'échappement*
aluminium	*aluminium*
copper	*le cuivre*
cadmium	*le cadmium*
nitrogen	*azote*
mercury	*le mercure*
phosphorus	*le phosphore*
lead	*le plomb*
asbestos	*amiante*
dioxine	*la dioxine*

II FORMS OF POLLUTION — *LES POLLUTIONS*

1 OCEAN POLLUTION — *LA POLLUTION MARINE*

an oil terminal	*un terminal*
an oil tanker	*un pétrolier*
a supertanker	*un pétrolier géant*
a hull	*une coque*
a tank	*une cuve*
the crew	*l'équipage*
a captain	*un capitaine*
a skipper	*un commandant de bord*
a shipowner	*un armateur*
to go off course	*dévier de sa trajectoire*
a blast	*une explosion*
to strike a reef	*heurter un récif*
to run aground / to founder	*s'échouer*
to ram into	*éperonner*
disabled	*hors d'état de fonctionner*
crippled	*paralysé*

to sink	*couler*
to capsize	*chavirer*
to be shipwrecked	*faire naufrage*
a shipwreck	*un naufrage*
to drift	*dériver*
to salvage	*sauver*
to tow	*remorquer*
a current	*un courant*
an oil spill / a black tide / a spillage	*une marée noire*
an oil slick	*une nappe de pétrole*
to leak into / to leach into	*s'infiltrer (gaz ou liquide)*
a leak	*une voie d'eau*
leakage	*le coulage, les infiltrations, les fuites*
to spring a leak	*faire eau, faire une voie d'eau*
to escape (into)	*s'échapper (dans)*
to keep the spill at bay	*maintenir la nappe à distance*
tank cleaning	*le dégazage*
to dump	*déverser*
to flush tanks / to swill	*dégazer*
to spill	*se répandre*
the wildlife toll	*les conséquences pour la faune*
to foul	*souiller*
pristine water	*eau pure*
an oiled bird	*un oiseau mazouté*
to cause oxygen depletion	*provoquer la perte d'oxygène*
fishing grounds	*zones de pêche*
to spawn	*frayer*
spawning grounds	*frayères*
a water mammal	*un mammifère marin*
a cod	*une morue*
a dolphin	*un dauphin*
a porpoise	*un marsouin*
a salmon	*un saumon*
a sea-cow / a manatee	*un lamantin*
a sea-lion / a walrus	*un morse*
a seal	*un phoque*
a whale	*une baleine*
a shell	*un coquillage*
a turtle	*une tortue de mer*
plankton	*le plancton*
to wipe out a population	*exterminer une population*
to wipe out a livelihood	*ôter un gagne-pain*
to sue a company for damages	*poursuivre une compagnie en justice pour dommages-intérêts*
to dispel oil	*dissoudre le mazout*
to seal a leak	*colmater une brèche*
to clean up	*nettoyer, épurer*
a clean-up	*un nettoyage*
to marshal boats	*réquisitionner des bateaux*
an absorbant	*un absorbant*
to disperse the oil	*disperser le mazout*
a dispersant	*un dispersant*
a detergent	*une lessive*
to scrub individual rocks	*nettoyer les rochers un à un*
to hose the shorelines	*arroser les plages au jet*
to spray	*asperger*
an oil-consuming organism	*un organisme absorbant le mazout*
a boom	*un barrage*
to skim	*dégraisser*
a skimmer	*une dégraisseuse*
a scrubber	*un épurateur*
to contain the oil	*contenir une nappe*
a shipping lane	*un couloir de navigation*
a flag of convenience	*un pavillon de complaisance*
tanker design	*la conception des pétroliers*
a double hull	*une double coque*

2 WATER POLLUTION — *LA POLLUTION DE L'EAU*

the water authorities	*les services des eaux*
a water system	*un réseau hydrographique, un réseau d'alimentation en eau*
to pump water	*pomper de l'eau*
a pumping station	*une station de pompage*
to supply water	*alimenter en eau*
a spring	*une source*
drinking water	*eau potable*
tap water	*eau du robinet*
an underground aquifer	*une nappe phréatique*
underground waters	*nappes souterraines*
to dump toxic wastes (into)	*déverser des déchets toxiques (dans)*
to discharge / to pour	*déverser*
salinization	*la salinisation*
a desalinization plant	*une usine de désalinisation*
eutrophication	*eutrophisation*
oxygen deficiency	*le manque d'oxygène*
to clog	*s'accumuler*
detergents	*lessives*
nitrates	*nitrates*
a fertilizer	*un engrais*
manure	*le fumier*
to filter	*filtrer*
a filter	*un filtre*
chlorine	*le chlore*
phosphate-free detergent	*lessives sans phosphate*
phosphate-enriched fertilizers	*engrais phosphatés*

3 AIR POLLUTION — *LA POLLUTION ATMOSPHÉRIQUE*

oxygen	*oxygène*
to breathe	*respirer*
unbreathable	*irrespirable*
a poison cloud	*un nuage toxique*
to hang over	*planer sur*
to spew (into)	*recracher (dans)*
to throw up into the atmosphere	*recracher dans l'atmosphère*
to belch	*vomir*
a smudge	*une traînée*
to smudge / to foul the air	*salir l'atmosphère*
to shroud	*envelopper*
noxious gases	*gaz délétères*
innocuous	*inoffensif*
smog	*le smog*
to build up	*s'accumuler*
a build-up	*une accumulation, une concentration*
to pump CO_2 into the atmosphere	*imprégner l'atmosphère de CO_2*
to release CO_2	*libérer du CO_2*

carbon dioxide emissions	*émanations de dioxyde de carbone*
acid rain	*pluies acides*
urban sprawl	*la péri-urbanisation*
automobile traffic	*la circulation automobile*
exhaust fumes	*gaz d'échappement*
congestion	*embouteillages*
the ozone layer	*la couche d'ozone*
to deplete	*épuiser*
depletion	*la diminution*
chlorofluorocarbons (CFCs)	*chlorofluorocarbones*
an aerosol spray	*une bombe aérosol*
a spray can	*un atomiseur*
an air conditioner	*un climatiseur*
a coolant	*un refroidissant*
a propellant gas	*un gaz vaporisé*
a food insulator	*un emballage isolant*
plastic foam materials	*matériaux en mousse plastifiée*
ultraviolet radiation	*rayons ultraviolets*
skin cancer	*le cancer de la peau*
the greenhouse effect	*l'effet de serre*
to trap heat	*retenir la chaleur prisonnière*
to act as a cap on	*faire l'effet d'une chape sur*
to warm	*(se) réchauffer*
to alter weather patterns	*modifier les climats*
to drive up the temperature	*élever la température*
the polar cap	*la calotte glaciaire*
to flood	*inonder*
a rise in sea level	*une augmentation du niveau de la mer*
to cause the oceans to rise (by)	*provoquer l'élévation du niveau des océans (de)*
coastal flooding	*inondations côtières*
a coastal area	*une région côtière*
a clean air Act	*une loi sur la pureté de l'air*
to stop deforestation	*arrêter le déboisement*
to ban traffic	*interdire la circulation*
a catalytic converter (a "cat")	*un pot catalytique*
to equip a car with	*équiper une voiture de*
to develop alternative energy cars	*mettre au point des voitures utilisant une autre source d'énergie*
to car pool	*partager une voiture à plusieurs*
to run on clean fuels	*consommer des carburants propres*
ethanol	*éthanol*
lead-free petrol	*essence sans plomb*
biofuel	*le biocarburant*

4 WASTE — *LES DÉCHETS*

agricultural solid wastes	*déchets solides agricoles*
a herbicide	*un herbicide*
a pesticide / a biocide	*un pesticide*
weeds	*mauvaises herbes*
a fungicide	*un fongicide*
an insecticide	*un insecticide*
a fertilizer	*un engrais*
agrochemicals	*produits chimiques agricoles*
ill effects	*effets néfastes*
to run off the land	*s'infiltrer dans la terre*
household waste	*ordures ménagères*
industrial waste	*déchets industriels*
radioactive waste	*déchets radioactifs*
hazardous wastes	*déchets dangereux*
rubbish / garbage / trash	*ordures*
refuse	*détritus, ordures*
litter	*détritus (sur le sol)*
a dump / a tip	*une décharge*
a landfill	*une décharge (enterrée)*
sewage	*eaux usées, eaux d'égout*
a sewer	*un égout*
sludge	*boues*
burnables	*produits combustibles*
durables	*produits lourds*
harmfuls	*produits nuisibles*
to litter	*déposer des ordures*
waste disposal	*l'élimination des déchets*
a garbage disposal unit	*un broyeur d'ordures*
an incineration plant	*une usine d'incinération*
to ban ocean dumping	*interdire les décharges en mer*
to recycle	*recycler*
a recyclable item	*un article recyclable*
biodegradable	*biodégradable*
plastic packaging	*le conditionnement en plastique*
film-wrapped packages	*paquets sous emballage de cellophane*
non recyclable	*non recyclable*
to curb waste	*réduire le gaspillage*
to sort garbage (into)	*trier les ordures (en)*
a deposit (on)	*une consigne (sur)*
bottle redemption	*la récupération du verre*
a redemption center	*un centre de récupération*
a collection point	*un point verre*
to return bottles	*consigner les bouteilles*
a return	*une consigne*

5 OTHERS — *AUTRES*

noise pollution	*nuisances sonores*
a decibel	*un décibel*
a jet takeoff	*un décollage d'avion*
a sonic boom	*le mur du son*
to squeal (tires)	*crisser (pneus)*
to screech (brakes)	*crisser (freins)*
to blare (radios)	*retentir (radios)*
to drone (planes)	*vrombir (avions)*
to honk	*klaxonner*
a pneumatic drill	*un marteau piqueur*
annoying	*agaçant*
intrusive	*dérangeant*
nerve-racking noise	*bruit qui met les nerfs à vif*
to impair hearing	*abîmer l'ouïe*
an earplug	*une boule quiès*
visual pollution	*la pollution visuelle*
an eyesore	*une horreur pour la vue*
a billboard	*un panneau d'affichage*
a boarding	*un panneau publicitaire*
a neon sign	*une enseigne au néon*
an advertising sign	*un panneau de publicité*
to disfigure a landscape	*défigurer un paysage*
to deface	*défigurer*
to spoil	*gâcher*
a blemish on	*une tache sur*
ugly	*laid*
ugliness	*la laideur*

III PUBLIC AWARENESS OF ENVIRONMENTAL PROBLEMS — *LA PRISE DE CONSCIENCE COLLECTIVE DES PROBLÈMES DE L'ENVIRONNEMENT*

an Earth Summit	*un sommet de la Terre*
to heighten awareness	*accroître la prise de conscience*
an awareness-building campaign	*une campagne de sensibilisation*
to stir public opinion	*affecter l'opinion publique*
to be at stake	*être en jeu*
a public outcry	*un tollé général*
to act responsibly toward	*agir de façon responsable envers*
to engage in environmentally sound practices	*se livrer à des pratiques écologiques saines*
the threshold of safety	*le seuil de danger*
to sound pollution alerts	*donner l'alerte à la pollution*
a health hazard	*un risque pour la santé*
to jeopardize	*mettre en danger*
in jeopardy	*en danger*
to highlight the dangers	*souligner les dangers*
to assess the health risks	*mesurer les risques pour la santé*
to harm	*nuire à*
to do harm	*causer du tort*
harmful	*nuisible*
to turn lethal	*devenir mortel*
to die from environmentally-induced causes	*mourir des suites de causes liées à l'environnement*
a carcinogen	*un produit cancérigène*
the food chain	*la chaîne alimentaire*
green consumerism	*la consommation écologique*
to go green	*se convertir à l'écologie*
a green policy	*une politique écologique*
green power	*le pouvoir des écologistes*
green activism	*le militantisme écologique*
an ecodefender	*un défenseur de la nature*
an ecoraider	*un destructeur de la nature*
to buy green	*acheter vert*
a green consumer	*un consommateur écologique*
a green product	*un éco-produit*
to be environmental friendly	*être sans danger pour l'environnement*
environmental policy	*la politique de l'environnement*
national and regional development	*l'aménagement du territoire*
the Nature Conservancy	*le conservatoire de la nature*
the Department of the Environment	*le ministère de l'Environnement*
the Environment Protection Agency (EPA) (USA)	*l'Agence pour la protection de l'environnement*
the Department of the Interior (DOI) (USA)	*le ministère de l'Intérieur*
the Bureau of Land Management	*le service des Domaines*
the National Park Service	*l'agence des Parcs nationaux*
to monitor pollution	*surveiller la pollution*
an agenda for environmental action	*priorités pour une action en faveur de l'environnement*
an environmental law	*une loi sur l'environnement*
the Greens / the Ecology party	*les Verts*
the green movement / the environmental movement	*le mouvement écologique*
an activist	*un militant*
a green voter	*un électeur écologiste*
a green bill	*un projet de loi écologique*
to press for	*réclamer*
an offending industry	*une industrie en infraction*
to penalise polluters	*pénaliser les pollueurs*
an environmental tax	*un impôt écologique*
a carbon tax	*une taxe sur l'oxyde de carbone*
a car tax	*une taxe sur les automobiles*
to raise petrol duty	*augmenter les taxes sur l'essence*
ecotage / ecoterrorism / monkeywrenching	*sabotage à des fins de défense écologique*

4 WILDLIFE — *LA FAUNE*

1 THE WILDS — *LES RÉGIONS SAUVAGES*

the wilderness	*la nature sauvage*
wild	*sauvage*
wildness	*l'aspect sauvage*
a desert	*un désert*
barren	*aride*
remote	*reculé*
pristine	*pur*
unspoilt	*vierge*
uncharted territory	*le territoire inexploré*
forbidding	*sinistre*
lifeless	*sans vie*
hostile	*hostile*
uncivilized	*non civilisé*
sparsely populated	*faiblement peuplé*
inhospitable	*inhospitalier*
a botanist	*un botaniste*

a naturalist	*un naturaliste*
a research station	*une station de recherches*
to carry out experiments	*se livrer à des expériences*
to gather data	*rassembler des données*
game	*le gibier*
an ape	*un grand singe*
a bear	*un ours*
a bison / a buffalo	*un bison*
a gibbon	*un gibbon*
an orangutan	*un orang-outang*
a herd of elephants	*un troupeau d'éléphants*
a tusker	*un éléphant adulte (qui a ses défenses)*
a trunk	*une trompe*
a tusk	*une défense*
a gorilla	*un gorille*
a lemur	*un lémurien, un maki*
a leopard	*un léopard*
a mink	*un vison*
a monkey	*un singe*
a panda	*un panda*
a seal	*un phoque*

2 ENDANGERED SPECIES — *LES ESPÈCES MENACÉES*

the fauna and the flora	*la faune et la flore*
to be home to	*abriter*
a species	*une espèce*
subspecies / taxa	*sous-espèces*
to harbour a species	*abriter une espèce*
to support a species	*faire vivre une espèce*
a critical habitat	*un biotope menacé*
to breed	*se reproduire*
to repopulate	*repeupler*
a wildlife reservation / a wildlife preserve / a wildlife park	*une réserve d'animaux sauvages*
wildlife protection	*la protection de la faune*
a nature reserve	*une réserve naturelle*
to hunt	*chasser*
to go hunting	*aller à la chasse*
a hunter / a huntsman / a sportsman	*un chasseur*
to shoot	*tirer*
the shooting season	*la saison de la chasse*
a shooting license	*un permis de chasse*
a reservation ground	*une chasse gardée*
game laws	*règlements de chasse*
a poacher	*un braconnier*
poaching	*le braconnage*
to go on a safari	*faire un safari*
a quarry / a prey	*une proie*
big game hunting	*la chasse aux grands fauves*
a game catcher	*un chasseur de gibier*
a gamekeeper	*un garde-chasse*
a game warden	*un gardien chargé de la protection des animaux*
to stalk a prey	*traquer une proie*
fishing	*la pêche*
overfishing	*la pêche excessive*
international waters	*eaux internationales*
a driftnet	*un filet dérivant*
an exclusive economic zone (EEZ) / a fishery conservation zone	*eaux territoriales*
to become extinct	*être en voie d'extinction*
an extinct species	*une espèce disparue*
to drive a species to extinction	*réduire une espèce à néant*
to be threatened with extinction	*être menacé de disparition*
to slip into extinction	*disparaître doucement*
to kill off a species	*exterminer une espèce*
to wipe out a species	*anéantir une espèce*
the elephant plight	*la tragédie des éléphants*
to slaughter	*massacrer*
to cull one's herd	*abattre des animaux en surnombre*
to safeguard a population	*sauvegarder une population*
the ivory trade	*le trafic d'ivoire*
ivory	*l'ivoire*
illegal trading	*le commerce illégal*
an ivory hunter	*un chasseur d'ivoire*
an undocumented tusk	*une défense dont l'origine est frauduleuse*
to seize illegal tusks	*saisir les défenses interdites*

5 DEFORESTATION — *LE DÉBOISEMENT*

1 THE ECOSYSTEM — *L'ÉCOSYSTÈME*

a biome	*un biome*
a forest	*une forêt*
a coniferous forest	*une forêt de conifères / résineux*
a deciduous forest	*une forêt de feuillus*
a forester	*un forestier (un garde / un agent)*
a forest ranger	*un garde forestier*
the Forestry Commission (UK) / Forest Service (FS) (USA)	*les Eaux et Forêts*
a wood	*un bois*
woodland	*un pays boisé*
the underwood / the undergrowth	*le sous-bois*
a timber forest	*une futaie*
the rain forest	*la forêt amazonienne*

the Amazon / Amazonia	*l'Amazone*
the Amazon river	*le fleuve Amazone*
a tropical forest	*une forêt tropicale*
luxurious / overgrown	*luxuriant*
a mangrove	*un palétuvier*
a swamp	*un marécage*
a marsh	*un marais*
marshland	*une région marécageuse*
a tract of forest	*une parcelle de forêt*
a swath of forest	*une coupe dans la forêt*
a species	*une essence*
a fir	*un sapin*
a maple	*un érable*
an oak	*un chêne*
a pine tree	*un pin*
a plane tree	*un platane*
a poplar	*un peuplier*
a redwood tree	*un séquoia*
ebony	*l'ébène*
mahogany	*l'acajou*
rosewood	*le palissandre*

2 BIODIVERSITY — *LA BIODIVERSITÉ*

a pest	*un insecte nuisible*
an ant	*une fourmi*
a bee	*une abeille*
a beetle	*un coléoptère*
a bumblebee	*un bourdon*
a butterfly	*un papillon*
a caterpillar	*une chenille*
a cockroach	*un cafard*
a cricket	*un grillon*
a fly	*une mouche*
a gnat	*un moucheron*
a grasshopper / a locust	*une sauterelle*
a hornet	*un frelon*
a horsefly	*un taon*
a maybug	*un hanneton*
a mosquito	*un moustique*
a moth	*une phalène, une mite*
a spider	*une araignée*
a tick	*une tique*
a wasp	*une guêpe*
to transmit a disease	*transmettre une maladie*
a mosquito-borne disease	*une maladie colportée par un moustique*
a snake	*un serpent*
a poisonous snake	*un serpent venimeux*
a copperhead	*une vipère cuivrée*
a grass-snake / a ring-snake	*une couleuvre*
a rattlesnake	*un serpent à sonnettes, un crotale*
venom	*le venin*
a snakebite	*une morsure de serpent*
avifauna	*l'avifaune*
a migratory bird	*un oiseau migrateur*
a predatory bird / a raptor / a raptore	*un rapace*
a bird of prey	*un oiseau de proie*
a bird sanctuary	*une réserve d'oiseaux*
a bat	*une chauve-souris*
a blackbird	*un merle*
a buzzard	*une buse*
a condor	*un condor*
a crow	*une corneille*
an eagle	*un aigle*
a grouse	*un coq de bruyère*
a hawk	*un faucon*
a kestrel	*une crécerelle, un faucon crécerelle*
an owl	*un hibou*
a parrot	*un perroquet*
a partridge	*une perdrix*
a peregrine falcon	*un faucon pèlerin*
a pheasant	*un faisan*
a quail	*une caille*
a raven	*un corbeau*
a seagull	*une mouette*
a sparrow	*un moineau*
a spotted owl	*une chouette mouchetée*
a stork	*une cigogne*
a swallow	*une hirondelle*
a swan	*un cygne*
a vulture	*un vautour*
a woodpecker	*un pivert*
to soar	*prendre son essor*
to hover	*planer*
to swoop down (on)	*fondre (sur)*
to nestle	*se nicher*
a nest	*un nid*
to breed	*se reproduire*
a brood	*une couvée*
to winter	*hiverner*
a beaver	*un castor*
a deer / a buck	*un daim*
a doe / a hind	*une biche*
a fox	*un renard*
a hare	*un lièvre*
a rabbit	*un lapin*
a rat	*un rat*
a reindeer	*un renne*
a roe buck / a roe deer	*un chevreuil*
a squirrel	*un écureuil*
a stag / a hart	*un cerf*
a turtle	*une tortue*

3 THE PLIGHT OF THE FOREST — *LA TRAGÉDIE DE LA FORÊT*

to cut down forests	*abattre des forêts*
to strip forests of	*dépouiller les forêts de*
to raze / to level a forest	*raser une forêt*
to chop down / to fell / to lumber	*abattre*
to clear land (for)	*défricher la terre (pour)*
to be home to	*abriter*
an organism	*un organisme*
a nutrient	*un élément nutritif*
to hold the key (to)	*posséder la clé (de)*
to yield wood	*fournir du bois*
to tap the forest's wealth	*exploiter les richesses forestières*
to covet resources	*convoiter des ressources*

a land title	*un droit de propriété*
a land baron	*un grand propriétaire terrien*
a log	*une grume*
to log	*tronçonner, débiter*
a logger / a lumberjack	*un bûcheron*
a logging company	*une société d'exploitation forestière*
a woodcutter	*un bûcheron*
a woodman	*un forestier*
lumber	*le bois d'abattage / de charpente*
a lumber mill / a saw mill	*une scierie*
to saw	*scier*
a chain saw	*une tronçonneuse*
an axe	*une hache*
to chop / to cut up	*débiter*
rafting	*la drave*
a raftsman	*un draveur*
a land rush / a land grab	*une ruée sur la terre*
to stake one's claim to sth	*revendiquer qch.*
to develop	*exploiter, mettre en valeur*
arable land	*la terre cultivable*
a landowner	*un propriétaire terrien*
a rancher	*l'exploitant d'un ranch*
ranchland	*terres d'élevage*
grassland	*la prairie*
to create pasture	*aménager des terres d'élevage*
to encroach upon	*empiéter sur*
to drive back the forest	*repousser la forêt*
slash and burn techniques	*techniques de défrichement par brûlis*
to exhaust the meagre soil	*épuiser le sol pauvre*
to mine / mining	*extraire / extraction*
a miner	*un mineur*
iron	*le fer*
iron ore	*le minerai de fer*
manganese	*le manganèse*
bauxite	*la bauxite*
copper	*le cuivre*
nickel	*le nickel*
gold / silver	*or / argent*
tin	*étain*
titanium	*le titane*
a boom and bust cycle	*un cycle de prospérité suivi de dépression*
an oil driller	*un foreur*
a native	*un autochtone*
an indigeneous people	*un peuple indigène*
to be driven from the forest	*être chassé de la forêt*
to harvest rubber	*récolter le caoutchouc*
tapping	*le gemmage*
a rubber tapper	*un seringuero*
to erode the topsoil	*ronger la couche arable*
erosion	*érosion*
soil conservation	*la préservation des sols*
to preserve forests	*sauvegarder la forêt*
to reforest	*reboiser*
reforestation / reafforestation	*le reboisement*
a debt-for-nature swap	*un plan de protection de la nature par l'effacement de la dette*

6 CATASTROPHES — *LES CATASTROPHES*

I NATURAL CATASTROPHES — *LES CATASTROPHES NATURELLES*

a natural phenomenon	*un phénomène naturel*
a man made catastrophe	*une catastrophe humaine*
destructive / devastating	*destructeur*
catastrophic / calamitous	*catastrophique*
large scale / full blown	*de grande ampleur*
a disaster	*un désastre, une catastrophe*
a freak of nature / a whim of nature	*un caprice de la nature*
a controllable event	*un événement maîtrisable*
an act of God	*une catastrophe naturelle*

1 FLOOD — *L'INONDATION*

the river bed	*le lit du fleuve*
to flood / to inundate	*inonder*
to be in spate	*être en crue*
a flooded river	*un fleuve en crue*
a flash flood	*une crue subite*
to melt	*fondre*
the rainy season	*la saison des pluies*
a monsoon	*une mousson*
a monsoon-swollen river	*un fleuve gonflé par les eaux de la mousson*
a sea wave / a tidal wave	*un raz de marée*
a dike / a dyke	*une digue*
an embankment	*une digue de retenue, une berge*
to sandbag	*fortifier, renforcer*
to swell	*gonfler, grossir*
to overflow one's banks	*sortir de son lit*
to wash away	*emporter (par les flots)*
flood containment	*la maîtrise des crues*
to dam a river	*construire un barrage pour endiguer les eaux d'un fleuve*

2 THE VOLCANO ERUPTION — *L'ÉRUPTION VOLCANIQUE*

a volcano / volcanoes	*un volcan / volcans*
to finish one's activity	*s'éteindre*
to lie fallow	*être en inactivité*
dormant	*en inactivité*
extinct	*éteint*
magma	*le magma*
a tectonic plate	*une plaque tectonique*
the continental drift	*la dérive des continents*
the earth's crust	*l'écorce terrestre*
to come alive / to reawaken	*se réveiller*
to erupt	*entrer en éruption*

a tremor / a shake	*un tremblement*
to rumble	*gronder*
a crater	*un cratère*
to spit out / to spew forth	*cracher*
to gush	*jaillir*
a lava flow	*un flot de lave*
ash	*la cendre*

3 EARTHQUAKE — *LE TREMBLEMENT DE TERRE*

a quake	*un tremblement de terre*
the epicentre	*l'épicentre*
the extent	*l'amplitude*
to measure 8.0	*mesurer 8*
to register	*atteindre*
on the Richter scale	*sur l'échelle de Richter*
a foreshock	*un tremblement avant-coureur*
a fault	*une faille*
a fissure / a crack	*une fissure*
a landslide	*un glissement de terrain*
to shift	*se déplacer*
an after shock	*une réplique*
to rock	*ébranler*
to rattle	*trembler*
to teeter	*vaciller*
to sag	*s'effondrer*
to crumble	*s'effriter*
shaky	*branlant*
to be earthquake-proof	*résister aux tremblements de terre*
to shore up buildings	*renforcer les constructions*
to prop up	*étayer*

4 STORM — *LA TEMPÊTE*

a tornado / a twister (USA)	*une tornade*
a whirlwind	*une tornade, une trombe*
a typhoon	*un typhon*
a killer	*un ouragan destructeur*
the eye of the storm	*l'œil du cyclone*
to brew	*se préparer*
a gale	*un coup de vent*
a squall	*un orage*
a snowstorm	*une tempête de neige*
a blizzard	*une tempête de neige, un blizzard*
a force 9 gale	*un vent de force 9*
gale-force wind	*le vent de tempête*
a packing wind / a heavy wind	*un vent violent*
to arise	*se lever*
to blow	*souffler*
to blow down	*s'abattre*
to buffet	*secouer*
to hammer	*marteler*
to howl	*mugir*
to roar	*rugir*
to lash / to whip up	*fouetter*
to pound	*battre*
to rip	*arracher*
to slam into a town	*s'abattre sur une ville*
to sweep across a country	*balayer un pays*
the course of a hurricane	*la trajectoire d'un ouragan*
to track a hurricane	*suivre la trajectoire d'un ouragan*
to gather strength	*prendre de la vigueur*
to pick up strength	*prendre de la force*
to veer	*se détourner*
to spend oneself	*s'épuiser*
to spin oneself out	*perdre de sa force*
to peter out	*mourir*
to subside	*s'éloigner, se calmer*
a lull	*une accalmie*

5 DROUGHT — *LA SÉCHERESSE*

dry	*sec, tari, aride*
to dry up	*(s') assécher*
a dry spell	*une période de sécheresse*
a drought	*une sécheresse*
to endure a drought	*subir une sécheresse*
a drought-stricken country	*un pays frappé par la sécheresse*
to be gripped by a drought	*être aux prises avec une sécheresse*
to restrict water use	*restreindre la consommation d'eau*
a lawn sprinkler system	*un combiné d'arrosage*
a scorching sun	*un soleil brûlant*
to hammer the land	*s'acharner sur un pays*
to parch	*dessécher*
to bake	*griller, rôtir*
to shrink a river	*assécher une rivière*
to run dry	*s'assécher, se tarir*
barren land	*la terre stérile / inculte*
denuded	*dénudé*
treeless	*sans arbres*
stripped of vegetation	*dépouillé de toute végétation*
groundwater reserves	*nappes phréatiques*
underground water resources	*nappes souterraines*
the water table	*le niveau hydrostatique*
to shrink / to run low / to dwindle	*s'amenuiser*
a well	*un puits*
water supplies	*approvisionnement en eau*
a shortage (of)	*une pénurie (de)*
a tanker truck	*un camion-citerne*
to truck in water	*apporter l'eau par camion*
soil erosion	*l'érosion des sols*
topsoil	*la couche arable*
to blow land away	*emporter la terre*
a dust bowl	*un désert de poussière*
a dust storm	*un tourbillon de poussière*

6 FAMINE — *LA FAMINE*

hunger	*la faim*
the hungry	*les affamés*
to go hungry	*se passer de nourriture*
to be hungry	*avoir faim*
to die of hunger / to starve to death	*mourir de faim*
to satisfy one's hunger	*manger à sa faim*
to have a hungry look	*avoir un air affamé*
ill-fed / ill-nourished	*mal nourri*
underfed	*sous-alimenté*
starvation	*la famine*
to starve	*être affamé*
to meet food needs	*satisfaire les besoins alimentaires*

food	*la nourriture*
foodstuffs	*vivres, aliments*
food relief	*aide alimentaire*
to feed	*nourrir*
to lack food	*manquer de nourriture*
a shortfall	*un manque*
to be short of food	*être à court de nourriture*
a food shortage	*une pénurie de nourriture*
a scarcity of food	*un manque de nourriture*
to ration	*rationner*
a bowl of rice	*un bol de riz*
a vitamin tablet	*un comprimé de vitamines*
a salt tablet	*un comprimé de sel*
a famine-ridden country	*un pays frappé par la famine*
to suffer from famine	*souffrir de la famine*
to be famine-plagued	*être touché par la famine*
to play havoc with sb's body	*ruiner la santé de qn.*
to shrivel	*se flétrir*
to wither	*s'étioler*
wasted	*décharné*
a hollow face	*un visage creusé*
haggard looking	*à l'air hâve, hagard*
drawn	*aux traits tirés*
sickly looking	*à l'air malingre*
skeletal	*d'apparence squelettique*
gaunt	*décharné*
skinny	*maigre*
spindly	*grêle*
scrawny	*efflanqué, décharné*
scraggy	*famélique*
scragginess	*l'aspect famélique*
a swollen belly	*un ventre ballonné*
dehydration	*la déshydratation*
relief	*le secours*
to relieve	*secourir*
to send relief to	*envoyer des secours à*
relief supplies	*aide d'urgence*
a relief program	*un programme de secours*
a charity	*un organisme caritatif*
a nonvoluntary agency	*un organisme non-gouvernemental (ONG)*
a refugee camp	*un camp de réfugiés*
a famine victim	*une victime de la famine*
to come to the rescue	*venir en aide*
an airlift	*un pont aérien*
to relocate	*reloger*
a relocation scheme	*un programme de relogement*
to resettle	*transférer*
a resettlement scheme	*un plan de transfert*
to displace people	*déplacer les populations*
humanitarian aid	*aide humanitaire*
outside aid	*aide extérieure*
an air-drop	*un largage*
to appeal for aid	*lancer un appel à l'aide*
to grant aid	*accorder une aide*
to respond	*réagir*
aid donors	*bénévoles*
to allocate aid	*répartir l'aide*
to earmark aid	*affecter des fonds*
to channel aid	*diriger l'aide*
to pour in aid	*venir massivement en aide*
a volunteer worker	*un bénévole*
a recipient	*un bénéficiaire*
mercy food	*aide alimentaire humanitaire*
a food aid agency	*une agence d'aide alimentaire*
a food shipment	*une cargaison de nourriture*
a money-raising fast	*un jeûne pour recueillir des fonds*
to stage a concert	*organiser un concert*
to donate money	*faire des dons en espèces*
to pitch in	*verser son obole*
to pledge money to	*promettre des dons en espèces*
to spark a response	*provoquer un élan*

7 OVER-POPULATION — *LA SURPOPULATION*

a census	*un recensement*
demography	*la démographie*
the birth rate	*le taux de natalité*
the death rate / the mortality rate	*le taux de mortalité*
the infant mortality rate	*le taux de mortalité infantile*
life expectancy	*espérance de vie*
the world population	*la population mondiale*
the population growth	*la croissance démographique*
a population increase	*un accroissement démographique*
population density	*la densité de population*
a population bomb	*une bombe démographique*
the replacement rate	*le taux de remplacement*
an age pyramid	*une pyramide des âges*
a baby boom	*une explosion démographique*
a baby bust	*un effondrement démographique*
the baby boomers	*les enfants de l'explosion démographique*
the baby busters	*les enfants de l'effondrement démographique*
to bring population growth under control	*maîtriser la croissance démographique*
to check overpopulation	*enrayer la surpopulation*
zero-population growth	*la croissance démographique zéro*

II MAN MADE DISASTERS — *LES CATASTROPHES HUMAINES*

Bhopal	*Bhopal*
Chernobyl	*Tchernobyl*
industrial dangers	*dangers industriels*
hazardous gas	*gaz dangereux*
a time bomb	*une bombe à retardement*
cyanide	*le cyanure*

chlorine – *le chlore*
dioxin – *la dioxine*
nitroglycerin – *la nitroglycérine*
to trigger an explosion / to set off an explosion – *provoquer une explosion*
a conflagration – *un sinistre*
to break out – *se déclarer*
to be on fire – *être en feu*
to set fire to – *mettre le feu à*
to be aflame – *être en flammes*
a fire hazard – *un danger d'incendie*
a fire-trap – *un piège à incendie*
to burn / to scorch – *brûler*
to lick – *lécher*
to race through – *s'engouffrer*
to rage – *faire rage*
to consume – *consumer, dévorer*
to get out of hand – *être impossible à maîtriser*
cinders – *scories*
to go up in smoke – *s'envoler en fumée*
fire-fighting – *la lutte contre les incendies*

a fire alarm – *un avertisseur d'incendie*
a water tank – *un réservoir d'eau*
a sprinkler / a fire extinguisher – *un extincteur*
a fire hose – *une lance à incendie*
a fire hydrant / a fire-plug – *une bouche d'incendie*
to battle the flames – *lutter contre les flammes*
to contain a fire – *fixer un feu*
a backfire – *un contre-feu*
to put down a fire / to put a fire out – *éteindre un incendie*
to have a fire under control – *se rendre maître d'un sinistre*
to damp down the flames – *noyer les flammes*
to douse flames – *éteindre les flammes*
to burn oneself out – *se consumer*
a fire department / a fire brigade – *une caserne de pompiers*
a fire engine / a fire truck – *une voiture de pompiers*
a firefighter – *un pompier*
a helmet – *un casque*
an aerial tanker – *un Canadair*
a plane drop – *un largage d'eau*
a folded hydraulic ladder – *une grande échelle hydraulique*

arson – *incendie criminel*
an arsonist – *un pyromane*
to fireproof – *ignifuger*
fireproof / fire resistant / flame retardant – *à l'épreuve du feu*
to singe – *roussir*
charred – *carbonisé*

III AFTERMATH — *LES CONSÉQUENCES*

1 RESCUE — *LES SECOURS*

to rescue – *sauver*
a rescuer – *un sauveteur*
a rescue operation – *une opération de secours*
rescue effort – *les efforts des sauveteurs*
a rescue coordination center – *un PC des opérations de secours*
to assist the victims – *venir en aide aux victimes*
disaster relief – *les secours aux victimes de catastrophe*

an emergency plan – *un plan ORSEC*
to search an area – *fouiller une zone*
a search operation – *une opération de recherche*

the wreckage / rubble – *les décombres*
a sniffer dog – *un chien renifleur*
to be trapped in the rubble – *être prisonnier des décombres*

entombment – *ensevelissement*
to work against time – *lutter contre la montre*
to sift through the rubble – *chercher parmi les décombres*

to pull clear – *dégager*
to be buried alive – *être enseveli vivant*
to retrieve bodies – *récupérer des corps*
to recover – *retrouver*
a backup generator – *un groupe électrogène*
a cutting torch – *un chalumeau*
cutting gear – *le matériel de désincarcérage*

a flashlight – *une torche*
a sound detector – *une sonde acoustique*
a stretcher – *une civière*

2 CASUALTIES — *LES VICTIMES*

a victim / a casualty / a fatality – *une victime*
a corpse – *un corps*
a body – *un cadavre*
safe and sound – *sain et sauf*
alive and well – *bel et bien vivant*
to escape unhurt – *s'en tirer sans une égratignure*

unscathed / unharmed – *indemne*
to reach safety – *se mettre à l'abri*
to be in shock – *être en état de choc*
astounded – *atterré*
bewildered – *désorienté*
dismayed – *désemparé*
stunned – *abasourdi*
shell shocked – *commotionné*
to be panic-stricken – *être pris de panique*
to be hurt / injured / to sustain an injury – *être blessé*

to be hit – *être atteint*
an injury – *une blessure*
a concussion – *une commotion*
a trauma victim – *un traumatisé*
to be in critical condition – *être dans un état critique*
to suffer from traumatic injuries – *souffrir de traumatismes*

to set up a morgue – *installer une morgue*
a chapel of rest – *une chapelle ardente*
an intensive care unit – *une unité de soins intensifs*

to hope for a miracle – *espérer un miracle*
hope is running out – *les espoirs s'amenuisent*
to dash / to wreck hopes – *anéantir / briser les espoirs*

shattered / blighted hopes — *espoirs anéantis*
to lose heart / hope — *perdre courage / espoir*
to die from the effects (of) — *mourir des suites (de)*
a high casualty count — *une longue liste de victimes*

a casualty list — *une liste des victimes*
to claim 4,000 casualties — *faire 4000 victimes*
a death toll — *un bilan des victimes*
to take a heavy toll (among) — *faire de nombreuses victimes (parmi)*
to be missing — *être porté disparu*
the threat of epidemics — *la menace d'épidémies*
grief — *le chagrin*
to mourn (for sb) — *pleurer (la mort de qn.)*
to go into mourning — *prendre le deuil*
to grieve a death — *pleurer la mort de*
sorrow — *la douleur (morale)*
to be saddened (by) — *être attristé (par)*
to hold a memorial service (for) — *organiser un service funèbre (à la mémoire de)*

to pay a tribute (to) — *rendre hommage (à)*
to send a sympathy message — *envoyer un message de sympathie*
to send condolences — *envoyer ses condoléances*
the laying of wreaths — *le dépôt de gerbes*

3 DAMAGE — *LES DÉGÂTS*

a disaster area / zone / an afflicted area — *une zone sinistrée*
a stricken area — *une région dévastée*
to be declared a disaster area — *être déclaré zone sinistrée*
to be hard hit — *être durement touché*
to suffer a cruel beating — *être très éprouvé*
to destroy — *détruire*
to cause damage — *causer des dégâts*
to sustain damage — *subir des dégâts*
to wreak havoc (on) — *causer des dégâts (à)*
a shambles — *un spectacle de dévastation*

to be left homeless — *se retrouver sans abri*
property losses — *pertes matérielles*
to upend homes — *souffler les maisons*
to tear off roofs — *emporter les toitures*
to blow roofs — *souffler les toitures*
to collapse — *s'effondrer*
to flatten — *aplatir*
to lay a region flat — *dévaster une région*
to wipe out homes — *détruire les maisons*
to knock down — *renverser*
to topple trees — *coucher les arbres*
to uproot trees — *déraciner les arbres*
to be out of service — *être hors service*
to be put out of action — *être mis hors d'usage*
to cripple a country — *paralyser un pays*
a phone line — *une ligne téléphonique*
water supplies — *l'approvisionnement en eau*

to knock out power — *couper l'électricité*
to displace people — *reloger la population*
a looter — *un pillard*
rioting — *émeutes*
to ransack stores — *piller des magasins*
to enforce a curfew — *faire appliquer un couvre-feu*

to ride out a disaster — *surmonter une catastrophe*

to come through — *s'en tirer*
a recovery program — *un programme de reconstruction*

to rebuild — *reconstruire*

V WRITTEN AND ORAL EXPRESSION de 221 à 252

V WRITTEN AND ORAL EXPRESSION — *L'EXPRESSION ÉCRITE ET ORALE*

I DEBATING — *L'ART DU DÉBAT*

1 ADDITION — *ADDITION*

above all	*par-dessus tout*
moreover / besides / furthermore / in addition / what is more . . .	*en outre, de plus...*
in addition to this	*en plus de ceci, de surcroît*
incidentally, we must not forget . . .	*notons au passage...*
in the bargain	*par-dessus le marché*
in terms of . . .	*en termes de...*
in view of . . .	*compte tenu de / étant donné...*
on further examination	*si on pousse plus loin l'analyse*
on second thoughts	*toute réflexion faite*
to touch again on an idea	*reprendre une idée*
we must also remember that . . .	*il faut aussi noter que...*
without going into too much detail	*sans nous appesantir sur les détails*

2 ADVICE — *CONSEILS*

a piece of advice	*un conseil*
should / ought to	*falloir / devoir*
he'd better take on another position	*il ferait mieux de changer d'attitude*
he'd be as well to . . .	*il ferait mieux de...*
if I were you	*si j'étais toi*
why not (+ INF) . . .	*pourquoi ne pas...*
I suggest avoiding such a thorny issue	*je suggère d'éviter un problème si épineux*
I suggest he should avoid . . .	*je suggère qu'il évite de...*
I urge you to . . .	*je ne saurais que trop vous recommander de*
it would be wise to . . .	*il serait judicieux de...*
the author would be best to . . .	*l'auteur a tout intérêt à...*

3 AGREEMENT — *ACCORD*

as the writer says	*comme dit l'auteur*
I agree with . . .	*je suis d'accord avec...*
to corroborate / to bear out	*corroborer, confirmer*
you were quite right to point out . . .	*vous aviez raison d'attirer l'attention sur...*
though I fully agree with him that . . . I still believe that . . .	*bien qu'étant totalement d'accord avec..., je n'en crois pas moins que...*
it is agreed that . . .	*il est convenu que...*
to approve of . . .	*approuver...*
it is true that . . .	*il est vrai / juste que...*
I grant you . . .	*je vous accorde que...*
I'm broadly in agreement with . . .	*je suis d'accord dans les grandes lignes avec...*
he says, rightly in my view, that . . .	*et à juste titre, selon moi*
we must acknowledge the validity of his point	*nous devons reconnaître la validité de son argument*
to take sides	*prendre parti*
to side with . . .	*se ranger aux côtés de...*

4 ARGUMENT — *ARGUMENT*

a polemic	*une polémique*
a controversy	*une controverse*
to put forward an argument	*présenter un argument*
the writer puts the case for . . .	*l'auteur présente les arguments en faveur de...*
to enter into an argument with . . .	*engager une polémique avec...*
at this point several arguments could be mentioned	*on peut invoquer ici plusieurs arguments différents*
another argument supports this thesis	*il y a un autre argument en faveur de cette thèse*
to buttress an argument	*étayer un argument*
to question an argument	*mettre un argument en doute*
unfounded / groundless	*sans fondement*
convincing / forceful	*convaincant*
debatable / questionable	*discutable*
arguable	*discutable, contestable*
controversial	*controversé*
far-fetched	*tiré par les cheveux*
flimsy	*mince*
illusory / illusive	*trompeur, illusoire*
irrelevant	*hors sujet, sans rapport avec la question*
misleading	*trompeur*
relevant	*pertinent*
shallow	*superficiel*
spurious	*fallacieux*
tenable	*défendable*
true / false	*vrai / faux*
undisputable / unquestionable	*indiscutable*
well-grounded	*bien fondé*
a doubled-edged argument	*un argument à double tranchant*
a moot point	*un point controversé*

5 CAUSE / CONSEQUENCE — *CAUSE / CONSÉQUENCE*

as a result	*en conséquence*
as a consequence / consequently	*par conséquent, donc*
thus	*ainsi, donc*
for this reason . . .	*pour cette raison...*
therefore	*c'est pourquoi, donc*
that's why . . .	*c'est pourquoi*
hence	*d'où..., de là...*
accordingly	*en conséquence, par conséquent*
the reason why / the reason for	*la raison pour laquelle*
to cause / to provoke / to bring about / to entail / to prompt	*causer, provoquer, entraîner*
to give rise to / to lead to	*mener à*
to result in . . .	*avoir pour résultat / conséquence de...*
to involve	*impliquer*
to mean (+ ING)	*signifier*
with far-reaching consequences	*aux conséquences énormes*
it follows from this that . . .	*il s'ensuit que, il en résulte que...*
which means	*ce qui implique / signifie*
which seems to confirm	*ce qui tend à prouver*
it is therefore hardly surprising that . . .	*il n'est guère surprenant, par conséquent, que...*
it can be inferred that . . .	*on peut en déduire que...*
this being so	*les choses étant ce qu'elles sont*
this being the case	*ceci étant le cas*

6 COMMUNICATION — *COMMUNICATION*

to communicate	*communiquer*
to discuss / to debate / to argue	*discuter de*
to hint at	*faire allusion à*
to suggest	*proposer*
to deliver a speech	*prononcer un discours*
to express / to voice / to give utterance to	*exprimer*
to get a message across	*faire passer un message*
to bring a point home / to bring a message home to	*convaincre*
to awaken / to arouse	*éveiller, faire naître*
to conjure up / to call to mind	*évoquer*
to evoke	*évoquer (souvenirs)*
to aim at / to	*aspirer à, viser à*
an aim / a goal / an objective	*un but*
to convey an impression (of . . .)	*donner une impression (de...)*
to convey one's meaning	*exprimer sa pensée*
convincing / cogent	*convaincant*
to talk sb into + ING	*convaincre qn. de*
to bring sb round to one's viewpoint	*convaincre qn.*

7 COMPARISON — *COMPARAISON*

by comparison	*en comparaison*
in comparison with . . .	*en comparaison avec..., par rapport à*
compared with . . .	*comparé à...*
comparable	*comparable*
to compare	*comparer*
to draw / to make a comparison	*faire une comparaison*
to bear / to stand comparison	*supporter la comparaison*
to draw a parallel	*établir un parallèle*
the former . . . the latter	*le(s) premier(s)..., le(s) second(s)*
there are no points of comparison between . . .	*il n'y a aucun point de comparaison entre...*
to contrast with	*faire contraste, faire contraster*
in contrast with . . .	*par contraste avec...*
to remind sb of sth	*rappeler qch. à qn.*
there the likeness ends	*là s'arrête la ressemblance*
what differentiates him from . . .	*ce qui le distingue de...*
far superior to . . .	*de loin supérieur à...*
far from being as interesting as	*loin d'être aussi intéressant que...*
to be nowhere near as + adjective + as	*être loin d'être aussi + adjectif + que / de*
his latest play doesn't bear comparison with . . .	*sa dernière pièce ne supporte pas la comparaison avec...*
it doesn't measure up to . . .	*cela n'est pas aussi bon que...*
inconsistency	*contradiction*
discrepancy	*désaccord, divergence, contradiction*

8 CONCESSION — *CONCESSION*

admittedly	*il faut reconnaître*
let us now consider . . .	*il faut maintenant parler de...*
we must now consider . . .	*il est maintenant nécessaire d'aborder*
however interesting the article may be . . . / interesting though / as / the article may be . . . / no matter how interesting the article may be . . .	*aussi intéressant que soit l'article...*
however hard the author tries to . . .	*l'auteur a beau insister*
granted that it is true / assuming that it is true	*à supposer que cela soit vrai*
assuming that it can be done	*en admettant que cela soit réalisable*
the problem could be approached from a different angle	*on pourrait aborder le problème sous un angle différent*

9 DISAGREEMENT — *DÉSACCORD*

to agree with / to disagree with	*être d'accord / être en désaccord avec*
to make reservations	*formuler quelques réserves*
to raise objections	*soulever des objections*
to refute a claim	*réfuter un argument*
questionable	*contestable*
inaccurate	*faux*
far from the truth	*loin de la vérité*
I disagree with . . .	*je ne suis pas d'accord avec...*
I am in complete disagreement with . . .	*je suis en total désaccord avec...*
it is wrong to say that . . .	*il est faux de dire que...*
I disapprove of his attitude	*je désapprouve son attitude*
I don't share her opinion	*je ne partage pas son point de vue*
I don't hold the same view as he	*je n'ai pas la même vision que lui*
I don't see it in the same way as . . .	*je ne le vois pas sous le même angle*
yet the fact remains that . . .	*il n'en est pas moins vrai cependant que...*
the question is not whether . . .	*la question n'est pas de savoir si...*
it is irrelevant to assert that . . .	*il est hors de propos d'affirmer que...*
the real point is that . . .	*la vérité, c'est que...*
even if he is right	*quand bien même il aurait raison*
where we part company is when . . .	*là où nos opinions divergent, c'est quand...*
he seems to miss the point completely	*il semble n'avoir rien compris*
the argument isn't worthy of our attention	*cet argument ne mérite pas d'être retenu*
his pessimistic ideas should not go unchallenged	*il faut s'élever contre ses idées pessimistes*
whether you like it or not . . .	*que cela vous plaise ou non*
whether he . . . is beyond the point	*qu'il... ou non, là n'est pas le problème*
I don't see your point	*je ne comprends pas ce que vous voulez dire*
I don't follow the trend of your thought	*je ne suis pas votre raisonnement*
the outlook upon things is different from mine	*sa vision des choses est différente de la mienne*
it is a pity that . . .	*il est regrettable que...*

10 CONVICTION — *CONVICTION*

one thing is sure / certain	*une chose est sûre*
it is clear / it is obvious that . . .	*il est évident que...*
no doubt that / there can be no doubt that . . .	*il ne fait pas de doute que...*
beyond any doubt	*sans aucun doute*
no wonder that . . .	*rien d'étonnant à ce que...*
needless to say that . . .	*inutile de préciser que...*
it goes without saying that . . .	*cela va sans dire que...*
there is no denying that / it is undeniable that . . .	*il est inconcevable que...*
it is a fact that . . .	*il est sûr que...*
the writer's arguments don't carry much weight / are not very convincing	*les arguments de l'auteur ne sont pas très convaincants*

11 EMPHASIS — *EMPHASE ET MISE EN VALEUR*

the emphasis is on . . .	*l'accent est mis sur...*
to put the emphasis on / to lay emphasis on . . .	*mettre l'accent sur...*
to emphasize / to insist on . . .	*insister sur...*
to point out (to / that) / to underline	*souligner*
it is obvious that . . .	*il est évident que...*
most important of all, we . . .	*le plus important est de...*
the writer clearly doesn't understand what is at stake	*l'auteur manifestement ne saisit pas l'enjeu du problème*
a question of overriding importance	*une question d'un intérêt capital*
to deserve special consideration	*mériter d'être examiné avec une attention toute particulière*
a significant event	*un événement marquant*
the prevailing feature	*le trait dominant*
to shed light on / to cast light on / to highlight	*éclairer, mettre en lumière*
the writer stresses the fact that . . .	*l'auteur fait ressortir le fait que...*
to remark	*faire remarquer*
to focus the attention on . . .	*attirer l'attention sur...*
it is well worth noting	*il faut noter*
it should be noted that . . .	*il faut remarquer que...*
the fact of the matter is that . . .	*la vérité est que...*
it is no coincidence if . . .	*ce n'est pas un hasard si...*
it is undoubtedly true that . . .	*il est vrai sans aucun doute que...*
it is a (compelling) case in point	*c'est un excellent exemple*
let us make it quite clear that . . .	*précisons bien que...*
I would even go so far as to . . .	*j'irais même jusqu'à dire que...*
and more than ever now that . . .	*à plus forte raison maintenant que...*
to underscore	*mettre en évidence, souligner*
to enhance	*mettre en valeur*
to stand out	*se détacher, ressortir*

12 OMISSION	*OMISSION*
to omit / to neglect / to overlook	*négliger, omettre*
to avoid / to shun	*éviter*
to ignore	*passer sous silence*
to conceal	*dissimuler*
to leave aside	*laisser de côté*
he overlooks / he fails to see / he passes over / he ignores some aspects of the subject	*il ignore plusieurs aspects du sujet*
the central problem remains unsolved	*le problème central n'est toujours pas résolu*
the main issue is hardly touched upon	*le problème essentiel est à peine abordé*
to overlook	*négliger, oublier, sous-estimer*
to distort	*déformer*
a distortion	*une déformation*
to give no hint of . . .	*ne rien laisser paraître de...*
to turn a blind eye to / to condone	*fermer les yeux sur...*
to dodge an issue	*éviter un problème*
to elude a problem	*se dérober à un problème*
he's evading the problem	*il élude la question*
to let oneself be carried away by one's feelings	*se laisser emporter par ses sentiments*
he allows his prejudices to blind him	*il se laisse aveugler par ses préjugés*

13 OPPOSITION	*OPPOSITION*
still / yet /	*cependant, toutefois*
however / nevertheless	*cependant, néanmoins*
in opposition to / contrary to / by contrast	*contrairement à, au contraire de*
in any case	*en tout cas*
despite / in spite of (+ substantif)	*en dépit de, malgré...*
for (all his courage)	*malgré (tout son courage)*
though / although	*bien que*
even though	*même si*
unlike	*contrairement à*
conversely	*en revanche, réciproquement*
contrary to what I had thought first	*contrairement à ce que j'avais d'abord imaginé*
strangely enough / strange as it may seem	*aussi étrange que cela puisse paraître*
curiously enough / oddly enough	*chose curieuse*
paradoxically enough	*aussi paradoxal que cela puisse paraître*

14 PRAISE	*LOUANGE*
to praise	*faire l'éloge de*
to extoll	*vanter, porter aux nues*
laudatory	*élogieux*
to set out one's ideas clearly	*exposer clairement ses idées*
whether you approve of him or not, you can't deny that . . .	*que vous l'approuviez ou non, vous ne pouvez pas nier que...*
he manages to capture our attention	*il réussit à attirer notre attention*
to arouse sb's interest	*susciter l'intérêt de qn.*
to whet sb's curiosity	*exciter la curiosité de qn.*
to arouse emotions in the reader	*éveiller les sentiments chez le lecteur*
a moving text	*un texte émouvant*
a tear-jerking text	*un texte larmoyant*

15 SIMILARITY	*SIMILARITÉ*
identical	*identique*
similar	*semblable*
similarly / likewise	*de même, pareillement*
in this respect	*à cet égard*
the same . . . as	*le / la même... que*
in the same way	*de la même manière*
as . . . so . . .	*de même que..., de même...*

16 UNCERTAINTY	*DOUTE*
it would seem that . . .	*il semblerait que...*
the hero may / might (+ INF)	*il se peut / pourrait que le héro*
this could explain	*ceci pourrait expliquer*
it is difficult to believe that . . .	*on hésite à croire que...*
one might justifiably suppose that . . .	*on est en droit de supposer que...*
this argument leads one to believe that . . .	*cet argument laisse à penser que...*
one may suppose that . . .	*on peut supposer que...*
indisputably	*incontestablement*
undeniably	*indéniablement*
undoubtedly	*certes*
it is questionable whether . . .	*il n'est pas sûr que...*
it remains to be seen whether . . .	*il reste à voir si...*
but, it may be urged, . . .	*mais on pourrait répliquer que...*
the least one can say is that . . .	*le moins qu'on puisse dire, c'est que...*

II ESSAY WRITING — *LA DISSERTATION*

1 ANTITHESIS — *ANTITHÈSE*

on the other hand	*d'autre part*
it may be asserted however that . . .	*on peut cependant affirmer que...*
the other side of the coin	*le revers de la médaille*
another way of looking at the question	*on peut aussi aborder le problème sous un angle différent*
the very opposite may be true	*il se peut que le contraire soit vrai*
an unjustified assumption	*une supposition injustifiée*
all this may well be true enough, but . . .	*tout ceci a beau être vrai, mais...*
paradoxical though it may seem	*aussi paradoxal que cela puisse paraître*

2 QUOTING — *CITER*

to quote from . . .	*citer*
a quotation	*une citation*
for example / for instance	*par exemple*
let's take the case of . . .	*prenons l'exemple de...*
a striking example	*un exemple frappant*
a recent article claimed that . . .	*dans un récent article, on affirmait que...*
according to	*selon*
this example serves to illustrate	*cet exemple montre bien*
in other words	*en d'autres termes*
in the words of . . .	*suivant l'expression de...*
quote . . . unquote	*ouvrez les guillemets... fermez les guillemets*

3 CONCLUDING — *CONCLURE*

at this stage	*à ce stade*
to conclude	*pour conclure*
to infer	*déduire*
as a conclusion / in conclusion	*en conclusion*
in a nutshell	*en un mot, en bref*
to sum up	*pour résumer*
to recap	*récapituler*
it all boils down to (+ ING)	*tout cela revient à...*
the gist / core / crux of a problem	*le cœur d'un problème*
the gist	*le point essentiel*
the crux of the matter	*le nœud du problème*
the heart of the matter	*le fond du problème*
on the whole	*dans l'ensemble*
on balance	*l'un dans l'autre*
lastly / ultimately	*enfin, en définitive*
all in all	*en définitive*
in the last analysis / in the final analysis	*en dernière analyse*
in the last resort	*en fin de compte*
to have the last word	*avoir le dernier mot*
to come to a conclusion	*en arriver à une conclusion*
to rule out a solution	*exclure une solution*
the inescapable conclusion which emerges from . . .	*la conclusion inévitable qui se dégage de...*
the problem may be summarised thus	*le problème peut donc se résumer ainsi*
to draw conclusions from . . .	*tirer des conclusions de...*
all this goes to show that . . .	*il résulte de tout ceci que...*
to assess the performance of . . .	*dresser le bilan de...*
the ins and outs of a question	*les tenants et les aboutissants d'une question*

4 CRITICIZING — *CRITIQUER*

to take exception to a remark	*être indigné par une remarque*
to criticize	*critiquer*
to be critical of	*censurer*
to level a criticism at . . .	*apporter une critique à...*
to lampoon	*railler, tourner en dérision*
to object to . . .	*soulever une objection à...*
to condemn	*condamner*
to denounce	*dénoncer*
to find fault with	*trouver à redire*
to reproach sb for / with sth	*reprocher qch. à qn.*
to blame sb for sth / to accuse sb of sth	*accuser qn. de qch.*
to object to / to protest against	*protester contre*
objectionable	*inacceptable, insupportable*
to disparage	*dénigrer*
to be outspoken	*avoir son franc-parler*
to lash out at	*fustiger*
to lambast	*critiquer sévèrement*
to scoff at	*railler, se moquer de*
to take up an extreme position	*adopter une position extrême*
one could argue that . . .	*on pourrait opposer l'argument que...*
it would be wrong to conclude / to come to the conclusion that . . .	*on aurait tort de conclure que...*
I will raise the objection that . . .	*je soulèverai l'objection que...*
it's quite out of the question for me to agree with such a scheme	*il est hors de question pour moi d'approuver un tel plan*
instead of criticizing he should . . .	*au lieu de critiquer, il ferait mieux de...*
to take sides	*prendre parti*

5 GIVING ONE'S OPINION — *DONNER SON AVIS*

in my opinion	*à mon avis*
for my part	*pour ma part, en ce qui me concerne*
as far as I'm concerned	*en ce qui me concerne*
I personally believe that . . .	*je crois personnellement que...*
I, for one, think that . . .	*quant à moi, je pense que...*

my feeling is that . . .	*je trouve que...*
my own view of the matter is that . . .	*pour ma part, je pense que...*
I have a hunch that . . .	*j'ai comme l'idée que...*
I have an idea that . . .	*à ce qu'il me semble...*
I'm convinced that . . .	*je suis persuadé que...*
I can't help thinking that . . .	*je ne peux m'empêcher de penser que...*
with due respect, I think that . . .	*sans vouloir vous contredire, il me semble que...*
if I may express an opinion	*si je puis me permettre d'exprimer une opinion*
I have no particular views	*je n'ai pas d'opinion précise*
I'm not in a position to say	*je ne suis pas à même de dire*
what I would like to point out is . . .	*ce sur quoi j'aimerais attirer l'attention est...*
I must mention the fact that . . .	*je dois signaler le fait que...*
much to my surprise	*à ma grande surprise*
on no account should we accept . . .	*sous aucun prétexte nous ne devrions tolérer...*
it is my impression that . . .	*mon impression est que...*
I'm under the impression that / I have the feeling that . . .	*j'ai le sentiment que...*
I would rather not commit myself	*je préférerais ne pas m'engager*
this is not something I have given a lot of thought to	*je n'y ai pas vraiment réfléchi*
I'm not in a position to say	*je ne suis pas à même de dire*
I haven't the slightest idea / notion	*je n'en ai pas la moindre idée*
it all depends on your point of view	*c'est une question de point de vue*
your guess is as good as mine	*vous en savez autant que moi*
it's all the same to me whether . . .	*ça n'a pas d'importance si...*

6 EXPRESSING GENERAL OPINION — *EXPRIMER L'OPINION GÉNÉRALE*

the question is considered as / is regarded as / is looked upon as . . .	*on considère ce problème comme...*
it is said that . . .	*on dit que...*
it is thought that . . .	*on pense que...*
it is commonly said that . . .	*on dit couramment que...*
he is alleged to have said that . . .	*il aurait dit que...*
it is customary to say that . . .	*il est d'usage de dire que...*
it is commonly upheld that / it is currently held that . . .	*on soutient généralement que...*
it is sometimes suggested that . . .	*on suggère parfois que...*
it has often been claimed that . . .	*on a souvent prétendu que...*
it is to be wondered why . . .	*on peut se demander pourquoi...*
it should be borne in mind that . . .	*on ne devrait pas oublier que...*
to draw the reader's attention to . . .	*attirer l'attention du lecteur sur...*
consider the case of . . .	*prenons le cas de...*
to take sth for granted	*considérer qch. comme allant de soi*
supposedly	*soi-disant*
allegedly	*à ce que l'on prétend*
such a remark is often heard	*voici une remarque fréquemment entendue*
let us take a closer look at . . .	*il convient d'examiner plus à fond...*
once more the question arises	*la question est donc de savoir*
hardly a week goes by without . . .	*presque chaque semaine on trouve...*
one recurring problem today	*un problème dont il est souvent question aujourd'hui*
it cannot be denied that . . .	*on ne peut nier le fait que...*
it would be naive to consider that . . .	*il serait naïf de croire que...*
it would hardly be an exaggeration to say that / to state that . . .	*on exagèrerait à peine en disant que...*

7 INTRODUCING — *INTRODUCTION*

first and foremost	*en tout premier lieu*
to begin with / to start with	*pour commencer*
first of all	*tout d'abord*
at first sight / at first glance / on the face of it	*à première vue*
by way of introduction	*en guise d'introduction*
in the first place . . . secondly	*premièrement... deuxièmement*
in the second place	*ensuite*
first / secondly / finally	*premièrement / deuxièmement / enfin*
at last	*enfin*
on the one hand	*d'une part*
on the other hand	*d'autre part*
as regards . . .	*en ce qui concerne*
regarding . . .	*quant à...*
as for . . .	*pour ce qui est de...*
as for the question of . . .	*en ce qui concerne la question de...*
as the author points out	*comme l'a fait remarquer l'auteur*
to take up the same idea	*reprendre la même idée*
in any case	*de toute façon*
or else . . . or / alternatively . . . or finally	*ou bien... ou encore... ou enfin*

8 INTRODUCING A WRITTEN DOCUMENT — *INTRODUIRE UN TEXTE*

it deals with the problem of / it tackles the problem of . . .	*il traite du problème de...*

to touch on the subject of . . .	*aborder / effleurer le problème de...*
the interest of the article / scene lies in . . .	*l'intérêt de l'article / de la scène réside dans...*
the article raises the question of . . .	*l'article soulève le problème de...*
the article deals with / the article is about . . .	*l'article parle de...*
in a recent article in . . .	*dans un récent article publié dans...*
an article written by . . .	*un article écrit par...*
an article published in . . .	*un article publié en...*
the first question that arises is . . .	*la première question qui se pose, c'est de savoir...*
the article raises the question of . . .	*l'article pose la question de / soulève la question de...*
what should be stated at the outset / the first thing that must be said / is that . . .	*la première constatation qui s'impose est que...*
let us begin with . . .	*prenons comme point de départ...*
let's first of all look at . . .	*en premier lieu il convient d'examiner*
the first telling argument is that . . .	*le premier argument que l'on puisse faire valoir, c'est que...*
the article is based upon the idea that . . .	*cet article est fondé sur l'idée que...*
the striking fact is that . . .	*le fait majeur est que...*
it is generally agreed today that . . .	*aujourd'hui, tout le monde s'accorde à dire que...*
one recurring problem	*un problème dont il est souvent question*
it would be naïve to consider that . . .	*il serait naïf de croire que...*
we are presented with details . . .	*on nous donne des détails...*
we are introduced to . . .	*on nous présente...*
the author gives us to understand that . . .	*l'auteur nous fait comprendre que...*
the author draws our attention to the fact that . . .	*l'auteur attire notre attention sur le fait que...*
the author makes it clear that . . .	*l'auteur fait bien comprendre que...*
to assert / to make an assertion / to contend (that)	*affirmer*
an assertion / a contention	*une affirmation*
to maintain	*affirmer, prétendre*
to claim	*prétendre, soutenir*
to spell out	*signifier*
to expound	*exposer, développer*
to focus on	*se concentrer sur*
to dwell on / to expatiate upon	*s'étendre sur*
to enlarge on	*développer*
to harp on	*rabâcher*
to wander from the point	*digresser*
to commit oneself	*s'engager*

9 INTRODUCING A FACT — *INTRODUIRE UN FAIT*

an assumption / a hypothesis	*une hypothèse*
to state	*énoncer, déclarer*
to overstate	*exagérer*
to understate / to downplay	*minimiser*
a statement	*une assertion, une affirmation, une déclaration*
an understatement	*une litote*
an overstatement	*une exagération*
circumstancial	*circonstancié, détaillé*
it is true that . . .	*il est exact que...*
it is a well-known fact that . . .	*tout le monde sait que*
one should note that . . .	*on peut constater que...*
it is often said that / it is often claimed that / it is often asserted that . . .	*on dit souvent que...*
it is undeniably true that . . .	*on ne peut nier le fait que...*
for the great majority of people	*pour la plupart des gens*
it is sometimes forgotten that . . .	*on oublie parfois que...*
a problem that is often debated today is that of famine	*un problème dont il est souvent question aujourd'hui est celui de la famine*
the author reports that . . .	*l'auteur rapporte que...*
a number of key issues arise from this statement	*cette assertion soulève un certain nombre de questions fondamentales*
there's a relationship between . . . and . . .	*il y a un rapport entre... et...*
the two events are closely connected	*les deux événements sont étroitement liés*
let us state the facts once more / we must not lose sight of the facts	*rappelons les faits*
to turn out to false / to prove to be false	*s'avérer faux*
consistent	*logique, cohérent*
consistent with the facts	*en concordance avec les faits*
in keeping with	*en accord avec*

10 QUALIFYING AN OPINION — *NUANCER UNE OPINION*

actually / indeed	*en fait, à vrai dire*
admittedly / undoubtedly / decidedly	*à vrai dire, de l'aveu général*
at any rate / in any case	*en tout cas*
at the very least	*tout au moins*
at the very most	*tout au plus*
chiefly / mainly	*principalement, surtout*
currently / nowadays / today	*actuellement*
generally speaking / broadly speaking / by and large / in the main	*en règle générale, généralement, d'une manière générale*

in other words	*en d'autres termes*
naturally / of course	*bien sûr*
obviously, clearly	*à l'évidence, évidemment*
on second thoughts	*après réflexion*
otherwise	*sinon*
particularly / especially	*particulièrement, spécialement*
presumably / supposedly / allegedly	*vraisemblablement, à ce que l'on dit*
quite	*tout à fait*
rather	*plutôt*
slightly	*légèrement*
strictly speaking	*à proprement parler, à vrai dire*
that is to say / namely	*c'est-à-dire, à savoir*
to some extent / to a certain extent / in some way / somehow	*dans une certaine mesure, d'une certaine manière*
to a large extent	*dans une large mesure*
truly	*véritablement*
unfortunately	*malheureusement*
up to a certain point	*jusqu'à un certain point*
to qualify a remark	*nuancer une remarque*
this remark needs qualifying	*cette remarque mérite d'être nuancée*
this statement needs qualifying	*cette affirmation doit être précisée*
to qualify a statement	*modérer une affirmation*
a qualified acceptance	*une acceptation sous réserve*
according to the writer's point of view	*en ce qui concerne le point de vue de l'auteur*
somewhat	*quelque peu (+ adjectif)*
there is a strong possibility that . . .	*il est fort possible que...*
one might reasonably suppose	*on est en droit de supposer*
it's obvious that / it's clear that . . .	*il est évident que...*
you must bear in mind that . . .	*vous ne devez pas oublier que...*
it must be borne in mind that . . .	*on doit avoir à l'esprit que...*
one tends to forget . . .	*on a tendance à oublier...*
what he says is all the less convincing as . . .	*ce qu'il dit est d'autant moins convaincant que...*
what I'd like to know is why / the reason why . . .	*ce que j'aimerais savoir, c'est pourquoi / la raison pour laquelle...*
what puzzles me is why . . .	*ce qui m'intrigue, c'est pourquoi...*
to have mixed feelings about . . .	*avoir des sentiments contradictoires, avoir un avis partagé à propos de...*
it's difficult to pass judgement on . . .	*il est difficile de se faire une opinion sur...*
it's easy to see which side he is on	*il est facile de voir de quel côté il est*
he doesn't strike me as being objective / fair-minded / neutral / unprejudiced / unbiased	*il ne m'a pas frappé comme étant objectif / impartial / neutre*

11 FOR AND AGAINST — *POUR ET CONTRE*

to advocate	*prôner, préconiser*
a proponent	*un partisan*
an opponent	*un adversaire*
to be for / in favor of	*être pour*
to be against	*être contre*
to favor / to approve of . . .	*approuver*
to back / to support	*soutenir*
to plead for . . .	*plaider en faveur de...*
the pros and the cons	*le pour et le contre*
advantages and drawbacks	*avantages et inconvénients*
the case for / the case against	*les arguments pour / contre*
a case in point	*un cas d'espèce*
the advantages outweigh the drawbacks	*les avantages l'emportent sur les inconvénients*
a prejudice / a bias	*un préjugé, un parti pris*
to be biased / prejudiced	*avoir un préjugé / un parti pris*
to disapprove of / to frown upon	*désapprouver*

12 PRESENTING ONE'S POINT OF VIEW — *PRÉSENTER UN POINT DE VUE PERSONNEL*

let us consider	*examinons*
let us begin with . . .	*commençons par examiner...*
my intention is to . . .	*il est de mon intention de...*
my aim / objective / goal is to . . .	*mon but est de...*
this brings me to . . .	*ceci m'amène à...*
but this leads me to wonder whether . . . or . . .	*ceci m'amène à me demander si... ou...*
it is now time to turn to . . .	*venons-en à présent à...*
I am not concerned here with . . .	*mon propos ici n'est pas d'examiner...*
it is worth stating at this point that . . .	*il faudrait remarquer à ce stade que...*
words pregnant / fraught with meaning	*mots chargés de sens*
the term is vague and needs defining	*ce terme est vague et exige qu'on le définisse*
there is no reason to suppose . . .	*il n'y a pas de raison de supposer*
it is no exaggeration to say that . . .	*je n'exagère pas quand je dis que...*
I'm not suggesting that . . .	*je ne veux pas laisser entendre que...*
the problem is not to . . .	*le problème n'est pas de...*
there is a distinction to be made between . . . and . . .	*on doit faire une distinction entre... et...*
this deserves a word or two of comment	*cela mérite que l'on en dise un mot*
more important, however, is the fact that . . .	*plus important, cependant, est le fait que...*

it is outrageous that (+ sujet + should)	*il est scandaleux que...*

13 SYNTHESIS — *SYNTHÈSE*

the truth of the matter is that . . .	*la vérité est que...*
when all is said and done	*en fin de compte, tout compte fait*
how can we reconcile these two viewpoints?	*comment réconcilier ces deux points de vue ?*
there is much to be said on both sides of the question / on balance / on reflection	*après avoir soigneusement pesé le pour et le contre*
if one weighs the pros and the cons	*si on pèse le pour et le contre*
the problem doesn't admit of an easy solution	*il est manifestement difficile de trouver une solution à ce problème*

14 BUILD UP YOUR VOCABULARY — *ENRICHISSEZ VOTRE VOCABULAIRE*

Ne dites pas	*Mais*
good	advantageous, appropriate, attractive, a boon, convenient, dependable, desirable, efficient, fair (weather), favorable, fine, first class, first-rate, fit, fitting, genuine, a godsend, positive, proper, reliable, satisfactory, sound, suitable, workable.
bad	absurd, appalling, awkward, criminal, damaging, dangerous, defective, detrimental, evil, false, foolish, groundless, harmful, inhuman, inacceptable, rotten, scandalous, second class, second-rate, serious, undesirable, unfavorable, unfortunate, ungrounded, unreliable, unsuitable, useless.
important	capital, consequential, crucial, decisive, essential, impressive, indispensable, major, of substance, paramount, portentous, requiring immediate attention, significant, of vital importance, worthwhile.
interesting	absorbing, captivating, curious, entertaining, exciting, fascinating, gripping, provocative, spell-binding, stimulating, tantalizing, tempting, thought-provoking, thrilling.
big	awesome, enormous, extensive, foremost, influential, huge, large, noteworthy, outstanding, salient, prominent, significant, tremendous, weighty.
small	found wanting, inadequate, inconsequential, insignificant, insufficient, limited, minor, negligible, secondary, trifling, unsatisfactory, weak (argument).
necessary	a matter of life and death, basic, binding, called-for, compulsory, essential, for certain, for sure, fundamental, high priority, imperative, indispensable, mandatory, required, requisite, unavoidable, urgent, vital.
problem	bone of contention, critical situation, difficulty, dilemma, hornet's nest, issue, moot point, plight, point at issue, poser, predicament, puzzle, quandary, question, riddle, topic.
idea	aim, assumption, belief, conviction, feeling, goal, guess, impression, inkling, insight, notion, objective, opinion, outlook, plan, principles, scheme, viewpoint.
stop	ban, bar, cease, complete, clamp down on, crack down on, crush, curb, desist from, destroy, discontinue, exclude, forbid, give up, have done with, lay to rest, muzzle, nip in the bud, put an end to, quit, terminate, throttle.
make	come up with a plan, cobble together (a plan), contrive, create, develop, devise, establish, hammer, organize, set up, work out.
think	acknowledge, analyze, assume, believe, conceive, consider, contemplate (a problem), examine, feel, focus on, imagine, look upon, mull over, picture, ponder, presume, reckon, suppose, take it for granted (that), think over, toy with an idea, turn over (in one's mind).
succeed	carry out, carry through, come through with flying colors, find a workable solution, get ahead, get off the ground, make a hit, make a splash, make headway, pass muster, prevail over, turn out well, work out.
successful	affluent, booming, fruitful, money-making, on top of the world, opulent, profitable, prospering, rewarding, thriving, up-and-coming, well-to-do, well off.
like	appreciate, be eager to, be fond of, be inclined to, be partial to, be prone to, can't do without, enjoy, delight in, have a tendency to, have a weakness for, hold dear, relish the idea of, take kindly to, take pleasure in, take to, think highly of, think well of.

III DOCUMENT ANALYSIS (ORAL / VISUAL / WRITTEN) — *L'ANALYSE DE DOCUMENT (ORAL / ICONOGRAPHIQUE / ÉCRIT)*

1 GENRE — *LE GENRE*

1.1 WRITTEN — *L'ÉCRIT*

a literary genre	*un genre littéraire*
fiction	*le genre romanesque*
a fiction	*une œuvre romanesque*
fictional	*fictif, imaginaire*
a novel	*un roman*
a novel with a purpose	*un roman à thèse*
an epic	*une épopée*
a romance	*un roman de chevalerie, un roman, un film à l'eau de rose*
romantic	*romantique*
a detective story	*un roman policier*
a thriller	*un roman d'espionnage*
a short story	*une nouvelle*
a tale	*un conte*
a fairy tale	*un conte de fées*
a fable	*une fable*
a parable	*une parabole*
poetry	*la poésie*
poetic, poetical	*poétique*
a poem	*un poème*
a song	*une chanson*
a chorus	*un refrain*
a line	*un vers*
a stanza	*une strophe*
a play	*une pièce (de théâtre)*
a TV play	*une dramatique*
an act	*un acte*
a melodrama	*un mélodrame*
a tragedy	*une tragédie*
a comedy	*une comédie*
a comedy of manners	*une comédie de mœurs*
a dialogue	*un dialogue*
a monologue	*un monologue*
an aside	*un aparté*
a newspaper article	*un article de presse*
a magazine article	*un article de revue*
an account	*un compte-rendu, un récit*
an essay	*un essai*
a memoir on	*une étude sur*
memoirs	*mémoires*
a diary	*un journal*
a biography	*une biographie*
an autobiography	*une autobiographie*
a passage	*un passage*
an excerpt	*un extrait*

1.2 VISUAL — *L'ICONOGRAPHIE*

visual arts	*arts plastiques*
a work of art	*une œuvre d'art*
a painting	*un tableau*
an oil painting	*une huile*
abstract	*abstrait*
surrealistic	*surréaliste*
realistic	*réaliste*
impressionist	*impressionniste*
a mural	*une peinture murale*
a fresco	*une fresque*
a watercolor	*une aquarelle*
a sketch	*une esquisse*
a still life	*une nature morte*
a landscape	*un paysage*
a view	*une vue*
a portrait	*un portrait*
a canvas	*une toile*
a palette	*une palette*
paint	*la peinture*
a brush	*un pinceau*
a postage stamp	*un timbre-poste*
a stamp collector	*un philatéliste*
a banknote	*un billet de banque*
denomination	*la valeur*
a map	*une carte*
a poster	*une affiche*
an ad(vert)	*une publicité*
a hoarding / a boarding	*un panneau d'affichage*
a caption	*une légende*
a pun (on words)	*un jeu de mots*
a cartoon	*un dessin humoristique*
a cartoonist	*un caricaturiste, un dessinateur humoristique*
a speech balloon	*une bulle*
a strip cartoon	*une bande dessinée*
to lampoon	*tourner en dérision*
a lampoonist	*un satiriste*

2 THE AUTHOR — *L'AUTEUR*

the author / the writer / the speaker (oral text)	*l'auteur*
a playwright / a dramatist	*un dramaturge*
a novelist	*un romancier*
a short story writer	*un nouvelliste*
a poet	*un poète*
an anchorman	*un présentateur*
a journalist	*un journaliste*
a correspondent	*un correspondant*
an essayist	*un essayiste*

3 DESCRIPTION — *LA DESCRIPTION*

a description	*une description*
to describe	*décrire*
beyond description	*indescriptible*
to observe	*observer*
to notice	*remarquer*
noticeable	*digne d'intérêt*
to remark	*faire remarquer*
to note	*constater, noter, remarquer*
to depict	*dépeindre*
to sketch	*esquisser*
a sketch	*une esquisse*
to outline	*ébaucher, tracer les grandes lignes de*
an outline	*une ébauche*
the main outlines	*les grandes lignes*
to personify	*personnifier*
to portray	*représenter, peindre*
a portrayal	*une peinture, une représentation*

a feature	*un trait (visage)*
a trait	*un trait (caractère)*
a villain	*un traître*
a caricature	*une caricature*
to caricature	*caricaturer*
to get an insight into sth	*avoir un aperçu de qch.*
depth of insight	*la profondeur de vue, la pénétration*
scope	*la portée, la possibilité*

4 PICTURES — *LES PHOTOS*

4.1 GENERAL BACKGROUND — *GÉNÉRALITÉS*

a news picture / a straight news picture	*une photo d'actualité*
a celebrity picture	*une photo de personnalité connue*
a feature shot	*une photo de reportage*
a sports picture	*une photo d'un événement sportif*
a fashion photograph	*une photo de mode*
an amateur photo	*une photo d'amateur*
a color slide	*une diapositive*
a family album	*un album de famille*
a snapshot	*un instantané*
a portrait	*un portrait*

4.2 FILMS — *LES FILMS*

a frame	*un plan, un cadre*
a take	*une prise de vues*
a close-up	*un gros plan*
a medium close shot	*un plan américain*
a long shot	*un plan d'ensemble*
a high angle shot	*une plongée (prise d'en haut)*
a low angle shot	*une contre-plongée (prise d'en bas)*
lighting	*la lumière*
editing	*le montage*
to focus	*mettre au point*
focusing	*la mise au point*
to frame	*cadrer*
a model	*un mannequin*
a shooting	*une séance de poses*
on location	*en extérieur*
a screenplay	*un scénario*
a producer	*un producteur*
a director	*un metteur en scène*
a screenwriter	*un scénariste*

4.3 DESCRIBING SCENES — *LA DESCRIPTION DES SCÈNES*

a focal point	*un foyer*
in the picture	*sur la photo*
in the background	*à l'arrière plan*
in the foreground	*au premier plan*
in the distance	*à l'horizon*
in the middle	*au milieu*
on the right / on the left	*à droite / à gauche*
on the right-hand side	*sur la droite*
on either side	*des deux côtés*
near / close to	*près de*
behind	*derrière*
in front of	*devant*
outside	*devant, à l'extérieur de*
under / below / beneath	*au-dessous de*
on top of / above	*au-dessus de*
level with	*sur le même plan*
half-hidden	*à moitié caché*
partially hidden	*partiellement masqué*
the top left-hand corner	*le coin supérieur gauche*
the bottom right-hand corner	*le coin inférieur droit*
half-way up on the right	*à mi-hauteur sur la droite*

5 ANALYSIS — *L'ANALYSE*

the field of . . .	*le domaine de...*
a reader	*un lecteur*
to comment upon	*commenter*
an analysis	*une analyse*
to analyze	*analyser*
an interpretation	*une interprétation*
to interpret	*interpréter*
an outline	*un plan*
a first / second / third part	*une première / deuxième / troisième partie*
the article can be divided into . . . parts	*cet article peut être divisé en... parties*
to fall into three parts	*se diviser en trois parties*
the plot	*l'intrigue*
the structure	*la structure*
the narrator	*le narrateur*
the unfolding / the progress / the development	*le déroulement*
a sudden development	*un rebondissement*
to drag on	*traîner en longueur*
the ending	*le dénouement*

6 CHARACTERS — *LES PERSONNAGES*

a character	*un personnage*
the central character / the leading character / the major character	*le personnage central*
a minor character	*un personnage secondaire / mineur*
an actor / an actress	*un acteur / une actrice*
a film star	*une vedette de cinéma*
a supporting actor / actress	*un second rôle*
an extra	*un figurant*
the cast	*la distribution*
a stuntman	*un cascadeur*

7 THE SCENE — *LA SCÈNE*

a scene	*une scène, un décor, un spectacle*
the setting	*le cadre*
the backdrop	*l'arrière-plan*
the scene takes place / happens / occurs / is set (in)	*la scène se passe (à)*
the climax of a scene	*le point culminant d'une scène*
to form an anticlimax	*retomber dans l'ordinaire*
the atmosphere	*l'atmosphère*
an impression	*une impression*

8 ISSUES — *LES PROBLÈMES*

an issue / a problem	*un problème*
an intractable issue	*un problème insoluble*
a thorny issue	*un problème épineux*
a debate	*un débat*
a discussion	*une discussion*
a topic / a subject	*un sujet*
to discuss a topic	*discuter d'un problème*
a topical question	*une question d'actualité*
a subject-matter	*un sujet, un contenu*
a theme	*un thème*
underlying	*sous-jacent*
a question	*une question*
puzzling / baffling	*déconcertant*
a poser	*une question embarrassante*

9 STYLE — *LE STYLE*

in the style of . . .	*dans le style de...*
to lack style	*manquer de style*
stylistic devices	*procédés stylistiques*
a sentence	*une phrase*
a stockphrase	*une expression toute faite*
as the phrase goes	*comme on dit*
to phrase	*exprimer*
well-phrased	*bien exprimé*
a cliché / a set phrase	*un cliché*
a stereotype	*un stéréotype*
a key word	*un mot-clé*
the proper word	*le mot juste*
beyond words	*inqualifiable*
well-worded	*bien exprimé*
commonplace	*banal, commun*
a commonplace	*un lieu commun*

10 STYLE CAN BE . . . — *LE STYLE PEUT ÊTRE...*

awkward	*gauche*
clumsy	*maladroit*
colloquial	*familier*
derisive	*moqueur*
forbidding	*rébarbatif*
forcible / impressive	*vigoureux*
hackneyed / trite	*banal, rebattu*
humorous	*humoristique*
impassioned	*passionné*
ironic / ironical	*ironique*
lively	*vivant*
moving	*émouvant*
pompous / bombastic / inflated	*ampoulé*
poor	*pauvre*
racy	*plein de verve*
slipshod	*négligé*
stilted	*guindé*
stodgy	*lourd*
straightforward	*direct*
tedious	*pénible, fastidieux*
touching	*attendrissant*
vapid / flat	*plat, insipide*
vivid	*vif, vivant*
vulgar	*vulgaire*
witty	*spirituel*
wordy	*prolixe*

IV FIGURES — *LES CHIFFRES*

1 GENERAL BACKGROUND — *GÉNÉRALITÉS*

a figure	*un chiffre*
a four-digit number	*un nombre à quatre chiffres*
the latest figures	*les derniers chiffres*
a source	*une source*
some / about	*environ*
nearly	*près de*
at least	*au moins*
more than / over	*plus de*
no more than	*pas plus de*
less than	*moins de*
just over	*un peu plus de*
350 (three hundred and fifty)	*trois cent cinquante*
4,900 (forty nine hundred)	*quatre mille neuf cents*
2,262,754 (two million two hundred and sixty two thousand seven hundred and fifty four)	*deux millions deux cent soixante deux mille sept cent cinquante quatre*
400 people (four hundred people)	*quatre cents personnes*
several hundred people	*plusieurs centaines de personnes*
a few hundred people	*quelques centaines de personnes*
hundreds of / thousands of / millions of / billions of	*des centaines de / des milliers de / des millions de / des milliards de*
by the hundred / by the thousand	*par centaines / par milliers*
about a hundred people	*environ 100 personnes*
some two hundred people	*environ 200 personnes*
nearly five hundred people	*près de 500 personnes*
at least two thousand people	*au moins 2000 personnes*
no more than fifty people	*pas plus de 50 personnes*
a percentage	*un pourcentage*
45% (forty five per cent)	*quarante cinq pour cent*
77.5% (seventy seven point five per cent)	*77, 5 % (soixante dix-sept virgule cinq pour cent)*
under 15	*de moins de 15 ans*
75 and over	*75 ans et plus*
in one's fifties	*dans la cinquantaine*
in her early twenties	*âgée de 20 ans à peine*
in his late sixties	*pas loin de 70 ans*
a 28-year-old man	*un homme de 28 ans*
a fraction	*une fraction*
1/2 (one half, a half, one in two)	*un demi, un sur deux*
1/3 (one third, a third, one in three)	*un tiers, un sur trois*
1/10 (one tenth, a tenth, one in ten)	*un dixième, un sur dix*
2/3 (two thirds, two in three)	*deux tiers, deux sur trois*
3/4 (three quarters)	*trois quarts*

2 DATES — *LES DATES*

a date	*une date*
in the 19th century	*au 19e siècle*
at the turn of the century	*au tournant du siècle*
on May 1st (on May the first)	*le premier mai*
on June 3rd (on June the third)	*le trois juin*
on February 24th	*le 24 février*
186 (a / one hundred and eighty six)	*cent quatre-vingt six*
1066 (ten sixty-six)	*mille soixante six*
1949 (nineteen forty-nine)	*mille neuf cent quarante neuf*
2000 (the year two thousand)	*l'an deux mille*
B.C. (Before Christ)	*avant Jésus-Christ*
A.D. (Anno Domini)	*après Jésus-Christ*
in the 1950s / 1950's (in the nineteen fifties)	*dans les années 50*
in the early 1930's	*au début des années 30*
in the late 1960's	*à la fin des années 60*
a few years earlier	*quelques années auparavant*
several years later	*plusieurs années plus tard*

3 WEIGHTS AND MEASURES — *POIDS ET MESURES*

an inch	*un pouce (2,54cm)*
a foot	*un pied (30,48cm)*
a yard	*un mètre (91,44cm)*
a pint	*une pinte (0,57 litre)*
a quart	*un litre (UK = 1,136 litre, USA = 0,946 litre)*
a gallon	*un gallon (4,546 litres)*
an ounce	*une once (28,35 grammes)*
a pound	*une livre (0,453 kilogramme)*
a mile	*1,609 km*
a square kilometer	*un kilomètre carré*

4 GRAPHS — *LES GRAPHIQUES*

a graph	*un graphique*
a table	*une table, une liste*
an indicator	*un indicateur*
a pattern	*une tendance*
a survey	*une enquête, un sondage*
results	*résultats*
statistics	*statistiques*
an increase / a rise	*une augmentation*
to increase	*augmenter*
to increase by 5%	*augmenter de 5 %*
to increase by 5% to 12%	*augmenter de 5 % pour atteindre 12 %*
an increase in prices	*une augmentation des prix*
an increase of 5%	*une augmentation de 5 %*
a slight decrease	*une légère diminution*
a sharp increase	*une augmentation brusque*
steady	*régulier*
gradual	*graduel, progressif, doux*
gentle	*léger*
sudden	*soudain, brusque*
steep	*brutal*
to raise prices	*augmenter les prix*

a raise / a rise in salary	*une augmentation de salaire*
growth	*la croissance*
to grow	*augmenter*
a decrease	*une diminution*
to decrease	*diminuer*
a fall	*une chute*
to fall	*chuter*
a decline	*une baisse*
to decline	*décliner*
to rank	*(se) classer*
to rank above / below	*être supérieur / inférieur à*
to rank first / second / last	*se classer premier / second / dernier*

5 COMPARISON *LA COMPARAISON*

as much / many . . . as	*autant de... que*
a lot more than	*beaucoup plus que / de*
far more than	*beaucoup plus que*
twice as much / many (as)	*deux fois plus (que)*
twice as high (as)	*deux fois plus grand (que)*
three times as much / as many (as)	*trois fois plus (que)*
four times larger (than)	*quatre fois plus grand (que)*
half as many (as)	*deux fois moins (que)*
fewer (than) / less than	*moins (de)*
a lot fewer (than)	*beaucoup moins (de)*
a great deal	*beaucoup*
rather	*plutôt*
slightly	*légèrement*
markedly	*sensiblement*
substantially	*substantiellement*
greatly	*beaucoup, considérablement*
hardly / barely / scarcely	*à peine*

V SYNTAX — *LA SYNTAXE*

1 VERB COMPLEMENTATION — *CONSTRUCTIONS VERBALES*

about

argue about / against / over	*discuter de / à propos de*
brag about	*se vanter de*
complain about	*se plaindre de*
dream about	*rêver de*
joke about	*rire de, plaisanter de*
laugh about	*rire de*
talk about	*parler de*
tell sb sth about	*raconter qch. à qn.*
think about	*penser à*
worry about	*s'inquiéter de / pour*

against

insure against	*s'assurer contre*
protest against	*protester contre / auprès de*
react against	*réagir contre / à*
rebel against	*se rebeller contre*

at

aim at	*viser à, aspirer à*
arrive at	*arriver à (destination)*
glance at	*jeter un coup d'œil*
guess at	*évaluer*
hint at	*faire allusion à*
look at	*regarder*
peep at	*regarder à la dérobée / furtivement*
smile at	*sourire devant / à*
stare at	*regarder fixement*
throw at	*lancer (agressivement) à*
wonder at	*s'étonner de*

by

go by	*passer (temps), se fier à*
increase by	*augmenter de*
profit by / from	*profiter de*
swear by	*jurer par*
travel by	*voyager en*

for

account for	*justifier de*
apologize for	*s'excuser de*
apply for	*postuler pour, poser sa candidature à*
ask for sth	*demander qch.*
beg for	*mendier*
blame sb for sth	*reprocher qch. à qn.*
call for	*appeler, nécessiter*
charge for	*faire payer à, inculper qn. pour*
hope for	*espérer*
long for	*désirer*
mistake for	*confondre*
pay for sth	*payer qch.*
pray for	*prier pour*
prepare for	*faire des préparatifs pour*
provide for	*pourvoir aux besoins de*
search for	*fouiller à la recherche de*
substitute . . . for . . .	*substituer... à...*
thank sb for	*remercier qn. pour / de*
vote for	*voter pour*
wait for	*attendre*

from

benefit from	*gagner à*
borrow from	*emprunter à*
demand sth from / by	*exiger de*
differ from	*être différent de*
discourage sb from	*décourager qn. de*
distinguish from	*distinguer de*
draw from	*tirer de, puiser dans*
emerge from	*surgir, sortir de*
escape from	*s'échapper de, échapper à*
exclude from	*exclure de*
hear from	*avoir des nouvelles de*
prevent sb from	*empêcher qn. de*
prohibit from	*interdire de*
recover from	*se remettre de*
refrain from	*s'empêcher de*
resign from	*renoncer à*
separate from	*séparer... de...*
suffer from	*souffrir de*

in

believe in	*croire à / en*
confide in	*se confier à*
consist in	*consister à*
fail in	*échouer dans*
indulge in	*s'adonner à*
invest in	*placer dans*
get involved in	*être mêlé à*
participate in	*participer à*
persist in	*persister dans / à*
succeed in	*réussir à*

into

divide into	*diviser par / en*
enter into (an argument)	*se lancer dans, entrer dans (une discussion)*
turn into	*se transformer en, devenir*
translate into	*traduire en*

of

accuse sb of	*accuser qn. de*
approve of	*approuver*
disapprove of	*désapprouver*
consist of	*consister à / en*
convince sb of sth	*persuader qn. de qch.*
cure sb of sth	*guérir qn. de qch.*
dream of	*rêver de*
get rid of	*se débarrasser de*
hear of	*entendre parler de*
run out of	*être à court de*
smell of	*sentir*
take advantage of	*exploiter*
taste of	*avoir un goût de*
think of	*penser à*
get tired of	*se fatiguer de*

think of	*réfléchir à*
warn sb of	*avertir qn. de*

on

comment on	*commenter*
concentrate on	*se concentrer sur*
congratulate sb on sth	*féliciter qn. de qch.*
count on	*compter sur*
decide on	*se décider pour*
depend on	*dépendre de*
embark on	*s'embarquer à bord de, se lancer dans*
experiment on	*faire des expériences sur*
insist on	*insister sur*
live on	*vivre de*
operate on sb	*opérer qn.*
play on	*jouer sur*
pride oneself on	*s'enorgueillir de*
reckon on	*compter sur*
rely on	*avoir confiance en*
make war on	*faire la guerre à*
work on	*travailler sur / à*

to

agree to*	*être d'accord pour*
get accustomed to*	*s'habituer à*
admit to*	*avouer, reconnaître*
amount to*	*s'élever à, revenir à*
appeal to	*plaire à*
apply to	*s'appliquer à, se rapporter à*
attend to	*s'occuper de*
belong to	*appartenir à*
be used to*	*être habitué à*
confess to*	*avouer*
compare to (with)	*comparer à*
consent to	*consentir à*
to fall to*	*se mettre à*
invite sb to	*inviter qn. à*
listen to	*écouter*
look forward to*	*attendre avec impatience, se réjouir d'avance*
manage to	*réussir à*
object to*	*s'opposer à*
react to	*réagir à*
refer to	*parler de, faire référence à*
remind sb to	*rappeler à qn. de*
reply to	*répondre à*
resort to	*avoir recours à*
respond to	*réagir à*
speak to	*parler à*
submit to	*se soumettre à*
surrender to	*capituler devant*
subscribe to	*souscrire à*
take to*	*s'adonner à*
talk to	*parler à*
testify to*	*témoigner de*
throw to	*lancer à / en direction de*
turn to*	*se tourner vers, se mettre à*

** note : les formes suivies d'un * se construisent avec un ING.*

with

agree with sb	*être d'accord avec qn.*
begin with	*commencer par*
communicate with	*communiquer avec*
compare with	*comparer à*
compete with	*rivaliser avec, concourir*
conflict with	*s'opposer à*
contrast with	*contraster avec*
cope with	*faire face à*
correspond with	*correspondre à*
fight with	*se battre contre, combattre*
help sb with	*aider qn. à*
interfere with	*se mêler de*
mix with	*mélanger avec*
part with	*se séparer de*
quarrel with	*se quereller avec*
reason with	*raisonner avec*
struggle with	*être aux prises avec*
sympathize with	*compatir à, comprendre*

2 TRANSITIVE VERB CONSTRUCTION — *CONSTRUCTIONS VERBALES TRANSITIVES*

answer a question	*répondre à une question*
attend a meeting	*assister à une réunion*
deny	*refuser, priver (qn. de)*
discuss	*discuter de*
enter a room	*entrer dans une pièce*
expect	*s'attendre à*
face	*faire face à*
fit	*convenir à*
lack	*manquer de*
need	*avoir besoin de*
obey / disobey	*obéir à / désobéir à*
play	*jouer à / au*
remedy	*remédier à*
remember	*se souvenir de, se rappeler*
resist	*résister à*
satisfy	*satisfaire à*
suit	*convenir à*
survive	*survivre à*
teach	*enseigner à*
trust	*faire confiance à*
witness	*ête témoin de*

3 SUBORDINATORS — *CONJONCTIONS DE SUBORDINATION*

3.1 TIME — *TEMPS*

after	*après que*
as	*comme, au moment où*
as soon as	*dès que*
as long as	*tant que, aussi longtemps que, pourvu que*
at a time when	*à une époque où*
before	*avant que*
since	*puisque, étant donné que*
hardly . . . when / no sooner . . . than	*à peine... que*
now that	*maintenant que*
once	*une fois que*
since	*depuis que*
until / till	*jusqu'à (+ temps)*
whenever	*chaque fois que*
while	*pendant que*

3.2 CAUSE — *CAUSE*

as	*comme, étant donné que*
for	*car*
because	*parce que*
because of	*à cause de*
considering that / seeing that / given that	*vu que, étant donné que*
since	*puisque*

3.3 GOAL — *BUT*

to / in order to / so as to	*afin de, pour*
in order that / so that	*afin que*
for fear of / for fear that (+ should) / lest (+ should)	*de peur que*

3.4 CONSEQUENCE — *CONSÉQUENCE*

so . . . that	*si... que*
so that	*si bien que*
so much that	*à tel point que*
such . . . that	*tellement que*
to such an extent that	*à tel point que*
in such a way that	*de telle sorte que*
in that	*en ce sens que*
in so far as	*dans la mesure où*
with the result that	*si bien que*

3.5 COMPARISON — *COMPARAISON*

as	*comme, ainsi que*
as . . . as	*aussi... que*
as much . . . as	*autant que*
all the more interesting as / since / because . . .	*d'autant plus intéressant que*
all the less . . . as / since / because . . .	*d'autant moins... que...*

3.6 CONCESSIVE OPPOSITION — *CONCESSION / OPPOSITION*

although, though	*bien que, quoique*
as if, as though	*comme si*
even if / even though	*même si*
insofar as	*dans la mesure où*
let alone	*encore moins*
unless	*à moins que*
whereas / while	*tandis que, alors que*
whoever / no matter who / whichever / no matter which / whatever / no matter what / wherever / no matter where	*qui que ce soit, quel(le)... que ce soit,*
however + adjectif / no matter how + adjectif	*quel(le) que soit, si... que soit*

3.7 CONDITIONAL — *CONDITION, HYPOTHÈSE*

if	*si*
if only	*si seulement*
assuming that / supposing that	*à supposer que*
on the assumption that	*en supposant que*
so long as / provided that / providing that / on condition that	*pourvu que, à condition que*
in case that	*au cas où*
unless	*à moins que*
whether . . . or . . .	*que... ou*

4 PHRASES — ***PRÉPOSITIONS ET LOCUTIONS***

according to	*selon*
along with	*en même temps que*
apart from	*à part*
as early as	*dès*
as far back as	*déjà (à cette époque)*
as regards	*en ce qui concerne*
as yet	*jusqu'ici*
at the same time	*en même temps*
at times	*par moments*
bar / barring	*sauf, excepté*
barely	*à peine*
by and by	*tantôt*
by and large	*généralement parlant*
by dint of	*à force de*
by means of	*au moyen de*
by the way	*à propos, incidemment*
in view of	*étant donné*
it's a far cry from	*il y a loin de*
few and far between	*rare, rarissime*
for all	*malgré, en dépit de*
for the sake of	*au nom de*
for the time being	*pour le moment*
henceforward / henceforth	*dorénavant*
how about (+ ING)	*que penseriez-vous de*
in compliance with	*en conformité avec*
inasmuch as	*vu que*
instead of	*au lieu de*
in those days	*à cette époque*
most of the time	*la plupart du temps*
now and again	*de temps à autre*
on account of / owing to	*en raison de*
part and parcel	*partie intégrante*
short of (+ ING)	*à moins de*
short of a miracle	*à moins d'un miracle*
so much for	*c'en est fini de*
so much the better	*tant mieux*
so much the worse	*tant pis*
somehow	*d'une manière ou d'une autre*
tantamount to (+ ING)	*équivalent à*
thereby	*par là, par ce moyen*
thanks to	*grâce à*
these days	*de nos jours*
up to now	*jusqu'à présent*
what about (+ING)	*que diriez vous de*
with a vengeance	*à outrance*

5 PHRASAL VERBS — *VERBES À PARTICULE*

Break

to break down	*faire une dépression nerveuse, craquer nerveusement, tomber en panne, interrompre (négociations)*
to break in / into	*pénétrer par effraction, interrompre (une conversation), entraîner (animal), rôder (véhicule)*
to break off	*se détacher, rompre (négociations), s'interrompre (dans une conversation)*
to break out	*se déclencher (hostilités, incendie), s'évader*
to break up	*se désagréger, se désunir (famille), se terminer, prendre fin*

Call

to call at sb's place	*rendre visite à qn.*
to call for	*aller chercher, exiger, demander, revendiquer*
to call in	*passer voir, faire un saut, aller chercher, faire venir*
to call on	*faire appel, demander à*
to call off	*abandonner, annuler*
to call out	*demander l'intervention (pompiers)*
to call up	*appeler sous les drapeaux, mobiliser, téléphoner*

Carry

to carry back	*reporter (en arrière dans les souvenirs), reporter (sur les comptes antérieurs)*
to carry off	*enlever, ravir*
to carry on	*poursuivre, continuer*
to carry out	*mener à bien (projet)*
to carry through	*exécuter, mener à bonne fin*

Come

to come about	*arriver, se produire, avoir lieu*
to come across, upon	*tomber sur / trouver par hasard*
to come along / on	*accompagner, survenir, arriver*
to come away	*quitter, s'en aller*
to come off	*aboutir, se produire, se terminer, retirer de l'affiche, se détacher, se décoller*
to come in / into	*entrer, hériter de*
to come out	*être révélé / publié (livre), disparaître (taches)*
to come round	*se rallier à l'opinion de, venir chez qn., revenir à soi, retrouver ses esprits*
to come up	*monter, apparaître à la surface, être mentionné, s'approcher de qn.*

Cut

to cut back	*élaguer, tailler*
to cut back on	*réduire, diminuer (production)*
to cut down	*couper, abattre (arbre), réduire, diminuer*
to cut off	*amputer, couper (liens, relations, vivres)*

Do

to do away with	*supprimer*
to do in	*supprimer, liquider*
to do up	*boutonner, attacher (lacets), emballer, remettre à neuf (maison)*
to do without	*se passer de*

Get

to get about	*circuler (informations), se déplacer*
to get away	*s'échapper*
to get away with	*s'en tirer avec (peine de prison)*
to get back	*récupérer, rentrer, retourner*
to get in / into	*monter à bord (d'un véhicule)*
to get off	*se tirer d'affaire, être acquitté, descendre (d'un véhicule)*
to get on	*progresser, monter (à bord d'un véhicule)*
to get on with	*s'entendre bien avec*
to get out	*s'échapper, descendre (d'un véhicule)*
to get out of	*se dégager, se libérer (obligation, habitude)*
to get over	*récupérer, se remettre, guérir, franchir, escalader (obstacle)*
to get it over	*en finir avec qch.*
to get round	*enjôler, embobiner, contourner, surmonter*
to get through	*se frayer un chemin à travers, entrer en ligne avec (télécommunications), réussir à terminer, franchir*
to get up	*organiser, mettre sur pied, se lever*

Give

to give away	*céder, donner, faire don, trahir*
to give back	*rendre, restituer*
to give in	*céder (aux pressions)*
to give out	*s'épuiser, proclamer, annoncer, distribuer*
to give up	*renoncer à*
to give oneself up	*se rendre (aux autorités)*

Go

to go ahead	*continuer*
to go away	*s'en aller, partir, quitter*
to go back	*rentrer, revenir*
to go back on	*revenir sur (une promesse)*
to go down	*descendre, diminuer, être bien reçu (idée, suggestion)*
to go for	*attaquer, s'en prendre à, s'acharner*
to go in for	*se mêler de, s'occuper de, entrer en compétition*
to go into	*enquêter, faire des recherches*
to go off	*exploser (coup de feu), réussir (projet), quitter, entreprendre un voyage*
to go on	*continuer, poursuivre*
to go out	*sortir, disparaître (mode), s'éteindre (lumière)*
to go over	*examiner, étudier*
to go round	*suffire, passer chez, tourner*
to go through	*examiner, étudier avec soin*
to go up	*augmenter, exploser, s'embraser*
to go without	*faire sans, se passer de*

Keep

to keep away	*éloigner, tenir éloigné*
to keep back	*arrêter, retenir, empêcher*
to keep down	*réprimer, contrôler*
to keep in	*retenir, empêcher de sortir, consigner (un élève)*
to keep off	*tenir éloigné / à l'écart, garder ses distances*
to keep on	*continuer*
to keep out	*empêcher d'entrer*
to keep up (with)	*maintenir (effort), maintenir la même allure*

Look

to look about / around	*regarder autour de soi*
to look after	*s'occuper de, veiller, prendre soin de*
to look ahead	*prévoir, regarder devant soi*
to look at	*regarder*
to look back	*regarder derrière, tourner la tête*
to look back on	*se souvenir*
to look down on	*mépriser, dédaigner, regarder de haut*
to look for	*chercher*
to look out for	*guetter*
to look out	*regarder dehors, être sur ses gardes*
to look forward to	*se réjouir d'avance*
to look in	*faire une courte visite*
to look into	*examiner, étudier, enquêter*
to look on . . . as	*considérer… comme*
to look on	*assister (en spectateur)*
to look on to / out on	*donner sur (fenêtre)*
to look over	*parcourir des yeux , réviser, examiner, relire*
to look through	*parcourir, examiner*
to look through sb	*ignorer (sciemment)*
to look up	*consulter (annuaire, dictionnaire), lever les yeux, s'améliorer (temps, économie)*
to look sb up and down	*dévisager, regarder qn. de haut en bas*
to look up to	*respecter, admirer*

Make

to make for	*se diriger vers*
to make off	*s'enfuir (criminels)*
to make out	*comprendre, affirmer (à tort), rédiger (un chèque)*
to make up one's mind	*se décider*
to make up	*se maquiller, inventer (une histoire)*
to make it up with	*se réconcilier avec qn.*
to be made up of	*se composer de*
to make up for	*compenser, combler (déficit, perte)*

Put

to put aside / by	*économiser*
to put away	*ranger*
to put back	*remettre (à sa place)*
to put down	*poser, reposer (à sa place), écraser (une révolte), inscrire, noter*
to put sth down to	*attribuer qch. à qn., mettre qch. sur le compte de qn.*
to put forward	*proposer*
to put in a claim	*faire une réclamation*
to put in for a job	*faire acte de candidature*
to put off	*repousser, remettre à plus tard*
to put sb off	*décommander qn., décourager*
to put on	*enfiler (vêtements), affecter (air, expression), mettre en scène, jouer, représenter, allumer (courant électrique)*
to put out	*éteindre (feu)*
to be put out	*être déconcerté*
to put up	*ériger (bâtiment, monument), augmenter (prix)*

to put sb up	*héberger qn.*
to put up with	*supporter*

Run

to run after	*poursuivre*
to run away	*s'enfuir, déserter*
to run down	*médire, tomber en panne, se décharger (batterie)*
to be run down	*être épuisé*
to run in	*rôder (véhicule)*
to run into	*heurter, rencontrer*
to run out of	*être à court de (provision)*
to run over	*renverser, écraser (voiture), déborder (cours d'eau)*
to run over / through	*réviser, repasser*
to run through	*gaspiller*
to run up	*fabriquer, confectionner rapidement, augmenter, accumuler (factures, prix)*
to run up against	*rencontrer, se heurter à (difficultés)*

Stand

to stand by sb	*continuer d'aider qn.*
to stand for	*représenter (symbole)*
to stand for election	*se présenter à une élection*
to stand up	*se lever, mettre debout*
to stand sb up	*poser un lapin à qn.*
to stand up for	*défendre (verbalement)*
to stand up to	*résister à*
to stand out (against)	*ressortir, se détacher (sur un fond)*

Take

to be taken aback	*être déconcerté*
to take after	*ressembler (famille)*
to take back	*reconduire, ramener, revenir (sur une parole, une accusation), retirer*
to take down	*inscrire, noter*
to take for	*prendre (qn.)*
to take in	*duper, tromper, faire entrer, recevoir, comprendre, se rendre compte de*
to take off	*décoller, enlever (vêtements)*
to take on	*se charger de, entreprendre, assumer (emploi, responsabilités), accepter de relever le défi*
to take out	*enlever, extraire*
to take sb out	*sortir qn.*
to take over	*succéder à*
to take to	*s'adonner, se mettre à, éprouver de la sympathie pour, se réfugier*
to take up	*se mettre à, s'adonner à (activité, habitude), occuper (espace, temps)*

Turn

to turn away	*refuser l'entrée à*
to turn down	*décliner (une offre)*
to turn into	*(se) transformer, convertir*
to turn in	*aller se coucher*
to turn on / off	*allumer, éteindre (lumière)*
to turn up / down	*augmenter / baisser (volume, force)*
to turn out	*produire, évincer, licencier, vider (poches)*
to turn over	*(se) retourner*
to turn up	*arriver, apparaître*

6 ADJECTIVE COMPLEMENTATION — *ADJECTIFS SUIVIS DE PRÉPOSITIONS*

About

angry	*furieux à cause de*
annoyed	*irrité à cause de*
anxious	*très inquiet de*
certain	*sûr de*
concerned / worried	*préoccupé de, soucieux de*
confident	*confiant en*
crazy	*fou de*
curious	*curieux de*
doubtful	*qui doute de*
dubious	*incertain de, douteux de*
excited	*énervé au sujet de*
fussy	*tatillon sur*
glad	*content de*
guilty	*coupable de*
happy	*heureux de*
hesitant	*hésitant au sujet de*
honest	*honnête au sujet de*
mad	*fou de*
pleased	*heureux de*
positive	*affirmatif quant à*
puzzled	*étonné, interdit au sujet de*
selfish	*égoïste au sujet de*
sensible	*raisonnable à propos de / sur*
serious	*sérieux à propos de*
sincere	*sincère sur*
thrilled	*excité à l'idée de*
uneasy	*mal à l'aise au sujet de*
wrong	*(avoir) tort au sujet de*

against

prejudiced	*qui a des préjugés contre*

at

amazed	*stupéfait de*
amused	*amusé de*
astonished	*étonné de*
bad	*mauvais en*
brilliant	*brillant en*
clever	*fort en*
expert	*expert en*
good	*bon en*
hopeless	*lamentable en*
quick	*rapide à*
shocked	*bouleversé par, choqué par*

skillful	*habile à*
surprised	*surpris de / à*
weak	*faible en*

for

bad	*mauvais pour*
convenient	*pratique pour*
eager	*désireux de, avide de*
famous	*célèbre pour*
fit / unfit	*compétent / incompétent à / pour*
good	*bon pour*
grateful	*reconnaissant de*
hungry	*avoir faim de*
important	*important pour*
late	*en retard pour*
necessary	*nécessaire à / pour*
qualified	*qualifié pour*
responsible	*responsable de*
sorry	*désolé de*
sufficient	*suffisant pour*
suitable	*qui convient à*
useful	*utile à / pour*

from

absent	*absent de*
different	*différent de*
free	*libre de*
safe	*à l'abri de*
separate	*distinct de*

in

disappointed	*déçu par*
experienced	*qui a de l'expérience en*
inexperienced	*qui manque d'expérience en*
interested	*intéressé par*
slow	*lent à*

of

afraid	*(avoir) peur de*
ashamed	*(avoir) honte de*
aware / unaware	*conscient de / inconscient de*
capable	*capable de*
careless	*insouciant de*
certain	*sûr de*
confident	*persuadé de*
conscious	*conscient de*
critical	*critique à l'égard de*
envious	*jaloux de*
fond	*qui a de l'affection pour*
full	*plein de*
guilty	*coupable de*
hopeful	*plein d'espoir pour*
ignorant	*ignorant de*
independent	*indépendant de*
irrespective	*sans tenir compte de*
jealous	*jaloux de*
proud	*fier de*
sick	*fatigué de, excédé par*
sure	*certain de*
suspicious	*méfiant à l'égard de, réservé à l'égard de*
tired	*excédé par, fatigué de*
typical	*typique de*

on

dependent	*dépendant de*
determined	*résolu à*
hard	*sévère à l'égard de*
intent	*résolu à*
keen	*passionné de*
mad	*fou de*
severe	*sévère à l'égard de*

to

accustomed	*habitué à*
allergic	*allergique à*
attentive	*prévenant envers*
blind	*aveugle à*
close	*proche de*
contrary	*contraire à*
cruel	*cruel à l'égard de*
deaf	*sourd à*
dear	*cher à*
determined	*résolu à*
due	*dû à*
equal	*égal à*
essential	*essentiel à*
faithful	*fidèle à*
generous	*généreux à l'égard de*
glad	*content de*
grateful	*reconnaissant envers*
harmful	*nuisible*
honoured	*honoré de*
important	*important pour*
impossible	*impossible à*
inclined	*enclin à*
inferior	*inférieur à*
kind	*gentil à l'égard de*
likely	*susceptible de*
loyal	*loyal envers*
lucky	*avoir la chance de*
married	*marié à*
new	*nouveau pour*
nice	*agréable à*
obedient	*obéissant envers*
obvious	*évident à*
pleasant	*agréable à*
polite	*poli envers*
sensitive	*sensible à*
similar	*semblable à*
superior	*supérieur à*
true	*fidèle à*
used	*habitué à*

with

angry	*fâché contre*
annoyed	*en colère contre*
busy	*occupé à*
concerned	*préoccupé par*
contented	*satisfait de*
delighted	*ravi de*
disappointed	*déçu de*
disgusted	*dégoûté par*
disillusioned	*désenchanté quant à*
familiar	*au fait de, familier avec*
fed up with	*excédé par*
furious	*furieux contre*
gentle	*doux avec*
patient	*patient avec*
pleased	*content de*
satisfied	*satisfait de*

VI IRREGULAR VERBS *VERBES IRRÉGULIERS*

1.	**to abide**	abode	abode	*demeurer (1)*
	to arise	arose	arisen	*s'élever, se lever, survenir*
	to awake	awoke / awaked	awoken / awaked	*(s') éveiller*
	to be	was / were	been	*être*
	to bear	bore	borne	*porter, supporter (2)*
	to beat	beat	beaten	*battre (3)*
	to become	became	become	*devenir*
	to begin	began	begun	*commencer*
	to behold	beheld	beheld	*contempler*
10.	**to bend**	bent	bent	*se pencher, courber*
	to beseech	besought	besought	*supplier*
	to beset	beset	beset	*assaillir*
	to bet	bet	bet	*parier*
	to bid	bid / bade	bid / bade / bidden	*ordonner, enchérir*
	to bind	bound	bound	*lier*
	to bite	bit	bitten	*mordre*
	to bleed	bled	bled	*saigner*
	to blow	blew	blown	*souffler*
	to break	broke	broken	*briser*
20.	**to breed**	bred	bred	*élever (animaux)*
	to broadcast	broadcast	broadcast	*diffuser*
	to bring	brought	brought	*apporter*
	to build	built	built	*construire*
	to burn	burnt / burned	burnt / burned	*brûler*
	to burst	burst	burst	*éclater*
	to buy	bought	bought	*acheter*
	to cast	cast	cast	*jeter, couler (fonderie)*
	to catch	caught	caught	*attraper*
	to chide	chid	chid / chidden	*gronder*
30.	**to choose**	chose	chosen	*choisir*
	to cleave	clove / cleft	cloven / cleft	*fendre*
	to cling	clung	clung	*s'accrocher*
	to come	came	come	*venir*
	to cost	cost	cost	*coûter (4)*
	to creep	crept	crept	*ramper*
	to cut	cut	cut	*couper*
	to dare	dared / durst	dared / durst	*oser, défier*
	to deal	dealt	dealt	*traiter, négocier, distribuer*
	to dig	dug	dug	*creuser*
40.	**to do**	did	done	*faire (5)*
	to draw	drew	drawn	*tirer, dessiner*
	to dream	dreamt	dreamt / dreamed (US)	*rêver*
	to drink	drank	drunk	*boire (6)*
	to drive	drove	driven	*conduire, pousser (qn. à faire qch.)*
	to dwell	dwelt / dwelled	dwelt / dwelled	*demeurer*
	to eat	ate	eaten	*manger*
	to fall	fell	fallen	*tomber*
	to feed	fed	fed	*nourrir*
	to feel	felt	felt	*sentir, éprouver*
50.	**to fight**	fought	fought	*se battre, combattre*
	to find	found	found	*trouver (7)*
	to flee	fled	fled	*fuir*
	to fling	flung	flung	*lancer*
	to fly	flew	flown	*voler (en avion)*
	to forbid	forbade	forbidden	*interdire*
	to forget	forgot	forgotten	*oublier*
	to forgive	forgave	forgiven	*pardonner*
	to freeze	froze	frozen	*geler*
	to get	got	got / gotten (US)	*obtenir (8)*
60.	**to give**	gave	given	*donner*
	to go	went	gone	*aller*
	to grind	ground	ground	*moudre*
	to grow	grew	grown	*pousser, faire pousser*

	to hang	hung	hung	*pendre, suspendre (9)*
	to have	had	had	*avoir*
	to hear	heard	heard	*entendre*
	to hew	hewed	hewed / hewn	*tailler*
	to hide	hid	hid / hidden	*cacher*
	to hit	hit	hit	*frapper*
70.	**to hold**	held	held	*tenir*
	to hurt	hurt	hurt	*blesser, faire mal*
	to keep	kept	kept	*garder, conserver*
	to kneel	knelt / kneeled	knelt / kneeled	*s'agenouiller*
	to knit	knit / knitted	knit / knitted	*tricoter*
	to know	knew	known	*savoir, connaître*
	to lay	laid	laid	*poser, étendre*
	to lead	led	led	*mener, conduire*
	to lean	leant / leaned	leant / leaned	*se pencher, s'appuyer*
	to leap	leapt / leaped	leapt / leaped	*bondir*
80.	**to learn**	learnt / learned	learnt / learned	*apprendre (10)*
	to leave	left	left	*laisser, quitter*
	to lend	lent	lent	*prêter*
	to let	let	let	*laisser, permettre*
	to lie	lay	lain	*être couché (11)*
	to light	lit / lighted	lit / lighted	*allumer, éclairer (12)*
	to lose	lost	lost	*perdre*
	to make	made	made	*faire, fabriquer*
	to mean	meant	meant	*signifier, vouloir dire*
	to meet	met	met	*rencontrer*
90.	**to mislead**	misled	misled	*induire en erreur*
	to mistake	mistook	mistaken	*se méprendre*
	to mow	mowed	mown / mowed	*faucher, tondre*
	to overhang	overhung	overhung	*surplomber*
	to overthrow	overthrew	overthrown	*renverser*
	to pay	paid	paid	*payer*
	to put	put	put	*mettre, poser (13)*
	to quit	quit / quitted	quit / quitted	*abandonner*
	to read	read	read	*lire*
	to rend	rent	rent	*déchirer (sens figuré)*
100.	**to rid**	rid / ridded	ridden / ridded	*aller à cheval / vélo, circuler à bord d'un véhicule*
	to ring	rang	rung	*sonner, résonner (14)*
	to rise	rose	risen	*se lever (15)*
	to run	ran	run	*courir*
	to saw	sawed	sawn	*scier*
	to say	said	said	*dire*
	to see	saw	seen	*voir*
	to seek	sought	sought	*chercher*
	to sell	sold	sold	*vendre*
	to send	sent	sent	*envoyer*
110.	**to set**	set	set	*placer, sertir, établir*
	to sew	sewed	sewn	*coudre*
	to shake	shook	shaken	*secouer*
	to shear	shore / sheared	shorn / sheared	*tondre*
	to shed	shed	shed	*verser (larmes), perdre (feuilles)*
	to shine	shone	shone	*briller (16)*
	to shoe	shod	shod	*ferrer, chausser*
	to shoot	shot	shot	*tirer*
	to show	showed	showed / shown	*montrer*
	to shrink	shrank	shrunk	*(se) rétrécir (17)*
120.	**to shut**	shut	shut	*fermer*
	to sing	sang	sung	*chanter*
	to sink	sank	sunk	*couler (18)*
	to sit	sat	sat	*être assis (19)*
	to slay	slew	slain	*tuer, occire*
	to sleep	slept	slept	*dormir*
	to slide	slid	slid	*glisser*
	to sling	slung	slung	*lancer*
	to slit	slit	slit	*fendre*
	to smell	smelt / smelled	smelt / smelled	*sentir (olfactif)*

130.	**to smite**	smote	smitten	*frapper (20)*
	to sow	sowed	sown	*semer*
	to speak	spoke	spoken	*parler*
	to speed	sped / speeded	sped / speeded	*(se) hâter*
	to spell	spelt / spelled	spelt / spelled	*épeler*
	to spend	spent	spent	*dépenser, passer*
	to spill	spilt / spilled	spilt / spilled	*répandre, renverser*
	to spin	spun	spun	*filer (textile), pivoter*
	to spit	spat	spat	*cracher*
	to split	split	split	*fendre*
140.	**to spoil**	spoilt / spoiled	spoilt / spoiled	*gâter, abîmer*
	to spread	spread	spread	*répandre, (s') étendre*
	to spring	sprang	sprung	*jaillir*
	to stand	stood	stood	*être debout, se tenir*
	to steal	stole	stolen	*voler, dérober*
	to stick	stuck	stuck	*coller*
	to sting	stung	stung	*piquer (dard)*
	to stink	stank	stunk	*puer*
	to strew	strewed	strewn	*joncher*
	to stride	strode	stridden / strid	*marcher à grandes enjambées*
150.	**to strike**	struck	struck	*frapper (21)*
	to swear	swore	sworn	*jurer*
	to sweep	swept	swept	*balayer*
	to swell	swolled	swollen	*enfler, gonfler*
	to swim	swam	swum	*nager*
	to swing	swung	swung	*(se) balancer*
	to take	took	taken	*prendre*
	to teach	taught	taught	*enseigner*
	to tear	tore	torn	*déchirer*
	to tell	told	told	*raconter*
160.	**to think**	thought	thought	*penser*
	to thrive	throve / thrived	thriven / thrived	*prospérer*
	to throw	threw	thrown	*lancer*
	to thrust	thrust	thrust	*pousser, fourrer*
	to tread	trod	trodden	*fouler, piétiner*
	to understand	understood	understood	*comprendre*
	to undertake	undertook	undertaken	*entreprendre*
	to unwind	unwound	unwound	*dérouler*
	to uphold	upheld	upheld	*soutenir*
	to upset	upset	upset	*renverser, bouleverser*
170.	**to wake**	woke / waked	woken / waked	*(s') éveiller*
	to wear	wore	worn	*porter (sur soi)*
	to weave	wove	woven	*tisser*
	to weep	wept	wept	*pleurer*
	to wet	wet / wetted	wet / wetted	*mouiller*
	to win	won	won	*gagner*
	to wind	wound	wound	*enrouler, remonter, serpenter*
	to withdraw	withdrew	withdrawn	*(se) retirer*
	to withhold	withheld	withheld	*retenir, arrêter*
	to withstand	withstood	withstood	*résister à, supporter*
180.	**to wring**	wrung	wrung	*tordre*
	to write	wrote	written	*écrire*

1. **to abide by :** obéir à, rester fidèle à, est régulier : *he abided by our decision.*
2. **to bear** a deux formes de participe passé : *she has borne him 6 children :* elle lui a donné 6 enfants ; *she was born in 1955 :* elle est née en 1955.
3. **to beat** a un participe passé : *beat* (USA) employé dans des expressions du type : *you look beat* : tu as l'air crevé.
4. **to cost**, costed, costed : établir un devis ; *to cost a program* : établir le montant d'un programme.
5. **to do**, did, done : mêmes formes pour les verbes : *to outdo, to overdo, to undo* etc.
6. **to drink :** *he was drunk* ; *a drunk* ; mais *drunken driving :* la conduite en état d'ivresse.
7. **to find :** à ne pas confondre avec *to found, founded, founded* : fonder.
8. **gotten** se rencontre dans des expressions du type *ill-gotten gains* : gains mal acquis. L'américain fait la différence entre *we've gotten tickets = we've acquired*, et *we've got tickets = we possess tickets.*
9. **to hang**, hanged, hanged : pendre qn.
10. **learned :** adjectif qui signifie érudit, savant.
11. **to lie**, lied, lied : mentir.

12. **to alight :** descendre, mettre pied à terre, et *to highlight* : mettre en lumière, souligner, ont des formes régulières ; en tant qu'adjectif, *lighted* seulement : *a lighted candle.*
13. **to putt**, *putted* est un terme de golf qui signifie putter.
14. **to ring**, ringed, ringed : entourer.
15. **to arise**, arose, arisen dans les expressions du type : *the question arose . . .*
16. **to shine**, shined, shined : cirer.
17. **to shrink** a une forme, *shrunken*, qui est adjectif ; *a shrunken body* : un corps ratatiné.
18. **to sink** a une forme, *sunken* qui est adjectif ; *sunken cheeks* : joues creuses.
19. **to sit down** : s'asseoir.
20. **to smite** s'emploie dans les expressions du type *smitten with her charms, love-smitten* etc.
21. **to strike** a une forme de participe passé, *stricken*, qui se rencontre dans des expressions du type : *panic-stricken, grief-stricken*, etc.

VII DECEPTIVE COGNATES *FAUX AMIS COURANTS*

A

abuse : *to abuse* : injurier, maltraiter, tromper ; *abuse* (n.ind.) : sévices, abus. ➔ (abuser : *to deceive, to seduce, to misuse,* abuser de qn. : *to exploit, to take advantage of*).
accommodate : *to accommodate* : loger, recevoir. ➔ (accommoder : *to prepare, to combine, to arrange,* s'accommoder : *to make do with*).
achieve : *to achieve* : accomplir, mener à bien, obtenir (succès), remporter (victoire). ➔ (achever : *to complete*).
act : *to act* : jouer, interpréter un rôle (dans une pièce). *An act of God* : un cas de force majeure. *Acting* : qui fait fonction de ; *acting manager* : administrateur délégué.
activism : militantisme ; *activist* : interventionniste, militant. ➔ (activiste : *extremist*).
actual : réel, véritable, concret (exemple), exact (chiffre). ➔ (actuel : *current, topical, present-day*). *Actually* : en fait, effectivement. (actuellement : *currently, nowadays, today, now, these days)*.
advertisement : réclame, annonce, petite annonce. ➔ (avertissement : *warning*).
advise : *to advise* : conseiller. ➔ (aviser : *to inform, to notify*).
advocate : *to advocate* : prôner (une cause), défendre (une cause), se faire l'avocat, le partisan de. ➔ (avocat : *lawyer, barrister, counsel*).
affluence : richesse, abondance ; *the affluent society* : la société d'abondance. ➔ (affluence : *crowd, throng*).
agenda : ordre du jour, programme. ➔ (agenda : *diary*).
agony : angoisse, supplice. ➔ (agonie : *death throes*).
aide : assistant, conseiller, collaborateur. ➔ (aide : *help, aid*).
allege : *to allege* : prétendre, alléguer. ➔ (alléger : *to lighten, to relieve*).
alley : ruelle. ➔ (allée : *lane, path*).
annoy : *to annoy* : irriter, contrarier. ➔ (ennuyer : *to bore, to worry*).
anxious : impatient, désireux de. ➔ (anxieux : *worried, anxious*).
apology : excuses.➔ (faire l'apologie : *to praise*).
appeal : attrait, charme, appel ; *to appeal for funds* : faire un appel de fonds ; *to appeal to the country* : en appeler au pays ; *it appeals to me* : cela me plaît.
appearance : apparition, arrivée, entrée ; *to put in an appearance* : faire acte de présence.
appointment : rendez-vous, nomination. ➔ (appointements : *salary, wages*).
apt to : susceptible de, enclin à, sujet à. ➔ (apte à : *capable of, able to*).
arts : Lettres, Sciences humaines.
assault : tentatives d'agression ; *indecent assault* : attentat à la pudeur. ➔ (prendre d'assaut : *to storm*).
assist : *to assist* : aider, assister qn. ➔ (assister à : *to attend*).
attend : *to attend* : assister à, soigner (malade) ; *to attend to* : s'occuper de, servir (un client). ➔ (attendre : *to wait for, to await, to expect, to anticipate*).
audience : assistance, auditoire. ➔ (audience d'un procès : *hearing*).
axe / ax : cognée, hache ; *to have an axe to grind* : avoir des intérêts personnels à défendre, avoir des desseins secrets ; *to axe* : mettre à pied, renvoyer. ➔ (un axe : *an axis*).

B

bachelor : célibataire, vieux garçon.
balance : équilibre ; *natural balance* : équilibre naturel ; *a balance sheet* : un équilibre financier, un bilan. ➔ (une balance : *a pair of scales*).
ballot : bulletin de vote, vote, scrutin ; *to ballot* : mettre aux voix, voter au scrutin.
band : fanfare, orchestre, troupe. ➔ (bande : *group, gang*).
bar : *to bar* : prescrire, annuler, abolir (un droit), faire abstraction de ; *to bar sb from* : empêcher qn. de. ➔ (barrer : *to cross out a name, to block a street, to stand in sb's way, to cross a check*).
barracks : caserne. ➔ (baraque : *hut, shed*).
bazaar : vente de charité.
benefit : bienfait, avantage, allocation, prestataire. ➔ (bénéfices : *profits*).
bless : *to bless* : bénir ; *a blessing* : une bénédiction, une aubaine. ➔ (blesser : *to hurt, to injure, to wound*).
bribe : pot-de-vin. ➔ (bribe : *bit, scrap*).
bullet : balle de fusil. ➔ (boulet : *cannonball*).
button : badge. ➔ (bouton : *button, switch, knob, stud, spot*).

C

cabin : hutte, cabane, cabine de bateau, carlingue (d'un avion) ; *Uncle Tom's Cabin* : La Case de l'Oncle Tom.
camera : appareil photo ; *in camera* : à huis clos.
candid : franc, sincère. ➔ (candide : *naïve*).
cartoon : dessin humoristique. ➔ (carton : *cardboard*).
case : affaire, cause, procès (porté devant un tribunal) ; *the case for* : les arguments qui militent en faveur de ; au sens médical : malade, blessé, patient.
casual : fortuit, accidentel, désinvolte, de sport (vêtement).
cave : caverne, grotte. ➔ (cave : *cellar*).
challenge : défi. ➔ (challenge : *contest, tournament*) ; *to challenge* : récuser (un juré), contester, défier, mettre au défi de.
chance : hasard, occasion ; *to take a chance* : prendre un risque. ➔ (chance : *luck, opportunity*).
character : caractère, personnage (de pièce de théâtre), réputation.
charge : *to charge* : faire payer, accuser, inculper, ordonner, charger (cavalerie). ➔ (charger : *to load*).
chemist : chimiste, pharmacien.
circulation : tirage (d'un journal), circulation (du sang). ➔ (circulation automobile : *traffic*).
coin : pièce de monnaie. ➔ (coin : *corner, area*).
collection : ramassage (ordures), collecte, quête, collection.
college : collège d'université (à Oxford et Cambridge), établissement d'enseignement supérieur (USA), académie. ➔ (collège : *junior high school,* USA, *secondary school, private school*).
comfort : *to comfort* : consoler, réconforter, soulager. ➔ (conforter : *to reinforce, to confirm*).
commend : *to commend* : louer, recommander, complimenter. ➔ (commander : *to order*).
commodity : marchandise, denrée. ➔ (commodité : *convenience*).
company : entreprise, firme, société commerciale.
competition : concurrence ; *competitive* : concurrentiel.
complete : *to complete* : achever, terminer, remplir (questionnaire).

comprehensive : détaillé, complet, vaste, étendu. ➔ (compréhensif : *understanding*).
concern : entreprise, affaire, inquiétude ; *to concern* : concerner, inquiéter ; *concerned* : préoccupé.
concurrent : coïncidant, simultané, concordant. ➔ (concurrent : *competitor, candidate*).
confectionery : confiserie ; *confectioner* : confiseur.
conference : congrès ; *a press conference* : une conférence de presse. ➔ (conférence : *lecture*).
confidence : confiance, certitude. ➔ (confidence : *secret*).
consistent : logique, conséquent, compatible. ➔ (consistant : *solid, substantial*).
contemplate : *to contemplate* : envisager. ➔ (contempler : *to gaze at*).
control : *to control* : maîtriser, contrôler, enrayer (une épidémie), juguler (inflation). ➔ (contrôle : *check*).
convene : *to convene* : convoquer, assembler.
convict : condamné, reconnu coupable.
corpse : cadavre. ➔ (corps : *body*).
couch : divan, canapé.
court : tribunal, court (de tennis). *Supreme Court* : la Cour suprême ; *to take to court* : faire un procès.
crime : criminalité (crimes + délits), délinquance. ➔ (un crime = un meurtre : *a murder*).
critic : accusateur, censeur, détracteur : *a film critic* : un critique de cinéma. ➔ (la critique : *criticism*, critiquer : *to criticize*, une situation critique : *a critical situation).*
customs : douanes. ➔ (coutumes : *habits*).

D

date : *to date* : sortir avec qn. ; *to have a date* : avoir un rendez-vous.
decade : décennie. ➔ (une décade : *a ten-day period*).
deceive : *to deceive :* tromper. ➔ (décevoir : *to disappoint*).
decent : convenable, honnête, décent, brave, chic. ➔ (décent : *proper*).
deception : tromperie. ➔ (déception : *disappointment*).
defendant : intimé, accusé.
defile : *to defile* : salir, souiller, profaner. ➔ (défiler : *to march, to parade*).
degree : diplôme universitaire.
deliberately : sans se hâter.
deliver : *to deliver* : livrer, distribuer, sauver, prononcer (discours), accoucher.
demand : *to demand* : exiger ; *supply and demand* : l'offre et la demande. ➔ (demander : *to ask for sth*).
dent : entaille, bosse (carrosserie), brèche, trou (économies, budget). ➔ (dent : *tooth*).
deputy : adjoint, suppléant. ➔ (député : *MP, Member of Parliament, Congressman, Representative* aux États-Unis).
deserve : *to deserve* : mériter. ➔ (desservir : *to clear the table, to harm, to go against, to do sb a disservice, to serve a city*).
desperate : acharné, prêt à tout, désespéré.
deter : *to deter* : dissuader, décourager. ➔ (déterrer : *to dig up, to uproot*).
develop : *to develop* : mettre en valeur (une région), aménager (une zone), mettre au point (médicament), se déclarer (maladie), se produire (événement).
devise : *to devise* : imaginer, concevoir. ➔ (deviser : *to converse, to talk*).
devote : *to devote* : dévouer, (se) consacrer à.
diamond : carreau (aux cartes) ; terrain de baseball.
diesel : gazole.
diet : régime alimentaire ; *to be on a diet* : être au régime. ➔ (diète : *starvation diet*).
dilapidated : délabré, en ruines. ➔ (dilapider : *to gamble away, to squander, to waste*).
directly : immédiatement, directement, aussitôt que, dès que.
director : metteur en scène, administrateur, directeur.
disagreement : désaccord, conflit, différend, querelle.
discharge : *to discharge* : congédier, licencier. ➔ (décharger : *to unload*).
disgrace : honte, déshonneur. ➔ (disgrâce : *disfavour*).
dispose : *to dispose (of sth)* : jeter, se débarrasser de, vendre, régler (une affaire) ; *waste disposal* : enlèvement des ordures. ➔ (disposer de : *to have at one's disposal*).
dispute : discussion, débat, conflit, différend. ➔ (dispute : *quarrel, argument*).
distraction : à la folie ; *to love to distraction* : aimer à la folie. ➔ (distraction : *entertainment*).
don : professeur d'université (UK). ➔ (don : *gift*).
dramatic : spectaculaire (événement), dramatique (sens littéraire). ➔ (dramatique : *tragic*).
due : *to fall due* : arriver à échéance, être échu, qui doit arriver (train). ➔ (dû, de devoir : *owed*).

E

economic : économique ; qui a trait à l'économie ; *economical* : qui fait faire des économies = bon marché.
edit : *to edit* : monter (un film), préparer (un article de journal). ➔ (éditer : *to publish*).
editor : rédacteur en chef. ➔ (éditeur : *publisher*).
eligible : qui réunit les qualités nécessaires (pour être élu), avantageux, convenable.
emphasis : accent, accentuation, insistance. ➔ (emphase : *bombast, grandiloquence*).
engaged : fiancé, occupé (toilettes, ligne de téléphone). ➔ (engagé : *committed*, pour un écrivain, un chanteur, *enlisted* pour un soldat).
entertain : *to entertain* : amuser, divertir, distraire. ➔ (entretenir : *to maintain*).
estate : biens, domaine. ➔ (état : *state*).
evade : *to evade* : esquiver (un coup), échapper à qn., éluder une question, tourner (la loi), frauder (le fisc). *tax evasion* : la fraude fiscale. ➔ (s'évader : *to escape*).
eventually : finalement, en fin de compte. ➔ (éventuellement : *possibly*).
evidence : témoignages, signes, preuves. ➔ (évidence : *obviousness*) ; *to face facts* : se rendre à l'évidence.
executive : cadre, comité directeur, pouvoir exécutif ; *the chief executive officer* (*CEO*) : le président-directeur général ; *an executive order* : un décret-loi (présidentiel).
exhibit : exposer, faire une exposition. ➔ (s'exhiber : *to show off*).
exhibition : exposition. ➔ (exhibition : *display*).
experience : expérience (vécue) ; *experiment* : expérience scientifique.
expose : *to expose* : mettre à nu, démasquer, révéler (un scandale). ➔ (exposer : *to exhibit, to display, to show, to show off*).
exposure : cliché (photo), dénonciation ; *to die of exposure* : mourir de froid.
extra : supplémentaire ; *an extra* : une doublure. ➔ (extra : *super, great*).
extravagant : dépensier, exagéré. ➔ (extravagant : *wild, eccentric*).

F

fabric : tissu (étoffe), tissu (économique, social). ➔ (fabrique : *factory, mill, plant, workshop*).
facilities : équipements, infrastructures ; *harbour facilities* : infrastructures portuaires. ➔ (facilité : *easiness, talent*).
fantasy : phantasme, rêve, imagination. ➔ (fantaisie : *fancy*).
fastidious : difficile, maniaque. ➔ (fastidieux : *tedious*).
fatal : mortel, funeste, néfaste. ➔ (fatal : *deadly, inevitable*).
fatality : accident mortel, mort accidentelle. ➔ (fatalité : *fate*).
fault : faute, défaut, faille ; *to find fault with* : critiquer ; *faulty* : défectueux. ➔ (faute : *error, foul, mistake*).
figure : silhouette, chiffre ; *to figure* : penser, supposer, calculer. ➔ (figure = visage : *face*, se figurer : *to fancy, to imagine*).
file : dossier, fichier, classeur, lime ; *to file* : limer, intenter un procès. ➔ (une file : *a line, a queue*).
fix : *to fix* : fixer, réparer, préparer (un repas), soudoyer (un jury), truquer (les élections).
fool : idiot ; *to fool* : faire l'idiot, tromper (qn.) ; *foolproof* : enfantin, simple de maniement. ➔ (fou : *lunatic, mad, loony*).
forge : *to forge* : contrefaire (papiers).
founder : *to founder* : sombrer. ➔ (fonder : *to found, founded, founded, to set up, to start*).
fuel : combustible, carburant. ➔ (fioul domestique : *heating oil*).
furniture : meubles. ➔ (fournitures : *supplies*).

G

gas : essence (USA), gaz.
genial : bienveillant, doux (climat). ➔ (génial : *fantastic, great, wizard, whizkid, of genius*).
glass : verre ; *glasses* : lunettes. ➔ (glace : *ice, looking glass, mirror*).
glorious : magnifique, splendide, glorieux.
grand : grandiose, majestueux ; *a grand* = 1 000 dollars.
grape : grain de raisin ; *grapes* : le raisin ; *The Grapes of Wrath* : les Raisins de la Colère. ➔ (une grappe de raisin : *a bunch of grapes*).
grave : sérieux ; *a grave* : une tombe.

H

habit : habitude. (habit : *garment, dress, outfit, white tie* = en habit).
harass : *to harass* : harceler. ➔ (harasser : *to exhaust, to tire out*).
hardy : robuste, résistant. ➔ (hardi : *bold, daring*).
hazard : risque, danger ; *hazardous* : risqué, dangereux. ➔ (hasard : *chance*).
heritage : patrimoine. ➔ (héritage : *legacy, inheritance*).
hurl : *to hurl* : jeter, lancer. ➔ (hurler : *to scream, to yell, to shout*).

I

ignore : *to ignore* : ignorer délibérément, sciemment. ➔ (ignorer : *(not) to know, to be unaware of*).
immediately : immédiatement, dès que.
impassioned : passionné.
inconsistent : inconséquent ; *inconsistent with* : incompatible avec. ➔ (inconsistant : *flimsy, weak, watery*).
inconvenience : désagrément, dérangement, inconvénient. ➔ (inconvénient : *drawback, shortcoming*).
indulge : *to indulge* : satisfaire, céder ; *to indulge in* (doing sth) : s'abandonner à un désir ; *to indulge oneself* : ne rien se refuser. ➔ (indulgent : *lenient, indulgent*).
infatuation : engouement, coup de foudre. ➔ (infatuation : *self-conceit, self-importance*).
information : renseignements ; *a piece of information* : un renseignement. ➔ (informations : *news*).
ingenuity : ingéniosité. ➔ (ingénuité : *ingenuousness, naivety*).
ingenious : ingénieux. ➔ (ingénu : *ingenuous*).
inhabited : habité ; *uninhabited* : inhabité.
injure : *to injure* : blesser ; *injury* : blessure. ➔ (injurier : *to revile, to abuse, to insult*).
instructor : moniteur (sport, armée), professeur.
intelligence : intelligence, renseignements ; *the Central Intelligence Agency* : l'Agence de renseignements américaine.
intoxicated : ivre, grisé (sens propre et figuré). ➔ (intoxiqué : *poisoned, drug addict* etc.).
introduce : *to introduce* : présenter (qn. à qn.) ; adopter (une technologie). ➔ (introduire : *to insert, show in, usher in*).
invalid : malade, souffrant, périmé. ➔ (invalide : *disabled, handicapped*).
issue : problème, thème (de campagne électorale), numéro (de journal), émission (d'actions), résultat. ➔ (issue : *exit, outcome, solution, outlet, way out*).

J

jacket : veste, veston. ➔ (jaquette : *morning coat, morning dress, white tie*).
jar : bocal. ➔ (jarre : *earthenware jar*).
jest : *in jest* : par boutade. ➔ (geste : *gesture*).
jolly : jovial, amusant, drôlement, rudement. ➔ (joli : *pretty, attractive*).
journal : revue spécialisée, journal. ➔ (journal : *daily, paper, rag, weekly, magazine*).
journey : voyage. ➔ (journée : *day*).

L

labour / labor : main d'œuvre, travail (par opposition au capital), les syndicats, le monde du travail ; *Labour Party* (UK) : parti travailliste.
lace : dentelle, galon, lacet.
large : grand, vaste. ➔ (large : *broad, wide*).
lecture : conférence, cours magistral, réprimande, semonce ; *to lecture* ; châtier, sermonner. ➔ (lecture : *reading*).
liberal : progressiste, de gauche (USA).
library : bibliothèque. ➔ (librairie : *bookstore*).
licenced : détenteur d'une licence (débit de tabac ou de boisson). ➔ (licencié : *graduate, fired, dismissed*).
location : emplacement, situation. ➔ (location : *hiring, renting, booking*).
lodger : locataire, pensionnaire. ➔ (logeur : *landlord*, logeuse : *landlady*).
lot : le sort ; *to draw lots* : tirer au sort. ➔ (un lot : *a prize*).
lunatic : fou, aliéné. ➔ (lunatique : *whimsical, temperamental*).
luxurious : luxueux, somptueux. ➔ (luxuriant : *luxuriant, lush,* luxure : *lust*).

M

maintain : *to maintain* : entretenir, subvenir aux besoins de. ➔ (maintenir : *to keep up, to support*).
malice : méchanceté, malveillance. ➔ (malice : *mischievousness, impishness*).
malicious : méchant, malveillant, délictueux, criminel. ➔ (malicieux : *mischievous, impish*).
march : *to march* : marcher au pas, défiler. ➔ (marcher : *to walk*).
marry : *to marry* : épouser, se marier. ➔ (marier les couleurs, goûts : *to blend, to harmonize*).
match : *to match* : égaler, assortir ; *a match* : une allumette ; *a good match* : un bon parti.
material : matière, tissu, étoffe. ➔ (matériel : *equipment*).
mechanic : mécanicien. ➔ (mécanique : *engineering, mechanics*).
Mexico : le Mexique. ➔ (Mexico : *Mexico City*).
miserable : malheureux, pitoyable, misérable (condition), sale (temps). ➔ (misérable : *poverty-stricken, wretched, destitute*). *misery* : la détresse, la douleur, la misère.
money : argent. ➔ (monnaie : *currency* ; menue monnaie : *small change*).
moral : la morale d'une histoire. ➔ (la morale : *ethics*).
morale : le moral (des troupes).
morals : la moralité.
mundane : banal, terre-à-terre. ➔ (mondain : *fashionable, social, sophisticated*).

N

natives : aborigènes, autochtones ; *a native of Boston* : un Bostonien de naissance ; *a native country* : un pays natal ; *a native language* : une langue maternelle.
nervous : inquiet. ➔ (nerveux : *on edge, edgy, irritable, touchy*).
niche : créneau (commercial). ➔ (une niche à chiens : *a kennel*).
nominal : de pure forme, minime, insignifiant, symbolique, inexistant ; *nominally* : théoriquement. *A nominal marriage* : un mariage blanc. ➔ (valeur nominale : *face value*).
notice : observation, attention, notification, avis, congé ; *to give notice* : donner congé ; *at short notice* : à bref délai ; *to notice* : remarquer (voir). ➔ (notices : *instructions, brochure*).
notion : intention, idée, théorie ; *notions* (USA) : denrées diverses, fournitures ; *silly notions* : niaiseries.
notorious : notoire, de mauvaise réputation, insigne, fieffé. ➔ (notoire : *well known*).
novel : roman. ➔ (une nouvelle : *a short story*).

O

obedience : obéissance.
obtain : *to obtain* : prévaloir, exister, avoir cours. ➔ (obtenir : *to get*).
offence, offense (USA) : délit, infraction, violation, offense. ➔ (offense : *insult, libel*).
offensive : choquant, grossier, insupportable (odeur), offensif (contraire de défensif).
office : charge, emploi (dans une administration), pouvoir, portefeuille (de ministre) ; *to take / leave office* : entrer en fonctions, démissionner de ses fonctions ; *the Home Office* : le ministère de l'Intérieur ; *an inquiry office* : un bureau de renseignements ; *office automation* : la bureautique.
official : *an official* : un responsable, un haut fonctionnaire ; *officials* : les autorités. ➔ (officier : *officer*).
operate : *to operate* : diriger, faire fonctionner. ➔ (opérer qn. : *to operate on sb*).
operator : un gérant, un exploitant.
opportunity : occasion favorable ; *opportunities* : débouchés, perspectives d'avenir ; *equal opportunity* : l'égalité des chances. ➔ (opportunité : *timeliness, appropriateness, advisability*).
outrage : atrocité, scandale, attentat. ➔ (outrage : *insult*).
outrageous : violent, furieux, outré, scandaleux.

P

pain : douleur, souffrance. ➔ (pain : *bread,* peine : *sorrow*).
parcel : paquet, colis. ➔ (parcelle : *fragment, bit, plot of land*).
parley : *to parley* : parlementer. ➔ (parler : *to speak*).
parole : liberté conditionnelle ; *to parole* : mettre en liberté conditionnelle.
part : *to part* : (se) séparer. ➔ (partager : *to share*) ; *a part* : un rôle, une partie, une part.
partial : partiel, partial, injuste ; *to be partial to wine* : bien aimer boire.
particular : particulier, spécial, minutieux, méticuleux, détaillé.
particulars : détails, renseignements. ➔ (signes particuliers : *distinctive signs*).
pass : *to pass* : dépasser, croiser, défiler, réussir (examen), voter (un projet / une proposition de loi). ➔ (passer un examen : *to take an exam, to sit for an exam*).
patron : habitué (des bistrots), client, mécène. ➔ (patron : *boss, manager, owner*).
people : gens ; *20 people* : 20 personnes ; *a people* : un peuple ; *the French-speaking peoples* : les peuples francophones.
performance : représentation, numéro, exécution, interprétation, résultats (scolaires), exploit. ➔ (performance : *accomplishment, deed, feat*).
perverse : obstiné, contrariant. ➔ (pervers : *perverted, depraved*).
petrol : essence (UK). ➔ (pétrole : *oil,* le brut : *crude oil, petroleum*).
petty : insignifiant, sans importance, mesquin, malveillant.
photograph : photographie. ➔ (un photographe : *a photographer*).
phrase : expression, locution. ➔ (phrase : *sentence*).
physician : médecin. ➔ (physicien : *physicist*).
piles : hémorroïdes. ➔ (pile électrique, alkaline : *battery*).
pique : *to pique* : irriter, froisser, piquer (la curiosité). ➔ (piquer : *to sting*).
placard : affiche. ➔ (placard : *cupboard*).
place : endroit, lieu. ➔ (place : *square, seat, place* - pour les objets).
plant : plante, usine, fabrique.
platform : quai (gare, métro), estrade, tribune, programme électoral.
policy : politique, règle d'action, règle, police d'assurance. ➔ (la politique : *politics*) ; *policy statement* : déclaration de principe.
positive : positif, catégorique, formel, sûr.
prejudice : préjugé. ➔ (préjudice : *harm, loss, wrong*).

presently : bientôt, tout à l'heure (UK), maintenant, en ce moment (USA). ➔ (présentement : *at present, currently, nowadays*).
preservative : conservateur (chimique).➔ (préservatif : *condom*).
presume : *to presume* : présumer, supposer, se permettre, oser.
pretend : *to pretend* : faire semblant, feindre. ➔ (prétendre : *to allege, to claim, to assert, to maintain, to say*).
prevent : *to prevent* (*from*) : empêcher de . ➔ (prévenir : *to warn, to inform, to let sb know, to let it be known*).
process : processus, cours, procédé, méthode. ➔ (procès : *lawsuit, trial*).
professional : membre d'une profession libérale.
professor : professeur d'Université. ➔ (professeur : *teacher*).
programme, program : programme, émission.
propriety : bienséance, convenance. ➔ (propriété : *property*).
provision : disposition, clause, provision.
puzzle : énigme. ➔ (un puzzle : *a jigsaw game*).

Q

qualify : *to qualify* : obtenir un diplôme, émettre des réserves, atténuer, nuancer, habiliter, donner qualité à. ➔ (qualifier : *to call, to label, to describe*).
question : *to question* : mettre en doute, contester questionner ; *questionable* : contestable, douteux.
quit : *to quit* : céder, baisser pavillon, acquitter (une dette), déménager ; *notice to quit* : avis de congé. ➔ (quitter : *to leave*).

R

race : race, course.
radical : extrémiste, gauchiste.
rally : rassemblement de masse, rallye (automobile) ; *to rally* : échanger des balles (tennis), reprendre (économie).
rampant : qui sévit (violence), qui fait rage. ➔ (rampant : *creeping, cringing, grovelling, crawling*).
range : *to range* ; ranger, classer, aligner, parcourir (pays) ; *to range from . . . to . . .* : s'étendre de... à... ; *a range* : chaîne (de montagnes), portée (de missile), rayon d'action (avion), éventail, gamme, habitat, biotope, prairie (USA), cuisinière (appareil ménager).
rare : saignant (viande), excellent, formidable. ➔ (rare : *uncommon, scarce, infrequent*).
realize : *to realize* : se rendre compte, prendre conscience de. ➔ (réaliser un rêve : *to make a dream come true, to fulfill a dream*, réaliser (un projet) : *to carry out, to achieve*).
recipient : bénéficiaire, destinataire. ➔ (récipient : *vessel, container*).
reclaim : *to reclaim* : défricher, assécher, amender, corriger (qn.), récupérer (matériaux). ➔ (réclamer : *claim, complain, ask for*) ; *reclamation* : assèchement, assainissement, récupération. ➔ (réclamation : *complaint, protest*).
record : *to record* : consigner, inscrire, enregistrer, relater, décrire ; *a record* : un disque, un bilan, un rapport officiel, une trace officielle, un casier judiciaire. ➔ (*to have a record* : avoir un casier judiciaire).
recoup : *to recoup (one's losses)* : récupérer (ses pertes), dédommager, indemniser. ➔ (recouper : *to bear out, to confirm*).
recover : *to recover* : retrouver, recouvrer, récupérer, guérir. ➔ (recouvrir : *to cover*).
redundant : superflu, redondant, au chômage ; *to make redundant* : licencier.
refuse : déchets, ordures. ➔ (refus : *refusal*).
regard : *to regard* : considérer, concerner. ➔ (regarder : *to look, to watch*) ; *in that regard* : à cet effet.
regular : régulier, normal, habituel, vrai, véritable.
rehabilitate : *to rehabilitate* : rénover (un quartier), réinsérer un prisonnier. ➔ (réhabiliter qn. : *to clear sb's name*).
relation : parent, parenté, relation, rapport. ➔ (relation = connaissance : *acquaintance*, récit : *account, report, record*).
relative : parents proches. ➔ (relation / personne : *relation*).
relevant : significatif, qui a trait à, pertinent.
relief : soulagement, aide (sociale), dégrèvement (fiscal), relief (géographique).
remark : faire remarquer. ➔ (remarquer : *to notice*).
rent : loyer. ➔ (rente : *annuity, pension, allowance*).
report : rapport, récit, rumeur, réputation, renom, détonation, explosion. ➔ (report : *postponement, putting off*).
resent : *to resent* : s'offusquer de, déplaire. ➔ (ressentir : *to feel*).
resign : *to resign* : démissionner. ➔ (se résigner : *to resign oneself, to submit*).
resort : *to resort* : avoir recours à ; *a resort* : une station de villégiature.➔ (ressort : *spring*, énergie : *spirit, energy*, compétence : *competence, responsibility*).
respond : *to respond* : réagir. ➔ (répondre : *to answer, to reply*).
rest : *to rest* : se reposer, s'appuyer. ➔ (rester : *to remain, to stay, to keep* ; les restes : *left-overs, remains*).
resume : *to resume* : reprendre (le travail). ➔ (résumer : *to summarize, to epitomize, to sum up*).
retire : *to retire* : prendre sa retraite. ➔ (se) retirer : *to take off* (habits), *to pull out, to withdraw, to pick up*).
riches : richesses. ➔ (les riches : *the well-off, the well-to-do, the rich, the wealthy*).
river : rivière, fleuve ; *the Thames River* : la Tamise.
romance : roman à l'eau de rose, idylle. ➔ (romance : *ballad, lovesong*).
rot : to rot : pourrir. ➔ (roter : *to belch, to burp*).
rude : impoli, grossier. ➔ (rude : *rough, harsh, tough*).

S

sanguine : optimiste, encourageant.➔ (sanguin – pour le caractère : *fiery, passionate*, visage : *ruddy, sanguine*).
scheme : plan, projet, complot, machination. ➔ (schéma : *sketch, diagram*).
scholar : érudit, cultivé, lettré, boursier, écolier. ➔ (scolaire : *school, scholastic, schoolish*).
sensible : raisonnable, sensé. ➔ (sensible : *sensitive*).
sentence : phrase, condamnation.
sober : mesuré, posé, sérieux, sobre (≠ ivre). ➔ (sobre : *temperate*).
sort : *to sort* : trier, classer, mettre de l'ordre. ➔ (sortir : *to go out, to leave, to come out*).
spectacles : lunettes. ➔ (spectacle : *show, sight, view*).
spirits : humeur, moral, alcool, spiritueux.
stage : scène (théâtre, phase, étape, étage (fusée). ➔ (un stage : *a training session*).
store : provisions, réserves, stock, magasin. ➔ (store : *blind, shade*).

suit : costume, complet, requête, pétition, procès, poursuites. ➔ (suite : *continuation, result, series, suite* – dans un hôtel)
supply : *to supply* : fournir ; *supplies* : fournitures, réserves, stocks, fournitures (de bureau). ➔ (supplier : *to beg, to beseech*).
support : soutenir, encourager, subvenir aux besoins de. ➔ (supporter : *to bear, to put up with, to stand, to suffer, to hold up*).
surely : tout de même, pourtant, assurément. ➔ (sûrement : *certainly*).
surname : nom de famille. ➔ (surnom : *nickname, pet name*).
survey : *to survey* : contempler, examiner, enquêter. ➔ (surveiller : *to watch, to keep watch, to keep an eye*). *A survey* : une vue générale, un panorama, une enquête (d'opinion), une étude. ➔ (surveillance : *watch, supervision*).
sympathize : *to sympathize* : plaindre, compatir. ➔ (sympathiser avec qn. : *to make friends with, to get on well with*).

T

tariffs : droits de douane, tarif douanier.
tax : impôts ; *a taxpayer* : un contribuable.
tentative : timide (sourire), provisoire (conclusion), expérimental. ➔ (une tentative : *an attempt*).
traduce : *to traduce* : calomnier, diffamer. ➔ (traduire un texte : *to translate* ; traduire une idée : *to convey, to express*).
train : *to train* : former, dresser, entraîner, recevoir une formation.➔ (traîner : *to drag, to hang about*).
trespass : *to trespass* : enfreindre, s'introduire sans autorisation. ➔ (trépasser : *to pass away*).
trivial : insignifiant, dérisoire, sans gravité, sans intérêt. ➔ (trivial : *coarse, crude*).
trouble : difficulté, problème, mal, peine ; *to have trouble + ING* : avoir du mal à. ➔ (troubles : *turmoil, unrest, disturbances*).
tutor : précepteur, directeur d'études (UK), assistant de faculté (USA). ➔ (tuteur : *guardian*, pour une personne, *prop* en agriculture).

U

uncontrollable : galopant, effréné, qu'on ne peut arrêter ; *uncontrollable inflation* : inflation galopante.
undocumented : sans papiers (travailleurs immigrés).
uninhabited : inhabité.
union : syndicat = *trade union* (UK), *labor union* (USA).
use : *to use* : se servir de, utiliser, employer, user de. ➔ (user : *to wear out, to wear away*).
utility : service public ; *utility company* : société de service public (eau, gaz, électricité).

V

vacancy : chambre à louer, poste vacant. ➔ (vacances : *holiday, vacation*).
verge : accotement ; *on the verge of* : à deux doigts de.
versatile : aux talents variés, doué, universel, encyclopédique. ➔ (versatile : *changeable, fickle, changing*).
vessel : vaisseau, récipient, vase. ➔ (vaisselle : *dishes, crockery, washing up*).
vest : maillot de corps (UK), gilet (USA). ➔ (veste : *jacket*).
veteran : ancien combattant.
vex : *to vex* : contrarier, tourmenter, fâcher (contre). ➔ (vexer : *to hurt, to upset*).
vicious : méchant, haineux, brutal. ➔ (vicieux : *lecherous, depraved*).
villain : scélérat, vaurien, bandit. ➔ (vilain : *nasty, ugly, wicked, naughty*).
virtually : pratiquement.
volatile : explosif (situation), instable, changeant.
voyage : voyage par mer. ➔ (voyage : *journey, trip*).

WZ

wagon : chariot. ➔ (wagon : *carriage* (UK), *car* (USA).
zest : entrain, élan, enthousiasme. ➔ (zest : *peel*).

INDEX

de 253 à 262

INDEX

ANGLAIS

FRANÇAIS

N

O

P

R

S

T

V

Z

Achevé d'imprimer en mai 1999
N° d'impression L 58281
Dépôt légal mai 1999
Imprimé en France